풍산자

일등급유형

엄선된 기출문제는 자신감으로

명쾌한 해설은 실력으로 쌓이는

〈풍산자 일등급유형〉입니다.

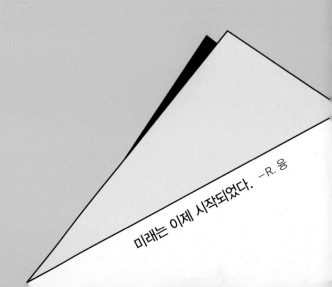

미래는 이제 시작되었다. —R. 융

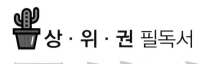

상·위·권 필독서

풍산자
일등급유형

풍산자의 일등급 도전 로드맵

| 필수 개념과 유형으로 **상위권 실력 입문** | 상 수준의 문제로 **상위권 실력 완성** | 최고난도 문제로 **최상위권 정복** | 미니 모의고사로 **상위권 실력 점검** |

출제율 높은 필수 문제 엄선

최신 학교 시험, 평가원, 교육청 기출 문제 철저 분석, 출제율 높은 문제 엄선

상위권 문제 단계별 공략

필수 기출 – 일등급 완성 – 도전 문제의 단계별 공략으로 1등급 실력 완성

일등급 사고력, 창의력 강화

실전에서 만나는 일등급 문제 해결을 위한 사고력, 창의력 강화 문제 다수 수록

풍산자
일등급
유형

미적분

구성과 특징

1 일등급 실력 완성을 위한 집중 학습

학교 시험과 수능에서 일등급 실력을 완성하기 위한 문항 대비 집중서로 중상위 수준의 다양한 문제 풀이를 통해 중위권 학생들은 상위권 실력으로 향상될 수 있고, 상위권 학생들은 상위권 실력을 유지할 수 있도록 구성하였습니다.

2 다양한 유형의 문항으로 학교시험 & 학력평가 대비

학교 시험과 수능/모의고사/학력평가를 분석하여 출제 빈도가 높고 반드시 알아야 할 유형, 다양한 문제 해결력이 필요한 유형을 체계적으로 수록하여 학교 시험과 수능을 동시에 대비할 수 있습니다. 또한 최신 기출 문제를 연습하고 실전에 대비할 수 있도록 신경향 문제를 수록하였습니다.

3 점진적 학습이 가능한 단계별 문제 구성

실전 개념이 문제에 어떻게 활용되는지를 정리하였고, 중 수준, 상 수준, 최상위 수준의 문제를 단계별로 수록하여 문제를 풀면서 일등급 실력에 도달할 수 있도록 구성하였습니다.

STEP A | 상위권 보장 개념+필수 기출 문제

- 학교 시험/평가원/교육청 기출 문제를 체계적으로 분석하여 실전 개념을 정리하였고, 출제 가능성이 높은 유형으로 구성하였습니다.
- 등급업 TIP〈 실전에 자주 이용되는 개념, 공식, 비법 등을 제시하였습니다.
- STEP A, STEP B에서는 실제 시험에 출제되는 문제를 수록하여 실전 감각을 기를 수 있습니다.

  평가원 기출 / 교육청 기출 / 평가원/ 교육청 기출 문제 중에서 중요한 유형의 문제입니다.

  학교 기출 신 유형 최신 학교 시험 기출 문제 중에서 새로운 유형의 문제로 정답과 풀이에서 접근 방법을 확인할 수 있습니다.

STEP B | 최상위권 도약 실력 완성 문제

- 개념별로 상 수준의 문제를 구성하여 탄탄한 상위권 실력을 완성할 수 있도록 하였습니다.

  〈다빈출〉 출제 비중이 높은 유형의 문제입니다.

STEP C | 상위 1% 도전 문제

- 대단원별 최고난도 문항으로 일등급 대비와 최상위 실력을 기를 수 있도록 하였습니다.

| 미니 모의고사

- 대단원별로 실력을 점검할 수 있는 문항을 엄선하여 구성하였습니다.

차례

III 적분법

어제는 역사이고

내일은 미래이며,

그리고 오늘은 선물입니다.

그렇기에 우리는

현재(present)를 선물(present)이라고 말합니다.

명석한 두뇌도 뛰어난 체력도 타고난 재능도 끝없는 노력을 이길 순 없다.

아무것도 변하지 않을지라도 내가 변하면 모든 것이 변한다.

풍산자 일등급유형과 함께
까다로운 문제를 정복해 볼까요?

_ 계산 실수와 개념의 잘못된 적용을 유도하는 문제

_ 개념은 단순한데 사고의 전환이 필요한 신경향 문제

_ 익숙한 문제인데 풀이 방법은 다른 접근이 필요한 문제

_ 여러 가지 개념의 응용을 해야 하는데 적용에 실패하는 문제

_ 문제 해결을 위한 조건과 추론 과정에서 변형과 해석을 요구하는 문제

I

수열의 극한

상위권 보장 개념+필수 기출 문제

개념 1   수열의 수렴과 발산

(1) **수열의 수렴**: 수열 $\{a_n\}$에서 n의 값이 한없이 커질 때, a_n의 값이 일정한 값 α에 한없이 가까워지면 수열 $\{a_n\}$은 α에 수렴한다고 한다.

$$\lim_{n \to \infty} a_n = \alpha \quad \text{또는} \quad n \to \infty \text{일 때 } a_n \to \alpha$$

참고 $\lim_{n \to \infty} a_n = \alpha$ (α는 상수)이면

$$\lim_{n \to \infty} a_{n-1} = \lim_{n \to \infty} a_{n+1} = \lim_{n \to \infty} a_{2n} = \alpha$$

(2) **수열의 발산**: 수열 $\{a_n\}$이 수렴하지 않을 때, 수열 $\{a_n\}$은 발산한다고 한다.

① 양의 무한대로 발산: $\lim_{n \to \infty} a_n = \infty$

② 음의 무한대로 발산: $\lim_{n \to \infty} a_n = -\infty$

③ 진동

참고 $\lim_{n \to \infty} a_n = \infty$는 수열 $\{a_n\}$의 극한값이 ∞라는 것이 아니라, a_n의 값이 한없이 커지는 상태라는 것을 의미한다.

(3) **수열의 극한에 대한 기본 성질**
두 수열 $\{a_n\}$, $\{b_n\}$이 각각 수렴할 때

① $\lim_{n \to \infty} k a_n = k \lim_{n \to \infty} a_n$ (단, k는 상수이다.)

② $\lim_{n \to \infty} (a_n + b_n) = \lim_{n \to \infty} a_n + \lim_{n \to \infty} b_n$

③ $\lim_{n \to \infty} (a_n - b_n) = \lim_{n \to \infty} a_n - \lim_{n \to \infty} b_n$

④ $\lim_{n \to \infty} a_n b_n = \lim_{n \to \infty} a_n \times \lim_{n \to \infty} b_n$

⑤ $\lim_{n \to \infty} \dfrac{a_n}{b_n} = \dfrac{\lim\limits_{n \to \infty} a_n}{\lim\limits_{n \to \infty} b_n}$ (단, $b_n \neq 0$, $\lim\limits_{n \to \infty} b_n \neq 0$)

참고 수열의 극한에 대한 기본 성질은 각각의 수열이 수렴할 때만 성립한다.

등급업 TIP

상수 k에 대하여

(1) $\lim_{n \to \infty} a_n = \infty$ 또는 $\lim_{n \to \infty} a_n = -\infty$ ➡ $\lim_{n \to \infty} \dfrac{k}{a_n} = 0$

(2) $\lim_{n \to \infty} a_n = 0$ ➡ $\lim_{n \to \infty} \dfrac{k}{a_n} = \pm \infty$

(3) $\lim_{n \to \infty} a_n = k$, $\lim_{n \to \infty} b_n = \infty$일 때

$k > 0$ ➡ $\lim_{n \to \infty} a_n b_n = \infty$

$k < 0$ ➡ $\lim_{n \to \infty} a_n b_n = -\infty$

001
출제율

다음 |보기|의 수열에서 수렴하는 것만을 있는 대로 고른 것은?

┌ • 보기 •

ㄱ. $\left\{ \left(-\dfrac{1}{3} \right)^n \right\}$　　　　ㄴ. $\{ 3 + \sin n\pi \}$

ㄷ. $\{ (-1)^{n+1} + (-1)^n \}$

① ㄱ　　　　② ㄴ　　　　③ ㄷ

④ ㄱ, ㄴ　　　⑤ ㄱ, ㄴ, ㄷ

---

002 교육청 기출
출제율

두 수열 $\{a_n\}$, $\{b_n\}$에 대하여

$$\lim_{n \to \infty} a_n = 2, \quad \lim_{n \to \infty} b_n = 1$$

일 때, $\lim_{n \to \infty} (a_n + 2b_n)$의 값을 구하여라.

003
출제율

수렴하는 수열 $\{a_n\}$에 대하여 $\lim\limits_{n \to \infty} \dfrac{3a_n - 5}{a_n + 3} = \dfrac{2}{3}$일 때, $\lim\limits_{n \to \infty} a_n$의 값은?

① 1　　　　② 2　　　　③ 3

④ 4　　　　⑤ 5

004

출제율 ▰▰▱▱▱

모든 항이 양수인 수열 $\{a_n\}$에 대하여 $\lim\limits_{n\to\infty}\dfrac{2}{a_n}=0$일 때,

$\lim\limits_{n\to\infty}\dfrac{-3a_n+4}{a_n+2}$의 값은?

① -3　　　② -2　　　③ -1

④ 0　　　⑤ 1

005

출제율 ▰▰▱▱▱

두 수열 $\{a_n\}$, $\{b_n\}$이

$$\lim_{n\to\infty}(a_n-3)=1,\ \lim_{n\to\infty}(a_n+2b_n)=5$$

를 만족시킬 때, $\lim\limits_{n\to\infty}a_n(2+b_n)$의 값을 구하여라.

006

출제율 ▰▰▰▱▱

두 수열 $\{a_n\}$, $\{b_n\}$에 대하여 |보기|에서 옳은 것만을 있는 대로 고른 것은? (단, α는 상수이다.)

┌─ 보기 ─────────────────────────
│ ㄱ. $\lim\limits_{n\to\infty}a_n=\infty$, $\lim\limits_{n\to\infty}b_n=\infty$이면 $\lim\limits_{n\to\infty}(a_n-b_n)=0$
│ 　　이다.
│ ㄴ. $\lim\limits_{n\to\infty}a_n=\infty$, $\lim\limits_{n\to\infty}b_n=\infty$이면 $\lim\limits_{n\to\infty}\dfrac{a_n}{b_n}=1$이다.
│ ㄷ. $\lim\limits_{n\to\infty}a_n=\infty$, $\lim\limits_{n\to\infty}b_n=0$이면 $\lim\limits_{n\to\infty}a_nb_n=0$이다.
│ ㄹ. $\lim\limits_{n\to\infty}(a_n-b_n)=0$, $\lim\limits_{n\to\infty}a_n=\alpha$이면 $\lim\limits_{n\to\infty}b_n=\alpha$이다.
└────────────────────────────────

① ㄱ　　　② ㄹ　　　③ ㄴ, ㄷ

④ ㄴ, ㄹ　　　⑤ ㄷ, ㄹ

개념 ② 수열의 극한값의 계산

(1) $\dfrac{\infty}{\infty}$ 꼴: 분모의 최고차항으로 분모, 분자를 각각 나눈다.

　① (분모의 차수)=(분자의 차수)

　　➡ 극한값은 최고차항의 계수의 비이다.

　② (분모의 차수)>(분자의 차수)

　　➡ 극한값은 0이다.

　③ (분모의 차수)<(분자의 차수)

　　➡ ∞ 또는 $-\infty$로 발산한다. 즉, 극한값은 없다.

(2) $\infty-\infty$ 꼴

　① 다항식은 최고차항으로 묶는다.

　② 무리식은 근호가 있는 쪽을 유리화한다.

참고　다항식의 극한은 최고차항의 계수가 양수이면 ∞로, 음수이면 $-\infty$로 발산한다.

주의　∞는 수가 아니라 한없이 커지는 상태를 나타내므로 $\dfrac{\infty}{\infty}\neq1$, $\infty\times\infty\neq\infty^2$, $\infty-\infty\neq0$이다.

등급업 TIP

$\lim\limits_{n\to\infty}a_n=\infty$, $\lim\limits_{n\to\infty}b_n=\infty$, $\lim\limits_{n\to\infty}\dfrac{a_n}{b_n}=\alpha$ (α는 실수)일 때

(1) $\alpha=0$ ➡ (a_n의 차수)<(b_n의 차수)

(2) $\alpha\neq0$ ➡ (a_n의 차수)=(b_n의 차수)이고

$\alpha=\dfrac{(a_n\text{의 최고차항의 계수})}{(b_n\text{의 최고차항의 계수})}$이다.

007

출제율 ▰▰▰▰▰

$\lim\limits_{n\to\infty}\dfrac{\sqrt{n+2}+\sqrt{n-2}}{\sqrt{4n+1}+\sqrt{4n-1}}$의 값은?

① $\dfrac{1}{3}$　　　② $\dfrac{1}{2}$　　　③ $\dfrac{2}{3}$

④ 1　　　⑤ $\dfrac{4}{3}$

008 출제율 ▰▰▱

$\lim\limits_{n\to\infty} \dfrac{\sqrt{n^3+n}-\sqrt{n^3-n}}{\sqrt{n+2}-\sqrt{n-2}}$ 의 값은?

① $\dfrac{1}{4}$ ② $\dfrac{1}{2}$ ③ $\dfrac{3}{4}$

④ 1 ⑤ $\dfrac{5}{4}$

009 출제율 ▰▰▱

$\lim\limits_{n\to\infty} \dfrac{(n+2)^3-(n-2)^3}{3n^2-1}$ 의 값은?

① 2 ② 4 ③ 6

④ 8 ⑤ 10

010 출제율 ▰▰▰

$\lim\limits_{n\to\infty} \dfrac{5n^3}{3^2+6^2+9^2+\cdots+9n^2}$ 의 값은?

① $\dfrac{1}{3}$ ② $\dfrac{2}{3}$ ③ 1

④ $\dfrac{4}{3}$ ⑤ $\dfrac{5}{3}$

011 출제율 ▰▰▱

$\lim\limits_{n\to\infty} \{\sqrt{1+2+3+\cdots+n}-\sqrt{1+2+3+\cdots+(n-1)}\}$

의 값은?

① $\dfrac{1}{2}$ ② $\dfrac{\sqrt{2}}{2}$ ③ 1

④ $\sqrt{2}$ ⑤ $2\sqrt{2}$

012 출제율 ▰▱▱

이차방정식 $x^2+4nx-3n=0$의 양의 실근을 a_n이라고 할 때, $\lim\limits_{n\to\infty} a_n$의 값은? (단, n은 자연수이다.)

① $\dfrac{3}{4}$ ② $\dfrac{3}{2}$ ③ 2

④ $\dfrac{9}{4}$ ⑤ $\dfrac{5}{2}$

013 출제율 ▰▰▱

모든 항이 양수인 수열 $\{a_n\}$에 대하여

$$\dfrac{1+a_n}{a_n}=2n^3+3$$

이 성립할 때, $\lim\limits_{n\to\infty}(4n^3+3n)a_n$의 값을 구하여라.

014

출제율 ▭▭▭▭

수열 $\{a_n\}$에 대하여 $\lim_{n \to \infty}(n^3+3n+1)a_n=5$일 때, $\lim_{n \to \infty}(2n^3-3n+4)a_n$의 값은?

① 1   ② 5   ③ 10

④ 15   ⑤ 20

015 학교 기출 신유형

출제율 ▭▭▭▭

$\lim_{n \to \infty} \dfrac{an^3+bn+1}{2n-3}=2$를 만족시키는 두 상수 a, b에 대하여 $a+b$의 값은?

① 1   ② 2   ③ 3

④ 4   ⑤ 5

016

출제율 ▭▭▭▭

$\lim_{n \to \infty} \dfrac{15}{\sqrt{n^2+kn}-\sqrt{n^2+1}}=3$이 되도록 하는 상수 k의 값은?

① 3   ② 5   ③ 6

④ 9   ⑤ 10

개념 ③ 수열의 극한값의 대소 관계

두 수열 $\{a_n\}$, $\{b_n\}$이 각각 수렴할 때

(1) 모든 자연수 n에 대하여 $a_n \le b_n$이면 $\lim_{n \to \infty}a_n \le \lim_{n \to \infty}b_n$이다.

(2) 수열 $\{c_n\}$이 모든 자연수 n에 대하여 $a_n \le c_n \le b_n$이고 $\lim_{n \to \infty}a_n = \lim_{n \to \infty}b_n = \alpha$이면 $\lim_{n \to \infty}c_n = \alpha$이다.

참고 수렴하는 두 수열 $\{a_n\}$, $\{b_n\}$이 모든 자연수 n에 대하여 $a_n < b_n$이라고 해서 반드시 $\lim_{n \to \infty}a_n < \lim_{n \to \infty}b_n$이 성립하는 것은 아니다. 예를 들어 $a_n=\dfrac{1}{n}$, $b_n=\dfrac{2}{n}$이면 모든 자연수 n에 대하여 $a_n < b_n$이지만 $\lim_{n \to \infty}a_n=0$, $\lim_{n \to \infty}b_n=0$이므로 $\lim_{n \to \infty}a_n=\lim_{n \to \infty}b_n$이다.

등급업 TIP

두 수열 $\{a_n\}$, $\{b_n\}$이 모든 자연수 n에 대하여 $a_n \le b_n$일 때

(1) $\lim_{n \to \infty}a_n=\infty$이면 $\lim_{n \to \infty}b_n=\infty$이다.

(2) $\lim_{n \to \infty}b_n=-\infty$이면 $\lim_{n \to \infty}a_n=-\infty$이다.

017

출제율 ▭▭▭▭

수열 $\{a_n\}$이 모든 자연수 n에 대하여 부등식
$$3n^2<(n^2+3)a_n<3n^2+2n+1$$
을 만족시킬 때, $\lim_{n \to \infty}a_n$의 값은?

① $\dfrac{2}{3}$ ② $\dfrac{7}{3}$ ③ 3

④ $\dfrac{10}{3}$ ⑤ 4

018 평가원 기출 　　　　　　출제율 ▭▭▭

모든 항이 양수인 수열 $\{a_n\}$이 모든 자연수 n에 대하여 부등식

$$\sqrt{9n^2+4}<\sqrt{na_n}<3n+2$$

를 만족시킬 때, $\lim\limits_{n\to\infty}\dfrac{a_n}{n}$의 값은?

① 6　　　　　② 7　　　　　③ 8

④ 9　　　　　⑤ 10

019 　　　　　　　　　　　출제율 ▭▭

$\lim\limits_{n\to\infty}\dfrac{n\left(3n^2+\sin\dfrac{n}{2}\pi\right)}{n^3+2}$의 값을 구하여라.

020 학교 기출 신유형 　　　출제율 ▭▭▭

수열 $\{a_n\}$이 모든 자연수 n에 대하여 $|a_n-2n^2|\le1$을 만족시킬 때, $\lim\limits_{n\to\infty}\dfrac{a_{2n}}{2n^2+4}$의 값은?

① 1　　　　　② 2　　　　　③ 3

④ 4　　　　　⑤ 5

개념 ④ 등비수열의 수렴과 발산

(1) 등비수열 $\{r^n\}$에서

　① $r>1$일 때 $\lim\limits_{n\to\infty}r^n=\infty$ (발산)

　② $r=1$일 때 $\lim\limits_{n\to\infty}r^n=1$ (수렴)

　③ $-1<r<1$일 때 $\lim\limits_{n\to\infty}r^n=0$ (수렴)

　④ $r\le-1$일 때 $\{r^n\}$은 진동 (발산)

　참고 r^n을 포함한 식의 극한은 r의 값의 범위를 $|r|<1$, $r=1$, $r=-1$, $|r|>1$의 네 가지 경우로 나누어서 구한다.

(2) 수열 $\{ar^{n-1}\}$이 수렴하기 위한 조건은
　　$a=0$ 또는 $-1<r\le1$

등급업 TIP ▸ $\lim\limits_{n\to\infty}\dfrac{c^n+d^n}{a^n+b^n}$ 꼴은 분모의 밑이 가장 큰 항으로 분모, 분자를 나누어 극한값을 구한다. 즉, $|a|>|b|$이면 a^n으로, $|a|<|b|$이면 b^n으로 분모, 분자를 나누어 극한값을 구한다.

021 　　　　　　　　　　　출제율 ▭▭▭

수열 $\left\{\dfrac{2^n+4^{n+1}}{3^{n-1}-4^n}\right\}$의 극한값을 구하여라.

022 　　　　　　　　　　　출제율 ▭▭▭

수열 $\left\{x^n\left(\dfrac{x-1}{6}\right)^n\right\}$이 수렴하도록 하는 모든 정수 x의 값의 합은?

① -3　　　　② -1　　　　③ 0

④ 1　　　　　⑤ 3

023

출제율

등비수열 $\{(\log_2 4k-3)^n\}$이 수렴하도록 하는 실수 k의 값의 범위는?

① $0<k\leq3$ ② $1\leq k\leq4$

③ $0\leq k<3$ ④ $1<k\leq4$

⑤ $0\leq k\leq3$

024

출제율

$\lim\limits_{n\to\infty}\left(3+\dfrac{1}{2^n}\right)\left(a+\dfrac{1}{3^n}\right)=15$일 때, 상수 a의 값은?

① 1   ② 5   ③ 9

④ 13   ⑤ 17

025

출제율

수열 $\{r^n\}$이 수렴할 때, |보기|의 수열에서 항상 수렴하는 것만을 있는 대로 고른 것은? $\left(\text{단, }\lim\limits_{n\to\infty}r^n\neq-1\right)$

┌─ 보기 ────────────────────┐

ㄱ. $\left\{\left(\dfrac{1-r}{3}\right)^n\right\}$ ㄴ. $\left\{\left(2+\dfrac{r}{3}\right)^n\right\}$

ㄷ. $\left\{\left(1-\dfrac{r^n}{3}\right)\right\}$ ㄹ. $\left\{\dfrac{1}{1+r^n}\right\}$

└──────────────────────────┘

① ㄱ, ㄴ   ② ㄱ, ㄷ   ③ ㄷ, ㄹ

④ ㄱ, ㄷ, ㄹ   ⑤ ㄴ, ㄷ, ㄹ

026

출제율

수열 $\{a_n\}$이 모든 자연수 n에 대하여

$$5^{n+1}-4^n<(3^{n+1}+5^{n-1})a_n<3^n+5^{n+1}$$

을 만족시킬 때, $\lim\limits_{n\to\infty}a_n$의 값은?

① 5   ② 15   ③ 20

④ 25   ⑤ 30

027

출제율

$\lim\limits_{n\to\infty}\dfrac{2^{2n-1}+3^{2n-1}}{4^{n-1}+a\times9^{n+1}}=\dfrac{1}{81}$을 만족시키는 실수 a에 대하여 $\lim\limits_{n\to\infty}\dfrac{a^{n+1}}{3-a^{n-1}}$의 값은?

① -3 ② -6 ③ -9

④ -12 ⑤ -15

최상위권 도약 실력 완성 문제

STEP B

개념 ① 수열의 수렴과 발산

028

수렴하는 수열 $\{a_n\}$에 대하여 $\lim\limits_{n\to\infty}(a_{n+1}-a_n)=5$일 때, $\lim\limits_{n\to\infty}(a_{n+5}-a_n)$의 값을 구하여라.

029

수열 $\{a_n\}$에 대하여

$$\lim_{n\to\infty}a_n=24,\quad a_{n+1}-a_n=\frac{4}{n(n+1)}$$

일 때, a_1의 값은?

① 10   ② 15   ③ 20

④ 25   ⑤ 30

030 ◀다빈출

두 수열 $\{a_n\}$, $\{b_n\}$에 대하여

$$\lim_{n\to\infty}a_n=\infty,\quad \lim_{n\to\infty}(4a_n-3b_n)=12$$

일 때, $\lim\limits_{n\to\infty}\dfrac{3a_n+2b_n}{a_n-b_n}$의 값은? (단, $a_n-b_n\neq0$)

① -20 ② -19 ③ -18

④ -17 ⑤ -16

031

두 수열 $\{a_n\}$, $\{b_n\}$이 다음 조건을 만족시킬 때, $\lim\limits_{n\to\infty}(a_n{}^2b_n-a_nb_n-a_n+1)$의 값은?

(가) $\lim\limits_{n\to\infty}b_n=\infty$	(나) $\lim\limits_{n\to\infty}a_nb_n=6$

① -10 ② -5 ③ 0

④ 5   ⑤ 10

032

수렴하는 수열 $\{a_n\}$에 대하여 이차방정식

$$x^2-2a_nx+3a_{n+2}+4=0$$

이 중근을 갖는다. 수열 $\{a_n\}$의 모든 항이 양수일 때, $\lim\limits_{n\to\infty}a_n$의 값을 구하여라.

033

수렴하는 두 수열 $\{a_n\}$, $\{b_n\}$이 다음 조건을 만족시킬

때, $\lim\limits_{n \to \infty} \dfrac{a_n b_n}{(a_n - b_n)(a_n + b_n)}$의 값은?

(가) 모든 자연수 n에 대하여 $a_n > b_n > 0$

(나) $\lim\limits_{n \to \infty}(a_n - b_n) = 3$

(다) $\lim\limits_{n \to \infty}(a_n^2 + b_n^2) = 29$

① $\dfrac{1}{3}$ ② $\dfrac{8}{21}$ ③ $\dfrac{3}{7}$

④ $\dfrac{10}{21}$ ⑤ $\dfrac{11}{21}$

034 교육청 기출

두 수열 $\{a_n\}$, $\{b_n\}$의 일반항이

$$a_n = \frac{(-1)^n + 3}{2}, \, b_n = p \times (-1)^{n+1} + q$$

일 때, |보기|에서 옳은 것만을 있는 대로 고른 것은?

(단, p, q는 실수이다.)

━ 보기 ━

ㄱ. 수열 $\{a_n\}$은 발산한다.

ㄴ. 수열 $\{b_n\}$이 수렴하도록 하는 실수 p가 존재한다.

ㄷ. 두 수열 $\{a_n + b_n\}$, $\{a_n b_n\}$이 모두 수렴하면 $\lim\limits_{n \to \infty}(a_n^2 + b_n^2) = 6$이다.

① ㄱ   ② ㄴ   ③ ㄱ, ㄴ

④ ㄱ, ㄷ   ⑤ ㄱ, ㄴ, ㄷ

035 학교 기출 신유형

수렴하는 수열 $\{a_n\}$의 첫째항부터 제n항까지의 합을 S_n이라고 할 때, 수열 $\{a_n + S_n\}$은 첫째항이 6, 공차가 4인 등차수열을 이룬다. $\lim\limits_{n \to \infty} a_n$의 값을 구하여라.

개념 ② 수열의 극한값의 계산

036

등차수열 $\{a_n\}$에서

$$a_1 = 3, \, a_1 - a_2 + a_3 - a_4 + a_5 = 13$$

일 때, $\lim\limits_{n \to \infty} \dfrac{a_n}{n}$의 값을 구하여라.

037

수열 $\{a_n\}$의 첫째항부터 제n항까지의 합 S_n이

$S_n = n^2 + 4n$일 때, $\lim\limits_{n \to \infty} \dfrac{a_n \times a_{n-1}}{S_n}$의 값을 구하여라.

038

두 수열 $\{a_n\}$, $\{b_n\}$이 다음 조건을 만족시킬 때, $\lim\limits_{n\to\infty} na_n$의 값은? (단, $a_n < b_n$)

(가) $a_n + b_n = 2n$	(나) $a_n \times b_n = -2$

① -2 ② -1 ③ 0

④ 1 ⑤ 2

039

함수 $f(x)$가 $f(x) = (x-5)^2$이고 자연수 n에 대하여 방정식 $f(x) = n$의 두 근이 α, β일 때,
$$g(n) = |\alpha - \beta|$$
라고 하자. $\lim\limits_{n\to\infty} \sqrt{2n}\{g(2n+1) - g(2n-1)\}$의 값은?

① 1 ② 2 ③ 3

④ 4 ⑤ 5

040

자연수 n에 대하여 다항식 $2(x+2)^{2n} + (2x+7)^n$을 $x-1$, $x+2$로 나눈 나머지를 각각 a_n, b_n이라고 할 때,
$\lim\limits_{n\to\infty} \dfrac{\log_3 a_n + \log_3 b_n}{n}$의 값을 구하여라.

041 ◀다빈출

자연수 n에 대하여 $\sqrt{n^2 + 6n + 4}$의 소수 부분을 a_n이라고 할 때, $\lim\limits_{n\to\infty} a_n$의 값은?

① 0 ② $\dfrac{1}{4}$ ③ $\dfrac{1}{3}$

④ $\dfrac{1}{2}$ ⑤ 1

042

일반항이 $a_n = 2n^2 - 2n + 1$인 수열 $\{a_n\}$의 첫째항부터 제n항까지의 합을 S_n이라고 할 때, $\lim\limits_{n\to\infty} \dfrac{3n^3 - 2}{S_n}$의 값은?

① $\dfrac{5}{2}$ ② 3 ③ $\dfrac{7}{2}$

④ 4 ⑤ $\dfrac{9}{2}$

043 학교 기출 신유형

자연수 $1, 2, 3, \cdots, n$에 대하여 서로 다른 두 수의 곱의 총합을 a_n이라고 할 때, $\displaystyle\lim_{n\to\infty}\frac{200a_n}{n^4}$의 값은?

① 20 　　　② 25 　　　③ 30

④ 35 　　　⑤ 40

044

모든 항이 양수인 수열 $\{a_n\}$이

$$2a_{n+1}=a_n+a_{n+2}, \quad \lim_{n\to\infty}\frac{n}{a_n}=\frac{1}{18}$$

을 만족시킨다. 수열 $\{a_n\}$의 첫째항부터 제n항까지의 합을 S_n이라고 할 때, $\displaystyle\lim_{n\to\infty}(\sqrt{S_{n+1}}-\sqrt{S_n})$의 값은?

① 1 　　　② 2 　　　③ 3

④ 4 　　　⑤ 5

045 교육청 기출

두 수열 $\{a_n\}$, $\{b_n\}$이 다음 조건을 만족시킨다.

(가) $\displaystyle\sum_{k=1}^{n}(a_k+b_k)=\frac{1}{n+1}$ $(n\geq1)$

(나) $\displaystyle\lim_{n\to\infty}n^2b_n=2$

$\displaystyle\lim_{n\to\infty}n^2a_n$의 값은?

① -3 　　　② -2 　　　③ -1

④ 0 　　　⑤ 1

046

수열 $\{a_n\}$의 일반항이 $a_n=\log_2\dfrac{n+2}{n+1}$일 때,

$\displaystyle\lim_{n\to\infty}\frac{2^{a_1+a_2+a_3+\cdots+a_n}}{n}$의 값을 구하여라.

047 다빈출

자연수 n에 대하여

$$\lim_{n\to\infty}\frac{1}{n^x}\left\{\left(n+\frac{1}{n}\right)^{25}-\frac{1}{n^{25}}\right\}$$

의 값이 존재하기 위한 실수 x의 최솟값은?

① 21 　　　② 23 　　　③ 25

④ 27 　　　⑤ 29

048

다음 그림과 같이 자연수 n에 대하여 직선 $x=n$이 두 곡선 $y=\sqrt{4x+1}$, $y=\sqrt{x-2}$와 만나는 점을 각각 A_n, B_n이라고 하자. $a_n=\overline{OA_n}$, $b_n=\overline{OB_n}$이라고 할 때, $\lim\limits_{n\to\infty}\dfrac{18}{a_n-b_n}$의 값은? (단, $n\geq2$이고 O는 원점이다.)

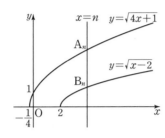

① 10   ② 11   ③ 12

④ 13   ⑤ 14

049

좌표평면 위의 두 원
$$x^2+(y-2)^2=4,\ (x-n)^2+y^2=n^2$$
이 원점과 점 A_n에서 만난다. 원 $(x-n)^2+y^2=n^2$의 중심을 점 B_n이라 하고 선분 A_nB_n을 $2:3$으로 내분하는 점을 (x_n, y_n)이라고 할 때, $\lim\limits_{n\to\infty}\left(\dfrac{2n}{x_n}+5y_n\right)$의 값은?

① 11   ② 13   ③ 15

④ 17   ⑤ 19

050 학교 기출 신 유형

자연수 n에 대하여 직선 $y=\dfrac{x}{n}$와 원 $x^2+(y-2)^2=12$가 만나는 두 점 사이의 거리를 a_n이라고 할 때, $\lim\limits_{n\to\infty}a_n^2$의 값을 구하여라.

051

자연수 n에 대하여 원 $(x-2n)^2+(y-n)^2=n^2$ 위의 점 P_n과 직선 $x+y+n=0$ 사이의 거리의 최댓값을 M_n, 최솟값을 m_n이라고 하자. $a_n=M_nm_n$이라고 할 때, $\lim\limits_{n\to\infty}\dfrac{3}{n^3}\sum\limits_{k=1}^{n}a_k$의 값은?

① 6   ② 7   ③ 8

④ 9   ⑤ 10

개념 3 **수열의 극한값의 대소 관계**

052

자연수 n에 대하여 $X=\lim\limits_{n\to\infty}\dfrac{1}{n}\left[\dfrac{n}{20}\right]$일 때, $80X$의 값은?
(단, $[x]$는 x보다 크지 않은 최대의 정수이다.)

① 2   ② 4   ③ 6

④ 8   ⑤ 10

053

모든 항이 양수인 두 수열 $\{a_n\}$, $\{b_n\}$이 다음 조건을 만족시킬 때, $\lim\limits_{n\to\infty}\dfrac{b_n}{a_n}$의 값은?

> (가) $\lim\limits_{n\to\infty}\dfrac{a_n}{n^2}=\dfrac{1}{2}$
>
> (나) 모든 자연수 n에 대하여
> $$\dfrac{4n^3-n^2}{3n+2}<a_n+b_n<\dfrac{4n^3+n^2}{3n-2}$$

① $\dfrac{1}{3}$　　② $\dfrac{2}{3}$　　③ 1

④ $\dfrac{4}{3}$　　⑤ $\dfrac{5}{3}$

054 학교 기출 신유형

수열 $\{a_n\}$이 모든 자연수 n에 대하여
$$3n^4-6n^3+3n^2<a_n<3n^4+6n^3+3n^2$$
을 만족시킬 때, $\lim\limits_{n\to\infty}\dfrac{a_1+\dfrac{a_2}{2^2}+\dfrac{a_3}{3^2}+\cdots+\dfrac{a_n}{n^2}}{2n^3}$의 값은?

① $\dfrac{1}{3}$　　② $\dfrac{1}{2}$　　③ $\dfrac{2}{3}$

④ 1　　⑤ $\dfrac{4}{3}$

055

모든 항이 양수인 수열 $\{a_n\}$이 모든 자연수 n에 대하여 다음 조건을 만족시킬 때, $\lim\limits_{n\to\infty}na_n$의 값을 구하여라.

> (가) 이차방정식 $nx^2-(3n+1)x+n^2a_n=0$이 서로 다른 두 실근을 갖는다.
> (나) 이차방정식 $x^2-(3n-1)x+(n^3+1)a_n=0$이 서로 다른 두 허근을 갖는다.

개념 4 등비수열의 수렴과 발산

056 다빈출

자연수 n에 대하여 다항식 $P(x)=3x^n+5x+1$을 $x-3$, $x-5$로 나누었을 때의 나머지를 각각 a_n, b_n이라고 할 때, $\lim\limits_{n\to\infty}\dfrac{a_n+b_n}{5^n-1}$의 값은?

① 1　　② 2　　③ 3

④ 4　　⑤ 5

057

수열 $\sqrt{2}$, $\sqrt{2\sqrt{2}}$, $\sqrt{2\sqrt{2\sqrt{2}}}$, $\cdots$의 극한값은?

① 1　　② $\sqrt{2}$　　③ 2

④ $2\sqrt{2}$　　⑤ 4

058

첫째항이 9이고 모든 항이 양수인 수열 $\{a_n\}$이 모든 자연수 n에 대하여

$$\log a_{n+1}=1+\log a_n$$

을 만족시킨다. 수열 $\{a_n\}$의 첫째항부터 제n항까지의 합을 S_n이라고 할 때, $\displaystyle\lim_{n\to\infty}\dfrac{\left(\dfrac{a_2}{9}\right)^n}{a_n+S_n}$의 값은?

① $\dfrac{10}{19}$ ② 1 ③ $\dfrac{5}{2}$

④ $\dfrac{26}{9}$ ⑤ 3

059

첫째항이 3이고 모든 항이 양수인 수열 $\{a_n\}$과 모든 자연수 n에 대하여 이차방정식 $x^2-6a_nx+a_{n+1}{}^2=0$이 항상 중근을 갖는다. 수열 $\{a_n\}$의 첫째항부터 제n항까지의 합을 S_n이라고 할 때, $\displaystyle\lim_{n\to\infty}\dfrac{S_n}{a_n}$의 값은?

① $\dfrac{1}{2}$ ② 1 ③ $\dfrac{3}{2}$

④ 2 ⑤ $\dfrac{5}{2}$

060 교육청 기출

두 수열 $\{a_n\}$, $\{b_n\}$이 모든 자연수 n에 대하여 다음 조건을 만족시킨다.

> (가) $4^n<a_n<4^n+1$
> (나) $2+2^2+2^3+\cdots+2^n<b_n<2^{n+1}$

$\displaystyle\lim_{n\to\infty}\dfrac{4a_n+b_n}{2a_n+2^nb_n}$의 값은?

① $\dfrac{1}{4}$ ② $\dfrac{1}{2}$ ③ 1

④ 2 ⑤ 4

061

수열 $\left\{\dfrac{r^n}{3+r^n}\right\}$의 극한값의 집합을 X라고 하자. 집합 X의 원소의 개수를 a, 집합 X의 모든 원소의 합을 b라고 할 때, $a+4b$의 값을 구하여라.

062

두 자연수 a, b에 대하여 $\displaystyle\lim_{n\to\infty}\dfrac{a^{n+1}+2b^{n+1}}{2a^n+b^n}=6$을 만족시키고 수열 $\left\{\left(\dfrac{a-1}{b^2}\right)^n\right\}$이 수렴하도록 하는 순서쌍 (a,b)의 개수를 구하여라.

063

함수 $f(x)=\lim\limits_{n\to\infty}\dfrac{x^n-3^n}{x^n+3^n}$ (n은 자연수)에 대하여

$$\lim\limits_{n\to a-}f(x)<\lim\limits_{n\to a+}f(x)$$

를 만족시키는 실수 a의 값은?

① -3 ② -1 ③ 0

④ 1 ⑤ 3

064 교육청 기출

함수 $f(x)=\lim\limits_{n\to\infty}\dfrac{x^{2n}}{1+x^{2n}}$과 최고차항의 계수가 1인 이차함수 $g(x)$에 대하여 함수 $f(x)g(x)$가 실수 전체의 집합에서 연속일 때, $g(8)$의 값을 구하여라.

065

모든 항이 양수인 수열 $\{a_n\}$이 모든 자연수 n에 대하여 $\dfrac{a_{n+1}}{a_n}<\dfrac{3}{5}$을 만족시킬 때, $\lim\limits_{n\to\infty}\dfrac{-6n^2+n+5a_n}{3n^2-2n-a_n}$의 값은?

① -2 ② -1 ③ 0

④ 1 ⑤ 2

066

일반항이 $a_n=\lim\limits_{k\to\infty}\dfrac{20^{k+1}+(5n)^k}{20^k+n^{2k}}$인 수열 $\{a_n\}$에 대하여 부등식

$$\sum_{i=1}^{m}(a_i+2i)\geq400$$

을 만족시키는 자연수 m의 최솟값은?

① 17 ② 18 ③ 19

④ 20 ⑤ 21

067 학교 기출 신유형

수열

$$2.24,\ 22.2244,\ 222.222444,\ \cdots$$

의 제n항을 a_n이라고 하자. a_n의 정수 부분을 b_n, 소수 부분을 c_n이라고 할 때, $\lim\limits_{n\to\infty}\left(\dfrac{1}{b_n}+c_n\right)$의 값은?

① $\dfrac{1}{5}$ ② $\dfrac{2}{9}$ ③ $\dfrac{11}{45}$

④ $\dfrac{4}{15}$ ⑤ $\dfrac{13}{45}$

상위권 보장 **개념+필수 기출 문제**

개념 1 급수의 수렴과 발산

(1) 급수

① 수열 $\{a_n\}$의 각 항을 덧셈 기호 +로 연결한 식

$$a_1+a_2+a_3+\cdots+a_n+\cdots=\sum_{n=1}^{\infty}a_n$$

을 급수라고 한다.

② 급수 $\sum_{n=1}^{\infty}a_n$에서 첫째항부터 제n항까지의 합

$$S_n=a_1+a_2+a_3+\cdots+a_n=\sum_{k=1}^{n}a_k$$

를 이 급수의 제n항까지의 부분합이라고 한다.

(2) 급수의 수렴과 발산

① 급수 $\sum_{n=1}^{\infty}a_n$의 부분합 $\sum_{k=1}^{n}a_k$를 S_n이라고 할 때, 이 부분합으로 이루어진 수열 $\{S_n\}$이 일정한 값 S에 수렴하면 급수 $\sum_{n=1}^{\infty}a_n$은 S에 수렴한다고 하고 S를 급수의 합이라고 한다.

$$\sum_{n=1}^{\infty}a_n=\lim_{n\to\infty}\sum_{k=1}^{n}a_k=\lim_{n\to\infty}S_n=S$$

└ 급수의 합은 먼저 부분합을 구한 후 그것의 극한값을 구한다.

② 급수 $\sum_{n=1}^{\infty}a_n$의 부분합으로 이루어진 수열 $\{S_n\}$이 발산하면 급수 $\sum_{n=1}^{\infty}a_n$은 발산한다고 한다.

└ 급수가 발산하면 급수의 합은 생각하지 않는다.

참고 수열의 수렴, 발산 ➡ $\lim_{n\to\infty}a_n$을 조사

급수의 수렴, 발산 ➡ $\lim_{n\to\infty}S_n$을 조사

---

068 평가원 기출

출제율 ▰▰▱

$\sum_{n=1}^{\infty}\dfrac{2}{n(n+2)}$의 값은?

① 1   ② $\dfrac{3}{2}$ ③ 2

④ $\dfrac{5}{2}$ ⑤ 3

---

069 학교 기출 신유형

출제율 ▰▰▱

자연수 n에 대하여 $2^{n+2}\times3^n$의 모든 양의 약수의 개수를 a_n이라고 할 때, $\sum_{n=1}^{\infty}\dfrac{1}{a_n}$의 값을 구하여라.

070

출제율 ▰▰▱

급수 $\dfrac{3}{1^2}+\dfrac{5}{1^2+2^2}+\dfrac{7}{1^2+2^2+3^2}+\cdots$의 값을 구하여라.

071

출제율 ▰▰▱

$\sum_{n=3}^{\infty}\log\left(1-\dfrac{4}{n^2}\right)$의 값은?

① $-\log 6$ ② $-\log 4$ ③ $-\log 2$

④ $\log 2$ ⑤ $\log 4$

072

출제율 ▰▰▱

자연수 n에 대하여 x에 대한 이차방정식

$$(n^2+3n+2)x^2-(2n+3)x+1=0$$

의 두 근이 α_n, $\beta_n\,(\alpha_n>\beta_n)$일 때, $\sum_{n=1}^{\infty}(\alpha_n-\beta_n)$의 값을 구하여라.

개념 2 급수와 수열의 극한 사이의 관계

(1) 급수 $\sum\limits_{n=1}^{\infty} a_n$이 수렴하면 $\lim\limits_{n\to\infty} a_n=0$이다.

(2) $\lim\limits_{n\to\infty} a_n \neq 0$이면 급수 $\sum\limits_{n=1}^{\infty} a_n$은 발산한다.

대우

주의 (1)의 역은 성립하지 않는다. 즉, $\lim\limits_{n\to\infty} a_n=0$이라고 해서 급수 $\sum\limits_{n=1}^{\infty} a_n$이 반드시 수렴하는 것은 아니다. 예를 들어 $\lim\limits_{n\to\infty}\dfrac{1}{n}=0$ 이지만 $\sum\limits_{n=1}^{\infty}\dfrac{1}{n}$은 양의 무한대로 발산한다.

등급업 TIP

(1) 급수 $\sum\limits_{n=1}^{\infty} a_n$이 S에 수렴할 때, 첫째항부터 제n항까지의 부분합을 S_n이라고 하면 $\lim\limits_{n\to\infty} S_n = \lim\limits_{n\to\infty} S_{n-1}=S$이고 $a_n=S_n-S_{n-1}\ (n\geq 2)$이므로
$$\lim_{n\to\infty} a_n=\lim_{n\to\infty}(S_n-S_{n-1})=\lim_{n\to\infty}S_n-\lim_{n\to\infty}S_{n-1}$$
$$=S-S=0$$

(2) 급수 $\sum\limits_{n=1}^{\infty} a_n$의 수렴, 발산을 조사할 때는 먼저 $\lim\limits_{n\to\infty} a_n$의 값을 구해 본다. 이때 그 값이 0이 아니면 급수 $\sum\limits_{n=1}^{\infty} a_n$은 항상 발산하고, 0이면 급수 $\sum\limits_{n=1}^{\infty} a_n$이 수렴하는지 따져 본다.

073

다음 |보기|에서 수렴하는 급수인 것만을 있는 대로 고른 것은?

| 보기 |

ㄱ. $\sum\limits_{n=1}^{\infty}(\sqrt{2n+2}-\sqrt{2n})$

ㄴ. $\sum\limits_{n=1}^{\infty}\dfrac{2+n}{3-4n}$

ㄷ. $\sum\limits_{n=1}^{\infty}\dfrac{1}{n^2+n}$

① ㄱ   ② ㄴ   ③ ㄷ

④ ㄱ, ㄷ   ⑤ ㄱ, ㄴ, ㄷ

074

수열 $\{a_n\}$에 대하여 급수
$$(a_1-3)+\left(\dfrac{a_2}{2^2}-3\right)+\left(\dfrac{a_3}{3^2}-3\right)+\cdots+\left(\dfrac{a_n}{n^2}-3\right)+\cdots$$
이 수렴할 때, $\lim\limits_{n\to\infty}\dfrac{4n-3a_n}{2n-a_n}$의 값은?

① 1   ② 2   ③ 3

④ 4   ⑤ 5

075

수열 $\{a_n\}$에 대하여 $\sum\limits_{n=1}^{\infty}\left(a_n-\dfrac{3n^2+2}{4n-1}\right)=5$일 때, $\lim\limits_{n\to\infty}\dfrac{8a_n}{n+4}$의 값은?

① 2   ② 4   ③ 6

④ 8   ⑤ 10

076

수열 $\{a_n\}$에 대하여 $\sum\limits_{n=1}^{\infty}(2a_n-6)=10$일 때, $\lim\limits_{n\to\infty}(a_{2n}+3a_{n+1})$의 값을 구하여라.

 개념 ③ 급수의 성질

두 급수 $\sum\limits_{n=1}^{\infty} a_n$, $\sum\limits_{n=1}^{\infty} b_n$이 각각 수렴할 때

(1) $\sum\limits_{n=1}^{\infty} ka_n = k\sum\limits_{n=1}^{\infty} a_n$ (단, k는 상수이다.)

(2) $\sum\limits_{n=1}^{\infty} (a_n+b_n) = \sum\limits_{n=1}^{\infty} a_n + \sum\limits_{n=1}^{\infty} b_n$

(3) $\sum\limits_{n=1}^{\infty} (a_n-b_n) = \sum\limits_{n=1}^{\infty} a_n - \sum\limits_{n=1}^{\infty} b_n$

참고 급수의 성질은 수렴하는 급수에 대해서만 성립한다.

주의 $\sum\limits_{n=1}^{\infty} a_n b_n \neq \sum\limits_{n=1}^{\infty} a_n \sum\limits_{n=1}^{\infty} b_n$, $\sum\limits_{n=1}^{\infty} \dfrac{a_n}{b_n} \neq \dfrac{\sum\limits_{n=1}^{\infty} a_n}{\sum\limits_{n=1}^{\infty} b_n}$, $\sum\limits_{n=1}^{\infty} a_n^2 \neq \left(\sum\limits_{n=1}^{\infty} a_n\right)^2$

등급업 TIP $\sum\limits_{n=1}^{\infty} a_n = \alpha$, $\sum\limits_{n=1}^{\infty} b_n = \beta$ (α, β는 실수)이면

실수 p, q에 대하여

$$\sum\limits_{n=1}^{\infty} (pa_n+qb_n) = p\sum\limits_{n=1}^{\infty} a_n + q\sum\limits_{n=1}^{\infty} b_n = p\alpha+q\beta$$

077

두 수열 $\{a_n\}$, $\{b_n\}$에 대하여

$$\sum\limits_{n=1}^{\infty} a_n = 5, \quad \sum\limits_{n=1}^{\infty} (3a_n+b_n) = 21$$

일 때, $\sum\limits_{n=1}^{\infty} b_n$의 값을 구하여라.

078

수열 $\{a_n\}$에 대하여 $\sum\limits_{n=1}^{\infty} \left\{ a_n - \dfrac{5}{n(n+1)} \right\} = 8$일 때,

$\sum\limits_{n=1}^{\infty} a_n$의 값을 구하여라.

079

두 급수 $\sum\limits_{n=1}^{\infty} a_n$, $\sum\limits_{n=1}^{\infty} b_n$이 모두 수렴하고

$$\sum\limits_{n=1}^{\infty} (3a_n-b_n) = 15, \quad \sum\limits_{n=1}^{\infty} (a_n+2b_n) = 26$$

일 때, $\sum\limits_{n=1}^{\infty} (a_n+b_n)$의 값은?

① 16   ② 17   ③ 18

④ 19   ⑤ 20

080

두 수열 $\{a_n\}$, $\{b_n\}$에 대하여 |보기|에서 옳은 것만을 있는 대로 고른 것은?

• 보기 •

ㄱ. $\sum\limits_{n=1}^{\infty} a_n$과 $\sum\limits_{n=1}^{\infty} (a_n+b_n)$이 수렴하면 $\sum\limits_{n=1}^{\infty} b_n$도 수렴한다.

ㄴ. $\sum\limits_{n=1}^{\infty} (a_n+1)$과 $\sum\limits_{n=1}^{\infty} (b_n-1)$이 수렴하면 $\sum\limits_{n=1}^{\infty} (a_n+b_n)$도 수렴한다.

ㄷ. $\sum\limits_{n=1}^{\infty} a_n b_n$이 수렴하고 $\lim\limits_{n\to\infty} a_n \neq 0$이면 $\lim\limits_{n\to\infty} b_n = 0$이다.

① ㄱ   ② ㄴ   ③ ㄱ, ㄴ

④ ㄱ, ㄷ   ⑤ ㄱ, ㄴ, ㄷ

개념 ④ 등비급수의 수렴과 발산

(1) 등비급수

첫째항이 $a\,(a\neq0)$, 공비가 r인 등비수열 $\{ar^{n-1}\}$의 각 항을 덧셈 기호 $+$로 연결한 급수

$$a+ar+ar^2+\cdots+ar^{n-1}+\cdots=\sum_{n=1}^{\infty}ar^{n-1}$$

을 첫째항이 a, 공비가 r인 등비급수라고 한다.

(2) 등비급수의 수렴과 발산

등비급수 $\displaystyle\sum_{n=1}^{\infty}ar^{n-1}\,(a\neq0)$에 대하여 다음이 성립한다.

① $|r|<1$일 때, 수렴하고 그 합은 $\dfrac{a}{1-r}$이다.

② $|r|\geq1$일 때, 발산한다.

등급업 TIP 등비수열과 등비급수의 수렴 조건 비교

(1) 등비수열 $\{ar^{n-1}\}$의 수렴 조건
  ➡ $a=0$ 또는 $-1<r\leq1$

(2) 등비급수 $\displaystyle\sum_{n=1}^{\infty}ar^{n-1}$의 수렴 조건
  ➡ $a=0$ 또는 $-1<r<1$

081 출제율

$\displaystyle\sum_{n=1}^{\infty}\dfrac{2^n+(-1)^n}{5^n}$의 값은?

① -1 ② $-\dfrac{1}{2}$ ③ 0

④ $\dfrac{1}{2}$ ⑤ 1

082 〔학교 기출 신유형〕 출제율

두 등비수열 $\{a_n\}$, $\{b_n\}$에 대하여 $a_1=b_1=2$이고, $\displaystyle\sum_{n=1}^{\infty}a_n=5$, $\displaystyle\sum_{n=1}^{\infty}b_n=6$일 때, $\displaystyle\sum_{n=1}^{\infty}a_nb_n$의 값을 구하여라.

083 〔교육청 기출〕 출제율

등비급수 $\displaystyle\sum_{n=1}^{\infty}\left(\dfrac{2x-3}{7}\right)^n$이 수렴하도록 하는 정수 x의 개수는?

① 2 ② 4 ③ 6

④ 8 ⑤ 10

084 출제율

수열 $\{a_n\}$은 첫째항이 1, 공비가 $\dfrac{2}{3}$인 등비수열이고, 수열 $\{b_n\}$은 첫째항이 1, 공비가 $\dfrac{1}{5}$인 등비수열이다. 다음 중 수렴하지 <u>않는</u> 급수는?

① $\displaystyle\sum_{n=1}^{\infty}(a_n+b_n)$ ② $\displaystyle\sum_{n=1}^{\infty}(a_n-b_n)$ ③ $\displaystyle\sum_{n=1}^{\infty}(-1)^na_n$

④ $\displaystyle\sum_{n=1}^{\infty}a_nb_n$ ⑤ $\displaystyle\sum_{n=1}^{\infty}\dfrac{a_n}{b_n}$

085 출제율

$\displaystyle\sum_{n=1}^{\infty}\dfrac{1}{3^n}\cos\dfrac{n}{4}\pi=a\sqrt{2}+b$일 때, 유리수 a, b에 대하여 $\dfrac{2a}{b}$의 값을 구하여라.

086

출제율 ▭▭▭▭▭

등차수열 $\{a_n\}$에 대하여

$$a_3 = 4, \; a_6 = -2$$

일 때, $\displaystyle\sum_{n=1}^{\infty} 2^{a_n}$의 값은?

① $-\dfrac{2^{10}}{3}$ ② -2^9 ③ 1

④ 2^9 ⑤ $\dfrac{2^{10}}{3}$

087

출제율 ▭▭▭▭▭

$|x| < \dfrac{1}{3}$일 때, 급수

$$2 + 8x + 26x^2 + \cdots + (3^n - 1)x^{n-1} + \cdots$$

의 합이 $\dfrac{24}{5}$이다. 실수 x의 값을 구하여라.

088

출제율 ▭▭▭▭▭

등비수열 $\{a_n\}$에 대하여

$$\sum_{n=1}^{\infty} a_n = 15, \quad \sum_{n=1}^{\infty} a_{2n-1} = 9$$

일 때, a_2의 값은?

① $\dfrac{2}{3}$ ② $\dfrac{5}{3}$ ③ $\dfrac{7}{3}$

④ $\dfrac{10}{3}$ ⑤ $\dfrac{13}{3}$

개념 ⑤ 등비급수의 활용

(1) 순환소수에서의 활용

<u>순환소수</u>는 등비급수를 이용하여 다음과 같은 순서에 따라 분수로 나타낼 수 있다. ┌─ 무한소수 중 소수점 아래의 어떤 자리부터 일정한 숫자의 배열이 끝없이 되풀이되는 소수

(i) 순환소수를 등비급수로 나타낸다.

(ii) 첫째항 a와 공비 r를 구한다.

(iii) 등비급수의 합 $\dfrac{a}{1-r}$를 구한다.

예 $0.\dot{5} = \underline{0.5 + 0.05 + 0.005 + \cdots} = \dfrac{0.5}{1 - 0.1} = \dfrac{5}{9}$
　　 └── 첫째항이 0.5, 공비가 0.1인 등비급수의 합

(2) 도형에서의 활용

닮은꼴이 한없이 반복되는 도형에서 길이, 넓이 등의 합은 다음과 같은 순서에 따라 등비급수를 이용하여 구한다.

(i) 첫 번째 도형에서 a_1을 구한다.

(ii) 두 번째 도형에서 a_2를 구하거나 a_n과 a_{n+1} 사이의 관계식을 찾아 공비 r를 구한다.

등급업 TIP 닮은꼴에서 길이의 닮음비가 $m : n$이면

(1) 넓이의 비는 $m^2 : n^2$

(2) 부피의 비는 $m^3 : n^3$

089

출제율 ▭▭▭▭▭

순환소수 $0.\dot{4}\dot{5}$의 소수점 아래 n번째 자리의 숫자를 a_n이라고 할 때, $\displaystyle\sum_{n=1}^{\infty} \dfrac{a_n}{3^n}$의 값은?

① $\dfrac{15}{8}$ ② 2 ③ $\dfrac{17}{8}$

④ $\dfrac{9}{4}$ ⑤ $\dfrac{19}{8}$

090

출제율

모든 항이 양수인 등비수열 $\{a_n\}$에 대하여

$$a_3 = 0.\dot{3}, \quad a_5 = 0.08\dot{3}$$

일 때, $\sum_{n=1}^{\infty} a_n$의 값은?

① $\dfrac{4}{3}$ ② $\dfrac{5}{3}$ ③ 2

④ $\dfrac{7}{3}$ ⑤ $\dfrac{8}{3}$

091

출제율

다음 그림과 같이 좌표평면 위에서 원점 O를 출발한 점 P가 P_1, P_2, P_3, $\cdots$으로 움직인다.

$$\overline{OP_1} = 6, \quad \overline{P_n P_{n+1}} = \frac{1}{3}\overline{P_{n-1}P_n} \quad (n=1, 2, 3, \cdots)$$

일 때, n이 한없이 커지면 점 P_n이 한없이 가까워지는 점의 좌표가 (p, q)이다. $p+q$의 값은? (단, $P_0(0, 0)$)

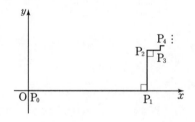

① 8 ② $\dfrac{33}{4}$ ③ $\dfrac{17}{2}$

④ $\dfrac{35}{4}$ ⑤ 9

092   학교 기출 신유형

출제율

오른쪽 그림과 같이 반지름의 길이가 2인 원 C_1의 중심을 지나고 원 C_1에 내접하는 원을 C_2, 원 C_2의 중심을 지나고 원 C_2에 내접하는 원을 C_3이라고 하자. 이와 같은 과정을 한없이 반복하여 원 C_4, C_5, C_6, $\cdots$을 정할 때, 모든 원의 둘레의 길이의 합은?

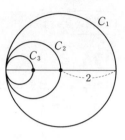

① 4π ② $\dfrac{16}{3}\pi$ ③ 6π

④ $\dfrac{20}{3}\pi$ ⑤ 8π

093

출제율

다음 그림과 같이 한 변의 길이가 4인 정사각형 ABCD가 있다. 변 AB, BC, CD, DA를 $3:1$로 내분한 점을 각각 A_1, B_1, C_1, D_1이라 하고, 이 네 점을 연결하여 만든 정사각형의 넓이를 S_1이라고 하자.

이와 같이 계속하여 변 $A_n B_n$, $B_n C_n$, $C_n D_n$, $D_n A_n$을 $3:1$로 내분한 점을 각각 A_{n+1}, B_{n+1}, C_{n+1}, D_{n+1}이라 하고, 이 네 점을 연결하여 만든 정사각형의 넓이를 S_{n+1}이라고 하자. $\sum_{n=1}^{\infty} S_n$의 값을 구하여라.

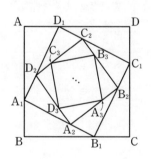

최상위권 도약 실력 완성 문제

094

자연수 n에 대하여 두 수 -1과 7 사이에 n개의 수를 넣어서 만든 수열

$$-1, a_1, a_2, a_3, \cdots, a_n, 7$$

이 등차수열을 이룬다. 이 수열의 공차를 d_n이라고 할 때, $\sum\limits_{n=1}^{\infty} d_{n-1}d_{n+1}$의 값은?

① 40   ② 44   ③ 48

④ 52   ⑤ 56

095

다음 |보기|의 급수 중에서 수렴하는 것만을 있는 대로 고른 것은?

┌─ 보기 ─────────────────────┐

ㄱ. $1 - \dfrac{1}{2} + \dfrac{1}{2} - \dfrac{1}{3} + \dfrac{1}{3} - \dfrac{1}{4} + \cdots$

ㄴ. $1 - \dfrac{1}{2} + \dfrac{1}{2} - \dfrac{2}{3} + \dfrac{2}{3} - \dfrac{3}{4} + \cdots$

ㄷ. $2 - \dfrac{3}{2} + \dfrac{3}{2} - \dfrac{4}{3} + \dfrac{4}{3} - \dfrac{5}{4} + \cdots$

ㄹ. $-1 + \dfrac{1}{3} - \dfrac{1}{3} + \dfrac{1}{5} - \dfrac{1}{5} + \dfrac{1}{7} - \cdots$

└──────────────────────────┘

① ㄱ, ㄴ   ② ㄱ, ㄹ   ③ ㄴ, ㄷ

④ ㄴ, ㄹ   ⑤ ㄷ, ㄹ

096

자연수 n에 대하여 두 함수 $f(x) = x^2 - (n+1)x + n^2$, $g(x) = (n+1)x - 2n$의 그래프의 두 교점의 x좌표를 a_n, b_n이라고 할 때, $\sum\limits_{n=1}^{\infty} \dfrac{20}{a_n b_n}$의 값은?

① 12   ② 13   ③ 14

④ 15   ⑤ 16

097

$a_1 = 2$, $a_2 = 5$인 수열 $\{a_n\}$에 대하여 $\lim\limits_{n \to \infty} a_n = \dfrac{4}{5}$일 때, $\sum\limits_{n=1}^{\infty} \dfrac{a_{n+2} - a_n}{a_n a_{n+2}}$의 값은? (단, $a_n \neq 0$)

① -1 ② $-\dfrac{7}{5}$ ③ $-\dfrac{9}{5}$

④ $-\dfrac{11}{5}$ ⑤ $-\dfrac{13}{5}$

098 〔다빈출〕

수열 $\{a_n\}$이 자연수 n에 대하여

$$a_1 = 1, \quad a_2 = 2, \quad a_{n+1} = a_{n+2} - a_n$$

을 만족시킬 때, $\sum\limits_{n=1}^{\infty} \dfrac{a_n}{a_{n+1} a_{n+2}}$의 값을 구하여라.

099

수열 $\{a_n\}$의 첫째항부터 제n항까지의 합을 S_n이라고 할 때, $S_n = \dfrac{4n}{n+2}$이다. $\displaystyle\sum_{n=1}^{\infty}(a_n + a_{n+1})$의 값을 구하여라.

100

두 수열 $\{a_n\}$, $\{b_n\}$의 일반항이 각각 $a_n = \dfrac{1}{n+2}$, $b_n = \dfrac{1+(-1)^n}{n+4}$일 때, $\displaystyle\sum_{n=1}^{\infty}a_n b_n$의 값을 구하여라.

101 교육청 기출

첫째항이 양수이고 공차가 3인 등차수열 $\{a_n\}$과 모든 항이 양수인 수열 $\{b_n\}$이 다음 조건을 만족시킬 때, a_1의 값은?

> (가) 모든 자연수 n에 대하여
> $$\log a_n + \log a_{n+1} + \log b_n = 0$$
> (나) $\displaystyle\sum_{n=1}^{\infty} b_n = \dfrac{1}{12}$

① 2
② $\dfrac{5}{2}$
③ 3
④ $\dfrac{7}{2}$
⑤ 4

102

좌표평면 위의 원점 O와 두 점 $\mathrm{A}_n\left(\dfrac{10}{n+2},\, 0\right)$, $\mathrm{B}_n\left(\dfrac{5}{n+1},\, \dfrac{20}{n+3}\right)$에 대하여 삼각형 $\mathrm{OA}_n\mathrm{B}_n$의 넓이를 S_n이라고 하자. $S_n < 1$을 만족시키는 자연수 n의 최솟값을 m이라고 할 때, $\displaystyle\sum_{n=m}^{\infty} S_n$의 값은?

① 5
② 10
③ 15
④ 20
⑤ 25

103 학교 기출 신유형

1과 2 사이의 유리수 중에서 3을 분모로 하는 기약분수는 $\dfrac{4}{3}$, $\dfrac{5}{3}$이다. 이와 같이 자연수 n과 $n+1$ 사이의 유리수 중에서 3을 분모로 하는 모든 기약분수의 합을 a_n이라고 할 때, $\displaystyle\sum_{n=1}^{\infty} \dfrac{1}{a_n a_{n+1}}$의 값은?

① $\dfrac{1}{6}$
② $\dfrac{1}{3}$
③ $\dfrac{1}{2}$
④ $\dfrac{2}{3}$
⑤ 1

104

좌표평면에서 곡선 $y=\sqrt{3x}$ 위의 점 중에서 x좌표와 y좌표가 모두 자연수인 것을 모두 나열하여 P_1, P_2, P_3, $\cdots$이라고 하자. 점 P_n의 x좌표와 y좌표를 각각 a_n, b_n이라고 하면 모든 자연수 n에 대하여 $a_n < a_{n+1}$일 때,

$\displaystyle\sum_{n=2}^{\infty} \dfrac{1}{a_n-b_n}$의 값을 구하여라.

105

모든 항이 양수인 등차수열 $\{a_n\}$의 첫째항부터 제n항까지의 합 S_n이

$$\lim_{n\to\infty} \frac{S_n}{n^2-1}=1, \quad \lim_{n\to\infty} (\sqrt{S_n}-n)=\frac{3}{2}$$

을 만족시킬 때, $\displaystyle\sum_{n=1}^{\infty} \dfrac{2n}{a_n S_n}$의 값은?

① $\dfrac{1}{12}$　　　② $\dfrac{1}{6}$　　　③ $\dfrac{1}{4}$

④ $\dfrac{1}{3}$　　　⑤ $\dfrac{5}{12}$

개념 **②** 급수와 수열의 극한 사이의 관계

106 ◀다빈출▶

수열 $\{a_n\}$에 대하여 급수 $\displaystyle\sum_{n=1}^{\infty} \left(\dfrac{a_n}{n^2} + \dfrac{3^{n-1}-5^n}{5^{n+1}+2} \right)$이 수렴할 때, $\displaystyle\lim_{n\to\infty} \dfrac{4n^2+a_n}{5n^2+3n}$의 값을 구하여라.

107

수열 $\{a_n\}$의 첫째항부터 제n항까지의 합을 S_n이라고 할 때, 모든 자연수 n에 대하여

$$S_{2n+1}+2S_n = a_n + \frac{n^2+2n}{2n^2+1}, \quad \sum_{n=1}^{\infty} a_n = k$$

가 성립한다. $150k$의 값을 구하여라. (단, k는 상수이다.)

108

두 수열 $\{a_n\}$, $\{b_n\}$이 다음 조건을 만족시킬 때, $\displaystyle\lim_{n\to\infty} (a_n^2 + b_n^2)$의 값은?

> (가) $\displaystyle\sum_{n=1}^{\infty} (a_n+b_n)=5$
>
> (나) 모든 자연수 n에 대하여
> $$\frac{2+2n^2}{3n^2+3} < b_n < \frac{3+2n^2}{3n^2+3}$$

① $\dfrac{5}{9}$　　　② $\dfrac{2}{3}$　　　③ $\dfrac{7}{9}$

④ $\dfrac{8}{9}$　　　⑤ 1

109

모든 자연수 n에 대하여 두 수열 $\{a_n\}$, $\{b_n\}$이 다음 조건을 만족시킬 때, $\lim\limits_{n\to\infty} a_n$의 값은?

> (가) $2n^2+3<(1+2+3+\cdots+n)a_n$
>
> (나) $b_n<10-2a_n$
>
> (다) 급수 $\sum\limits_{n=1}^{\infty}(b_n-2)$가 수렴한다.

① 2   ② 3   ③ 4

④ 5   ⑤ 6

110 학교 기출 신유형

수열 $\{a_n\}$에 대하여 두 급수

$$\sum_{n=1}^{\infty}\left(na_n-\frac{4n^2+1}{n+1}\right),\ \sum_{n=1}^{\infty}\left(\frac{1}{2}a_n-\frac{an^2+bn}{n+5}\right)$$

이 모두 수렴할 때, 두 상수 a, b에 대하여 $a-b$의 값은?

① -2 ② -1 ③ 0

④ 1 ⑤ 2

111

두 수열 $\{a_n\}$, $\{b_n\}$에 대하여

$$\sum_{n=1}^{\infty}(a_n-3)=\sum_{n=1}^{\infty}(b_n+1)=5$$

가 성립한다. 두 수열 $\{a_n\}$, $\{b_n\}$의 첫째항부터 제n항까지의 합을 각각 S_n, T_n이라고 할 때, |보기|에서 옳은 것만을 있는 대로 고른 것은?

> **보기**
>
> ㄱ. $\lim\limits_{n\to\infty} a_n>\lim\limits_{n\to\infty} b_n$
>
> ㄴ. $\sum\limits_{n=1}^{\infty}(a_n-2b_n)$은 수렴한다.
>
> ㄷ. $\lim\limits_{n\to\infty}(S_n-a_n-3n)=\lim\limits_{n\to\infty}(T_n+3b_n+n)$

① ㄴ   ② ㄷ   ③ ㄱ, ㄴ

④ ㄱ, ㄷ   ⑤ ㄴ, ㄷ

112

수열 $\{a_n\}$에 대하여 급수

$$\left(1-\frac{a_1}{3}\right)+\left\{\frac{2(1^2+2^2)}{1^3+2^3}-\frac{a_2}{12}\right\}$$
$$+\left\{\frac{3(1^2+2^2+3^2)}{1^3+2^3+3^3}-\frac{a_3}{27}\right\}+\cdots$$
$$+\left\{\frac{n(1^2+2^2+3^2+\cdots+n^2)}{1^3+2^3+3^3+\cdots+n^3}-\frac{a_n}{3n^2}\right\}$$

이 수렴할 때, $\lim\limits_{n\to\infty}\dfrac{4n^2+a_n}{5n^2+3n}$의 값을 구하여라.

113

수열 $\{a_n\}$에 대하여

$$\sum_{n=1}^{\infty} a_n = 5, \quad \sum_{n=1}^{\infty} n a_n = 8, \quad \lim_{n \to \infty} n^2 a_n = 0$$

일 때, $\sum_{n=1}^{\infty} n^2 (a_n - a_{n+1})$의 값은?

① 7   ② 8   ③ 9

④ 10   ⑤ 11

114

두 수열 $\{a_n\}$, $\{b_n\}$이 다음 조건을 만족시킬 때, $\sum_{n=1}^{\infty} b_n$의 값을 구하여라.

> (가) $\sum_{n=1}^{\infty} a_n = 15$
>
> (나) 모든 자연수 n에 대하여 $\quad 3a_n + b_n = \dfrac{4}{n(n+1)}$

115

모든 항이 양수인 두 수열 $\{a_n\}$, $\{b_n\}$에 대하여 급수 $\sum_{n=1}^{\infty} \log a_n$, $\sum_{n=1}^{\infty} \log b_n$이 모두 수렴하고,

$$\sum_{n=1}^{\infty} \log a_n b_n = 9, \quad \sum_{n=1}^{\infty} \log \frac{a_n^3}{b_n} = 3$$

일 때, $\sum_{n=1}^{\infty} \log a_n^2 b_n$의 값을 구하여라.

116

급수 $\sum_{n=1}^{\infty} \dfrac{1}{n}$은 발산하고 급수 $\sum_{n=1}^{\infty} \dfrac{1}{n^2}$은 수렴할 때, |보기|에서 수렴하는 급수인 것만을 있는 대로 고른 것은?

> • 보기 •
>
> ㄱ. $\sum_{n=1}^{\infty} \dfrac{3}{4n-1}$ ㄴ. $\sum_{n=1}^{\infty} \dfrac{n+3}{n^2}$
>
> ㄷ. $\sum_{n=1}^{\infty} \dfrac{1}{(3n)^2}$

① ㄱ   ② ㄴ   ③ ㄷ

④ ㄱ, ㄴ   ⑤ ㄴ, ㄷ

117 다빈출

두 수열 $\{a_n\}$, $\{b_n\}$에 대하여 |보기|에서 옳은 것만을 있는 대로 고른 것은?

> • 보기 •
>
> ㄱ. 두 급수 $\sum_{n=1}^{\infty} (a_n + 2b_n)$, $\sum_{n=1}^{\infty} (2a_n - b_n)$이 수렴하면 두 급수 $\sum_{n=1}^{\infty} a_n$, $\sum_{n=1}^{\infty} b_n$도 모두 수렴한다.
>
> ㄴ. $\sum_{n=1}^{\infty} a_n a_{n+1}$이 수렴하면 $\sum_{n=1}^{\infty} a_n$도 수렴한다.
>
> ㄷ. $a_n < b_n$이고 $\sum_{n=1}^{\infty} a_n = \alpha$, $\sum_{n=1}^{\infty} b_n = \beta$이면 $\alpha < \beta$이다. (단, α, β는 상수이다.)

① ㄱ   ② ㄴ   ③ ㄱ, ㄴ

④ ㄱ, ㄷ   ⑤ ㄱ, ㄴ, ㄷ

개념 ④ 등비급수의 수렴과 발산

118

$\displaystyle\sum_{n=3}^{15} \dfrac{k}{n(n-1)}$의 값이 정수가 되도록 하는 자연수 k의

최솟값을 a라고 할 때, $\displaystyle\sum_{n=1}^{\infty} \left(\dfrac{5}{a}\right)^n$의 값은?

① $\dfrac{1}{2}$ ② $\dfrac{1}{3}$ ③ $\dfrac{1}{4}$

④ $\dfrac{1}{5}$ ⑤ $\dfrac{1}{6}$

119 〈다빈출〉

수열 $\{a_n\}$이

$$9a_1 + 9^2 a_2 + 9^3 a_3 + \cdots + 9^n a_n = 5^n - 1$$

을 만족시킬 때, $\displaystyle\sum_{n=1}^{\infty} \dfrac{a_n}{5^n}$의 값은?

① $\dfrac{1}{10}$ ② $\dfrac{1}{5}$ ③ $\dfrac{3}{10}$

④ $\dfrac{2}{5}$ ⑤ $\dfrac{1}{2}$

120

등비수열 $\{a_n\}$에 대하여

$$\sum_{n=1}^{\infty} a_n = 2, \quad \sum_{n=1}^{\infty} \{a_n \times (-2)^n\} = -2$$

일 때, $\displaystyle\sum_{n=1}^{\infty} a_{2n-1}$의 값을 구하여라.

121

수열 $\{a_n\}$이 모든 자연수 n에 대하여 부등식

$$\frac{5n^2 - 1}{n^2 + n + 2} < \sum_{k=1}^{n} a_k < \frac{5n^2 - 1}{n^2 + n}$$

을 만족시킨다. $\displaystyle\sum_{n=1}^{\infty} a_n = p$일 때, $\displaystyle\sum_{n=1}^{\infty} \dfrac{1}{p^n}$의 값은?

① $\dfrac{1}{12}$ ② $\dfrac{1}{6}$ ③ $\dfrac{1}{4}$

④ $\dfrac{1}{3}$ ⑤ $\dfrac{5}{12}$

122

$1 < k < 5$인 상수 k에 대하여

$$\sum_{n=1}^{\infty} \frac{k + k^2 + k^3 + \cdots + k^n}{5^n} = 1$$

일 때, $9k$의 값을 구하여라.

123 교육청 기출

수열 $\{a_n\}$이 $a_1 = \dfrac{1}{8}$이고,

$$a_n a_{n+1} = 2^n \ (n \geq 1)$$

을 만족시킬 때, $\displaystyle\sum_{n=1}^{\infty} \dfrac{1}{a_{2n-1}}$의 값을 구하여라.

124 다빈출

방정식 $x^n = (-5)^n$의 실근의 개수를 a_n이라고 할 때, $\displaystyle\sum_{n=2}^{\infty} \dfrac{a_n}{4^n}$의 값은? (단, n은 1보다 큰 자연수이다.)

① $\dfrac{1}{20}$ ② $\dfrac{1}{10}$ ③ $\dfrac{3}{20}$

④ $\dfrac{1}{5}$ ⑤ $\dfrac{1}{4}$

125

자연수 n에 대하여 두 함수 $f(n), g(n)$이

$$f(n) = \sin \dfrac{2n-1}{4} \pi, \ g(n) = \cos \dfrac{2n-1}{4} \pi$$

일 때, $\displaystyle\sum_{n=1}^{\infty} \left\{ \dfrac{f(n) + g(n)}{2} \right\}^n$의 값은?

① $\dfrac{\sqrt{2}}{3}$ ② $\dfrac{\sqrt{2}}{2}$ ③ $\dfrac{2\sqrt{2}}{3}$

④ $\sqrt{2}$ ⑤ $2\sqrt{2}$

126

등비수열 $\{a_n\}$이 다음 조건을 만족시킬 때, a_5의 값을 구하여라. (단, $a_n \neq 0$)

(가) $2a_4 = a_2 + a_3$ (나) $\displaystyle\sum_{n=1}^{\infty} a_n = 12$

127

급수

$$\dfrac{4}{5} + \left(\dfrac{4}{5^2} + \dfrac{4}{5^3} \right) + \left(\dfrac{4}{5^3} + \dfrac{4}{5^4} + \dfrac{4}{5^5} \right)$$
$$+ \left(\dfrac{4}{5^4} + \dfrac{4}{5^5} + \dfrac{4}{5^6} + \dfrac{4}{5^7} \right) + \cdots$$

의 합은?

① $\dfrac{1}{2}$ ② $\dfrac{5}{6}$ ③ $\dfrac{25}{24}$

④ $\dfrac{7}{6}$ ⑤ $\dfrac{5}{4}$

128

$\log_3 x = [\log_3 x]$를 만족시키는 $0 < x < 1$인 모든 x의 값들의 합은?

(단, $[x]$는 x보다 크지 않은 최대의 정수이다.)

① $\dfrac{1}{4}$ ② $\dfrac{1}{3}$ ③ $\dfrac{1}{2}$

④ 1 ⑤ $\dfrac{5}{4}$

129

급수 $\sum\limits_{n=1}^{\infty}(3^{2x-3}-2\times3^{x-2})^n$이 수렴하도록 하는 정수 x의 최댓값은?

① 1 ② 2 ③ 3

④ 4 ⑤ 5

130

실수 t에 대하여 $\sum\limits_{n=1}^{\infty}(2r)^{n-1}=t$일 때, 다음 중 t의 값이 될 수 <u>없는</u> 것은?

① $\dfrac{1}{2}$ ② $\dfrac{2}{3}$ ③ $\dfrac{3}{4}$

④ $\dfrac{4}{5}$ ⑤ 1

131

등비급수 $\sum\limits_{n=1}^{\infty}x(2x+1)^n$이 수렴할 때, 그 합을 $f(x)$라고 하자. 이때 함수 $y=f(x)$의 그래프 위의 점 P의 자취의 길이를 구하여라. (단, $x(2x+1)\neq0$)

132

모든 항이 1이 아닌 양수인 두 수열 $\{a_n\}$, $\{b_n\}$이 다음 조건을 만족시킬 때, $\sum\limits_{n=1}^{\infty}b_n$의 값은?

(가) $a_1=\dfrac{1}{100}$

(나) $\log a_n+\log a_{n+1}=\log a_n\log a_{n+1}$

(다) $\log b_n=\sum\limits_{k=1}^{6n}\log a_k$

① $\dfrac{1}{99999}$ ② $\dfrac{1}{9999}$ ③ $\dfrac{1}{999}$

④ $\dfrac{1}{99}$ ⑤ $\dfrac{1}{9}$

133

두 등비수열 $\{a_n\}$, $\{b_n\}$에 대하여 |보기|에서 옳은 것만을 있는 대로 고른 것은?

┌ 보기 ●
ㄱ. 두 등비급수 $\sum\limits_{n=1}^{\infty}a_n$, $\sum\limits_{n=1}^{\infty}b_n$이 모두 수렴하면 급수 $\sum\limits_{n=1}^{\infty}a_nb_n$도 수렴한다.

ㄴ. 두 등비급수 $\sum\limits_{n=1}^{\infty}a_n^{\,2}$, $\sum\limits_{n=1}^{\infty}b_n^{\,2}$이 모두 수렴하면 두 등비급수 $\sum\limits_{n=1}^{\infty}a_n$, $\sum\limits_{n=1}^{\infty}b_n$도 수렴한다.

ㄷ. 두 등비급수 $\sum\limits_{n=1}^{\infty}a_n^{\,3}$, $\sum\limits_{n=1}^{\infty}b_n^{\,3}$이 모두 수렴하면 급수 $\sum\limits_{n=1}^{\infty}(a_n+b_n)$도 모두 수렴한다.

① ㄱ ② ㄴ ③ ㄱ, ㄴ

④ ㄱ, ㄷ ⑤ ㄱ, ㄴ, ㄷ

134

21×7^n의 모든 양의 약수 $a_1, a_2, a_3, \cdots, a_{2n+4}$에 대하여

$$T_n = \sum_{k=1}^{2n+4} \frac{1}{a_k}, \quad \lim_{n \to \infty} T_n = t$$

라고 할 때, $9t$의 값은?

① 10 　　　② 11 　　　③ 12

④ 13 　　　⑤ 14

135

집합 $\left\{ \dfrac{2}{k} \middle| k$는 자연수$\right\}$의 원소 중에서 정수이거나 유한소수로 나타낼 수 있는 수를 큰 수부터 차례대로 $a_1, a_2, a_3, \cdots$이라고 하자. 이때 급수 $\displaystyle\sum_{n=1}^{\infty} a_n$의 값을 구하여라.

136

다음 조건을 모두 만족시키는 정수 x의 값의 합은?

> (개) 두 급수 $\displaystyle\sum_{n=1}^{\infty} \left(\frac{x-3}{8} \right)^n$, $\displaystyle\sum_{n=1}^{\infty} \left(\log_3 \frac{x}{9} \right)^n$이 모두 수렴한다.
>
> (내) 자연수 n에 대하여
> $$\lim_{n \to \infty} \frac{x^{n+2} - 3^{2n} - 5^{n+1}}{x^n + 3^{2n+1} + 5^n} = -\frac{1}{3}$$

① 10 　　　② 15 　　　③ 20

④ 25 　　　⑤ 30

개념 5 등비급수의 활용

137

순환소수로 이루어진 수열 $\{a_n\}$의 각 항이

$$a_1 = 0.\dot{2}, \quad a_2 = 0.\dot{2}\dot{0}, \quad a_3 = 0.\dot{2}0\dot{0},$$
$$a_4 = 0.\dot{2}00\dot{0}, \quad a_5 = 0.\dot{2}000\dot{0}, \cdots$$

일 때, $\displaystyle\sum_{n=1}^{\infty} \left(\frac{1}{a_{n+1}} - \frac{1}{a_n} \right)$의 값은?

① $\dfrac{1}{3}$ 　　　② $\dfrac{1}{2}$ 　　　③ $\dfrac{2}{3}$

④ $\dfrac{3}{4}$ 　　　⑤ 1

138

다음 그림과 같이 자연수 n에 대하여 직선 $y=\left(\dfrac{1}{3}\right)^{n-1}(2-x)$와 이차함수 $y=-x(x-2)$의 그래프가 만나는 두 점을 $A(2,\,0)$과 P_n이라고 하자. 점 P_n에서 x축에 내린 수선의 발을 H_n이라고 할 때, $\displaystyle\sum_{n=1}^{\infty}\overline{P_nH_n}$의 값을 구하여라.

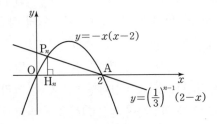

139

다음 그림과 같이 x축 위의 점 P_1에 대하여 $\overline{OP_1}=4$이다. $\angle OP_1P_2=60°$, $\overline{P_1P_2}=\dfrac{1}{2}\overline{OP_1}$이 되도록 점 P_2를 정하고, $\angle P_1P_2P_3=60°$, $\overline{P_2P_3}=\dfrac{1}{2}\overline{P_1P_2}$가 되도록 점 P_3을 정한다. 이와 같은 방법으로 계속하여 점 P_n을 정할 때, 점 P_n이 한없이 가까워지는 점의 x좌표를 구하여라.

(단, O는 원점이다.)

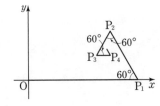

140

다음 그림과 같이 $\overline{A_1B_1}=\overline{A_1C_1}=\sqrt{2}$, $\angle A_1=90°$인 직각삼각형 $A_1B_1C_1$의 내부와 이 직각삼각형의 두 변과 접하고 중심이 선분 B_1C_1 위에 있는 반원의 외부에 공통으로 속하는 영역을 색칠하여 얻은 그림을 R_1이라고 하자. 그림 R_1에서 그린 반원의 중심을 A_2, 반원과 직각삼각형 $A_1B_1C_1$의 두 변이 접하는 접점을 각각 B_2, C_2라고 할 때, 직각삼각형 $A_2B_2C_2$의 내부와 이 직각삼각형의 두 변과 접하고 중심이 선분 B_2C_2 위에 있는 반원의 외부에 공통으로 속하는 영역을 색칠하여 얻은 그림을 R_2라고 하자. 이와 같은 과정을 계속하여 n번째 얻은 그림 R_n에서 색칠되어 있는 부분의 넓이를 S_n이라고 할 때, $\displaystyle\lim_{n\to\infty}S_n$의 값은?

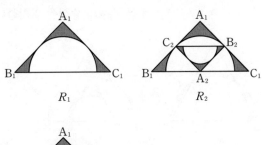

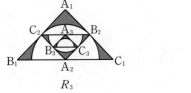

① $\dfrac{\pi-3}{6}$ ② $\dfrac{4-\pi}{6}$ ③ $\dfrac{\pi-3}{3}$

④ $\dfrac{4-\pi}{3}$ ⑤ $\dfrac{\pi-3}{2}$

141

다음 그림과 같이 한 변의 길이가 6인 정삼각형 $A_1B_1C_1$ 이 있다. 선분 B_1C_1을 지름으로 하는 반원을 그려 삼각형 $A_1B_1C_1$의 내부와 반원에서 공통된 부분을 제외한 ⋀ 모양의 도형에 색칠하여 얻은 그림을 R_1이라고 하자. 그림 R_1에서 반원 위의 점 A_2와 선분 B_1C_1 위의 두 점 B_2, C_2를 꼭짓점으로 하는 정삼각형 $A_2B_2C_2$를 그린다. 선분 B_2C_2를 지름으로 하는 반원을 그려 그림 R_1을 얻은 것과 같은 방법으로 삼각형 $A_2B_2C_2$의 내부와 반원에서 공통된 부분을 제외한 ⋀ 모양의 도형에 색칠하여 얻은 그림을 R_2라고 하자. 이와 같은 과정을 계속하여 n 번째 얻은 그림 R_n에 색칠되어 있는 부분의 넓이를 S_n 이라고 할 때, $\lim\limits_{n\to\infty} S_n$의 값은?

(단, 모든 반원의 중심은 일치한다.)

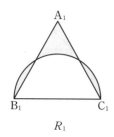 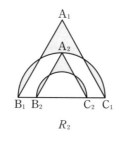

① 2π ② $\dfrac{9}{4}\pi$ ③ $\dfrac{5}{2}\pi$

④ $\dfrac{11}{4}\pi$ ⑤ 3π

142 평가원 기출

다음 그림과 같이 $\overline{AB_1}=2$, $\overline{AD_1}=4$인 직사각형 $AB_1C_1D_1$이 있다. 선분 AD_1을 $3:1$로 내분하는 점을 E_1이라 하고, 직사각형 $AB_1C_1D_1$의 내부에 점 F_1을 $\overline{F_1E_1}=\overline{F_1C_1}$, $\angle E_1F_1C_1=\dfrac{\pi}{2}$가 되도록 잡고 삼각형 $E_1F_1C_1$을 그린다. 사각형 $E_1F_1C_1D_1$을 색칠하여 얻은 그림을 R_1이라고 하자. 그림 R_1에서 선분 AB_1 위의 점 B_2, 선분 E_1F_1 위의 점 C_2, 선분 AE_1 위의 점 D_2와 점 A를 꼭짓점으로 하고 $\overline{AB_2}:\overline{AD_2}=1:2$인 직사각형 $AB_2C_2D_2$를 그린다. 그림 R_1을 얻은 것과 같은 방법으로 직사각형 $AB_2C_2D_2$에 삼각형 $E_2F_2C_2$를 그리고 사각형 $E_2F_2C_2D_2$를 색칠하여 얻은 그림을 R_2라고 하자. 이와 같은 과정을 계속하여 n번째 얻은 그림 R_n에 색칠되어 있는 부분의 넓이를 S_n이라고 할 때, $\lim\limits_{n\to\infty} S_n$의 값은?

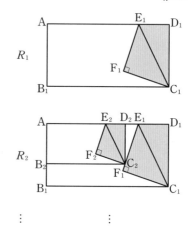

① $\dfrac{441}{103}$ ② $\dfrac{441}{109}$ ③ $\dfrac{441}{115}$

④ $\dfrac{441}{121}$ ⑤ $\dfrac{441}{127}$

143

오른쪽 그림과 같이 원점 O를 중심으로 하고 반지름의 길이가 2인 원이 있다. 이 원 위에 점 $P_0(2, 0)$을 잡고, 다음과 같이 원 위에 점 P_1, P_2, P_3, …을 정하자.

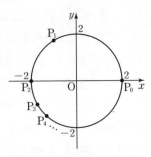

(가) 점 P_0을 원점을 중심으로 시곗바늘이 도는 반대 방향으로 $\frac{2}{3}\pi$만큼 회전한 점을 P_1이라고 한다.

(나) 점 P_n을 원점을 중심으로 시곗바늘이 도는 방향으로 $\frac{1}{2}\stackrel{\frown}{P_nP_0}$만큼 회전한 후 시곗바늘이 도는 반대 방향으로 $\frac{2}{3}\pi$만큼 회전한 점을 P_{n+1}이라고 한다.

(단, n은 자연수이다.)

호 P_0P_n의 길이를 l_n이라고 할 때, $\lim\limits_{n \to \infty} l_n$의 값은?

(단, 점 P_1은 호 P_0P_n 위의 점이다.)

① 2π ② $\frac{7}{3}\pi$ ③ $\frac{8}{3}\pi$

④ 3π ⑤ $\frac{10}{3}\pi$

144

5 L의 물을 두 물통 A, B에 각각 4 L, 1 L로 나누어 담았다. 물통 A에서 $\frac{1}{2}$의 물을 퍼내어 물통 B에 붓고, 다시 물통 B에서 $\frac{1}{4}$의 물을 퍼내어 물통 A에 붓는 시행을 한 번의 시행이라고 하자. 이러한 시행을 n번 반복한 후 물통 A에 담긴 물의 양을 a_n L라고 할 때, $\lim\limits_{n \to \infty} a_n$의 값을 구하여라.

145

자연수 n에 대하여 기울기가 $\frac{n}{2}$인 직선 l_n과 곡선 $y = |x^2 - 4nx|$가 서로 다른 세 점 A_n, B_n, C_n에서 만난다. 세 점 A_n, B_n, C_n의 x좌표를 각각 a_n, b_n, c_n이라고 할 때, $\lim\limits_{n \to \infty} \frac{\overline{A_nC_n}}{n^2}$의 값을 구하여라.

(단, $a_n < b_n < c_n$, $a_n \neq 0$)

146

두 조건

p: $(x^2-2ax+a)(x^2+x-2)<0$

q: $x^2+x-2<0$

에 대하여 명제 $p \longrightarrow q$가 참이 되도록 하는 실수 a의 최 댓값을 M, 최솟값을 m이라고 할 때, $\displaystyle\sum_{n=1}^{\infty}(Mm)^n$의 값은?

① -1 ② $-\dfrac{4}{9}$ ③ $\dfrac{4}{9}$

④ 1 ⑤ $\dfrac{13}{9}$

147

다음 그림과 같이 한 변의 길이가 6인 정삼각형 ABC가 있다. 세 선분 AB, BC, CA의 중점을 각각 D, E, F라 하고 정삼각형 DEF와 그 내접원을 그리고 내접원의 외 부와 정삼각형 DEF의 공통부분에 색칠하여 얻은 그림 을 R_1이라고 하자. 그림 R_1에서 정삼각형 DEF를 제외 한 나머지 세 개의 정삼각형에서 그림 R_1을 얻은 것과 같은 방법으로 세 개의 정삼각형과 각각의 내접원을 그 려 각 내접원의 외부와 각 정삼각형의 공통부분에 색칠 하여 얻은 그림을 R_2라고 하자. 이와 같은 과정을 계속 하여 n번째 얻은 그림 R_n에 색칠되어 있는 부분의 넓이 를 S_n이라고 할 때, $\displaystyle\lim_{n\to\infty}S_n$의 값을 구하여라.

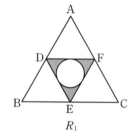

R_1

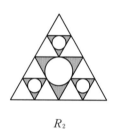

R_2

...

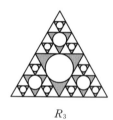

R_3

...

01

수열 $\{a_n\}$에 대하여 $\lim\limits_{n\to\infty}\dfrac{a_n}{n}=\dfrac{1}{3}$일 때,

$\lim\limits_{n\to\infty}\dfrac{\sqrt{9n^2+3n}-2n}{a_n}$의 값은? [3점]

① 1 ② 2 ③ 3

④ 4 ⑤ 5

02

$\lim\limits_{n\to\infty}\dfrac{\sqrt{n^2-2021}-n}{n-\sqrt{n^2-2020}}$의 값은? [3점]

① $-\dfrac{2020}{2021}$ ② $-\dfrac{2021}{2020}$ ③ 1

④ $\dfrac{2020}{2021}$ ⑤ $\dfrac{2021}{2020}$

03

자연수 n에 대하여 $\dfrac{n}{(n+1)!}=\dfrac{1}{n!}-\dfrac{1}{(n+1)!}$임을 이용하여 다음 급수의 합을 구하여라. [3점]

$$\dfrac{1}{2!}+\dfrac{2}{3!}+\dfrac{3}{4!}+\cdots+\dfrac{n}{(n+1)!}+\cdots$$

04

수열 $\{a_n\}$에 대하여 x에 대한 다항식 $x^3-2a_nx+8n^2$이 $x-2n$으로 나누어떨어질 때, $\sum\limits_{n=1}^{\infty}\dfrac{10}{a_n}$의 값을 구하여라. [3점]

05

수열 $\{a_n\}$에 대하여 급수 $\sum\limits_{n=1}^{\infty}\left(\dfrac{a_n}{n}-3\right)$이 수렴할 때,

$\lim\limits_{n\to\infty}\dfrac{n+3a_n}{n-a_n}$의 값은? [3점]

① -2 ② -3 ③ -4

④ -5 ⑤ -6

06

다음 중 $\lim\limits_{n \to \infty} \dfrac{5^n}{(4-2\sin\theta)^{n+1}}$ 이 0이 아닌 극한값을 갖도록 하는 실수 θ의 값으로 적당한 것은? [4점]

① $\dfrac{\pi}{6}$ 　　　② $\dfrac{\pi}{3}$ 　　　③ $\dfrac{2}{3}\pi$

④ $\dfrac{5}{6}\pi$ 　　　⑤ $\dfrac{7}{6}\pi$

07

수열 $\{a_n\}$에 대하여 첫째항부터 제n항까지의 합 S_n이
$$S_n = (n+2) \times 5^n$$
일 때, $\lim\limits_{n \to \infty} \dfrac{S_n}{a_n}$의 값을 구하여라. [4점]

08

수열 $\{a_n\}$이 $a_1 = 3$이고 모든 자연수 n에 대하여
$$a_1 + 2a_2 + 3a_3 + \cdots + na_n = 2n+1$$
을 만족시킬 때, $\sum\limits_{n=1}^{\infty} a_n a_{n+1}$의 값은? [4점]

① 1 　　　② 2 　　　③ 3

④ 4 　　　⑤ 5

09

자연수 n에 대하여 1 이상 2^n 이하의 모든 홀수를 더한 합을 $f(n)$이라고 하자. 예를 들어 $f(1)=1$, $f(3)=1+3+5+7$이다. $\sum\limits_{n=1}^{\infty} \dfrac{1}{f(n)}$의 값은? [4점]

① $\dfrac{1}{3}$ 　　　② $\dfrac{2}{3}$ 　　　③ 1

④ $\dfrac{4}{3}$ 　　　⑤ $\dfrac{5}{3}$

10

어느 장학재단이 20억 원의 기금을 조성하였다고 한다. 매년 초에 기금을 운용하여 연말까지 10 %의 이익을 내고, 기금과 이익을 합한 금액의 20 %를 매년 말에 장학금으로 지급하려고 한다. 장학금으로 지급하고 남은 금액을 기금으로 하여 기금의 운용과 장학금의 지급을 매년 이와 같은 방법으로 무한히 실시한다고 할 때, 해마다 지급할 장학금의 총액은? [4점]

① $\dfrac{100}{3}$억 원 　　② 35억 원 　　③ $\dfrac{110}{3}$억 원

④ $\dfrac{115}{3}$억 원 　　⑤ 40억 원

✓ 실력점검

맞힌 개수	/10개	점수	/35점

미니 모의고사 – 2회

제한시간 : 30분

정답과 풀이 042쪽

01

수열 $\{a_n\}$이 수렴하고, $\lim_{n\to\infty}\dfrac{3a_n+1}{a_n+3}=1$일 때, $\lim_{n\to\infty}a_n$의 값은? [3점]

① -2 ② -1 ③ 0

④ 1 ⑤ 2

02

수열 $\{a_n\}$이 모든 자연수 n에 대하여

$$\frac{1}{2n^2+3}<a_n<\frac{1}{2n^2+1}$$

을 만족시킬 때, $\lim_{n\to\infty}n^2a_n$의 값은? [3점]

① 0 ② $\dfrac{1}{2}$ ③ 1

④ $\dfrac{3}{2}$ ⑤ 2

03

등비수열 $\left\{(x-5)\left(\dfrac{x}{2}\right)^{n-1}\right\}$이 수렴하도록 하는 정수 x의 개수는? [3점]

① 1 ② 2 ③ 3

④ 4 ⑤ 5

04

다음 그림과 같이 자연수 n에 대하여 두 지수함수 $y=5^x$, $y=3^x$의 그래프와 직선 $x=n$의 교점을 각각 P_n, Q_n이라고 하자. 이때 $\lim_{n\to\infty}\dfrac{\overline{P_{n+1}Q_{n+1}}}{\overline{P_nQ_n}}$의 값은? [3점]

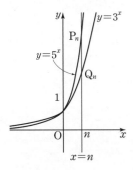

① $\dfrac{3}{5}$ ② $\dfrac{5}{3}$ ③ 3

④ 5 ⑤ 15

05

급수 $\sum_{n=1}^{\infty}\dfrac{(2x-1)^n}{5^n}$과 수열 $\left\{\left(\log_2\dfrac{x}{3}\right)^n\right\}$이 동시에 수렴하도록 하는 x의 값의 범위를 구하여라. [3점]

06

수열 $\{a_n\}$은 공차가 3인 등차수열이고 수열 $\{b_n\}$이

$$b_n = a_{n+1}{}^4 - a_n{}^4$$

을 만족시킬 때, $\lim\limits_{n \to \infty} \dfrac{b_n}{a_n{}^3}$의 값은? [4점]

① 3   ② 6   ③ 9
④ 12   ⑤ 14

07

자연수 n에 대하여 점 P_n의 좌표는 $\left(n, \sqrt{\dfrac{n}{4}}\right)$이다. 점 P_n을 중심으로 하고 y축에 접하는 원을 C_n이라고 하자. 원 C_n이 x축과 만나는 점 중 원점과 가까운 점을 Q_n이라고 할 때, $\lim\limits_{n \to \infty} \dfrac{1}{\overline{OQ_n}}$의 값을 구하여라.

(단, O는 원점이다.) [4점]

08

첫째항이 양수인 등비수열 $\{a_n\}$이 다음 조건을 만족시킨다.

> (가) $\displaystyle\sum_{k=1}^{9} a_k = \sum_{k=1}^{9} \dfrac{1}{a_k}$ (나) $a_5 + a_6 = -1$

$\displaystyle\sum_{n=1}^{\infty} \dfrac{1}{a_n} = \dfrac{q}{p}$일 때, $p+q$의 값을 구하여라.

(단, p, q는 서로소인 자연수이다.) [4점]

09

수열 $\{a_n\}$을

$$a_n = (333^n \text{을 4로 나눈 나머지})$$

로 정의할 때, $48 \displaystyle\sum_{n=1}^{\infty} \dfrac{a_n}{\{6+(-1)^n\}^n}$의 값은? [4점]

① 27   ② 28   ③ 29
④ 30   ⑤ 31

10

다음 그림과 같이 길이가 3인 선분 A_1A_2가 있다. 선분 A_1A_2를 지름으로 하는 반원을 선분 A_1A_2에 대하여 위쪽으로 그린다. 선분 A_1A_2를 1 : 2로 내분하는 점을 A_3이라 하고 선분 A_2A_3을 지름으로 하는 반원을 선분 A_1A_2에 대하여 아래쪽으로 그린다. 이와 같이 선분 A_nA_{n+1} ($n=1, 2, 3, \cdots$)을 1 : 2로 내분하는 점을 A_{n+2}라 하고, 선분 A_nA_{n+1}을 지름으로 하는 반원을 선분 A_1A_2에 대하여 위와 아래로 번갈아 가며 그린다. 이때 그려지는 모든 반원의 호의 길이의 합을 구하여라.

[4점]

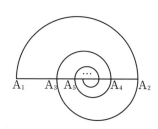

미분법

STEP A 상위권 보장 **개념+필수 기출 문제**

개념 ① 지수함수와 로그함수의 극한

(1) 지수함수의 극한

지수함수 $y=a^x$ $(a>0, a\neq 1)$에서

① $a>1$일 때

$$\lim_{x\to r} a^x=a^r,\ \lim_{x\to\infty} a^x=\infty,\ \lim_{x\to -\infty} a^x=0$$

② $0<a<1$일 때

$$\lim_{x\to r} a^x=a^r,\ \lim_{x\to\infty} a^x=0,\ \lim_{x\to -\infty} a^x=\infty$$

(2) 로그함수의 극한

로그함수 $y=\log_a x$ $(a>0, a\neq 1)$에서

① $a>1$일 때

$$\lim_{x\to r}\log_a x=\log_a r\ (r는\ 양수),$$
$$\lim_{x\to 0+}\log_a x=-\infty,\ \lim_{x\to\infty}\log_a x=\infty$$

② $0<a<1$일 때

$$\lim_{x\to r}\log_a x=\log_a r\ (r는\ 양수),$$
$$\lim_{x\to 0+}\log_a x=\infty,\ \lim_{x\to\infty}\log_a x=-\infty$$

참고 함수 $f(x)$에서 실수 r에 대하여 $\lim_{x\to r}f(x)$가 존재하고

$f(x)>0,\ \lim_{x\to r}f(x)>0$이면

$$\lim_{x\to r}\{\log_a f(x)\}=\log_a\{\lim_{x\to r}f(x)\}\ (단, a>0, a\neq 1)$$

등급업 TIP

(1) 지수함수의 극한

① $\frac{\infty}{\infty}$ 꼴: 분모에서 밑이 가장 큰 항으로 분모, 분자를 각각 나눈다.

② $\infty-\infty$ 꼴: 밑이 가장 큰 항으로 묶는다.

(2) 로그함수의 극한: 로그의 성질을 이용하여 두 개의 항을 하나의 항으로 변형한다.

---

001 출제율 ◖■■□□

다음 |보기| 중 극한값이 큰 것부터 순서대로 나열한 것은?

· 보기 ·

ㄱ. $\lim_{x\to 0}\dfrac{2^x-3^{x+1}}{4^x}$ ㄴ. $\lim_{x\to\infty}\dfrac{5^{x+2}}{3^x-5^x}$

ㄷ. $\lim_{x\to 3}\log_{\frac{1}{2}}(3x-1)$ ㄹ. $\lim_{x\to\infty}\log_2\dfrac{4x+1}{x+6}$

① ㄱ－ㄴ－ㄷ－ㄹ ② ㄴ－ㄷ－ㄱ－ㄹ

③ ㄷ－ㄹ－ㄱ－ㄴ ④ ㄹ－ㄱ－ㄷ－ㄴ

⑤ ㄹ－ㄷ－ㄴ－ㄱ

---

002 출제율 ◖■■□□

$\lim_{x\to\infty}\dfrac{a\times 3^{x+2}+2^x}{3^x-2^x}=54$일 때, 상수 a의 값은?

① 6 ② 7 ③ 8

④ 9 ⑤ 10

---

003 출제율 ◖■■■

$\lim_{x\to\infty}\{\log_6(ax-2)-\log_6(x+1)\}=2$일 때, 상수 a의 값은?

① 18 ② 24 ③ 30

④ 36 ⑤ 42

---

004 출제율 ◖■■■

두 함수 $f(x)=\log_5\dfrac{5}{x}$, $g(x)=\log_5\left(\dfrac{10}{x}+1\right)$에 대하여 $\lim_{x\to 0+}\dfrac{f(x)}{g(x)}$의 값은?

① 1 ② 2 ③ 3

④ 4 ⑤ 5

개념 ② 무리수 e의 정의와 지수함수, 로그함수의 극한

(1) 무리수 e의 정의

$$\lim_{x \to 0}(1+ax)^{\frac{1}{ax}}=\lim_{x \to \infty}\left(1+\frac{1}{ax}\right)^{ax}=e$$

$$e=\lim_{x \to 0}(1+x)^{\frac{1}{x}}=\lim_{x \to \infty}\left(1+\frac{1}{x}\right)^{x}$$

$$(e=2.718281828459045\cdots)$$

(2) 자연로그: 무리수 e를 밑으로 하는 로그 $\log_e x$를 자연로 그라 하고, 간단히 $\ln x$와 같이 나타낸다.

> **참고** 무리수 e를 밑으로 하는 지수함수를 $y=e^x$으로 나타낸다.
> └ 로그함수 $y=\ln x$와 지수함수 $y=e^x$은 서로 역함수이다.

(3) 무리수 e의 정의를 이용한 지수함수와 로그함수의 극한

$a>0$, $a \neq 1$일 때

① $\lim_{x \to 0}\dfrac{\ln(1+x)}{x}=1$

② $\lim_{x \to 0}\dfrac{e^x-1}{x}=1$

③ $\lim_{x \to 0}\dfrac{\log_a(1+x)}{x}=\dfrac{1}{\ln a}$

④ $\lim_{x \to 0}\dfrac{a^x-1}{x}=\ln a$

> **등급업 TIP** 0이 아닌 상수 a, b에 대하여
> (1) $\lim_{x \to 0}(1+ax)^{\frac{b}{x}}=\lim_{x \to 0}\left\{(1+ax)^{\frac{1}{ax}}\right\}^{ab}=e^{ab}$
> (2) $\lim_{x \to \infty}\left(1+\dfrac{1}{ax}\right)^{bx}=\lim_{x \to \infty}\left\{\left(1+\dfrac{1}{ax}\right)^{ax}\right\}^{\frac{b}{a}}=e^{\frac{b}{a}}$
> (3) $\lim_{x \to 0}\dfrac{\ln(1+ax)}{bx}=\lim_{x \to 0}\dfrac{\ln(1+ax)}{ax}\times\dfrac{a}{b}=\dfrac{a}{b}$
> (4) $\lim_{x \to 0}\dfrac{e^{ax}-1}{bx}=\lim_{x \to 0}\dfrac{e^{ax}-1}{ax}\times\dfrac{a}{b}=\dfrac{a}{b}$

005

출제율

$\lim_{x \to 0}\left\{\left(1+\dfrac{x}{a}\right)(1+ax)\right\}^{\frac{1}{x}}=e^{\frac{10}{3}}$일 때, 자연수 a의 값을 구하여라.

006

출제율

$\lim_{x \to 1}\left(\dfrac{x-1}{\log_9 x}-\dfrac{x-1}{\log_3 x}\right)$의 값을 구하여라.

007 학교 기출 신 유형

출제율

$\lim_{x \to \infty}\left(\dfrac{x+a}{x-a}\right)^{x}=e^{100}$을 만족시키는 상수 a의 값을 구하 여라.

008

출제율

$\lim_{x \to 0}\dfrac{(x+2)^2-a}{e^{bx}-e^{ax}}=\dfrac{1}{2}$일 때, 상수 a, b에 대하여 $a+b$의 값은?

① 12   ② 13   ③ 14

④ 15   ⑤ 16

009 교육청 기출

출제율

다음 그림과 같이 점 $P(t, 0)$을 지나는 직선 $x=t$와 두 곡선 $y=\ln x$, $y=-\ln x$가 만나는 점을 각각 A, B라고 하자. 삼각형 AQB의 넓이가 1이 되도록 하는 x축 위의 점을 Q라 할 때, 선분 PQ의 길이를 $f(t)$라고 하자.

$\lim_{t \to 1+}(t-1)f(t)$의 값은?

(단, 점 Q의 x좌표는 t보다 작다.)

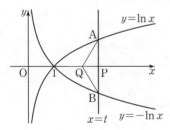

① $\dfrac{1}{2}$ ② 1   ③ $\dfrac{3}{2}$

④ 2   ⑤ $\dfrac{5}{2}$

개념 3 지수함수와 로그함수의 도함수

(1) 지수함수의 도함수

① $y=e^x$이면 $y'=e^x$

② $y=a^x$ $(a>0,\ a\neq1)$이면 $y'=a^x\ln a$

(2) 로그함수의 도함수

① $y=\ln x$이면 $y'=\dfrac{1}{x}$

② $y=\log_a x$ $(a>0,\ a\neq1)$이면 $y'=\dfrac{1}{x\ln a}$

---

010   출제율 ▨▨□□

함수 $f(x)=x^3\ln x^4\,(x>0)$에 대하여 $\displaystyle\lim_{x\to0}\left\{\dfrac{f'(e^x)}{4e^{2x}}\right\}^{\frac{1}{x}}$의 값은?

① e ② e^2 ③ e^3

④ e^4 ⑤ e^5

---

011   출제율 ▨▨▨□

함수 $f(x)=(2^x+8)\log_2 x$에 대하여 $\displaystyle\lim_{x\to1}\dfrac{f(x)}{x^2-1}$의 값은?

① $\dfrac{4}{\ln 2}$ ② $\dfrac{5}{\ln 2}$ ③ $\dfrac{6}{\ln 2}$

④ $\dfrac{7}{\ln 2}$ ⑤ $\dfrac{8}{\ln 2}$

---

012   출제율 ▨□□□

미분가능한 함수 $f(x)$에 대하여 $f(1)=2$, $f'(1)=5$일 때, $\displaystyle\lim_{x\to1}\dfrac{f(x)e^{x-1}-2x}{x-1}$의 값을 구하여라.

---

013   출제율 ▨▨▨□

함수 $f(x)=\displaystyle\lim_{n\to\infty}\dfrac{9n^2}{n+1}(\sqrt[n]{x}-1)$에 대하여 $f'(3)$의 값은?

① 2 ② 3 ③ 4

④ 5 ⑤ 6

---

014   출제율 ▨▨□□

함수 $f(x)=\begin{cases}3^x & (x\geq1)\\ ax+b & (x<1)\end{cases}$가 $x=1$에서 미분가능할 때, 상수 a, b에 대하여 $a-b$의 값은?

① $6\ln 3-3$ ② $5\ln 3-3$ ③ $4\ln 3-2$

④ $3\ln 3-2$ ⑤ $2\ln 3-1$

개념 ④ 여러 가지 삼각함수의 뜻과 삼각함수의 덧셈정리

(1) $\csc\theta$, $\sec\theta$, $\cot\theta$의 정의

동경 OP가 나타내는 각의 크기를 θ라고 할 때

$$\csc\theta=\frac{r}{y}\ (y\neq 0)$$

$$\sec\theta=\frac{r}{x}\ (x\neq 0)$$

$$\cot\theta=\frac{x}{y}\ (y\neq 0)$$

(2) 삼각함수 사이의 관계

① $1+\tan^2\theta=\sec^2\theta$ ② $1+\cot^2\theta=\csc^2\theta$

(3) 삼각함수의 덧셈정리

① $\sin(\alpha+\beta)=\sin\alpha\cos\beta+\cos\alpha\sin\beta$

$\sin(\alpha-\beta)=\sin\alpha\cos\beta-\cos\alpha\sin\beta$

② $\cos(\alpha+\beta)=\cos\alpha\cos\beta-\sin\alpha\sin\beta$

$\cos(\alpha-\beta)=\cos\alpha\cos\beta+\sin\alpha\sin\beta$

③ $\tan(\alpha+\beta)=\dfrac{\tan\alpha+\tan\beta}{1-\tan\alpha\tan\beta}$

$\tan(\alpha-\beta)=\dfrac{\tan\alpha-\tan\beta}{1+\tan\alpha\tan\beta}$

등급업 TIP

(1) 두 직선이 이루는 예각의 크기

두 직선 $y=m_1x+n_1$, $y=m_2x+n_2$가 이루는 예각의 크기를 θ라고 하면

$$\tan\theta=\left|\frac{m_1-m_2}{1+m_1m_2}\right|\ (단,\ m_1m_2\neq -1)$$

(2) 삼각함수의 덧셈정리의 활용

① $\sin 2\theta=2\sin\theta\cos\theta$

② $\cos 2\theta=\cos^2\theta-\sin^2\theta$

$=2\cos^2\theta-1=1-2\sin^2\theta$

➡ $\sin^2\theta=\dfrac{1-\cos 2\theta}{2}$, $\cos^2\theta=\dfrac{1+\cos 2\theta}{2}$

③ $\tan 2\theta=\dfrac{2\tan\theta}{1-\tan^2\theta}$

015

출제율

$0<\alpha<\dfrac{\pi}{2}$, $\dfrac{3}{2}\pi<\beta<2\pi$이고 $\sin\alpha=\dfrac{4}{5}$, $\cos\beta=\dfrac{3}{5}$일 때, $\cos(\alpha-\beta)$의 값을 구하여라.

016

출제율

$\sin\alpha+\cos\beta=\dfrac{2}{3}$, $\cos\alpha+\sin\beta=\dfrac{1}{\sqrt{3}}$일 때, $\sin(\alpha+\beta)$의 값은?

① $-\dfrac{11}{18}$ ② $-\dfrac{5}{9}$ ③ $\dfrac{4}{9}$

④ $\dfrac{13}{18}$ ⑤ $\dfrac{8}{9}$

017

출제율

오른쪽 그림과 같은 정사각형 ABCD에서 변 AD의 사등분점 중에서 점 D에 가까운 점을 P라 하고 변 CD의 중점을 Q라고 하자. $\angle PBQ=\alpha$라고 할 때, $\tan\alpha$의 값은?

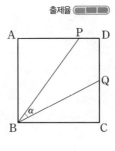

① $\dfrac{1}{3}$ ② $\dfrac{1}{2}$ ③ $\dfrac{2}{3}$

④ 1 ⑤ $\dfrac{3}{2}$

018 학교 기출 신유형

출제율

직선 $y=mx$가 직선 $y=4x$와 x축의 양의 방향이 이루는 예각을 이등분할 때, 상수 m의 값은 $\dfrac{a+\sqrt{b}}{4}$이다. 유리수 a, b에 대하여 $a+b$의 값은?

① 16 ② 17 ③ 18

④ 19 ⑤ 20

개념 ⑤ 삼각함수의 극한

(1) **삼각함수의 극한**: 실수 a에 대하여

① $\lim\limits_{x \to a} \sin x = \sin a$

② $\lim\limits_{x \to a} \cos x = \cos a$

③ $\lim\limits_{x \to a} \tan x = \tan a$ $\left($ 단, $a \neq n\pi + \dfrac{\pi}{2}$, n은 정수이다. $\right)$

참고 $\lim\limits_{x \to \infty} \sin x$, $\lim\limits_{x \to \infty} \cos x$, $\lim\limits_{x \to \frac{\pi}{2}} \tan x$의 값은 존재하지 않는다.

(2) $\dfrac{\sin x}{x}$ **의 극한**: x의 단위가 라디안일 때

$$\lim_{x \to 0} \frac{\sin x}{x} = 1 \quad \lim_{x \to 0} \frac{\sin ax}{ax} = 1$$

참고 $\lim\limits_{x \to 0} \dfrac{\cos x}{x}$의 값은 존재하지 않는다.

등급업 TIP

0이 아닌 상수 a, b에 대하여

(1) $\lim\limits_{x \to 0} \dfrac{\tan x}{x} = \lim\limits_{x \to 0} \left(\dfrac{1}{\cos x} \times \dfrac{\sin x}{x} \right) = 1$

(2) $\lim\limits_{x \to 0} \dfrac{\sin ax}{bx} = \lim\limits_{x \to 0} \dfrac{\sin ax}{ax} \times \dfrac{a}{b} = \dfrac{a}{b}$

(3) $\lim\limits_{x \to 0} \dfrac{\tan ax}{bx} = \lim\limits_{x \to 0} \dfrac{\tan ax}{ax} \times \dfrac{a}{b} = \dfrac{a}{b}$

---

019   출제율 ▰▰▰▱▱

$\lim\limits_{x \to \frac{1}{2}} \dfrac{\sin(\cos \pi x)}{x - \dfrac{1}{2}}$ 의 값은?

① -2π ② $-\pi$ ③ π

④ 2π ⑤ 3π

---

020 학교 기출 신 유형   출제율 ▰▰▰▰▱

함수 $f(x) = x^2 - 2x$에 대하여 $\lim\limits_{x \to 0} \dfrac{\sin f(x)}{f(\sin x)}$의 값을 구하여라.

---

021   출제율 ▰▰▰▰▱

$\lim\limits_{x \to \infty} \dfrac{3x+1}{5} \tan \dfrac{2}{x-3}$ 의 값은?

① $\dfrac{3}{5}$ ② $\dfrac{4}{5}$ ③ 1

④ $\dfrac{6}{5}$ ⑤ $\dfrac{7}{5}$

---

022   출제율 ▰▰▰▰▱

$\lim\limits_{x \to 0} \dfrac{ax \tan x + b}{1 - \cos x} = 8$일 때, 상수 a, b에 대하여 $a + b$의 값은?

① 1 ② 2 ③ 3

④ 4 ⑤ 5

---

023 평가원 기출   출제율 ▰▰▰▰▱

다음 그림과 같이 곡선 $y = \sin x$ 위의 점 $P(t, \sin t)$ $(0 < t < \pi)$를 중심으로 하고 x축에 접하는 원을 C라고 하자. 원 C가 x축에 접하는 점을 Q, 선분 OP와 만나는 점을 R라고 하자. $\lim\limits_{t \to 0+} \dfrac{\overline{\mathrm{OQ}}}{\overline{\mathrm{OR}}} = a + b\sqrt{2}$일 때, $a + b$의 값을 구하여라. (단, O는 원점이고, a, b는 정수이다.)

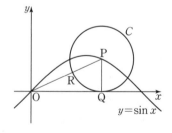

개념 ⑥ 삼각함수의 도함수

(1) $y=\sin x$이면 $y'=\cos x$

(2) $y=\cos x$이면 $y'=-\sin x$

참고 함수 $y=\sin x$, $y=\cos x$는 모든 실수에서 미분가능하다.

024

출제율

함수 $f(x)=e^x\cos x$에 대하여

$\lim\limits_{h\to 0}\dfrac{f(\pi+2h)-f(\pi-h)}{h}$의 값은?

① $-3e^\pi$ ② $-2e^\pi$ ③ e^π

④ $2e^\pi$ ⑤ $3e^\pi$

025

출제율

함수 $f(x)=\sin^2 x$에 대하여 $\lim\limits_{x\to\pi}\dfrac{5f'(x)}{x-\pi}$의 값은?

① 6   ② 7   ③ 8

④ 9   ⑤ 10

026

출제율

$-\dfrac{\pi}{2}<x<\dfrac{\pi}{2}$일 때, 함수

$$f(x)=\begin{cases} 3\tan x-7x^2\sin\dfrac{1}{x} & (x\neq 0) \\ 0 & (x=0) \end{cases}$$

에 대하여 $f'(0)$의 값은?

① 1   ② 2   ③ 3

④ 4   ⑤ 5

027

출제율

함수 $f(x)=\lim\limits_{h\to 0}\dfrac{x\sin(x+h)-x\sin x}{h}$에 대하여

$f'\left(\dfrac{\pi}{4}\right)$의 값은? (단, a, b는 상수이다.)

① $\sqrt{2}-\sqrt{2}\pi$ ② $\dfrac{\sqrt{2}}{2}-\dfrac{\sqrt{2}}{4}\pi$

③ $\dfrac{\sqrt{2}}{2}-\dfrac{\sqrt{2}}{8}\pi$ ④ $\dfrac{\sqrt{2}}{2}+\dfrac{\sqrt{2}}{8}\pi$

⑤ $\sqrt{2}+\dfrac{\sqrt{2}}{4}\pi$

028

출제율

함수

$$f(x)=\begin{cases} 3a\cos x+2b\sin x & (x\geq 0) \\ e^x & (x<0) \end{cases}$$

이 $x=0$에서 미분가능할 때, ab의 값은?

(단, a, b는 상수이다.)

① $\dfrac{1}{6}$ ② $\dfrac{1}{4}$ ③ $\dfrac{1}{3}$

④ $\dfrac{1}{2}$ ⑤ 1

최상위권 도약 실력 완성 문제

개념 1 지수함수와 로그함수의 극한

029 학교 기출 신 유형

$\lim\limits_{x \to 0} \dfrac{3^{\frac{1}{x}} + 3^b}{3^{\frac{1}{x}} + 3^a} = c$가 성립하도록 하는 상수 a, b, c에 대하

여 $a - b + c$의 값은?

① -2　　　② -1　　　③ 0

④ 1　　　⑤ 2

030 다빈출

다음 |보기|에서 극한값이 존재하는 것만을 있는 대로 고른 것은?

> **보기**
>
> ㄱ. $\lim\limits_{x \to -\infty} \dfrac{5^x}{5^x - 5^{-x}}$　　ㄴ. $\lim\limits_{x \to 0} \dfrac{2^{\frac{1}{x}}}{2^{\frac{1}{x}} - 2^{-\frac{1}{x}}}$
>
> ㄷ. $\lim\limits_{x \to \infty} \log_2 \dfrac{1}{x}$
>
> ㄹ. $\lim\limits_{x \to \infty} (\log_3 \sqrt{3x^2 + 7} - \log_3 x)$

① ㄱ, ㄴ　　　② ㄱ, ㄹ　　　③ ㄴ, ㄷ

④ ㄴ, ㄹ　　　⑤ ㄷ, ㄹ

031

1이 아닌 양수 a, b에 대하여

$$\lim\limits_{x \to 0+} \dfrac{a^x + \log_b x}{b^x + \log_a x} = \dfrac{2}{3}$$

일 때, $\log_a b$의 값은?

① $\dfrac{1}{2}$　　　② $\dfrac{2}{3}$　　　③ 1

④ $\dfrac{3}{2}$　　　⑤ 2

032

함수 $f(x) = \lim\limits_{n \to \infty} \dfrac{1}{n} \log(x^n + x^{3n})$에 대하여

$f(6) - f\left(\dfrac{1}{6}\right)$의 값은?

① $-2\log 6$　　② $-\log 6$　　③ $2\log 6$

④ $3\log 6$　　　⑤ $4\log 6$

033

함수 $f(x) = a^x + b$ $(a > 0)$에 대하여

$$f(3) = 22, \quad \lim\limits_{x \to -\infty} \{f(x) + 5\} = 0$$

이 성립할 때, $f(4)$의 값은? (단, a, b는 상수이다.)

① 75　　　② 76　　　③ 77

④ 78　　　⑤ 79

034

두 함수

$$f(x)=\begin{cases} ax & (x<1) \\ -2x+3 & (x\geq 1) \end{cases}, \; g(x)=5^x+5^{-x}$$

에 대하여 합성함수 $(g\circ f)(x)$가 실수 전체의 집합에서 연속이 되도록 하는 모든 실수 a의 값의 곱을 구하여라.

개념 ② **무리수 e의 정의와 지수함수, 로그함수의 극한**

035

함수

$$f(x)=\frac{x}{e^x+e^{2x}+e^{3x}+\cdots+e^{nx}-n}$$

에 대하여 $g(n)=\lim\limits_{x\to 0}f(x)$라고 하자. $\sum\limits_{n=1}^{\infty}g(n)$의 값은?

① 1   ② 2   ③ 3

④ 4   ⑤ 5

036 다빈출

$x>-1$인 모든 실수 x에서 연속인 함수 $f(x)$가

$$f(x)\ln(ax+1)+1=3^x$$

을 만족시킨다. $f(0)=\ln 3$일 때, $f(a)$의 값은?

(단, a는 상수이다.)

① $\dfrac{1}{\ln 2}$ ② $\dfrac{2}{\ln 2}$ ③ $\dfrac{3}{\ln 2}$

④ $\dfrac{4}{\ln 3}$ ⑤ $\dfrac{5}{\ln 3}$

037

함수 $f(x)$에 대하여 |보기|에서 옳은 것만을 있는 대로 고른 것은?

• 보기 •

ㄱ. $f(x)=x^3$이면 $\lim\limits_{x\to 0}\dfrac{e^{f(x)}-1}{x}=0$이다.

ㄴ. $\lim\limits_{x\to 0}\dfrac{e^x-1}{f(x)}=2$이면 $\lim\limits_{x\to 0}\dfrac{e^{2x}-1}{\{f(x)\}^2}=2$이다.

ㄷ. $\lim\limits_{x\to 0}f(x)=0$이면 $\lim\limits_{x\to 0}\dfrac{e^{f(x)}-1}{x}$이 존재한다.

① ㄱ   ② ㄴ   ③ ㄱ, ㄴ

④ ㄴ, ㄷ   ⑤ ㄱ, ㄴ, ㄷ

038 학교 기출 신유형

$x\geq 0$에서 정의된 함수 $f(x)$에 대하여

$$\ln(1+x)\leq f(x)\leq e^x-1$$

이 성립한다. 함수 $f(x)$의 역함수를 $g(x)$라고 할 때,

$$\lim_{x\to 0+}\frac{g(4x)}{x}$$의 값은?

① 2   ② 3   ③ 4

④ 5   ⑤ 6

039 교육청 기출

오른쪽 그림과 같이 두 함수 $f(x)=2^x$, $g(x)=\left(\dfrac{1}{2}\right)^x$의 그래프가 있다. 두 곡선 $y=f(x)$, $y=g(x)$가 직선 $x=t$ $(t>0)$와 만나는 점을 각각 A, B라고 하자. 점 A에서 y축에 내린 수선의 발을 H라고 할 때, $\displaystyle\lim_{t\to 0+}\dfrac{\overline{\text{AB}}}{\overline{\text{AH}}}$의 값은?

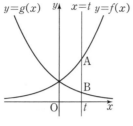

① $2\ln 2$ ② $\dfrac{7}{4}\ln 2$ ③ $\dfrac{3}{2}\ln 2$

④ $\dfrac{5}{4}\ln 2$ ⑤ $\ln 2$

040 학교 기출 신유형

오른쪽 그림과 같이 두 곡선 $y=e^{2x}$, $y=e^{2(x-e)}-1$에 대하여 두 점 A$(0, 1)$, B$(e, 0)$을 지나는 직선 l_1이 있다. 곡선 $y=e^{2x}$ 위의 점 P(t, e^{2t}) $(t>0)$을 지나고 직선 l_1과 평행한 직선 l_2가 곡선 $y=e^{2(x-e)}-1$과 만나는 점을 Q, 점 P에서 y축에 내린 수선의 발을 H라고 하자. 사각형 ABQP의 넓이를 $S_1(t)$, 삼각형 APH의 넓이를 $S_2(t)$라고 할 때, $\displaystyle\lim_{t\to 0+}\dfrac{tS_1(t)}{S_2(t)}$의 값을 구하여라.

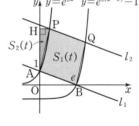

041

이차함수 $f(x)$가

$$f(1)=3, \quad f'(1)=\lim_{x\to 0}\dfrac{\ln f(x)}{x}+2$$

를 만족시킬 때, $f(-1)$의 값은?

① -2 ② -1 ③ 0

④ 1 ⑤ 2

개념 **3** 지수함수와 로그함수의 도함수

042

함수 $f(x)=(x^2-ax+3)e^x$에 대하여 곡선 $y=f(x)$ 위의 점 A$(t, f(t))$에서의 접선의 기울기가 항상 양수가 되도록 하는 정수 a의 개수는?

① 1 ② 2 ③ 3

④ 4 ⑤ 5

043

함수 $f(x)=ae^x+b$가 $\displaystyle\lim_{h\to 0}\dfrac{f(h)}{h}=3$을 만족시킬 때, 상수 a, b에 대하여 ab의 값은?

① -9 ② -5 ③ -3

④ 4 ⑤ 8

044

두 함수 $f(x)$, $g(x)$가 실수 전체에서 미분가능하고 $f(x)-g(x)=e^{2x}-6e^x-8x$를 만족시킬 때, 방정식 $\dfrac{g'(x)}{f'(x)}+\dfrac{f'(x)}{g'(x)}=2$의 해는? (단, $f'(x)g'(x)>0$)

① $\ln 2$ ② $\ln 3$ ③ $2\ln 2$

④ $\ln 5$ ⑤ $\ln 6$

045 다빈출

두 함수 $f(x)=5-\ln x$, $g(x)=e^{x-5}$에 대하여
$$\lim_{h\to 0}\frac{1}{h}\{f(1+h)g(1+h)-f(1)g(1)\}$$
의 값은?

① $\dfrac{1}{e^4}$ ② $\dfrac{2}{e^4}$ ③ $\dfrac{3}{e^4}$

④ $\dfrac{4}{e^4}$ ⑤ $\dfrac{5}{e^4}$

046 학교 기출 신유형

함수 $f_n(x)=e^x+e^{2x}+\cdots+e^{nx}$에 대하여 $\lim\limits_{x\to 0}\dfrac{f_n(2x)-f_n(x)}{x}=36$일 때, 자연수 n의 값을 구하여라.

047 교육청 기출

실수 전체의 집합에서 미분가능한 함수 $f(x)$가 다음 조건을 만족시킨다.

> (가) $x>0$일 때, $f(x)=axe^{2x}+bx^2$
> (나) $x_1<x_2<0$인 임의의 두 실수 x_1, x_2에 대하여
> $$f(x_2)-f(x_1)=3x_2-3x_1$$

$f\left(\dfrac{1}{2}\right)=2e$일 때, $f'\left(\dfrac{1}{2}\right)$의 값은? (단, a, b는 상수이다.)

① $2e$ ② $4e$ ③ $6e$

④ $8e$ ⑤ $10e$

048

n이 3 이상의 자연수일 때, 두 함수
$$f_n(x)=x^n+kx^2,$$
$$g(x)=\begin{cases}\dfrac{1}{(e^x-1)\ln(x+1)} & (x\neq 0)\\ 6 & (x=0)\end{cases}$$
에 대하여 함수 $f_n(x)g(x)$가 구간 $(-1, \infty)$에서 연속이다. $x>0$에서 정의된 함수 $h_n(x)=f_n(x)\ln x$에 대하여 방정식 $h_n{}'(x)=0$의 실근을 a_n이라고 할 때, $\sum\limits_{n=3}^{\infty}h_n(a_n)h_{n+1}(a_{n+1})$의 값을 구하여라.

(단, k는 상수이다.)

049

열린구간 $\left(0, \dfrac{\pi}{2}\right)$에서 정의된 함수 $f(x)=\tan x$에 대하여 함수 $f(x)$의 역함수를 $g(x)$라고 할 때, $g\left(\dfrac{2}{3}\right)+g\left(\dfrac{1}{5}\right)$의 값은?

① $\dfrac{\pi}{6}$ ② $\dfrac{\pi}{4}$ ③ $\dfrac{\pi}{3}$

④ $\dfrac{\pi}{2}$ ⑤ π

050 《다빈출》

$\tan\theta=\sqrt{3}-1$일 때,

$$\dfrac{1}{1+\sin\theta}+\dfrac{1}{1+\cos\theta}+\dfrac{1}{1-\sin\theta}+\dfrac{1}{1-\cos\theta}$$

의 값을 구하여라.

051

함수 $f(x)=\sin\left(\dfrac{\pi}{6}-x\right)\sin\left(\dfrac{\pi}{6}+x\right)+\sin(\pi+x)$의 최댓값을 M, 최솟값을 m이라고 할 때, $M+m$의 값은?

① $-\dfrac{7}{4}$ ② $-\dfrac{5}{4}$ ③ $-\dfrac{1}{2}$

④ $\dfrac{1}{3}$ ⑤ $\dfrac{4}{3}$

052 《다빈출》

x에 대한 이차방정식 $x^2+x\sin\theta+\cos\theta=0$의 두 근이 $\tan\alpha$, $\tan\beta$이고 $\tan(\alpha+\beta)=\dfrac{2}{3}$일 때, $\cos\theta$의 값은?

① $-\dfrac{5}{13}$ ② $-\dfrac{2}{5}$ ③ $\dfrac{1}{13}$

④ $\dfrac{3}{10}$ ⑤ 1

053

오른쪽 그림에서 선분 AB가 원 O의 지름이고 $\angle AOC=\dfrac{\pi}{4}$, $\overline{OC}\perp\overline{AD}$이다. $\angle ABD=\theta$라고 할 때, $\sin 2\theta$의 값을 구하여라.

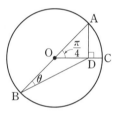

054

오른쪽 그림과 같은 정육각형 ABCDEF에서 선분 AF의 중점을 M, 선분 EF의 3등분점을 각각 P, Q라 하고, $\angle MCQ=\theta$라고 할 때, $\tan\theta$의 값은?

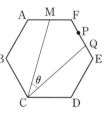

① $\dfrac{\sqrt{3}}{4}$ ② $\dfrac{5\sqrt{3}}{16}$ ③ $\dfrac{3\sqrt{3}}{8}$

④ $\dfrac{7\sqrt{3}}{16}$ ⑤ $\dfrac{\sqrt{3}}{2}$

055

오른쪽 그림과 같이 곡선 $y=x^2$ 위의 세 점 $A(x_1, x_1{}^2)$, $B(x_2, x_2{}^2)$, $C(x_3, x_3{}^2)$에 대하여 $x_3-x_2=x_2-x_1=\dfrac{3}{2}$이다. $\angle BAC=\theta$가 최대일 때, $x_1+x_2+x_3$의 값은?

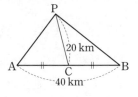

① $\dfrac{3}{4}$
② $\dfrac{7}{8}$
③ 1

④ $\dfrac{9}{8}$
⑤ $\dfrac{5}{4}$

056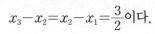

오른쪽 그림과 같이 40 km 떨어져 있는 두 도시 A, B의 중간 지점에 C 도시가 있다. 신도시 P의 위치를 C 도시에서 20 km 떨어진 지점에 정한 후, P 도시와 A 도시 사이에는 2차선 직선 도로를, P 도시와 B 도시 사이에는 4차선 직선 도로를 건설하려고 한다. 2차선 직선 도로는 km당 3억 원, 4차선 직선 도로는 km당 4억 원의 공사 비용이 소요된다고 한다. 공사 비용이 최대일 때, $\tan(\angle PAB)$의 값을 구하여라.

(단, 세 도시 A, B, C는 한 직선 위에 있다.)

개념 5 삼각함수의 극한

057

$\displaystyle\lim_{x\to0}\dfrac{\tan 2x+\tan 4x+\cdots+\tan 20x}{\sin x+\sin 2x+\cdots+\sin 10x}$의 값은?

① 1
② 2
③ 3

④ 4
⑤ 5

058 다빈출

$\displaystyle\lim_{x\to-\frac{\pi}{6}}\dfrac{\sqrt{3}\sin x+\cos x}{x+\dfrac{\pi}{6}}$의 값은?

① $\dfrac{1}{2}$
② $\dfrac{\sqrt{2}}{2}$
③ 1

④ $\sqrt{2}$
⑤ 2

059

일차함수 $f(x)$에 대하여

$$\lim_{x\to\infty}f(x)\ln\left(1+\tan\dfrac{3}{x}\right)=12$$

일 때, 직선 $y=f(x)$의 기울기를 구하여라.

060

$\lim\limits_{x \to 0} \dfrac{\tan x - \sin x}{x^n} = a \ (a \neq 0)$일 때, $a+n$의 값은?

(단, a는 상수, n은 자연수이다.)

① $\dfrac{3}{2}$ ② 2 ③ $\dfrac{5}{2}$

④ 3 ⑤ $\dfrac{7}{2}$

061 ◀다빈출

함수 $f(x) = \begin{cases} \dfrac{a - \cos x}{\sin^2 3x} & (x \neq 0) \\ b & (x = 0) \end{cases}$ 가 $x=0$에서 연속일

때, 상수 a, b에 대하여 $a + 18b$의 값을 구하여라.

062

최고차항의 계수가 1인 이차함수 $f(x)$에 대하여

$\lim\limits_{x \to \frac{\pi}{2}} \dfrac{\sin^2(2x - \pi)}{f(x)} = 4$일 때, $f\left(\dfrac{\pi}{4}\right)$의 값은?

① $\dfrac{\pi^2}{2}$ ② $\dfrac{\pi^2}{4}$ ③ $\dfrac{\pi^2}{8}$

④ $\dfrac{\pi^2}{16}$ ⑤ $\dfrac{\pi^2}{32}$

063

오른쪽 그림과 같이 직선 $x = k$가 두 곡선 $y = \ln x$, $y = \cos \dfrac{\pi}{2} x$ 및 x축과 만나는 점을 각각 P, Q, R라고 하자. 점 A(1, 0)에 대하여 $\angle PAQ = \theta$라고 할 때, $\lim\limits_{k \to 1+} \tan \theta$의 값은?

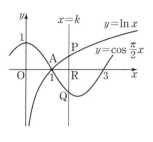

① 1 ② $\dfrac{1-\pi}{1+\pi}$ ③ $\dfrac{1+\pi}{1-\pi}$

④ $\dfrac{2-\pi}{2+\pi}$ ⑤ $\dfrac{2+\pi}{2-\pi}$

064 ◢평가원 기출

오른쪽 그림과 같이 반지름의 길이가 1이고 중심각의 크기가 $\dfrac{\pi}{2}$인 부채꼴 OAB가 있다. 호 AB 위의 점 P에서 선분 OA에 내린 수선의 발을 H, 점 P에서 호 AB에 접하는 직선과 직선 OA의 교점을 Q라고 하자. 점 Q를 중심으로 하고 반지름의 길이가 $\overline{QA}$인 원과 선분 PQ의 교점을 R라고 하자. $\angle POA = \theta$일 때, 삼각형 POH의 넓이를 $f(\theta)$, 부채꼴 QRA의 넓이를 $g(\theta)$라고 하자.

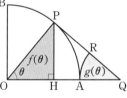

$\lim\limits_{\theta \to 0+} \dfrac{\sqrt{g(\theta)}}{\theta \times f(\theta)}$의 값은? $\left($단, $0 < \theta < \dfrac{\pi}{2}\right)$

① $\dfrac{\sqrt{\pi}}{5}$ ② $\dfrac{\sqrt{\pi}}{4}$ ③ $\dfrac{\sqrt{\pi}}{3}$

④ $\dfrac{\sqrt{\pi}}{2}$ ⑤ $\sqrt{\pi}$

개념 6 삼각함수의 도함수

065

함수 $f(x) = \lim\limits_{t \to x} \dfrac{t \sin x - x \sin t}{t - x}$에 대하여 $f'\left(\dfrac{\pi}{3}\right)$의 값을 구하여라.

066

함수 $f(x) = \sin x(1 + \cos x)$에 대하여 $f'(x) = 0$을 만족시키는 모든 실수 x의 값의 합은? (단, $0 \le x < 2\pi$)

① π ② 2π ③ 3π

④ 4π ⑤ 5π

067 다빈출

함수 $f(x) = \sin x \cos x$에 대하여

$\lim\limits_{x \to 0} \dfrac{f\left(\dfrac{\pi}{2} - \sin x\right) - f\left(\dfrac{\pi}{2}\right)}{x}$의 값은?

① -2π ② $-\pi$ ③ -1

④ 1 ⑤ π

068

함수 $f(x) = \sin x \cos x - \sin x$에 대하여

$g(x) = \lim\limits_{h \to 0} \dfrac{f(x + 3h) - f(x)}{h}$이다. 함수 $g(x)$의 최댓값을 M, 최솟값을 m이라고 할 때, $M + m$의 값은?

① $-\dfrac{27}{8}$ ② $-\dfrac{11}{8}$ ③ $\dfrac{21}{8}$

④ $\dfrac{25}{8}$ ⑤ 6

069 학교 기출 신유형

함수 $f(x) = a|x| + |2\sin x|$가 $x = 0$에서 미분가능할 때, 상수 a의 값은? (단, $-\pi \le x \le \pi$)

① -2 ② -1 ③ $-\dfrac{1}{2}$

④ 1 ⑤ 2

상위권 보장 **개념+필수 기출 문제**

 개념 1 함수의 몫의 미분법

(1) **함수의 몫의 미분법**

두 함수 $f(x)$, $g(x)$ $(g(x) \neq 0)$가 미분가능할 때

① $y = \dfrac{f(x)}{g(x)}$이면 $y' = \dfrac{f'(x)g(x) - f(x)g'(x)}{\{g(x)\}^2}$

② $y = \dfrac{1}{g(x)}$이면 $y' = -\dfrac{g'(x)}{\{g(x)\}^2}$

(2) **함수 $y = x^n$ (n은 정수)의 도함수**

n이 정수일 때, $y = x^n$이면 $y' = nx^{n-1}$

(3) **삼각함수의 도함수**

① $y = \tan x$이면 $y' = \sec^2 x$

② $y = \sec x$이면 $y' = \sec x \tan x$

③ $y = \csc x$이면 $y' = -\csc x \cot x$

④ $y = \cot x$이면 $y' = -\csc^2 x$

등급업 TIP

$y = \dfrac{1}{x^n}$ (n은 정수)을 $y = x^{-n}$ 꼴이 되도록 변형하여 계산하면 편리하다.

---

070   출제율 ●●●○○

함수 $f(x) = \csc x \cot x$에 대하여 $f'\left(\dfrac{\pi}{4}\right)$의 값을 구하여라.

---

071   출제율 ●●●●○

함수 $f(x) = \dfrac{x^2}{x+3}$에 대하여 $\displaystyle\lim_{h \to 0} \dfrac{f(1+h) - f(1)}{h}$의 값을 구하여라.

---

072   출제율 ●●●○○

함수 $f(x) = \dfrac{e^{x+2} - 1}{x}$에 대하여 $\displaystyle\lim_{x \to -2} \dfrac{f(x)}{x+2}$의 값은?

① -1 ② $-\dfrac{1}{2}$ ③ $\dfrac{1}{2}$

④ 1 ⑤ $\dfrac{3}{2}$

---

073   출제율 ●●●●○

함수 $f(x) = \dfrac{1}{x} + \dfrac{2}{x^2} + \dfrac{3}{x^3} + \cdots + \dfrac{10}{x^{10}}$에 대하여 $f'(1)$의 값을 구하여라.

---

074 평가원 기출   출제율 ●●●●●

오른쪽 그림과 같이 $\overline{BC} = 1$, $\angle ABC = \dfrac{\pi}{3}$, $\angle ACB = 2\theta$인 삼각형 ABC에 내접하는 원의 반지름의 길이를 $r(\theta)$라고 하자. $h(\theta) = \dfrac{r(\theta)}{\tan \theta}$일 때,

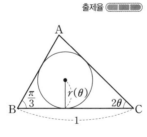

$h'\left(\dfrac{\pi}{6}\right)$의 값은? $\left(\text{단, } 0 < \theta < \dfrac{\pi}{3}\right)$

① $-\sqrt{3}$ ② $-\dfrac{\sqrt{3}}{3}$ ③ $\dfrac{\sqrt{3}}{6}$

④ $\dfrac{\sqrt{3}}{3}$ ⑤ $\sqrt{3}$

개념 ② 합성함수의 미분법

(1) 합성함수의 미분법

두 함수 $y=f(u)$, $u=g(x)$가 미분가능할 때, 합성함수 $y=f(g(x))$의 도함수는

$$\frac{dy}{dx}=\frac{dy}{du}\times\frac{du}{dx} \text{ 또는 } y'=f'(g(x))g'(x)$$

(2) 로그함수의 도함수

① $y=\ln|x|$이면 $y'=\dfrac{1}{x}$

② $y=\log_a|x|$이면 $y'=\dfrac{1}{x\ln a}$ (단, $a>0$, $a\neq1$)

③ $y=\ln|f(x)|$이면 $y'=\dfrac{f'(x)}{f(x)}$

③ $y=\log_a|f(x)|$이면 $y'=\dfrac{f'(x)}{f(x)\ln a}$

(단, $a>0$, $a\neq1$)

(3) 함수 $y=x^n$ (n은 실수)의 도함수

n이 실수일 때, $y=x^n$ $(x>0)$이면 $y'=nx^{n-1}$

등급업 TIP 미분가능한 함수 $y=f(x)$에 대하여

(1) $y=f(ax+b)$ (a, b는 상수)이면 $y'=af'(ax+b)$

(2) $y=\{f(x)\}^n$ (n은 정수)이면 $y'=n\{f(x)\}^{n-1}f'(x)$

(3) $y=\sqrt{f(x)}$이면 $y'=\dfrac{f'(x)}{2\sqrt{f(x)}}$

075 출제율

미분가능한 함수 $f(x)$가 모든 실수 x에 대하여

$$f(2x-3)=x^2-4x+11$$

을 만족시킬 때, $f'(6)$의 값을 구하여라.

076 출제율

함수 $f(x)=\ln\sqrt{\dfrac{1+\sin x}{1-\sin x}}$에 대하여 $f'\left(\dfrac{\pi}{3}\right)$의 값을 구하여라.

077 출제율

미분가능한 두 함수 $f(x)$, $g(x)$가

$$\lim_{x\to 2}\frac{f(x)+2}{x-2}=7, \quad \lim_{x\to -2}\frac{g(x)+2}{x+2}=9$$

를 만족시킬 때, 함수 $y=(g\circ f)(x)$에서 $x=2$일 때의 미분계수를 구하여라.

078 출제율

두 함수 $f(x)=\sin\dfrac{x}{3}$, $g(x)=e^x$에 대하여

$$\lim_{x\to\frac{\pi}{2}}\frac{g(f(x))-\sqrt{e}}{x-\dfrac{\pi}{2}}$$의 값은?

① $\dfrac{\sqrt{e}}{6}$ ② $\dfrac{\sqrt{2e}}{6}$ ③ $\dfrac{\sqrt{3e}}{6}$

④ $\dfrac{\sqrt{e}}{3}$ ⑤ $\dfrac{\sqrt{5e}}{6}$

079 출제율

함수 $f(x)=\dfrac{1}{\sqrt{\tan x+2}}$에 대하여 함수 $g(x)$가

$f'(x)=f(x)g(x)$를 만족시킬 때, $g\left(\dfrac{\pi}{4}\right)$의 값을 구하여라.

개념 ③ 매개변수로 나타낸 함수의 미분법

(1) 매개변수로 나타낸 함수

두 변수 x, y 사이의 함수 관계가 변수 t를 매개로 하여
$$x=f(t), \ y=g(t) \qquad \cdots\cdots \ \text{㉠}$$
꼴로 나타날 때, 변수 t를 매개변수라 하고, ㉠을 매개변수로 나타낸 함수라고 한다.

(2) 매개변수로 나타낸 함수의 미분법

두 함수 $x=f(t)$, $y=g(t)$가 t에 대하여 미분가능하고 $f'(t)\neq0$일 때
$$\frac{dy}{dx}=\frac{\dfrac{dy}{dt}}{\dfrac{dx}{dt}}=\frac{g'(t)}{f'(t)}$$

등급업 TIP 매개변수로 나타낸 곡선의 접선의 기울기

매개변수로 나타낸 곡선 $x=f(t)$, $y=g(t)$에서 두 함수 $f(t)$, $g(t)$가 미분가능하고 $f'(t)\neq0$일 때, $t=a$에 대응하는 곡선 위의 점 $(f(a), g(a))$에서의 접선의 기울기는 $\dfrac{g'(t)}{f'(t)}$를 구한 후 $t=a$에 대응하는 이 곡선 위의 점 $(f(a), g(a))$에서의 접선의 기울기 $\dfrac{g'(a)}{f'(a)}$를 구한다.

080 출제율 ◖◖◖◖◗

매개변수 t로 나타낸 함수
$$x=t^3-\frac{1}{6}t^2+4, \ y=t^3+3t^2$$
에 대하여 $t=1$일 때, $\dfrac{dy}{dx}$의 값을 구하여라.

081 출제율 ◖◖◖◗◗

매개변수 θ로 나타낸 함수
$$x=a\cos^4\theta, \ y=a\sin^4\theta$$
에 대하여 $\theta=\dfrac{\pi}{3}$일 때, $\dfrac{dy}{dx}$의 값을 구하여라.
(단, a는 상수이다.)

082 출제율 ◖◖◖◗◗

매개변수 t $(t>0)$로 나타낸 함수
$$x=\ln t, \ y=\ln(t^2+1)$$
에 대하여 $\displaystyle\lim_{t\to\infty}\frac{dy}{dx}$의 값을 구하여라.

083 출제율 ◖◖◖◖◗

곡선 $x=4\tan\theta$, $y=12\sec\theta$ 위의 한 점 (a, b)에서의 접선의 기울기가 $\dfrac{3}{2}$일 때, 양수 a, b에 대하여 ab의 값은?
(단, $0\leq\theta<2\pi$)

① 20   ② 26   ③ 32
④ 38   ⑤ 44

084 출제율 ◖◖◖◗◗

매개변수 t로 나타낸 함수
$$x=t^2+\frac{a}{t^2}, \ y=t^2-\frac{a}{t^2}$$
에 대하여 $t=3$일 때의 $\dfrac{dy}{dx}$의 값이 2가 되도록 하는 상수 a의 값은?

① 25   ② 26   ③ 27
④ 28   ⑤ 29

개념 ④ 음함수의 미분법

(1) 음함수

x의 함수 y가 방정식 $f(x,y)=0$ 꼴로 주어졌을 때, x의 함수 y가 음함수 꼴로 주어졌다고 한다.

(2) 음함수의 미분법

x의 함수 y가 $f(x,y)=0$ 꼴로 주어질 때에는 y를 x의 함수로 보고, 각 항을 x에 대하여 미분하여 $\dfrac{dy}{dx}$를 구한다.

예 $x^2+y^2=4$의 양변을 x에 대하여 미분하면

$$2x+2y\dfrac{dy}{dx}=0 \qquad \therefore \dfrac{dy}{dx}=-\dfrac{x}{y} \ (단, \ y\neq0)$$

참고 음함수의 미분법은 y를 x에 대한 식으로 나타내기 어려울 때 이용하면 편리하다.

---

085 출제율 ▰▰▰▱

곡선 $y^3=\ln|2-x^2|+4xy-3$ 위의 점 $(1,1)$에서의 $\dfrac{dy}{dx}$의 값은?

① -2 ② -1 ③ 0

④ 1 ⑤ 2

---

086 출제율 ▰▰▰▱

곡선 $2\sqrt{x}+\sqrt{y}=6$ 위의 점 (a,b)에서의 $\dfrac{dy}{dx}$의 값은 -2일 때, $a+b$의 값을 구하여라.

---

087 출제율 ▰▰▰▱

$y\leq0$에서 곡선 $2x^3-2y^3+axy+b=0$ 위의 점 $(1,0)$에서의 접선의 기울기가 3일 때, 상수 a, b에 대하여 ab의 값은?

① -4 ② -2 ③ 2

④ 4 ⑤ 6

---

088 출제율 ▰▰▰▱

곡선 $e^x-e^y=2y$ 위의 점 (a,b)에서의 접선의 기울기가 1일 때, $a+b$의 값은?

① $\ln(e+2)+1$ ② $\ln(e^2+2)+2$

③ $\ln(e^3+2)+3$ ④ $\ln(e^4+2)+4$

⑤ $\ln(e^5+2)+5$

---

089 학교 기출 신 유형 출제율 ▰▰▰▱

곡선 $x^2+3xy+y^2=20$과 직선 $y=x$의 교점 중 제1사분면에 있는 점을 P라고 하자. 곡선 $x^2+3xy+y^2=20$ 위의 점 P에서의 접선의 기울기를 구하여라.

개념 ⑤ 역함수의 미분법

미분가능한 함수 $f(x)$의 역함수 $g(x)$가 존재하고 미분가능할 때

(1) $g'(x) = \dfrac{1}{f'(g(x))}$ (단, $f'(g(x)) \neq 0$)

(2) $f(a) = b$, 즉 $g(b) = a$이면

$$g'(b) = \dfrac{1}{f'(a)} \ (단, f'(a) \neq 0)$$

참고 미분가능한 함수 $y = f(x)$의 역함수가 존재할 때

$$\dfrac{dy}{dx} = \dfrac{1}{\dfrac{dx}{dy}} \left(단, \dfrac{dx}{dy} \neq 0\right)$$

등급업 TIP 합성함수를 이용한 역함수의 미분법
미분가능한 함수 $f(x)$의 역함수를 $g(x)$라고 하면
$$f(g(x)) = x$$
이 식의 양변을 x에 대하여 미분하면
$$f'(g(x))g'(x) = 1이므로$$
$$g'(x) = \dfrac{1}{f'(g(x))} \ (단, f'(g(x)) \neq 0)$$

090 출제율 ●●●○○

함수 $x = \sin y \left(0 < y < \dfrac{\pi}{2}\right)$에서 $x = \dfrac{1}{2}$일 때의 $\dfrac{dy}{dx}$의 값은?

① $-\dfrac{2\sqrt{3}}{3}$ ② $-\dfrac{\sqrt{3}}{3}$ ③ $-\dfrac{\sqrt{2}}{2}$

④ $\dfrac{\sqrt{3}}{3}$ ⑤ $\dfrac{2\sqrt{3}}{3}$

091 출제율 ●●●●○

함수 $f(x) = x^2 + 3x + 5 \ (x > -2)$의 역함수를 $g(x)$라고 할 때, $g'(3)$의 값을 구하여라.

092 출제율 ●●●○○

함수 $f(x) = \ln(e^x + 2)$의 역함수를 $g(x)$라고 할 때, 양수 a에 대하여 $\dfrac{1}{f'(a)} + \dfrac{1}{g'(a)}$의 값을 구하여라.

093 출제율 ●●●●●

함수 $f(x)$와 그 역함수 $g(x)$가 각각 미분가능하고 $\lim\limits_{x \to 1} \dfrac{g(x) - 3}{x - 1} = 4$를 만족시킬 때, $f'(3)$의 값은?

① $\dfrac{1}{4}$ ② $\dfrac{1}{2}$ ③ $\dfrac{3}{4}$

④ 1 ⑤ $\dfrac{5}{4}$

094 출제율 ●●●●○

모든 실수 x에 대하여 $f'(x) > 0$인 함수 $f(x)$의 역함수를 $g(x)$라고 하자. $f(1) = 2, f'(1) = \dfrac{1}{3}$일 때, $\lim\limits_{x \to 2} \dfrac{\{g(x)\}^2 - \{g(2)\}^2}{x - 2}$의 값을 구하여라.

개념 6 이계도함수

(1) 이계도함수

함수 $y=f(x)$의 도함수 $f'(x)$가 미분가능할 때, 함수 $f'(x)$의 도함수

$$\lim_{\Delta x \to 0} \frac{f'(x+\Delta x)-f'(x)}{\Delta x}$$

를 함수 $y=f(x)$의 이계도함수라 하고, 이것을 기호로 $f''(x),\ y'',\ \dfrac{d^2y}{dx^2},\ \dfrac{d^2}{dx^2}f(x)$와 같이 나타낸다.

예 함수 $y=x^4+x^3+x^2+x+1$의
도함수는 $y'=4x^3+3x^2+2x+1$
이계도함수는 $y''=12x^2+6x+2$

095 출제율 ▩▩▩▩

함수 $f(x)=(x+a)e^{bx}$에 대하여 $f'(0)=4$, $f''(0)=10$일 때, 상수 a, b에 대하여 $2a+b$의 값은?

① 1   ② 2   ③ 3

④ 4   ⑤ 5

096 출제율 ▩▩▩▩

함수 $f(x)=\sqrt{x^2+7}$에 대하여 $\displaystyle\lim_{x\to 0}\frac{f'(x)}{x}$의 값은?

① $\dfrac{\sqrt{2}}{4}$ ② $\dfrac{\sqrt{6}}{6}$ ③ $\dfrac{\sqrt{7}}{7}$

④ $\dfrac{2\sqrt{7}}{7}$ ⑤ $\dfrac{5\sqrt{6}}{6}$

097 출제율 ▩▩▩▩

함수 $f(x)=e^{3x}\cos x$에 대하여 $x=\alpha$가 방정식 $f''(x)=0$의 해일 때, $\tan\alpha$의 값을 구하여라.

$$\left(\text{단, } 0<\alpha<\frac{\pi}{2}\right)$$

098 평가원 기출 출제율 ▩▩▩▩

함수 $f(x)=\dfrac{1}{x+3}$에 대하여

$$\lim_{h\to 0}\frac{f'(a+h)-f'(a)}{h}=2$$

를 만족시키는 실수 a의 값은?

① -2 ② -1 ③ 0

④ 1 ⑤ 2

099 학교 기출 신 유형 출제율 ▩▩▩▩

함수 $f(x)=x^2\ln x$에 대하여

$$f(x)-f'(x)-f''(x)=\ln x-x-3$$

을 만족시키는 x의 값의 합은?

① 4   ② 6   ③ 8

④ 10   ⑤ 12

최상위권 도약 **실력 완성 문제**

개념 ① 함수의 몫의 미분법

100

함수 $f(x)=\dfrac{x+3}{x^2+7}$에 대하여 부등식 $f'(x)\geq0$을 만족시키는 정수 x의 개수는?

① 7   ② 8   ③ 9

④ 10   ⑤ 11

101 학교 기출 신유형

함수 $f_n(x)=x^n\ (0<x<1)$에 대하여

$g(x)=\displaystyle\lim_{n\to\infty}\sum_{k=1}^{n}f_k(x)$라고 할 때, $g'\left(\dfrac{5}{6}\right)$의 값을 구하여라.

102 다빈출

함수 $f(x)=\dfrac{ax+b}{x^2+2}$가 $\displaystyle\lim_{x\to2}\dfrac{f(x)-f(2)}{x-2}=-3$,

$\displaystyle\lim_{x\to1}\dfrac{f(x)-f(1)}{x^2-1}=0$을 만족시킬 때, 상수 a, b에 대하여 $a-4b$의 값은?

① -54 ② -27 ③ -18

④ 27   ⑤ 54

103

$0\leq x\leq\dfrac{\pi}{2}$에서 정의된 함수 $f(x)=\dfrac{2\sin x}{\sin x+\cos x}$에 대하여 $f'(\alpha)=\dfrac{4}{3}$를 만족시키는 모든 α의 값의 합은?

① $\dfrac{\pi}{4}$ ② $\dfrac{\pi}{3}$ ③ $\dfrac{5}{12}\pi$

④ $\dfrac{\pi}{2}$ ⑤ $\dfrac{7}{12}\pi$

104

두 함수 $f(x)$, $g(x)=6e^{-\ln(x^2+3)}$에 대하여

$$(x-2)f(x)=g(x)-g(2)$$

를 만족시킨다. $f(x)$가 $x=2$에서 연속일 때, $f(2)$의 값은?

① -1 ② $-\dfrac{40}{49}$ ③ $-\dfrac{24}{49}$

④ $-\dfrac{2}{7}$ ⑤ $-\dfrac{1}{7}$

개념 ② 합성함수의 미분법

105

$\lim_{x \to 0} \dfrac{1}{x} \ln \dfrac{e^x + e^{2x} + e^{3x} + \cdots + e^{nx}}{n} = 15$를 만족시키는 자연수 n의 값을 구하여라.

106

양의 실수 전체의 집합에서 미분가능한 함수 $f(x)$가

$f(\sqrt{3x}) = 3x^2 - 12x$를 만족시킬 때, $\lim_{x \to 2} \dfrac{f(x) - f(2)}{x^2 - 4}$

의 값은?

① -2 ② $-\dfrac{5}{3}$ ③ $-\dfrac{4}{3}$

④ -1 ⑤ $-\dfrac{2}{3}$

107 〈다빈출〉

함수 $f(x) = \begin{cases} \ln x + 3 & (x \geq 1) \\ a \tan \pi x + b & (x < 1) \end{cases}$ 가 $x = 1$에서 미분가능하도록 하는 상수 a, b에 대하여 $a\pi + b$의 값을 구하여라.

108

실수 전체의 집합에서 미분가능한 함수 $f(x)$가

$\lim_{x \to 1} \dfrac{f(x) + 1}{x - 1} = 2$를 만족시킨다. 함수 $g(x) = \dfrac{5 \sec \pi x}{f(x)}$

에 대하여 $\lim_{x \to 1} \dfrac{g(x) - 5}{x - 1}$의 값은?

① 8   ② 9   ③ 10

④ 11   ⑤ 12

109 ○평가원 기출

함수 $f(x) = (x^2 + 2)e^{-x}$에 대하여 함수 $g(x)$가 미분가능하고

$$g\left(\dfrac{x + 8}{10}\right) = f^{-1}(x), \ g(1) = 0$$

을 만족시킬 때, $|g'(1)|$의 값을 구하여라.

110

다항식 $f(x)=x^{12}+ax^2+bx$가 $(x^3-1)^4$으로 나누어떨어질 때, 상수 a, b에 대하여 a^2+b^2의 값은?

① 100   ② 121   ③ 186
④ 200   ⑤ 221

111

$x=0$에서 미분가능한 함수 $f(x)$에 대하여
$$\log\{1+f(x)\}+xf(x)=\log 3$$
을 만족시킬 때, $f'(0)$의 값은? (단, $f(x)>-1$)

① $-6\ln 10$ ② $-10\log 3$ ③ $-4\ln 10$
④ $2\log 3$ ⑤ $6\ln 10$

112 학교 기출 신 유형

미분가능한 함수 $f(x)$에 대하여
$$f_1(x)=f(x),\ f_{n+1}(x)=f(f_n(x))\ (n=1, 2, 3, \cdots)$$
로 정의하자. $f(1)=1$, $f'(1)=3$이고 $g(x)=f_{20}(x)$일 때, $g'(1)$의 값은?

① 2^{20} ② 2^{21} ③ 3^{10}
④ 3^{20} ⑤ 3^{21}

113 다빈출

함수 $f(x)=x^{\sin x}\ (x>0)$에 대하여 $\displaystyle\lim_{x\to\pi}\frac{f(x)-1}{x-\pi}$의 값은?

① $\ln\dfrac{1}{\pi}$ ② $\ln\dfrac{2}{\pi}$ ③ $\ln\dfrac{\pi}{2}$
④ $\ln\pi$ ⑤ $\ln 2\pi$

114 평가원 기출

실수 전체의 집합에서 미분가능한 함수 $f(x)$에 대하여 함수 $g(x)$를 $g(x)=\dfrac{f(x)\cos x}{e^x}$라고 하자.

$g'(\pi)=e^\pi g(\pi)$일 때, $\dfrac{f'(\pi)}{f(\pi)}$의 값은? (단, $f(\pi)\neq 0$)

① $e^{-2\pi}$ ② 1 ③ $e^{-\pi}+1$
④ $e^\pi+1$ ⑤ $e^{2\pi}$

115 학교 기출 신유형

오른쪽 그림과 같이 중심이 O
이고 반지름의 길이가 2인 원
C_1과 원 C_1 위의 한 점 B를 중
심으로 하는 원 C_2가 있다. 두
원 C_1, C_2의 교점을 A, C라 하
고, $\angle AOC = \theta$일 때 원 C_2의 넓이를 $S(\theta)$, $\triangle OBC$의

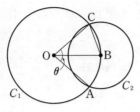

넓이를 $T(\theta)$라고 하자. $T(a) = \dfrac{2}{3}$가 되도록 하는 상수

a에 대하여 $6S'(a)$의 값을 구하여라. (단, $\overline{OB} > \overline{BC}$)

개념 3 매개변수로 나타낸 함수의 미분법

116 다빈출

매개변수 t로 나타낸 함수

$$x = t - \sin t, \; y = t + \cos t$$

에 대하여 $y = f(x)$로 나타낼 때,

$\displaystyle\lim_{h \to 0} \dfrac{f(\pi + 4h) - f(\pi)}{h}$의 값은?

① 1　　　　② 2　　　　③ 3

④ 4　　　　⑤ 5

117

매개변수 t로 나타낸 함수

$$x = \frac{2-t}{2+t}, \; y = \frac{3t}{2+t}$$

에 대하여 $f(t) = \dfrac{dy}{dx}$라고 할 때, $\displaystyle\sum_{t=1}^{100} |f(t)|$의 값은?

① 50　　　　② 100　　　　③ 150

④ 200　　　　⑤ 250

118

실수 전체의 집합에서 미분가능한 두 함수 $f(t)$, $g(t)$에
대하여

$$\lim_{t \to 1} \frac{f(t)+2}{t-1} = \frac{2}{3}, \; \lim_{h \to 0} \frac{g(1+3h)}{h} = 15$$

가 성립한다. 매개변수 t로 나타낸 곡선 $x = f(t)$,
$y = g(t)$ 위의 $t = 1$에 대응하는 점에서의 접선의 기울기
를 구하여라.

119

매개변수 t로 나타낸 곡선

$$x = e^t + e^{2t} + e^{3t} + \cdots + e^{nt},$$
$$y = e^t + e^{3t} + e^{5t} + \cdots + e^{(2n-1)t}$$

에 대하여 $t = 0$에 대응하는 점에서의 접선의 기울기를

$g(n)$이라고 할 때, $g(n) = \dfrac{7}{4}$을 만족시키는 자연수 n의

값을 구하여라.

120

매개변수 θ로 나타낸 함수 $x=5\cos^3\theta$, $y=5\sin^3\theta$에 대하여 $f(\theta)=\dfrac{dy}{dx}$라고 할 때, 다음 중 함수 $f(\theta)$의 그래프의 개형은?

①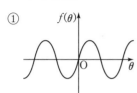

②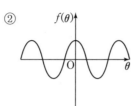

③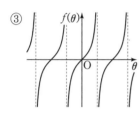

④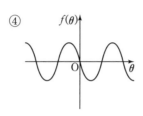

⑤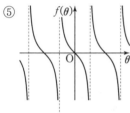

121

매개변수 t ($t>0$)로 나타낸 곡선

$$x=\frac{4-t}{1+t},\ y=\frac{2t^2}{1+t}$$

에 대하여 $t=n$에 대응하는 곡선 위의 점에서의 접선의 기울기를 $f(n)$이라고 할 때, $\displaystyle\sum_{n=1}^{\infty}\frac{1}{f(n)}$의 값은?

① -2 ② $-\dfrac{15}{8}$ ③ $-\dfrac{7}{4}$

④ $\dfrac{1}{8}$ ⑤ $\dfrac{1}{4}$

122 학교 기출 신유형

매개변수 t로 나타낸 함수

$$x=2^{at}+2^{3at},\ y=2^{at}-2^{3at}$$

에 대하여 $\dfrac{dy}{dx}=\dfrac{-x+by}{cx-y}$ ($cx\neq y$)일 때, $b-2c$의 값은? (단, a, b, c는 상수이다.)

① -3 ② -2 ③ -1

④ 1 ⑤ 2

개념 4 음함수의 미분법

123 다빈출

곡선 $x^2+3xy-y^2=3$ 위의 서로 다른 두 점 A, B에서의 접선의 기울기가 모두 -5일 때, 두 점 A, B 사이의 거리를 구하여라.

124

곡선 $\sqrt[3]{x}+a\sqrt[3]{y}=15$ 위의 점 $(27, b)$에서의 접선의 기울기가 $\dfrac{2}{27}$일 때, $a+b$의 값은? (단, a는 상수이다.)

① -20 ② -14 ③ -8

④ 4 ⑤ 10

125 학교 기출 신유형

$\sin(x+y)+\sin(x-y)=2$이고 $\dfrac{dy}{dx}=f(y)\cot x$일 때, $f\left(\dfrac{\pi}{6}\right)$의 값을 구하여라.

126

미분가능한 함수 $f(x)$에 대하여 곡선
$$y^3+2yf(x)+f(5x-8)=4$$
위의 점 $(2, -1)$에서의 접선의 기울기는 -2이다. $f'(2)$의 값은?

① $-\dfrac{14}{3}$ ② $-\dfrac{11}{3}$ ③ -3

④ $-\dfrac{9}{2}$ ⑤ $-\dfrac{5}{2}$

개념 5 역함수의 미분법

127 다빈출

함수 $f(x)=\sqrt[3]{x^3+6x+8}$의 역함수를 $g(x)$라고 할 때, $g'(2)$의 값은?

① $\dfrac{1}{2}$ ② $\dfrac{2}{3}$ ③ 1

④ $\dfrac{5}{4}$ ⑤ 2

128

미분가능한 함수 $y=f(x)$의 그래프가 다음 그림과 같다. 함수 $f(x)$의 역함수를 $g(x)$라고 할 때, $g'(b)$, $g'(c)$는 이차방정식 $x^2-9x+4=0$의 두 근이다. $f'(a)g'(c)+f'(b)g'(b)$의 값은?

(단, 점선은 좌표축에 평행하다.)

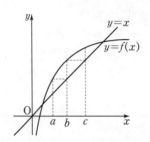

① 15 ② $\dfrac{73}{4}$ ③ 16

④ $\dfrac{91}{4}$ ⑤ $\dfrac{51}{2}$

129

실수 전체의 집합에서 증가하고 미분가능한 함수 $y=f(x)$의 그래프 위의 점 $(3, 5)$에서의 접선의 기울기가 1이다. 함수 $y=f(3x)$의 역함수를 $g(x)$라고 할 때, $g'(5)$의 값을 구하여라.

130

실수 전체의 집합에서 미분가능하고 역함수가 존재하는
두 함수 $f(x)$, $g(x)$가 다음 조건을 만족시킨다.

> (가) $\displaystyle\lim_{x \to 1} \dfrac{f(x)+1}{x-1}=e$
>
> (나) 함수 $y=g(x)$의 그래프 위의 점 $(1, g(1))$에서의
> 접선의 기울기는 e^2이다.

함수 $f(x)$의 역함수 $h(x)$에 대하여
$f(x)=(g \circ h)(x)$일 때, $f'(-1)$의 값을 구하여라.

131

함수 $f(x)=x^3+4x+1$과 그 역함수 $g(x)$에 대하여
$h(x)=\dfrac{g(x)}{f(x)}$일 때, $h'(1)=\dfrac{p}{q}$이다. $p+q$의 값은?

(단, p와 q는 서로소인 자연수이다.)

① 21   ② 22   ③ 23

④ 24   ⑤ 25

132

미분가능한 함수 $f(x)$와 그 역함수 $g(x)$가
$$f(3g(x)+x^3-2x)=x$$
를 만족시킬 때, $f'(2)$의 값을 구하여라.

133 학교 기출 신유형

오른쪽 그림과 같이 미분가능한
함수 $y=f(x)$의 그래프가 원
$(x-6)^2+(y-4)^2=10$과 점
$A(3, 5)$에서 접한다. 함수 $f(x)$
의 역함수를 $g(x)$라고 할 때, 함
수 $y=g(x^2-x-1)$의 $x=3$에
서의 미분계수는?

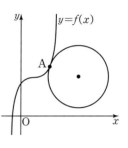

① $\dfrac{1}{3}$ ② $\dfrac{2}{3}$ ③ 1

④ $\dfrac{4}{3}$ ⑤ $\dfrac{5}{3}$

134

최고차항의 계수가 1인 삼차함수 $f(x)$의 역함수 $g(x)$가
다음 조건을 만족시킨다.

> (가) $g(3)=1$
>
> (나) $g'(x)$는 $x=3$에서 최댓값 $\dfrac{1}{6}$을 갖는다.

$f'(1)$의 값은?

① -4 ② -2 ③ 2

④ 4   ⑤ 6

개념 6 이계도함수

135

함수 $f(x)=(2x^2-2x+a)e^x$이 모든 실수 x에 대하여 $f''(x)\geq0$을 만족시킬 때, 실수 a의 최솟값을 구하여라.

136 다빈출

실수 전체의 집합에서 이계도함수를 갖는 함수 $f(x)$에 대하여 $f(2)=2$이고 $\lim\limits_{x\to2}\dfrac{f'(f(x))-4}{x-2}=16$일 때, $f''(2)$의 값은?

① 1   ② 2   ③ 3

④ 4   ⑤ 5

137 학교 기출 신유형

함수 $f(x)=15\sqrt[5]{e^{2x}}$에 대하여 함수 $f^{<n>}(x)$를
$$f^{<1>}(x)=f'(x),$$
$$f^{<n+1>}(x)=\frac{d}{dx}f^{<n>}(x)\ (n=1,\ 2,\ 3,\ \cdots)$$
로 정의할 때, $\sum\limits_{n=1}^{\infty}f^{<n>}(5)$의 값은?

① e^2 ② $5e^2$ ③ $10e^2$

④ $15e^2$ ⑤ $20e^2$

138 교육청 기출

함수 $f(x)=(x^2+ax+b)e^x$과 함수 $g(x)$가 다음 조건을 만족시킨다.

> (가) $f(1)=e$, $f'(1)=e$
> (나) 모든 실수 x에 대하여 $g(f(x))=f'(x)$이다.

함수 $h(x)=f^{-1}(x)g(x)$에 대하여 $h'(e)$의 값은?
(단, a, b는 상수이다.)

① 1   ② 2   ③ 3

④ 4   ⑤ 5

139

정의역이 $\{x|x>0\}$인 함수 $f(x)=xe^{\frac{x}{3}}$의 역함수를 $g(x)$라고 할 때, $\lim\limits_{h\to0}\dfrac{g'(3e+h)-g'(3e)}{h}$의 값은?

① $-\dfrac{5}{16e^2}$ ② $-\dfrac{1}{8e^2}$ ③ $-\dfrac{1}{4e^2}$

④ $\dfrac{e^2}{16}$ ⑤ $\dfrac{e^2}{8}$

상위권 보장 개념+필수 기출 문제

개념 ① 접선의 방정식

(1) 곡선 위의 한 점에서의 접선의 방정식

함수 $f(x)$가 $x=a$에서 미분가능할 때, 곡선 $y=f(x)$ 위의 점 $(a, f(a))$에서의 접선의 방정식은

$$y-f(a)=f'(a)(x-a)$$

(2) 기울기가 주어진 접선의 방정식

곡선 $y=f(x)$에 접하고 기울기가 m인 접선의 방정식은

(ⅰ) 접점의 좌표를 $(t, f(t))$로 놓고 $f'(t)=m$을 만족시키는 실수 t의 값을 구한다.

(ⅱ) 접선의 방정식 $y-f(t)=m(x-t)$에 대입한다.

(3) 곡선 위에 있지 않은 한 점에서 곡선에 그은 접선의 방정식

곡선 $y=f(x)$ 위에 있지 않은 한 점 (x_1, y_1)에서 곡선 $y=f(x)$에 그은 접선의 방정식은

(ⅰ) 접점의 좌표를 $(t, f(t))$로 놓고 접선의 방정식 $y-f(t)=f'(t)(x-t)$에 $x=x_1$, $y=y_1$을 대입하여 t의 값을 구한다.

(ⅱ) t의 값을 접선의 방정식 $y-f(t)=f'(t)(x-t)$에 대입한다.

등급업 TIP 두 곡선의 공통인 접선

두 곡선 $y=f(x)$, $y=g(x)$가 $x=a$인 점에서 공통인 접선을 가지면

$$f(a)=g(a), \quad f'(a)=g'(a)$$

└ $x=a$인 점에서 두 곡선이 만난다.　└ $x=a$인 점에서 두 곡선의 접선의 기울기가 같다.

140

출제율 ●●●○

곡선 $y=\sqrt{3x^2-2}$ 위의 점 $(-1, 1)$에서의 접선의 방정식이 $y=ax+b$일 때, $2a+b$의 값을 구하여라.

(단, a, b는 상수이다.)

141

출제율 ●●●○

곡선 $y=4x+\sin x$ 위의 점 $(2\pi, 8\pi)$를 지나고 이 점에서의 접선에 수직인 직선의 y절편을 구하여라.

---

142 ⟨학교 기출⟩ ⟨신유형⟩

출제율 ●●●○

직선 $y=\dfrac{e}{2}x$를 y축의 방향으로 k만큼 평행이동하면 곡선 $y=\ln\left(x+\dfrac{2}{e}\right)$에 접한다. 이때 k의 값은?

① $\ln 2-2$ ② $\ln 2-1$ ③ $\ln 2$

④ $\ln 2+1$ ⑤ $\ln 2+2$

143

출제율 ●●●○

점 $(3, -3)$에서 곡선 $y=\dfrac{x}{x-1}$에 그은 두 접선과 x축으로 둘러싸인 부분의 넓이를 구하여라.

144

출제율 ●●●○

두 곡선 $y=\sin^2 x$와 $y=a-2\cos x$가 $x=t$ $\left(-\dfrac{\pi}{2}<t<\dfrac{\pi}{2}\right)$인 점에서 공통인 접선을 가질 때, 상수 a의 값은?

① 1   ② 2   ③ 3

④ 4   ⑤ 5

145

출제율

함수 $f(x)=e^{3x+1}$의 역함수를 $g(x)$라고 할 때, 곡선 $y=g(x)$ 위의 $x=1$인 점에서의 접선의 방정식은?

① $y=-3x-\dfrac{2}{3}$ ② $y=-\dfrac{1}{3}x+1$

③ $y=\dfrac{1}{3}x-\dfrac{2}{3}$ ④ $y=x-\dfrac{1}{3}$

⑤ $y=3x+\dfrac{2}{3}$

146

출제율

매개변수 t로 나타낸 곡선 $x=e^t+e^{-t}$, $y=e^t-e^{-t}$에 대하여 $t=\ln 3$에 대응하는 점에서의 접선이 점 $\left(a,\ \dfrac{9}{4}\right)$를 지날 때, a의 값을 구하여라.

147 교육청 기출

출제율

실수 전체의 집합에서 미분가능한 함수 $f(x)$에 대하여 곡선 $y=f(x)$ 위의 점 $(4, f(4))$에서의 접선 l이 다음 조건을 만족시킨다.

(개) 직선 l은 제2사분면을 지나지 않는다.
(내) 직선 l과 x축 및 y축으로 둘러싸인 도형은 넓이가 2인 직각이등변삼각형이다.

함수 $g(x)=xf(2x)$에 대하여 $g'(2)$의 값은?

① 3   ② 4   ③ 5
④ 6   ⑤ 7

개념 ② 함수의 증가와 감소

(1) 함수의 증가와 감소

함수 $f(x)$가 어떤 구간에 속하는 임의의 두 실수 x_1, x_2에 대하여

① $x_1<x_2$일 때, $f(x_1)<f(x_2)$이면 함수 $f(x)$는 이 구간에서 증가한다고 한다.

② $x_1<x_2$일 때, $f(x_1)>f(x_2)$이면 함수 $f(x)$는 이 구간에서 감소한다고 한다.

(2) 함수의 증가와 감소의 판정

함수 $f(x)$가 어떤 구간에서 미분가능할 때, 이 구간의 모든 x에 대하여

① $f'(x)>0$이면 함수 $f(x)$는 이 구간에서 증가한다.

② $f'(x)<0$이면 함수 $f(x)$는 이 구간에서 감소한다.

주의 위의 역은 성립하지 않는다.

등급업 TIP 함수 $f(x)$가 어떤 구간에서 미분가능하고 이 구간에서
(1) $f(x)$가 증가하면 $f'(x)\geq 0$이다.
(2) $f(x)$가 감소하면 $f'(x)\leq 0$이다.

148

출제율

함수 $f(x)=\dfrac{x-3}{x^2+7}$이 증가하는 구간에 속하는 모든 정수 x의 개수는?

① 1   ② 3   ③ 5
④ 7   ⑤ 9

149

출제율

함수 $f(x)=(1+\sin x)\cos x$ $(0<x<\pi)$가 감소하는 x의 값의 범위가 $a<x<b$일 때, $a+2b$의 값을 구하여라.

150

출제율 ◖▬▬▭◗

함수 $f(x)=e^{-x}(x^2+ax+3)$이 실수 전체의 구간에서 감소하도록 하는 상수 a의 최댓값을 구하여라.

151

출제율 ◖▬▭▭◗

함수 $f(x)=x+\sqrt{12-x^2}$이 증가하는 구간에 속하는 모든 정수 x의 값의 합은? (단, $x>0$)

① 3   ② 4   ③ 5

④ 6   ⑤ 7

152

출제율 ◖▬▬▭◗

함수 $f(x)=ax-\ln x$가 구간 $(3, 4)$에서 증가하도록 하는 실수 a의 최솟값은?

① $\dfrac{1}{6}$ ② $\dfrac{1}{3}$ ③ $\dfrac{1}{2}$

④ $\dfrac{2}{3}$ ⑤ $\dfrac{5}{6}$

개념 ③ 함수의 극대와 극소

(1) 도함수를 이용한 함수의 극대와 극소의 판정

미분가능한 함수 $f(x)$에 대하여 $f'(a)=0$일 때, $x=a$의 좌우에서

① $f'(x)$의 부호가 양에서 음으로 바뀌면 함수 $f(x)$는 $x=a$에서 극대이고, 극댓값은 $f(a)$이다.

② $f'(x)$의 부호가 음에서 양으로 바뀌면 함수 $f(x)$는 $x=a$에서 극소이고, 극솟값은 $f(a)$이다.

(2) 이계도함수를 이용한 함수의 극대와 극소의 판정

이계도함수를 갖는 함수 $f(x)$에 대하여 $f'(a)=0$일 때

① $f''(a)<0$이면 함수 $f(x)$는 $x=a$에서 극대이고, 극댓값은 $f(a)$이다.

② $f''(a)>0$이면 함수 $f(x)$는 $x=a$에서 극소이고, 극솟값은 $f(a)$이다.

등급업 TIP

(1) $f'(a)=0, f''(a)=0$이면 함수 $f(x)$가 $x=a$에서 극값을 갖는지 판정할 수 없다.

(2) 함수 $f(x)$가 $x=a$에서 극값을 가져도 $f'(a)$가 존재하지 않을 수 있다.

153

출제율 ◖▬▬▬◗

함수 $f(x)=\sqrt{x}+\sqrt{16-x}$가 $x=a$에서 극댓값 b를 가질 때, ab의 값을 구하여라.

154

출제율 ◖▬▬▬◗

함수 $f(x)=3x(\ln x)^2$의 극댓값과 극솟값의 합은?

① $-\dfrac{12}{e^2}$ ② $-\dfrac{4}{e^2}$ ③ $\dfrac{2}{e^2}$

④ $\dfrac{4}{e^2}$ ⑤ $\dfrac{12}{e^2}$

155

출제율 ▰▱▱▱

함수 $f(x)=(x^2+k)e^{x-1}$이 $x=-4$에서 극댓값 $\dfrac{8}{e^5}$을 가질 때, 함수 $f(x)$의 극솟값은? (단, k는 상수이다.)

① $-5e$ ② $-4e$ ③ $-3e$

④ $-2e$ ⑤ $-e$

156

출제율 ▰▰▰▱

매개변수 θ로 나타낸 함수 $x=2\theta-\sin\theta$, $y=6-\cos\theta$의 극댓값은? (단, $0<\theta<2\pi$)

① -6 ② -4 ③ 3

④ 5 ⑤ 7

157

출제율 ▰▱▱▱

함수 $f(x)=e^x+ae^{-x}+b$가 $x=\ln 2$에서 극솟값 5를 가질 때, 상수 a, b에 대하여 $a-b$의 값은?

① 1 ② 2 ③ 3

④ 4 ⑤ 5

158

출제율 ▰▱▱▱

$-\dfrac{\pi}{8}<x<\dfrac{5}{8}\pi$일 때, 함수 $f(x)=\cos^3 2x$의 극값의 개수는?

① 1 ② 2 ③ 3

④ 4 ⑤ 5

159 학교 기출 신유형

출제율 ▰▰▱▱

함수 $f(x)=\dfrac{5x+k}{x^2-1}$가 극댓값과 극솟값을 모두 갖도록 하는 실수 k의 값의 범위는?

① $k<-3$ 또는 $k>3$ ② $-3<k<3$

③ $k\leq-5$ 또는 $k\geq5$ ④ $-5<k<5$

⑤ $k<-5$ 또는 $k>5$

개념 4 곡선의 오목과 볼록, 변곡점

(1) 곡선의 오목과 볼록의 판정

이계도함수가 존재하는 함수 $f(x)$가 어떤 구간에서

① $f''(x)>0$이면 곡선 $y=f(x)$는 이 구간에서 아래로 볼록하다.

② $f''(x)<0$이면 곡선 $y=f(x)$는 이 구간에서 위로 볼록하다.

(2) 곡선의 변곡점

곡선 $y=f(x)$ 위의 점 $\mathrm{P}(a, f(a))$에 대하여 $x=a$의 좌우에서 곡선의 모양이 위로 볼록에서 아래로 볼록으로 바뀌거나 아래로 볼록에서 위로 볼록으로 바뀔 때, 이 점 P를 곡선 $y=f(x)$의 변곡점이라고 한다.

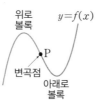

(3) 변곡점의 판정

이계도함수가 존재하는 함수 $f(x)$에 대하여 $f''(a)=0$이고, $x=a$의 좌우에서 $f''(x)$의 부호가 바뀌면 점 $(a, f(a))$는 곡선 $y=f(x)$의 변곡점이다.

> 참고 $f''(a)=0$이어도 $x=a$의 좌우에서 $f''(x)$의 부호가 바뀌지 않으면 점 $(a, f(a))$는 변곡점이 아니다.

등급업 TIP 점 (a, b)가 곡선 $y=f(x)$의 변곡점이면
$f(a)=b, f''(a)=0$

160 출제율 ▰▰▱

곡선 $y=x^2+4\sin x$ $(0<x<2\pi)$가 위로 볼록한 부분의 x의 값의 범위가 $\alpha<x<\beta$일 때, $\beta-\alpha$의 값을 구하여라.

161 출제율 ▰▱▱

곡선 $y=(2+ax^2)e^{-x}$이 실수 전체의 구간에서 아래로 볼록할 때, 상수 a의 최댓값을 구하여라.

162 출제율 ▰▰▱

곡선 $y=\ln(x^2+k)$의 두 변곡점을 P, Q라고 할 때, 선분 PQ의 길이가 $2\sqrt{2}$이다. 이때 양수 k의 값은?

① 1 ② 2 ③ 3

④ 4 ⑤ 5

163 출제율 ▰▰▱

함수 $f(x)=-2x^2+ax+b\ln x$가 $x=1$에서 극댓값을 갖고 곡선 $y=f(x)$의 변곡점의 x좌표가 $\dfrac{1}{2}$일 때, 함수 $f(x)$의 극솟값을 구하여라. (단, a, b는 상수이다.)

164 ○평가원 기출 출제율 ▰▰▰

함수 $f(x)=3\sin kx+4x^3$의 그래프가 오직 하나의 변곡점을 갖도록 하는 실수 k의 최댓값을 구하여라.

개념 5 함수의 그래프와 최대 · 최소

(1) 함수의 그래프

다음과 같은 사항을 조사하여 함수 $y=f(x)$의 그래프의 개형을 그릴 수 있다.

① 함수의 정의역과 치역

② 곡선과 좌표축의 교점

③ 곡선의 대칭성(x축, y축, 원점 대칭)과 주기

④ 함수의 증가와 감소, 극대와 극소

⑤ 곡선의 오목과 볼록, 변곡점

⑥ $\lim\limits_{x \to \infty} f(x)$, $\lim\limits_{x \to -\infty} f(x)$, 점근선

(2) 함수의 최댓값과 최솟값

함수 $f(x)$가 닫힌구간 $[a, b]$에서 연속이고 열린구간 (a, b)에서 극값을 가질 때, 극댓값, 극솟값, $f(a)$, $f(b)$ 중에서 가장 큰 값이 최댓값이고 가장 작은 값이 최솟값이다.

등급업 TIP 극값이 하나만 존재할 때의 최댓값과 최솟값

주어진 구간에서 연속인 함수가 그 구간에서 하나의 극값만 가질 때

(1) 극값이 극대이면 (극댓값) = (최댓값)

(2) 극값이 극소이면 (극솟값) = (최솟값)

165
출제율 ◖▬▬▭◗

함수 $f(x)=x\sqrt{1-x^2}$의 최댓값을 M, 최솟값을 m이라고 할 때, Mm의 값을 구하여라.

166
출제율 ◖▬▬▬◗

함수 $f(x)=x\ln x-10x+e^a$의 최솟값이 0일 때, $f(1)$의 값을 구하여라. (단, a는 실수이다.)

167
출제율 ◖▬▭▭◗

함수 $f(x)=\sin^3 x-2\cos^2 x+6$의 최댓값과 최솟값의 합을 구하여라.

168 학교 기출 신유형
출제율 ◖▬▬▬◗

미분가능한 함수 $y=f(x)$의 도함수 $y=f'(x)$의 그래프가 오른쪽 그림과 같을 때, |보기|에서 옳은 것만을 있는 대로 고른 것은?

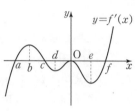

┌─ 보기 ──────────────────
│ ㄱ. 함수 $f(x)$가 극값을 갖는 점은 3개이다.
│ ㄴ. 곡선 $y=f(x)$의 변곡점은 4개이다.
│ ㄷ. 구간 $[a, f]$에서 함수 $f(x)$의 최댓값은 $f(c)$이다.
└──────────────────────

① ㄱ   ② ㄴ   ③ ㄱ, ㄴ
④ ㄴ, ㄷ   ⑤ ㄱ, ㄴ, ㄷ

169 평가원 기출
출제율 ◖▬▬▭◗

오른쪽 그림과 같이 곡선 $y=2e^{-x}$ 위의 점 $\mathrm{P}(t, 2e^{-t})$ $(t>0)$에서 y축에 내린 수선의 발을 A라 하고, 점 P에서의 접선이 y축과 만나는 점을 B라고 하자. 삼각형 APB의 넓이가 최대가 되도록 하는 t의 값은?

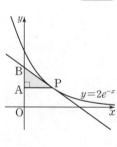

① 1   ② $\dfrac{e}{2}$ ③ $\sqrt{2}$

④ 2   ⑤ e

등급업 TIP

개념 6 방정식과 부등식에의 활용

(1) **방정식에의 활용**

① 방정식 $f(x)=0$의 실근은 함수 $y=f(x)$의 그래프와 x축의 교점의 x좌표와 같다.

② 방정식 $f(x)=g(x)$의 실근은 두 함수 $y=f(x)$, $y=g(x)$의 그래프의 교점의 x좌표와 같다.

(2) **부등식에의 활용**

① 어떤 구간에서 부등식 $f(x)\geq 0$이 성립함을 보이려면 그 구간에서 ($f(x)$의 최솟값)≥ 0임을 보인다.

② 어떤 구간에서 부등식 $f(x)\leq 0$이 성립함을 보이려면 그 구간에서 ($f(x)$의 최댓값)≤ 0임을 보인다.

③ 어떤 구간에서 부등식 $f(x)\geq g(x)$가 성립함을 보이려면 $h(x)=f(x)-g(x)$로 놓고 그 구간에서 부등식 $h(x)\geq 0$이 성립함을 보인다.

등급업 TIP 어떤 구간에서 함수 $f(x)$의 최솟값이 a이면 그 구간에서 $f(x)\geq a$이다.

170

x에 대한 방정식 $\ln x-x+9-a=0$이 실근을 갖도록 하는 자연수 a의 개수는?

① 5 ② 6 ③ 7

④ 8 ⑤ 9

171

x에 대한 방정식 $e^x+e^{-x}=k$가 오직 한 개의 실근을 가질 때, 실수 k의 값은?

① -2 ② -1 ③ 1

④ 2 ⑤ 3

172

x에 대한 방정식 $k(x^3+1)=x$가 서로 다른 두 실근을 갖도록 하는 실수 k의 값은?

① $\dfrac{\sqrt[3]{4}}{3}$ ② $\dfrac{\sqrt[3]{4}}{2}$ ③ $\dfrac{2\sqrt[3]{4}}{3}$

④ $\dfrac{3\sqrt[3]{4}}{2}$ ⑤ $\dfrac{4\sqrt[3]{4}}{3}$

173

모든 실수 x에 대하여 부등식 $3x-e^x\leq k$가 성립하도록 하는 실수 k의 최솟값은?

① 1 ② $\ln 2-2$ ③ $\ln 3-3$

④ $2\ln 2-2$ ⑤ $3\ln 3-3$

174

$0<x<\dfrac{\pi}{2}$일 때, 부등식 $\tan x>ax$가 성립하도록 하는 실수 a의 값의 범위를 구하여라.

개념 7 속도와 가속도

(1) 직선 운동에서의 속도와 가속도

수직선 위를 움직이는 점 P의 시각 t에서의 위치 x가 $x=f(t)$일 때, 점 P의 시각 t에서의 속도 v, 가속도 a는

$$v=\frac{dx}{dt}=f'(t), \ a=\frac{dv}{dt}=f''(t)$$

(2) 평면 운동에서의 속도와 가속도

좌표평면 위를 움직이는 점 P의 시각 t에서의 위치 (x, y)가 $x=f(t)$, $y=g(t)$일 때, 점 P의 시각 t에서의 속도 v, 가속도 a는

$$v=\left(\frac{dx}{dt}, \frac{dy}{dt}\right)=(f'(t), g'(t))$$

$$a=\left(\frac{d^2x}{dt^2}, \frac{d^2y}{dt^2}\right)=(f''(t), g''(t))$$

참고 ① 속도의 크기(속력): $\sqrt{\{f'(t)\}^2+\{g'(t)\}^2}$
② 가속도의 크기: $\sqrt{\{f''(t)\}^2+\{g''(t)\}^2}$

등급업 TIP 속도 $v=f'(t)$의 부호는 점 P의 운동 방향을 나타낸다. $v>0$이면 점 P는 양의 방향으로 움직이고 $v<0$이면 점 P는 음의 방향으로 움직인다.

175

출제율

수직선 위를 움직이는 점 P의 시각 t에서의 위치가 $x(t)=\pi t-2\cos\pi t$일 때, $t=1$에서의 속도와 가속도의 곱은 $p\pi^q$이다. 정수 p, q에 대하여 p^2q의 값을 구하여라.

176

출제율

수직선 위를 움직이는 점 P의 시각 t $(t>0)$에서의 위치가 $x(t)=\frac{1}{2}at^2+b\ln t$이다. $t=2$에서의 속도가 $\frac{7}{2}$, 가속도가 $\frac{9}{4}$일 때, $a+b$의 값을 구하여라.

(단, a, b는 상수이다.)

177

출제율

좌표평면 위를 움직이는 점 P의 시각 t에서의 위치 (x, y)가 $x=\frac{1}{4}e^{2(t-3)}-at$, $y=be^{t-3}$이다. 시각 $t=3$에서의 점 P의 속도가 $\left(\frac{3}{2}, 2\right)$일 때, $a+b$의 값을 구하여라. (단, a, b는 상수이다.)

178

출제율

좌표평면 위를 움직이는 점 P의 시각 t에서의 위치 (x, y)가 $x=t^2-4t+3$, $y=-t^2+5t+1$일 때, 점 P의 속력의 최솟값은?

① $\frac{\sqrt{2}}{4}$ ② $\frac{\sqrt{2}}{3}$ ③ $\frac{\sqrt{2}}{2}$

④ $\sqrt{2}$ ⑤ $2\sqrt{2}$

179

출제율

좌표평면 위를 움직이는 점 P의 시각 t에서의 위치 (x, y)가 $x=at^2-a\sin t$, $y=t-a\cos t$이다. $t=\pi$에서의 점 P의 가속도의 크기가 $\sqrt{10}$일 때, 양수 a의 값을 구하여라.

180 〈다빈출〉

점 $(1, 0)$에서 곡선 $y = 5xe^x$에 그은 두 접선의 기울기의 곱은?

① $9e$ ② $15e$ ③ $25e$

④ $15e^2$ ⑤ $25e^2$

181

원점에서 곡선 $y = (2x+k)e^{-x}$에 적어도 한 개의 접선을 그을 수 있도록 하는 자연수 k의 최솟값은?

① 6 ② 7 ③ 8

④ 9 ⑤ 10

182

함수 $f(x) = \sin x + \cos x$ $(0 < x < 2\pi)$의 그래프에 접하는 직선이 x축의 양의 방향과 이루는 각의 크기가 $\dfrac{\pi}{4}$일 때, 이 직선의 x절편은?

① $\dfrac{\pi}{2} + 1$ ② $\dfrac{\pi}{2} + 2$ ③ $\pi - 1$

④ $\dfrac{3}{2}\pi + 1$ ⑤ $\dfrac{3}{2}\pi + 2$

183

곡선 $xy = 7$ 위의 점 $A_n(x_n, y_n)$에서의 접선이 x축과 만나는 점을 $B_{n+1}(x_{n+1}, 0)$이라고 하자. $A_1(1, 7)$일 때, $\displaystyle\sum_{n=1}^{\infty} y_n$의 값은?

① $\dfrac{1}{14}$ ② $\dfrac{1}{7}$ ③ 7

④ 14 ⑤ 21

184

실수 전체의 집합에서 미분가능하고 $f(4) = f'(4) = 4$인 함수 $f(x)$에 대하여 함수 $g(x)$를 $g(x) = f(x^2 - 3x)$라고 하자. 곡선 $y = g(x)$가 직선 $y = h(x)$와 점 $(4, g(4))$에서 접할 때, $h(5)$의 값은?

① 22 ② 24 ③ 26

④ 28 ⑤ 30

185

함수 $y=f(x)$가 매개변수 t에 대하여

$x=t+2$, $y=-t^{-2}+\dfrac{5}{4}$를 만족시킬 때, 합성함수

$g(x)=(f\circ f)(x)$에 대하여 함수 $y=g(x)$의 그래프 위의 $x=0$인 점에서의 접선의 방정식은 $y=ax+b$이다. $2a+4b$의 값을 구하여라. (단, a, b는 상수이다.)

186

원점에서 두 곡선 $y=x^3+16$과 $y=\ln x$에 그은 접선이 이루는 예각의 크기를 θ라고 할 때, $\tan\theta$의 값은?

① $\dfrac{e-1}{e+1}$
② $\dfrac{3e-1}{e+3}$
③ $\dfrac{6e-1}{e+6}$

④ $\dfrac{12e-1}{e+12}$
⑤ $\dfrac{24e-1}{e+24}$

187 다빈출

매개변수 θ로 나타낸 곡선 $x=-2\sin\theta$, $y=4\cos\theta$ 위의 점 P에서의 접선이 x축, y축과 만나는 점을 각각 A, B라고 할 때, 삼각형 OAB의 넓이의 최솟값은?

(단, O는 원점이다.)

① 6
② 8
③ 10

④ 12
⑤ 14

188 학교 기출 신유형

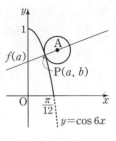

오른쪽 그림과 같이 곡선

$y=\cos 6x\left(0\le x\le\dfrac{\pi}{12}\right)$ 위의 점

P$(a,\ b)$에서 접하는 원의 중심을 A라 하고, 직선 AP가 y축과 만나는 점의 y좌표를 $f(a)$라고 하자. 점 P가 이 곡선 위를 움직일 때,

$\lim\limits_{a\to 0+}f(a)$의 값은?

① $\dfrac{15}{16}$
② $\dfrac{19}{20}$
③ $\dfrac{24}{25}$

④ $\dfrac{29}{30}$
⑤ $\dfrac{35}{36}$

개념 **2** 함수의 증가와 감소

189

함수 $f(x)=a\ln x+x^2-8x$가 구간 $(0,\ \infty)$에서 증가하도록 하는 실수 a의 최솟값은?

① 5
② 6
③ 7

④ 8
⑤ 9

190 다빈출

함수 $f(x)=e^{-x}(a+\cos x)$가 실수 전체의 구간에서 감소하도록 하는 상수 a의 값의 범위는?

① $a\leq-\sqrt{2}$ ② $a\leq-1$ ③ $a\geq1$

④ $a\geq\sqrt{2}$ ⑤ $a\geq2\sqrt{3}$

191

양의 실수 전체에서 함수 $f(x)=ax-9+\ln(x^2+4)$가 감소하도록 하는 실수 a의 최댓값은?

① -1 ② $-\dfrac{1}{2}$ ③ $-\dfrac{1}{3}$

④ $\dfrac{1}{2}$ ⑤ 1

192

함수 $f(x)=\dfrac{x+1}{x^2+3}$에 대하여 함수 $g(x)=(f\circ f)(x)$일 때, 함수 $g(x)$가 증가하는 구간은 $a<x<\beta$이다. $\alpha\beta$의 값을 구하여라.

193 다빈출

함수 $f(x)=\dfrac{e^{ax}}{x+2}$이 구간 $(2,\infty)$에서 증가하도록 하는 실수 a의 최솟값은?

① $\dfrac{1}{8}$ ② $\dfrac{1}{4}$ ③ $\dfrac{3}{8}$

④ $\dfrac{1}{2}$ ⑤ $\dfrac{5}{8}$

194

$0<a<b<c<\dfrac{\pi}{2}$에서 $\dfrac{f(b)-f(a)}{b-a}<\dfrac{f(c)-f(b)}{c-b}$를 항상 만족시키는 함수 $f(x)$를 |보기|에서 있는 대로 고른 것은?

> **보기**
> ㄱ. $f(x)=e^x-2x$
> ㄴ. $f(x)=\ln\dfrac{1}{x+1}$
> ㄷ. $f(x)=x+\cos x$

① ㄱ   ② ㄷ   ③ ㄱ, ㄴ

④ ㄴ, ㄷ   ⑤ ㄱ, ㄴ, ㄷ

195 학교 기출 신 유형

실수 전체의 집합에서 정의된 함수
$f(x)=(x^2+ax+b)e^x$의 역함수가 존재하도록 하는 5 이하의 두 자연수 a, b에 대하여 순서쌍 (a, b)의 개수는?

① 8   ② 9   ③ 10

④ 11   ⑤ 12

개념 ③ 함수의 극대와 극소

196

함수 $f(x)=4e^x+ae^{-x}$에 대하여 |보기|에서 옳은 것만을 있는 대로 고른 것은? (단, $a>0$)

• 보기 •

ㄱ. 극댓값과 극솟값을 모두 갖는다.

ㄴ. 극솟값은 $4\sqrt{a}$이다.

ㄷ. $x=1$에서 극값을 가지면 $a=4e^2$이다.

---

① ㄱ   ② ㄴ   ③ ㄷ

④ ㄱ, ㄴ   ⑤ ㄴ, ㄷ

197

함수 $y=x^x$은 $x=a$에서 극솟값 b를 갖는다. ab의 값은? (단, $x>0$)

① $e^{-\frac{1}{e}-1}$ ② $e^{\frac{1}{e}-1}$ ③ $e^{1-\frac{1}{e}}$

④ e ⑤ $e^{1+\frac{1}{e}}$

198 다빈출

함수 $f(x)=\dfrac{a}{x}-\ln x^3+x$가 극댓값과 극솟값을 모두 갖도록 하는 모든 정수 a의 값의 합을 구하여라.

199

함수 $f(x)=ax+4\sin x$가 극값을 갖지 않도록 하는 자연수 a의 최솟값은?

① 1   ② 2   ③ 3

④ 4   ⑤ 5

200

열린구간 $(0, 2\pi)$에서 정의된 함수
$f(x)=2\sin(\pi\sin x)$의 그래프에서 극값을 갖는 두 점을 지나는 직선의 기울기의 최댓값을 M, 최솟값을 m이라고 하자. $M+m$의 값을 구하여라.

201 학교 기출 신 유형

함수 $f(x)=e^{-x}(\sin x+\cos x)$가 극소일 때의 x의 값을 작은 것부터 차례대로 x_1, x_2, x_3, $\cdots$이라고 하자.
$x_{20}-x_{10}=a\pi$일 때, 상수 a의 값은? (단, $x>0$)

① 5   ② 10   ③ 15

④ 20   ⑤ 25

202

$0<x<\pi$에서 정의된 함수 $f(x)$에 대하여
$$f'(x)=-\frac{4}{3}e^{2x}\sin 2x+2f(x),$$
$$f''(x)=-\frac{16}{3}e^{2x}\sin 2x+\frac{8}{3}e^{2x}$$
이 성립할 때, 함수 $f(x)$의 극댓값은?

① $-4e^{\frac{\pi}{2}}$ ② $-\frac{1}{2}e^{\frac{\pi}{2}}$ ③ e

④ $\frac{2}{3}e^{\frac{\pi}{2}}$ ⑤ $4e^{\pi}$

203

함수 $f(x)=2x^2+a\ln(x+1)$에 대하여 |보기|에서 옳은 것만을 있는 대로 고른 것은? (단, a는 상수이다.)

> **• 보기 •**
>
> ㄱ. $a=\dfrac{1}{5}$일 때 함수 $f(x)$는 $x>-1$에서 증가한다.
>
> ㄴ. $a<0$일 때 함수 $f(x)$는 오직 하나의 극값을 갖는다.
>
> ㄷ. 함수 $f(x)$의 극값의 개수가 2가 되도록 하는 a의 값의 범위는 $0<a<1$이다.

① ㄱ   ② ㄴ   ③ ㄷ

④ ㄴ, ㄷ   ⑤ ㄱ, ㄴ, ㄷ

204 교육청 기출

모든 실수 x에 대하여 $f(x+2)=f(x)$이고, $0\le x<2$일 때 $f(x)=\dfrac{(x-a)^2}{x+1}$인 함수 $f(x)$가 $x=0$에서 극댓값을 갖는다. 구간 $[0, 2)$에서 극솟값을 갖도록 하는 모든 정수 a의 값의 곱은?

① -3 ② -2 ③ -1

④ 1   ⑤ 2

205

실수 t에 대하여 곡선 $y=4x^3$ 위의 점 $(t,\,4t^3)$과 직선 $y=x+3$ 사이의 거리를 $g(t)$라고 하자. 함수 $g(t)$가 극값을 갖게 되는 모든 t의 값의 합을 구하여라.

개념 ④ 곡선의 오목과 볼록, 변곡점

206

곡선 $y=\left(\ln\dfrac{k}{x}\right)^2$ 위의 변곡점에서 이 곡선에 그은 접선이 점 $(4,\,3)$을 지날 때, 양수 k의 값은?

① $\dfrac{1}{2e}$ ② $\dfrac{1}{e}$ ③ $\dfrac{2}{e}$

④ $\dfrac{e}{3}$ ⑤ $\dfrac{e}{2}$

207

함수 $f(x)=\dfrac{2}{x^2+1}$ 는 하나의 극값을 갖고 곡선 $y=f(x)$는 2개의 변곡점을 갖는다. 극값을 갖는 점을 A, 변곡점을 각각 B, C라고 할 때, 삼각형 ABC의 넓이를 구하여라.

208

$x>0$에서 정의된 다음 함수 $f(x)$ 중에서 임의의 양수 a에 대하여 $\dfrac{f(a+h)-f(a)}{h}<f'(a)$를 만족시키는 함수는? (단, h는 충분히 작은 양수이다.)

① $f(x)=\dfrac{4}{x}$ ② $f(x)=2x^2$ ③ $f(x)=3x^3$

④ $f(x)=2^x$ ⑤ $f(x)=\ln x$

209 다빈출

함수 $f(x)=ax^2+5\sin x+x$의 그래프가 변곡점을 갖도록 하는 실수 a의 값의 범위는?

① $-5\le a\le5$ ② $-5<a<5$

③ $-\dfrac{5}{2}\le a\le\dfrac{5}{2}$ ④ $-\dfrac{5}{2}<a<\dfrac{5}{2}$

⑤ $-3<a<3$

210

곡선 $y=3x^n\left(\ln x-\dfrac{1}{n}\right)$의 변곡점의 좌표를 $(a_n,\,b_n)$이라고 할 때, $\displaystyle\lim_{n\to\infty}(a_n+b_n)$의 값을 구하여라.

(단, n은 2 이상의 자연수이다.)

211 ○교육청 기출

함수 $f(x)=x^2+ax+b\left(0<b<\dfrac{\pi}{2}\right)$에 대하여 함수 $g(x)=\sin(f(x))$가 다음 조건을 만족시킨다.

> ㈎ 모든 실수 x에 대하여 $g'(-x)=-g'(x)$이다.
> ㈏ 점 $(k,\,g(k))$는 곡선 $y=g(x)$의 변곡점이고, $2kg(k)=\sqrt{3}\,g'(k)$이다.

두 상수 $a,\,b$에 대하여 $a+b$의 값은?

① $\dfrac{\pi}{3}-\dfrac{\sqrt{3}}{2}$ ② $\dfrac{\pi}{3}-\dfrac{\sqrt{3}}{3}$ ③ $\dfrac{\pi}{3}-\dfrac{\sqrt{3}}{6}$

④ $\dfrac{\pi}{2}-\dfrac{\sqrt{3}}{3}$ ⑤ $\dfrac{\pi}{2}-\dfrac{\sqrt{3}}{6}$

212

$x<4$에서 정의된 함수 $f(x)=e^{\frac{1}{x-4}}$이 $\alpha\leq x<y<\beta$인 임의의 두 실수 $x,\,y$에 대하여 $\dfrac{f(x)+f(y)}{2}>f\left(\dfrac{x+y}{2}\right)$를 만족시킨다. 두 실수 $\alpha,\,\beta$에 대하여 $\beta-\alpha$의 최댓값을 구하여라.

개념 ⑤ 함수의 그래프와 최대·최소

213

실수 전체의 집합에서 정의된 두 함수 $f(x),\,g(x)$가
$$f(x)=x^3-6x^2+7,\quad g(x)=\sqrt{3}\sin x+\cos x$$
일 때, 합성함수 $(f\circ g)(x)$의 최댓값과 최솟값의 합을 구하여라.

214

함수 $f(x)=e^x$과 최고차항의 계수가 -2인 이차함수 $g(x)$에 대하여 함수 $h(x)=|f(x)-g(x)|$가 $x=1$에서 최솟값 $f(1)$을 가질 때, $g\left(\dfrac{e}{2}\right)$의 값은?

① $e-2$ ② $e-1$ ③ e
④ $e+1$ ⑤ $e+2$

215

함수 $f(x)=k(x^2+x)e^{-x}$의 그래프와 접하는 직선의 y절편의 최댓값이 81일 때, $f(1)f(5)$의 값은?
(단, k는 양수이다.)

① 460 ② 500 ③ 540
④ 580 ⑤ 620

216 다빈출

함수 $f(x) = \dfrac{3x}{x^2+2}$에 대하여 |보기|에서 옳은 것만을 있는 대로 고른 것은?

--- 보기 ---

ㄱ. 함수 $y=f(x)$의 그래프는 원점에 대하여 대칭이다.

ㄴ. 함수 $f(x)$의 최댓값은 $\dfrac{3\sqrt{2}}{4}$, 최솟값은 $-\dfrac{3\sqrt{2}}{4}$이다.

ㄷ. 함수 $y=f(x)$의 그래프는 구간 (e, e^2)에서 아래로 볼록하다.

① ㄱ   ② ㄷ   ③ ㄱ, ㄴ

④ ㄴ, ㄷ   ⑤ ㄱ, ㄴ, ㄷ

217 학교 기출 신유형

열린구간 $(0, 6)$에서 미분가능한 함수 $y=f(x)$의 그래프가 오른쪽 그림과 같을 때, |보기| 중 옳은 것만을 있는 대로 고른 것은?

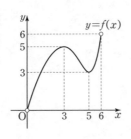

--- 보기 ---

ㄱ. $(f \circ f)(5) = 3$

ㄴ. $(f \circ f)'(4) \geq 0$

ㄷ. 함수 $(f \circ f)(x)$는 열린구간 $(5, 6)$에서 증가한다.

① ㄱ   ② ㄴ   ③ ㄱ, ㄴ

④ ㄴ, ㄷ   ⑤ ㄱ, ㄴ, ㄷ

218

오른쪽 그림과 같이 삼차함수 $y=x^2(4-x)$의 그래프와 직선 $y=mx$가 제1사분면 위의 서로 다른 두 점 P, Q에서 만난다. 세 점 A(4, 0), P, Q를 꼭짓점으로 하는 삼각형 APQ의 넓이가 최대가 되도록 하는 양수 m에 대하여 $15m$의 값을 구하여라.

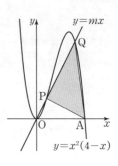

219

오른쪽 그림과 같이 P 지점에서 서로 수직으로 만나는 두 직선 도로가 있다. 두 직선 도로 PA, PB에서 각각 24 km, 3 km 떨어진 마을 Q를 지나고 두 직선 도로를 연결하는 새 직선 도로를 건설하려고 한다. 새 직선 도로와 도로 PA가 이루는 예각의 크기를 θ라고 할 때, 새 직선 도로의 길이가 최소이기 위한 $\tan\theta$의 값은? (단, 도로의 폭은 생각하지 않는다.)

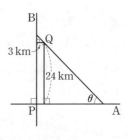

① 1   ② 2   ③ $\sqrt{5}$

④ $\sqrt{6}$ ⑤ $2\sqrt{2}$

220

오른쪽 그림과 같이 길이가 2인 선분 AB를 지름으로 하는 반원이 있다. 두 점 A, B를 제외한 호 AB 위의 점 P에서 선분 AB에 내린 수선의 발을 H라고 하자. 삼각형 AHP의 넓이의 최댓값을 구하여라.

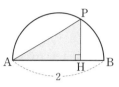

개념 ⑥ 방정식과 부등식에의 활용

221 ◀다빈출▶

x에 대한 방정식 $\ln 2x = ax^2$에 대하여 |보기|에서 옳은 것만을 있는대로 고른 것은? (단, a는 상수이다.)

┌─ 보기 ─────────────────────┐
ㄱ. $a = \dfrac{1}{4}$일 때 실근은 2개이다.

ㄴ. $a = \dfrac{1}{e}$일 때 실근은 1개이다.

ㄷ. $a = 4$일 때 실근은 없다.
└──────────────────────────┘

① ㄱ   ② ㄷ   ③ ㄱ, ㄷ

④ ㄴ, ㄷ   ⑤ ㄱ, ㄴ, ㄷ

222

$-\dfrac{\pi}{2} < x < \dfrac{\pi}{2}$에서 x에 대한 방정식 $4x = \tan x + k$가 서로 다른 세 실근을 갖도록 하는 실수 k의 값의 범위는 $\alpha < k < \beta$일 때, $\beta - \alpha$의 값은?

① $\dfrac{10}{3}\pi - 2\sqrt{3}$ ② $\dfrac{8}{3}\pi - 2\sqrt{3}$ ③ $2\pi + \sqrt{3}$

④ $\dfrac{8}{3}\pi + 2\sqrt{3}$ ⑤ $\dfrac{10}{3}\pi + 2\sqrt{3}$

---

223 학교 기출 신유형

방정식 $|x^2 e^{-x^2} - k| = \dfrac{1}{6}$의 서로 다른 실근의 개수가 6일 때, 실수 k의 값은?

(단, $\lim\limits_{x \to \infty} x^2 e^{-x^2} = 0$, $\lim\limits_{x \to -\infty} x^2 e^{-x^2} = 0$)

① $\dfrac{1}{e} - \dfrac{1}{2}$ ② $\dfrac{1}{e} - \dfrac{1}{4}$ ③ $\dfrac{1}{e} - \dfrac{1}{6}$

④ $\dfrac{1}{e} + \dfrac{1}{6}$ ⑤ $\dfrac{1}{e} + \dfrac{1}{4}$

224

$1 \le x \le 4$일 때, 부등식 $ax \le e^x \le bx$가 성립하도록 하는 실수 a, b에 대하여 $b - a$의 최솟값을 구하여라.

225

$x>0$인 모든 실수 x에 대하여 부등식 $\sqrt{x} \geq k \ln x$가 성립할 때, 양수 k의 최댓값은?

① $\dfrac{e}{3}$ ② $\dfrac{e}{2}$ ③ e

④ $\dfrac{2}{3}e$ ⑤ $2e$

226 학교 기출 신유형

두 함수 $f(x)=5xe^x$, $g(x)=-3x^2+k$일 때, 임의의 실수 x_1, x_2에 대하여 부등식 $f(x_1) \geq g(x_2)$가 성립하도록 하는 실수 k의 최댓값을 구하여라.

227

임의의 실수 a에 대하여 x에 대한 방정식
$$\ln(\sin x+4)=a \ (0 \leq x \leq 2\pi)$$
의 서로 다른 실근의 개수를 $f(a)$라고 할 때, 함수 $f(a)$가 불연속이 되는 a의 값의 개수를 구하여라.

228

함수 $f(x)=e^{-x}+x^2+1$이 $x=t$에서 극솟값을 가질 때, |보기|에서 옳은 것만을 있는 대로 고른 것은?

• 보기 •
ㄱ. $0<t<1$
ㄴ. 함수 $f(x)$의 극댓값이 존재한다.
ㄷ. 방정식 $f(x)=2$는 서로 다른 두 실근을 갖는다.

① ㄱ   ② ㄷ   ③ ㄱ, ㄷ
④ ㄴ, ㄷ   ⑤ ㄱ, ㄴ, ㄷ

개념 7 속도와 가속도

229

수직선 위를 움직이는 점 P의 시각 t에서의 위치가
$$x(t)=\frac{4}{t^2+m} \ (m>0)$$
일 때, $t=1$에서의 점 P의 가속도는 0이고 위치는 n이다. $\dfrac{m}{n}$의 값은?

① -3 ② -1 ③ 1
④ 3 ⑤ 5

230 다빈출

수직선 위를 움직이는 두 점 P, Q의 시각 t에서의 위치가 각각 $f(t)=e^t-t$, $g(t)=(t-3)^2e^t$이다. 두 점 P, Q가 서로 반대 방향으로 움직이는 동안 점 Q가 움직인 거리는?

① e ② $2e$ ③ $3e$

④ $4e$ ⑤ $5e$

231 교육청 기출

원점 O를 중심으로 하고 두 점 A$(1, 0)$, B$(0, 1)$을 지나는 사분원이 있다. 오른쪽 그림과 같이 점 P는 점 A에서 출발하여 호 AB를 따라 점 B를 향하여 매초 1의 일정한 속력으로 움직인다. 선분 OP와 선분 AB가 만나는 점을 Q라고 하자. 점 P의 x좌표가 $\dfrac{4}{5}$인 순간 점 Q의 속도는 (a, b)이다. $b-a$의 값은?

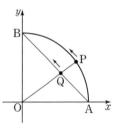

① $\dfrac{2}{49}$ ② $\dfrac{8}{49}$ ③ $\dfrac{18}{49}$

④ $\dfrac{32}{49}$ ⑤ $\dfrac{50}{49}$

232 학교 기출 신유형

수직선 위를 움직이는 두 점 P, Q의 시각 t에서의 위치가 각각 $f(t)=e^{2t}+1$, $g(t)=kt^2+2$이다. 두 점 P, Q의 속도가 같아지는 시각이 한 번뿐일 때, 상수 k의 값은?

(단, $k \neq 0$)

① e ② $2e$ ③ $3e$

④ $4e$ ⑤ $5e$

233

점 P가 원점을 출발하여 곡선 $y=4xe^{x-2}$을 따라 매초 3의 일정한 속력으로 움직인다. $x=2$일 때, 점 P에서 x축에 내린 수선의 발 Q의 속력을 구하여라.

234

오른쪽 그림과 같이 점 P는 원점 O를 출발하여 곡선 $y=\sqrt{2x}$를 따라 원점에서 멀어지고 있다. 점 P의 x좌표가 매초 $\sqrt{6}$의 속력으로 일정하게 변할 때, 직선 OP의 기울기가 2가 되는 순간 점 P의 속력을 구하여라.

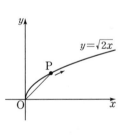

235

실수 전체의 집합에서 미분가능한 함수 $f(x)$가 임의의 실수 h에 대하여

$$e^{x+h}f(x+h)-e^x f(x) \leq h^2$$

을 만족시킨다. $f(0)=4$일 때, $f'(-3)$의 값을 구하여라.

236

오른쪽 그림과 같이 지름 AB의 길이가 10인 원이 있다. 원 위의 두 점 P, Q에 대하여 $\overline{AP}=8$이고 $\angle QAB=2\angle PAB$일 때,

$\overline{AQ}+\overline{BQ}=\dfrac{q}{p}$이다. $p+q$의 값을 구하여라. (단, p, q는 서로소인 자연수이다.)

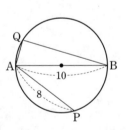

237

$a>1$일 때 곡선 $y=a^x-1$ 위의 점 $P(t, a^t-1)$ $(t>0)$을 지나고 직선 OP에 수직인 직선의 y절편을 $f(t)$라 하고 $\displaystyle\lim_{t\to 0+}\dfrac{f(t)}{t}$의 값이 최소가 되도록 하는 a의 값을 α라고 하자. $\beta>1$인 상수 β에 대하여 두 곡선 $y=\alpha^x-1$과 $y=\beta^{x-2}-1$의 교점의 x좌표를 k $(k>0)$라고 할 때, $\displaystyle\lim_{n\to\infty}\dfrac{\beta^{k+n}}{\alpha^k(\alpha^n+\beta^n)}=9e^2$이 성립한다. 이때 $\dfrac{\beta}{\alpha}$의 값을 구하여라.

238

실수 전체의 집합에서 미분가능한 함수 $f(x)$가 $x \neq 0$에서 $f(x) > 0$이고 $f(0) = 0$을 만족시킨다. 두 함수 $f(x)$와 $g(x) = (x^2 + 2x + 3)e^{-x}$에 대하여 |보기|에서 옳은 것만을 있는 대로 고른 것은?

┌─── • 보기 • ────────────────────────┐
ㄱ. 두 곡선 $y = f(x)$와 $y = (g \circ f)(x)$는 $x = 0$에서의 접선의 기울기가 같다.

ㄴ. 함수 $f(x)$가 감소하는 구간에서 함수 $(g \circ f)(x)$는 증가한다.

ㄷ. 함수 $(g \circ f)(x) - f(x)$는 극댓값을 갖는다.
└──────────────────────────────────┘

① ㄴ   ② ㄱ, ㄴ   ③ ㄱ, ㄷ

④ ㄴ, ㄷ   ⑤ ㄱ, ㄴ, ㄷ

239

오른쪽 그림과 같이 반지름의 길이가 1인 사분원 AOB의 호 AB 위의 한 점 P에서 변 OA에 내린 수선의 발을 Q라 하고 선분 PQ를 한 변으로 하는 정사각형 PQQ′P′을 그린다.

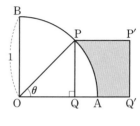

$\angle \text{POQ} = \theta \left(0 < \theta < \dfrac{\pi}{2}\right)$라고 할 때, 색칠한 부분의 넓이를 $S(\theta)$라고 하자. $S(\theta)$가 최대가 되는 선분 PQ의 길이는?

① $\dfrac{\sqrt{3}}{2}$ ② $\dfrac{\sqrt{3}}{3}$ ③ $\dfrac{\sqrt{5}}{3}$

④ $\dfrac{\sqrt{5}}{5}$ ⑤ $\dfrac{2\sqrt{5}}{5}$

240

함수 $f(x) = x^3 \left(\dfrac{1}{3} - \ln x\right)$와 자연수 n에 대하여 방정식 $f(x) = (-1)^n \times \dfrac{n}{15}$의 서로 다른 실근의 개수를 a_n이라고 하자. $\displaystyle\lim_{x \to 0+} f(x) = 0$일 때, $\displaystyle\sum_{n=1}^{20} a_n$의 값을 구하여라.

미니 모의고사 – 1회

01

$\displaystyle\lim_{x \to 0}(1+5x)^{\frac{2}{x}} + \lim_{x \to 0}(1-2x)^{\frac{5}{x}} = e^k + \dfrac{1}{e^k}$일 때, 자연수 k의 값을 구하여라. [3점]

02

$\pi < \theta < \dfrac{3}{2}\pi$에서 $\dfrac{2}{1+\sin\theta} + \dfrac{2}{1-\sin\theta} = 5$일 때, $\tan\theta + \cot\theta$의 값은? [3점]

① $\dfrac{1}{2}$ ② 1 ③ $\dfrac{3}{2}$

④ 2 ⑤ $\dfrac{5}{2}$

03

함수 $f(x) = \dfrac{x^6(x-1)^5(x-2)^2}{(x-3)^3(x-4)}$일 때, $\dfrac{f'(6)}{f(6)}$의 값은? [3점]

① 1 ② 2 ③ 3

④ 4 ⑤ 5

04

열린구간 $(-4, 2)$에서 연속인 함수 $y=f(x)$의 도함수 $y=f'(x)$의 그래프가 오른쪽 그림과 같을 때, |보기|에서 옳은 것만을 있는 대로 고른 것은? [3점]

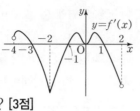

┌─ 보기 ────────────────────────┐

ㄱ. 함수 $f(x)$가 극값을 갖는 점은 3개이다.

ㄴ. $x=-2$에서 함수 $f(x)$는 미분가능하지 않다.

ㄷ. 곡선 $y=f(x)$에서 점 $(0, f(0))$은 변곡점이다.

└─────────────────────────────┘

① ㄱ   ② ㄴ   ③ ㄱ, ㄷ

④ ㄴ, ㄷ   ⑤ ㄱ, ㄴ, ㄷ

05

수직선 위를 움직이는 점 P의 시각 t에서의 좌표 (x, y)가 $x = t^2 + kt + 1$, $y = kt^2 - 6t$이다. $t=1$에서의 점 P의 속력이 $\sqrt{65}$일 때, $t=1$에서의 점 P의 가속도의 크기를 구하여라. (단, $k>0$) [3점]

06

좌표평면 위에 세 점 P(0, 2), Q(6, 2), R(−2, 2)가 있다. 오른쪽 그림과 같이 $\overline{QR}$를 점 P를 중심으로 하여 시곗바늘이 도는 반대 방향으로 $\theta\left(0<\theta<\dfrac{\pi}{2}\right)$만큼 회전시킨 선분을 $\overline{AB}$라 하고 두 점 A, B에서 x축에 내린 수선의 발을 각각 A′, B′이라고 하자. 사각형 ABB′A′의 넓이를 $S(\theta)$라고 할 때, $\displaystyle\lim_{\theta\to\frac{\pi}{2}-}\dfrac{S(\theta)}{\sqrt{1-\sin\theta}}$의 값을 구하여라. [4점]

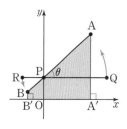

07

매개변수 t로 나타낸 곡선

$$x=t+t^2+t^3+\cdots+t^n,$$
$$y=t+\frac{3}{2}t^2+\frac{5}{3}t^3+\cdots+\frac{2n-1}{n}t^n$$

에 대하여 $\displaystyle\lim_{t\to 1}\dfrac{dx}{dy}=g(n)$이라고 할 때, $g(2)$의 값을 구하여라. (단, n은 자연수이다.) [4점]

08

곡선 $y=e^x+\sin x$ 위의 점 $(0, 1)$에서의 접선이 원 $(x-2)^2+y^2=r^2$과 접할 때, r^2의 값은? [4점]

① 5   ② 10   ③ 15

④ 20   ⑤ 25

09

함수 $f(x)$는 모든 실수 x에 대하여 $f'(x), f''(x)$가 존재하고 다음 조건을 만족시킨다.

> (가) $f(0)=0$
> (나) $f'(0)=0$
> (다) $0<x<\pi$에서 $0<f''(x)<f(x)$

$0<x<\pi$에서 정의된 함수 $g(x)=\dfrac{f(x)}{\sin x}$에 대하여 |보기|에서 옳은 것만을 있는 대로 고른 것은? [4점]

> ● 보기 ●
> ㄱ. $\displaystyle\lim_{x\to 0+}g(x)=0$
> ㄴ. $0<x<\pi$에서 $f'(x)\sin x>f(x)\cos x$이다.
> ㄷ. $0<x_1<x_2<\pi$인 임의의 실수 x_1, x_2에 대하여 $g(x_1)<g(x_2)$이다.

① ㄱ   ② ㄷ   ③ ㄱ, ㄴ

④ ㄱ, ㄷ   ⑤ ㄱ, ㄴ, ㄷ

10

두 함수 $f(x)=2kx, g(x)=\ln x$에 대하여 방정식 $\dfrac{g(x)}{f(x)}+\dfrac{4f(x)}{g(x)}=4$의 실근이 존재하도록 하는 실수 k의 최댓값을 구하여라. [4점]

✔ 실력점검

맞힌 개수	/10개	점수	/35점

01

함수

$$f(x) = \begin{cases} \dfrac{e^{2x}-1}{ax} & (x>0) \\[2mm] \dfrac{7x^2+3}{x-3} & (x\le 0) \end{cases}$$

이 실수 전체의 집합에서 연속일 때, 상수 a의 값은?

[3점]

① -3 ② -2 ③ 1

④ 2 ⑤ 3

02

함수 $f(x)=ax^2\ln x+bx$에 대하여 $\displaystyle\lim_{x\to 1}\frac{f(x)}{x-1}=6$일 때, $f'(3)-3a$의 값을 구하여라. [3점]

03

두 직선 $ax-y+2=0$, $x-4y+3=0$이 이루는 예각의 크기가 $\dfrac{\pi}{4}$가 되도록 하는 모든 상수 a의 값의 곱을 구하여라. [3점]

04

미분가능한 함수 $f(x)$에 대하여

$$g(x)=\frac{3x}{x^2+2},\ (f\circ g)(x)=x^2+15x$$

일 때, $f'(0)$의 값은? [3점]

① 5 ② 10 ③ 15

④ 20 ⑤ 25

05

곡선 $\sin xy=\sqrt{2}x$ 위의 점 $\left(\dfrac{1}{2},\dfrac{\pi}{2}\right)$에서의 $\dfrac{dy}{dx}$의 값은?

[3점]

① $1-\pi$ ② $2-\pi$ ③ $3-\pi$

④ $4-\pi$ ⑤ $5-\pi$

미니 모의고사 - 2회

06

오른쪽 그림과 같이 곡선 $y=e^x-1$과 직선 $y=x$는 원점에서 접한다. 곡선 $y=e^x-1$과 두 직선 $y=x$, $x=t$ $(t>0)$로 둘러싸인 부분의 넓이를 $f(t)$라 하고 세 직선 $y=x$, $x=t$, $y=0$으로 둘러싸인 부분의 넓이를 $g(t)$라고 할 때, $\lim\limits_{t \to 0+} \dfrac{f(t)}{g(t)}$의 값은? [4점]

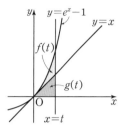

① 0   ② $\dfrac{1}{e}$ ③ $\dfrac{1}{2}$

④ 1   ⑤ e

07

2차 이상의 다항함수 $f(x)$와 함수 $g(x)=e^{\sin x}$에 대하여
$$(f \circ g)(0)=5,\ (f \circ g)'(0)=2$$
이고 다항식 $f(x)$를 $(x-1)^2$으로 나누었을 때의 나머지를 $R(x)$라고 할 때, $R(4)$의 값을 구하여라. [4점]

08

함수 $f(x)=\ln\sqrt{\dfrac{3+x}{3-x}}$ $(-3<x<3)$의 역함수를 $g(x)$라고 할 때, $g'(0)$의 값은? [4점]

① $\sqrt{5}-1$ ② $2-\sqrt{2}$ ③ $\sqrt{6}-2$

④ $2-\sqrt{3}$ ⑤ 3

09

$x>0$에서 정의된 함수 $f(x)=\cos(\ln x)$에 대하여 |보기|에서 옳은 것만을 있는 대로 고른 것은? [4점]

┌ 보기 ────────────────
ㄱ. 함수 $f(x)$는 구간 $(1, e^{\frac{\pi}{2}})$에서 감소한다.
ㄴ. $f''(e^\pi)>0$
ㄷ. 함수 $f(x)$는 $x=1$에서 극값을 갖는다.
└──────────────────────

① ㄱ   ② ㄴ   ③ ㄱ, ㄷ
④ ㄴ, ㄷ   ⑤ ㄱ, ㄴ, ㄷ

10

곡선 $y=\sqrt{2e^x}$ 위의 점 P와 원 $(x-2)^2+y^2=4$ 위의 점 Q에 대하여 선분 PQ의 길이의 최솟값은? [4점]

① $\sqrt{5}-1$ ② $2-\sqrt{2}$ ③ $\sqrt{6}-2$

④ $2-\sqrt{3}$ ⑤ 3

✓ 실력점검

맞힌 개수	/10개	점수	/35점

적분법

상위권 보장 개념+필수 기출 문제

개념 1 함수 $y=x^n$ (n은 실수)의 적분

(1) 함수 $y=x^n$ (n은 실수)의 적분 (단, C는 적분상수)
  실수 n에 대하여
  ① $n \neq -1$일 때,
  $$\int x^n dx = \frac{1}{n+1}x^{n+1}+C \quad \left[\left(\frac{1}{n+1}x^{n+1}\right)'=x^n\right]$$
  ② $n=-1$일 때,
  $$\int x^{-1}dx=\int \frac{1}{x}dx=\ln|x|+C \quad \left[(\ln|x|)'=\frac{1}{x}\right]$$

  참고 함수 $f(x)$가 닫힌구간 $[a, b]$에서 연속일 때, $f(x)$의 한 부정적분 $F(x)$에 대하여
  $$\int_a^b f(x)dx=\Big[F(x)\Big]_a^b=F(b)-F(a)$$

등급업 TIP $\frac{1}{x^k}=x^{-k}$ (k는 실수), $\sqrt[m]{x}=x^{\frac{1}{m}}$, $\frac{1}{\sqrt[m]{x}}=x^{-\frac{1}{m}}$ (m은 2 이상의 자연수)과 같이 분수나 거듭제곱근 꼴의 함수는 x^n 꼴로 바꾸어 적분한다.

001 출제율 ◖▬▬◗

함수 $f(x)=\int \frac{1+x^2}{x}dx$에 대하여 $f(e)=\frac{1}{2}e^2$일 때, $f(1)$의 값은?

① $-\frac{3}{2}$ ② -1 ③ $-\frac{1}{2}$

④ $\frac{1}{2}$ ⑤ 1

002 출제율 ◖▬▬▬◗

함수 $f(x)=\frac{1}{x\sqrt{x}}$에 대하여 $\int_1^4 f(x)dx$의 값을 구하여라.

003 출제율 ◖▬▬◗

$\int_0^1 \frac{1}{x^2+5x+6}dx=\ln\frac{q}{p}$일 때, $p+q$의 값은?
(단, p, q는 서로소인 자연수이다.)

① 11 ② 13 ③ 15

④ 17 ⑤ 19

004 출제율 ◖▬▬◗

실수 전체의 집합에서 연속인 함수 $f(x)$의 도함수가
$$f'(x)=\begin{cases} 2x-1 & (x<1) \\ 6\sqrt{x} & (x>1) \end{cases}$$
이고 $f(4)=30$일 때, $f(-1)$의 값은?

① 0 ② 2 ③ 4

④ 6 ⑤ 8

005 출제율 ◖▬▬◗

정적분 $\int_1^4 \left|\frac{4}{x}-2\right|dx$의 값은?

① $\ln 2$ ② 1 ③ $\ln 3$

④ $\ln 5$ ⑤ 2

개념 ② 지수함수와 삼각함수의 적분

(1) 지수함수의 적분 (단, C는 적분상수)

① $\int e^x dx = e^x + C$

② $\int a^x dx = \dfrac{a^x}{\ln a} + C$ (단, $a > 0$, $a \neq 1$)

(2) 삼각함수의 적분 (단, C는 적분상수)

① $\int \sin x \, dx = -\cos x + C$

② $\int \cos x \, dx = \sin x + C$

③ $\int \sec^2 x \, dx = \tan x + C$

④ $\int \csc^2 x \, dx = -\cot x + C$

⑤ $\int \sec x \tan x \, dx = \sec x + C$

⑥ $\int \csc x \cot x \, dx = -\csc x + C$

등급업 TIP 삼각함수의 적분을 직접 하기 어려운 경우에는 삼각함수 사이의 관계나 삼각함수의 공식을 이용하여 피적분함수를 $\sin x$, $\cos x$, $\sec^2 x$, $\csc^2 x$, $\sec x \tan x$, $\csc x \cot x$를 포함한 식으로 변형한다.

006
출제율 ▰▰▱▱▱

등식 $\int (2^x - 1)(4^x + 2^x + 1) dx = a \times 2^{bx} + cx + C$가 성립할 때, 상수 a, b, c에 대하여 $a + b + c$의 값은?

(단, C는 적분상수이다.)

① $\dfrac{1}{3\ln 2} - 1$　　② $\dfrac{1}{2\ln 2} + 1$　　③ $\dfrac{1}{\ln 2}$

④ $\dfrac{1}{\ln 2} + 1$　　⑤ $\dfrac{1}{3\ln 2} + 2$

007
출제율 ▰▰▰▱▱

$\int_1^a \left(2^x - \dfrac{1}{x} \right) dx = \dfrac{2}{\ln 2} - \ln 2$일 때, 상수 a의 값을 구하여라. (단, $a > 1$)

008
출제율 ▰▱▱▱▱

미분가능한 함수 $f(x)$에 대하여

$$\lim_{h \to 0} \frac{f(x+h) - f(x)}{h} = \frac{e^{2x} - 1}{e^x - 1}$$

이고 $f(0) = 0$일 때, $f(1)$의 값을 구하여라.

009
출제율 ▰▰▰▱▱

함수 $f(x) = e^{2x}$에 대하여

$$\int_{\ln 2}^{\ln 4} f(x) dx + \int_{\ln 4}^{\ln 6} f(x) dx - \int_{\ln 5}^{\ln 6} f(x) dx$$

의 값을 구하여라.

010 [학교 기출] (신)유형
출제율 ▰▰▰▰▱

실수 전체의 집합에서 미분가능한 함수 $f(x)$에 대하여

$$f'(x) = \begin{cases} e^{x-1} & (x < 1) \\ \dfrac{1}{x} & (x > 1) \end{cases}$$

이고 $f(0) = \dfrac{1}{e} - e^2$일 때, $f(a) = 3 - e^2$을 만족시키는 상수 a의 값은? (단, $a \geq 1$)

① 1　　② e　　③ $2e$

④ e^2　　⑤ $2e^2$

011

출제율 ⬤⬤⬤◯◯

함수 $f(x)$의 도함수가 $f'(x)=2-\sin x$이고

$f(0)=-1$, $f\left(\dfrac{\pi}{3}\right)=a\pi+b$일 때, 유리수 a, b에 대하여 ab의 값은?

① -2 ② -1 ③ 0

④ 1 ⑤ 2

012

출제율 ⬤⬤⬤◯◯

$\displaystyle\int_{-\frac{\pi}{4}}^{\frac{\pi}{4}}(x^3+\sin x+k)\cos x\,dx=2\sqrt{2}$일 때, 상수 k의 값은?

① $\dfrac{1}{2}$ ② 1 ③ $\dfrac{3}{2}$

④ 2 ⑤ $\dfrac{5}{2}$

013

출제율 ⬤⬤⬤⬤◯

정적분 $\displaystyle\int_0^{\pi}|\cos x|\,dx$의 값은?

① 1 ② $\dfrac{4}{3}$ ③ $\dfrac{5}{3}$

④ 2 ⑤ $\dfrac{7}{3}$

개념 ③ 치환적분법

(1) 치환적분법

미분가능한 함수 $g(t)$에 대하여 $x=g(t)$로 놓으면

$$\int f(x)\,dx=\int f(g(t))g'(t)\,dt$$

> 주의 치환적분법으로 구한 부정적분은 그 결과를 처음의 변수로 바꾸어야 한다.

(2) 치환적분법의 적용 (단, C는 적분상수)

① $\displaystyle\int f(x)\,dx=F(x)+C$이면

$$\int f(ax+b)\,dx=\frac{1}{a}F(ax+b)+C$$

(단, a, b는 상수, $a\neq0$)

② $\displaystyle\int f(g(x))g'(x)\,dx=\int f(t)\,dt$
  └ $g(x)=t$로 치환한다.

③ $\displaystyle\int \frac{f'(x)}{f(x)}\,dx=\ln|f(x)|+C$

(3) 치환적분법을 이용한 정적분

닫힌구간 $[a, b]$에서 연속인 함수 $f(x)$에 대하여 미분가능한 함수 $x=g(t)$의 도함수 $g'(t)$가 닫힌구간 $[\alpha, \beta]$에서 연속이고 $a=g(\alpha)$, $b=g(\beta)$이면

$$\int_a^b f(x)\,dx=\int_\alpha^\beta f(g(t))g'(t)\,dt$$

등급업 TIP 삼각함수를 이용한 치환적분법

(1) $\sqrt{a^2-x^2}$ $(a>0)$ 꼴을 포함하는 경우

➡ $x=a\sin\theta\left(-\dfrac{\pi}{2}\leq\theta\leq\dfrac{\pi}{2}\right)$로 치환

(2) $\dfrac{1}{a^2+x^2}$ $(a>0)$ 꼴을 포함하는 경우

➡ $x=a\tan\theta\left(-\dfrac{\pi}{2}<\theta<\dfrac{\pi}{2}\right)$로 치환

014

출제율 ⬤⬤⬤◯◯

등식 $\displaystyle\int(2x+3)^5\,dx=\dfrac{1}{a}(2x+3)^b+C$가 성립할 때, 상수 a, b에 대하여 $a-b$의 값은? (단, C는 적분상수이다.)

① 5 ② 6 ③ 7

④ 8 ⑤ 9

015

출제율 ▭▭▭

함수 $f(x)$에 대하여 $f'(x)=\dfrac{2x+1}{x^2+x+3}$, $f(0)=1+\ln 3$ 일 때, $f(1)$의 값은?

① $1+\ln 3$ ② $2+\ln 3$ ③ $2\ln 3$

④ $1+\ln 5$ ⑤ $2+\ln 5$

016

출제율 ▭▭▭

함수 $f(x)=\displaystyle\int \cos^3 x\, dx$에 대하여 $f\left(\dfrac{\pi}{2}\right)=0$일 때, $f(\pi)$의 값을 구하여라.

017

출제율 ▭▭▭

함수 $f(x)=\displaystyle\int \dfrac{x}{\sqrt{1+x^2}}\, dx$에 대하여 $f(0)=1$일 때, 방정식 $f(x)-1=0$의 실근의 개수는?

① 0   ② 1   ③ 2

④ 3   ⑤ 4

018

출제율 ▭▭▭

$\displaystyle\int_0^{\frac{\pi}{2}} \dfrac{\cos x}{2+\sin x}\, dx=\ln a$일 때, 상수 a의 값은?

① $\dfrac{1}{2}$ ② 1   ③ $\dfrac{3}{2}$

④ 2   ⑤ $\dfrac{5}{2}$

019

출제율 ▭▭▭

연속함수 $f(x)$에 대하여 $\displaystyle\int_1^{13} f(x)\, dx=9$일 때, 정적분 $\displaystyle\int_1^5 f(3x-2)\, dx$의 값은?

① 1   ② 2   ③ 3

④ 4   ⑤ 5

020

출제율 ▭▭▭

연속함수 $f(x)$에 대하여 $y=f(x)$의 그래프는 오른쪽 그림과 같다. 곡선 $y=f(x)$와 x축으로 둘러싸인 두 부분 A, B의 넓이가 각각 24, 8일 때, 정적분 $\displaystyle\int_0^3 2xf(x^2)\, dx$의 값을 구하여라.

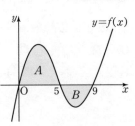

개념 4 부분적분법

(1) 부분적분법

두 함수 $f(x)$, $g(x)$가 미분가능할 때,

$$\int f(x)g'(x)dx = f(x)g(x) - \int f'(x)g(x)dx$$

예 $\int \ln x\,dx$에서 $u(x) = \ln x$, $v'(x) = 1$로 놓으면

$u'(x) = \dfrac{1}{x}$, $v(x) = x$이므로

$$\int \ln x\,dx = x\ln x - \int 1\,dx = x\ln x - x + C$$

(단, C는 적분상수이다.)

(2) 부분적분법을 이용한 정적분

두 함수 $f(x)$, $g(x)$가 닫힌구간 $[a, b]$에서 미분가능하고 그 도함수 $f'(x)$, $g'(x)$가 연속일 때,

$$\int_a^b f(x)g'(x)dx = \left[f(x)g(x) \right]_a^b - \int_a^b f'(x)g(x)dx$$

등급업 TIP 부분적분법을 이용하여 부정적분을 구할 때 미분한 결과가 간단한 함수(다항함수, 로그함수)를 $f(x)$, 적분하기 쉬운 함수(삼각함수, 지수함수)를 $g'(x)$로 놓는다.

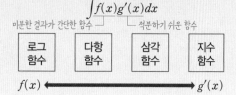

$$\int f(x)g'(x)dx$$

미분한 결과가 간단한 함수 ⎯⎯ ⎯⎯ 적분하기 쉬운 함수

| 로그 함수 | 다항 함수 | 삼각 함수 | 지수 함수 |

$f(x)$ ⟵⎯⎯⎯⎯⟶ $g'(x)$

021　　출제율 ◗◗◗▭▭

함수 $\displaystyle\int xe^x dx = (ax+b)e^x + C$일 때, 정수 a, b에 대하여 ab의 값은? (단, C는 적분상수이다.)

① -2　　　② -1　　　③ 1
④ 2　　　⑤ 4

022　　출제율 ◗◗◗◗▭

함수 $f(x) = \displaystyle\int x\cos 2x\,dx$에 대하여 $f(\pi) = \dfrac{5}{4}$일 때, $f\left(\dfrac{\pi}{2}\right)$의 값을 구하여라.

023　　출제율 ◗◗◗▭▭

$\displaystyle\int_0^\pi x\sin(\pi+x)dx$의 값은?

① $-\pi$　　　② -2　　　③ -1
④ 2　　　⑤ π

024　　출제율 ◗◗◗▭▭

부정적분 $\displaystyle\int x(\ln x)^2 dx$를 구하여라.

025 　교육청 기출　　출제율 ◗◗◗◗▭

삼차함수 $y=f(x)$와 꼭짓점의 좌표가 $(1, -1)$인 이차함수 $y=g(x)$의 그래프가 다음 그림과 같다. 함수 $y=f(x)$의 그래프와 직선 $y=x$는 세 점에서 만나고 그 교점의 x좌표는 -2, 0, 3이고, 함수 $y=g(x)$의 그래프와 직선 $y=x$는 두 점에서 만나고 그 교점의 x좌표는 0, 3이다. $\displaystyle\int_1^e \sqrt{g(\ln x)+1}\,dx$의 값은?

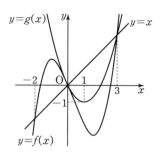

① $e-2$　　　② $e-1$　　　③ $2e-3$
④ $2e-2$　　　⑤ $2e-1$

개념 ⑤ 정적분으로 정의된 함수

(1) 정적분으로 정의된 함수의 미분

① $\dfrac{d}{dx}\displaystyle\int_a^x f(t)dt = f(x)$ (단, a는 실수)

② $\dfrac{d}{dx}\displaystyle\int_x^{x+a} f(t)dt = f(x+a) - f(x)$ (단, a는 실수)

(2) 정적분으로 정의된 함수의 극한

① $\displaystyle\lim_{x \to 0} \dfrac{1}{x}\int_a^{x+a} f(t)dt = f(a)$

② $\displaystyle\lim_{x \to a} \dfrac{1}{x-a}\int_a^x f(t)dt = f(a)$

등급업 TIP

$\displaystyle\int_a^x (x \pm t)f(t)dt = g(x)$ 꼴의 등식에서 $f(x)$를 구할 때에는 좌변을

$$\int_a^x (x \pm t)f(t)dt = x\int_a^x f(t)dt \pm \int_a^x tf(t)dt$$

(복부호동순)

와 같이 피적분함수에 x가 포함되지 않도록 변형한 후 양변을 x에 대하여 미분한다. 이때 주어진 등식이 미정계수를 포함하고 있으면 주어진 등식에 $x=a$를 대입하여

$$\int_a^a f(t)dt = 0$$

임을 이용한다.

026

출제율

실수 전체의 집합에서 연속인 함수 $f(x)$가

$$f(x) = e^{x^2} + \int_0^1 tf(t)dt$$

일 때, $f(1)$의 값은?

① $e-1$ 　　② $e+1$ 　　③ $e+2$

④ $2e-1$ 　　⑤ $2e+1$

027

출제율

연속함수 $f(x)$가 모든 실수 x에 대하여

$$\int_0^x f(t)dt = \sin 2x + ax^2 + a$$

가 성립할 때, $f\left(\dfrac{\pi}{2}\right)$의 값을 구하여라.

(단, a는 상수이다.)

028 교육청 기출

출제율

실수 전체의 집합에서 연속인 함수 $f(x)$가

$$\int_a^x f(t)dt = (x+a-4)e^x$$

을 만족시킬 때, $f(a)$의 값은? (단, a는 상수이다.)

① e 　　② e^2 　　③ e^3

④ e^4 　　⑤ e^5

029

출제율

함수 $f(x) = e^x + \ln x$에 대하여 $\displaystyle\lim_{x \to 1} \dfrac{1}{x^3 - 1}\int_1^x f(t)dt$의 값은?

① $\dfrac{e}{3}$ 　　② $\dfrac{e}{2}$ 　　③ e

④ $2e$ 　　⑤ $3e$

030 학교 기출 신유형

출제율

실수 전체의 집합에서 정의된 함수

$$f(x) = \int_0^x \dfrac{2t+1}{t^2+t+1}dt$$

의 최솟값은?

① $\ln \dfrac{1}{2}$ 　　② $\ln \dfrac{2}{3}$ 　　③ $\ln \dfrac{3}{4}$

④ $\ln \dfrac{4}{5}$ 　　⑤ $\ln \dfrac{5}{6}$

개념 ① 함수 $y=x^n$(n은 실수)의 적분

031

$x>0$에서 정의된 두 함수 $f(x)$, $g(x)$에 대하여

$$f'(x)=\frac{x\sqrt{x}-\sqrt{x}}{\sqrt{x}+1},\ g'(x)=\frac{1-x}{\sqrt{x}+1}$$

$f(1)=g(1)$일 때, $f(2)-g(2)$의 값은?

① 0 ② $\dfrac{1}{2}$ ③ 1

④ $\dfrac{3}{2}$ ⑤ 2

032

$x\neq0$에서 미분가능한 함수 $f(x)$의 한 부정적분 $F(x)$에 대하여

$$F(x)=xf(x)+\ln x+\frac{3}{x}$$

이 성립한다. $f(1)=0$일 때, 방정식 $f(x)=0$의 모든 실근의 합을 구하여라.

033

$x>0$에서 미분가능한 함수 $f(x)$에 대하여

$f'(x)=\dfrac{1}{x}+2x$이고 $\displaystyle\lim_{x\to e}\frac{f(x)}{x-e}=1$일 때, $f(1)$의 값은?

① $-e^2$ ② $-e$ ③ $-1-e$

④ e ⑤ e^2

034 평가원 기출

$x>0$에서 정의된 연속함수 $f(x)$가 모든 양수 x에 대하여

$$2f(x)+\frac{1}{x^2}f\left(\frac{1}{x}\right)=\frac{1}{x}+\frac{1}{x^2}$$

을 만족시킬 때, $\displaystyle\int_{\frac{1}{2}}^{2}f(x)dx$의 값은?

① $\dfrac{\ln 2}{3}+\dfrac{1}{2}$ ② $\dfrac{2\ln 2}{3}+\dfrac{1}{2}$

③ $\dfrac{\ln 2}{3}+1$ ④ $\dfrac{2\ln 2}{3}+1$

⑤ $\dfrac{2\ln 2}{3}+\dfrac{3}{2}$

035

양의 실수 전체의 집합에서 정의된 함수 $f(x)$에 대하여 곡선 $y=f(x)$ 위의 점 $(x,\ y)$에서의 접선의 기울기가 $\dfrac{\sqrt{x}+1}{x^2}$이다. 이 곡선이 점 $(1,\ -3)$을 지날 때, |보기|에서 옳은 것만을 있는 대로 고른 것은?

┌─ 보기 ────────────
│ ㄱ. $f(4)=-\dfrac{5}{4}$
│
│ ㄴ. 임의의 양수 x에 대하여 $f(x)<0$
│
│ ㄷ. 방정식 $f(x)=0$의 실근이 존재한다.
└──────────────────

① ㄱ   ② ㄴ   ③ ㄱ, ㄴ

④ ㄴ, ㄷ   ⑤ ㄱ, ㄴ, ㄷ

036

곡선 $y=f(x)$ 위의 임의의 점 (x, y)에서의 접선의 기울기가 e^x에 정비례한다. 곡선 $y=f(x)$가 두 점 $(0, 2)$, $(1, 4e-2)$를 지날 때, 방정식 $f(x)=0$의 해는?

① $x=-\ln 3$ ② $x=-\ln 2$ ③ $x=0$

④ $x=\ln 2$ ⑤ $x=\ln 3$

037

$0 \le a \le 1$인 실수 a에 대하여

$$f(a)=\int_0^1 |e^x-e^a|\,dx$$

라고 하자. $f(a)$가 최소가 되도록 하는 a의 값은?

① $\dfrac{1}{5}$ ② $\dfrac{1}{4}$ ③ $\dfrac{1}{3}$

④ $\dfrac{1}{2}$ ⑤ $\dfrac{2}{3}$

038

실수 전체의 집합에서 이계도함수를 갖는 함수 $f(x)$에 대하여 $f(0)=1$, $f'(0)=2$이고

$$\lim_{h \to 0} \frac{f'(x+h)-f'(x)}{h}=-\sin x$$

일 때, $f(\pi)$의 값은?

① $\pi-2$ ② $\pi-1$ ③ π

④ $\pi+1$ ⑤ $\pi+2$

039 〈다빈출〉

$x>0$에서 정의된 함수 $f(x)$가 이계도함수를 갖는다.

$$f(x)=xf'(x)+(\sin x-x\cos x)$$

이고 $f(\pi)=0$일 때, $f(2\pi)$의 값을 구하여라.

040 〔학교 기출〕〔신 유형〕

실수 전체의 집합에서 미분가능한 함수 $f(x)$에 대하여

$$f(x)=-f'(x)+e^{-x}\cos x,\ f(0)=1$$

이 성립한다. 함수 $g(x)=e^x f(x)$에 대하여
$\sum\limits_{n=1}^{10} g(n\pi)$의 값을 구하여라.

041

양의 실수 전체의 집합에서 정의된 함수 $f(x)$가

$$\frac{f(x)}{x}+f'(x)=\frac{\sin^2 x}{x(1-\cos x)}$$

를 만족시킨다. $f(\pi)=0$일 때, $f\left(\dfrac{\pi}{2}\right)$의 값은?

① $\dfrac{1}{\pi}-1$ ② $\dfrac{1}{\pi}+1$ ③ $\dfrac{2}{\pi}-1$

④ $\dfrac{2}{\pi}$ ⑤ $\dfrac{2}{\pi}+1$

042

점 $(1, 0)$을 지나는 곡선 $y=f(x)$ 위의 임의의 점 (x, y)에서의 접선의 기울기가 $e^{-2x+1}-\dfrac{1}{2e^x}$일 때,

$\displaystyle\sum_{n=1}^{\infty} f(n)=\dfrac{a}{e^2-1}$이다. 상수 a의 값은?

① $\dfrac{1}{4}$　　　　② $\dfrac{1}{2}$　　　　③ 1

④ 2　　　　⑤ 4

043 학교 기출 신 유형

모든 실수 x에 대하여 연속인 함수 $f(x)$에 대하여 $f(x+2)=f(x)$가 성립한다.

$0\le x\le 1$에서 $f(x)=\sin\pi x$이고 $1<x<2$에서 $f'(x)\ge 0$일 때, $\displaystyle\int_0^8 f(x)dx$의 값을 구하여라.

044

함수 $f(k)=\displaystyle\int_0^{\frac{\pi}{2}} |k\sin x-1|dx$의 최솟값은? (단, $k>1$)

① $\dfrac{\pi}{8}$　　　　② $\dfrac{\pi}{6}$　　　　③ $\dfrac{\pi}{3}$

④ $\dfrac{\pi}{2}$　　　　⑤ π

045

함수 $f(x)=x\cos x$에 대하여 정적분의 값이 항상 0인 것만을 |보기|에서 있는 대로 고른 것은?

(단, a는 실수이다.)

> **• 보기 •**
>
> ㄱ. $\displaystyle\int_{-a}^a f(x)dx$
>
> ㄴ. $\displaystyle\int_{-a}^a xf(x)dx$
>
> ㄷ. $\displaystyle\int_{-a}^a xf'(x)dx$

① ㄱ　　　　② ㄴ　　　　③ ㄷ

④ ㄱ, ㄴ　　　　⑤ ㄱ, ㄷ

046 평가원 기출

0이 아닌 세 정수 l, m, n이

$$|l|+|m|+|n|\le 10$$

을 만족시킨다. $0\le x\le \dfrac{3}{2}\pi$에서 정의된 연속함수 $f(x)$가 $f(0)=0, f\left(\dfrac{3}{2}\pi\right)=1$이고

$$f'(x)=\begin{cases} l\cos x & \left(0<x<\dfrac{\pi}{2}\right) \\ m\cos x & \left(\dfrac{\pi}{2}<x<\pi\right) \\ n\cos x & \left(\pi<x<\dfrac{3}{2}\pi\right) \end{cases}$$

를 만족시킬 때, $\displaystyle\int_0^{\frac{3}{2}\pi} f(x)dx$의 값이 최대가 되도록 하는 l, m, n에 대하여 $l+2m+3n$의 값은?

① 12　　　　② 13　　　　③ 14

④ 15　　　　⑤ 16

개념 ③ 치환적분법

047

$A = \int_0^{\frac{\pi}{2}} (1-\cos x)\sin x\,dx$, $B = \int_e^{e^2} \dfrac{a+\ln x}{x}\,dx$에 대하여 $A=B$가 성립하도록 하는 상수 a의 값은?

① -2 ② -1 ③ 0

④ 1 ⑤ 2

048 ◀ 다빈출

정적분 $\int_0^2 \sqrt{4-x^2}\,dx$의 값은?

① $\dfrac{\pi}{4}$ ② $\dfrac{\pi}{2}$ ③ π

④ 2π ⑤ 4π

049

$\int_1^{\sqrt{3}} \dfrac{a}{x^2+3}\,dx = \dfrac{\pi}{4}$일 때, 양수 a의 값은?

① $\sqrt{3}$ ② $2\sqrt{3}$ ③ $3\sqrt{3}$

④ $4\sqrt{3}$ ⑤ $5\sqrt{3}$

050

정적분 $\int_0^{\ln 3} \dfrac{9\sqrt{3}}{e^x+3e^{-x}}\,dx$의 값을 구하여라.

051

함수 $f(x) = \int \cos 4x \sin 2x\,dx$에 대하여 $f\left(\dfrac{\pi}{4}\right) = \dfrac{1}{6}$일 때, $\displaystyle\lim_{x\to 0} \dfrac{f(x)}{x}$의 값을 구하여라.

052

실수 전체의 집합에서 미분가능한 함수 $f(x)$의 도함수가 $f'(x) = xe^{x^2}$이고 $f(1) = \dfrac{e}{2}$일 때, $f(x)$의 최솟값은?

① 0 ② $\dfrac{1}{2}$ ③ 1

④ $\dfrac{3}{2}$ ⑤ 2

053 다빈출

실수 전체의 집합에서 미분가능한 함수 $f(x)$의 도함수가
$$f'(x)=(x-2)(x^2-4x+3)^2$$
이다. 곡선 $y=f(x)$가 점 $(0, 5)$를 지날 때, $f(x)$의 극솟값은?

① -1 ② $-\dfrac{1}{3}$ ③ 0

④ $\dfrac{1}{3}$ ⑤ 1

054

실수 전체의 집합에서 미분가능한 함수 $f(x)$의 역함수를 $g(x)$라고 하자. 모든 실수 x에 대하여
$$f(x)g'(f(x))=\frac{1}{x^2+x+1}$$
이고 $f(0)=e$일 때, $f(6)=e^a$이다. 상수 a의 값은?

① 85 ② 89 ③ 93

④ 97 ⑤ 101

055 학교 기출 신유형

오른쪽 그림과 같이 제1사분면에 있는 점 P에서 x축에 내린 수선의 발을 H라고 하자. $\angle POH=\theta$라 하고, 직선 OP의 기울기를 $m(\theta)$라고 할 때, $\displaystyle\int_{\frac{\pi}{6}}^{\frac{\pi}{3}} \frac{1}{m(\theta)}d\theta$의 값은?

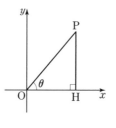

(단, O는 원점이다.)

① $\dfrac{1}{2}\ln 3$ ② $\ln 3$ ③ $\ln 6$

④ $2\ln 3$ ⑤ $2\ln 6$

056 교육청 기출

$a_n=\displaystyle\int_{0}^{\frac{\pi}{4}}\tan^n x\, dx\,(n=1, 2, 3, \cdots)$으로 정의할 때, |보기|에서 옳은 것만을 있는 대로 고른 것은?

┌ **보기** ┐

ㄱ. $a_1+a_3=\dfrac{1}{2}$

ㄴ. $a_1+a_2+a_3+a_4=\dfrac{1}{2}+\dfrac{1}{3}$

ㄷ. $\displaystyle\sum_{k=1}^{100} a_k=\dfrac{1}{2}+\dfrac{1}{3}+\dfrac{1}{4}+\cdots+\dfrac{1}{51}$

└─────────────────────┘

① ㄱ ② ㄷ ③ ㄱ, ㄴ

④ ㄴ, ㄷ ⑤ ㄱ, ㄴ, ㄷ

057

실수 전체의 집합에서 미분가능한 함수 $f(x)$가 다음 조건을 모두 만족시킨다.

> (가) $\displaystyle\lim_{h\to 0}\frac{f(x+h)-f(x-h)}{h}=\frac{2x}{\sqrt{x^2+1}}$
>
> (나) $f(0)=-1$

곡선 $y=f(x)$가 x축과 서로 다른 두 점 A, B에서 만날 때, 선분 AB의 길이를 구하여라.

058

연속함수 $f(x)$에 대하여 $f(x)+f(4-x)=\sqrt{2x+1}$일 때, $\displaystyle\int_0^4 f(x)dx=\frac{q}{p}$이다. $p+q$의 값은?

(단, p, q는 서로소인 자연수이다.)

① 13   ② 14   ③ 15

④ 16   ⑤ 17

059 학교 기출 신유형

두 연속함수 $f(x)$, $g(x)$의 한 부정적분을 각각 $F(x)$, $G(x)$라고 할 때,

$$F(x)+G(x)=f(x)+g(x)$$

가 성립한다. $f(4)+g(4)=2e^4$일 때, $\displaystyle\lim_{x\to 0}\{f(x)+g(x)\}$의 값은?

① -2 ② -1 ③ 0

④ 1   ⑤ 2

060

실수 전체의 집합에서 연속인 함수 $f(x)$가 다음 조건을 만족시킨다.

> (가) 모든 실수 x에 대하여 $f(-x)=-f(x)$
>
> (나) $\displaystyle\int_{-1}^1 xf(x)dx=6$

$g(x)=(e^{x^2}+x^2+x)f\left(\dfrac{x}{2}\right)$라고 할 때, $\displaystyle\int_{-2}^2 g(x)dx$의 값은?

① 8   ② 16   ③ 24

④ 32   ⑤ 40

개념 4 부분적분법

061

함수 $y=\ln x$의 그래프를 x축의 방향으로 -2만큼 평행 이동한 그래프를 나타내는 식을 $y=f(x)$라고 할 때, $\int_1^2 f(x)dx$의 값을 구하여라.

062

$t>e$에서 함수 $f(t)$, $g(t)$가

$$f(t)=\int_1^e t\ln x\,dx,\ g(t)=\int_1^e x\ln x\,dx$$

일 때, 방정식 $f(t)+g(t)=0$의 해는?

① $t=-\dfrac{e^2+1}{2}$　　　② $t=-\dfrac{e^2+1}{4}$

③ $t=\dfrac{e^2}{4}$　　　　④ $t=\dfrac{e^2+1}{4}$

⑤ $t=\dfrac{e^2+1}{2}$

063

실수 전체의 집합에서 미분가능한 함수 $f(x)$에 대하여 그 도함수 $f'(x)$가 연속함수일 때,

$$\int_0^1 (x-1)f'(x+1)dx=-7$$

이 성립한다. $f(1)=5$일 때, $\int_1^2 f(x)dx$의 값을 구하여라.

064

$x>0$에서 정의된 함수 $f(x)$에 대하여 $f'(x)=\dfrac{\ln x}{x^2}$이고 $f(x)$의 극솟값이 1일 때, $f(e)=\dfrac{a}{e}+b$이다. 정수 a, b에 대하여 $a+b$의 값은?

① -2　　　② -1　　　③ 0

④ 1　　　⑤ 2

065

실수 전체의 집합에서 미분가능한 함수 $f(x)$에 대하여 곡선 $y=f(x)$는 점 $(1, 8)$을 지나고 $\int_0^1 \{f(x)\}^2 dx=12$ 일 때, $\int_0^1 xf'(x)f(x)dx$의 값은?

(단, $f'(x)$는 연속함수이다.)

① 25　　　② 26　　　③ 27

④ 28　　　⑤ 29

066 학교 기출 신 유형

등식 $\displaystyle\int_{(n-1)\pi}^{n\pi} x\cos x\,dx = -2$를 만족시키는 100 이하의 자연수 n의 개수는?

① 30   ② 35   ③ 40

④ 45   ⑤ 50

067

$x>0$에서 정의된 미분가능한 함수 $f(x)$가 다음 조건을 만족시킬 때, $4f(e)$의 값은?

> (가) $2xf(x)+x^2f'(x)=(2x+4)\ln x$
>
> (나) $f(1)=-\dfrac{9}{2}$

① -2 ② -1 ③ 0

④ 1   ⑤ 2

068 다빈출

함수 $y=f(x)$의 그래프가 오른쪽 그림과 같을 때,
$\displaystyle\int_{-1}^{2} e^{f(x)}f(x)\,dx$의 값은?

① $-2+\dfrac{2}{e}$ ② $-1+\dfrac{2}{e}$

③ $\dfrac{2}{e}$ ④ $1+\dfrac{2}{e}$

⑤ $2+\dfrac{2}{e}$

069

미분가능한 함수 $y=f(x)$의 그래프가 오른쪽 그림과 같다.
두 부분 A, B의 넓이가 각각 2, 6일 때, 정적분 $\displaystyle\int_{0}^{1} f'(\sqrt{x})\,dx$의 값은?

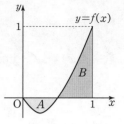

① -6 ② -3

③ 2   ④ 4

⑤ 6

070

함수 $f(x)=\displaystyle\int e^x\cos x\,dx$에 대하여 $f(0)=\dfrac{1}{2}$일 때, 방정식 $f(x)=\dfrac{1}{2}e^x$ ($0\le x\le 2\pi$)의 모든 실근의 합은?

① π ② $\dfrac{3}{2}\pi$ ③ 2π

④ $\dfrac{5}{2}\pi$ ⑤ 3π

071

함수 $f(x)=2e^x+\cos x$에 대하여 $\displaystyle\lim_{n\to\infty} n\int_0^{\frac{1}{n}} f(x)dx$의 값은?

① 3   ② 4   ③ 5

④ 6   ⑤ 7

072 다빈출

함수 $f(x)=3x\ln x+e^x+1$에 대하여

$\displaystyle\lim_{x\to 0}\frac{1}{x}\int_{1-x}^{1+2x} f(t)dt$의 값은?

① $e+1$ ② $2e+2$ ③ $3e+3$

④ $4e+4$ ⑤ $5e+5$

073

실수 전체의 집합에서 연속인 함수 $f(x)$에 대하여

$$f(x)=e^{x^2}+\int_0^2 tf(t)dt$$

일 때, $\displaystyle\int_0^2 \{2xf(x)+1\}dx=a-e^b$이다. 자연수 a, b에 대하여 $a+b$의 값은?

① 5   ② 6   ③ 7

④ 8   ⑤ 9

074

실수 전체의 집합에서 연속인 함수 $f(x)$가 임의의 양수 t에 대하여

$$\int_0^1 sf(ts)ds=\cos t$$

가 성립할 때, $f(-\pi)$의 값은?

① -4 ② -2 ③ 1

④ 2   ⑤ 4

075

양의 실수 전체의 집합에서 정의된 함수 $f(x)$에 대하여

$$\int_1^{x^2} f(t)dt=x^2+2\ln x-3$$

이 성립할 때, $\displaystyle\int_1^2 \frac{1}{x}f\left(\frac{1}{x}\right)dx$의 값을 구하여라.

076

함수 $f(x)=\displaystyle\int_0^x (a-\cos nt)dt$가 극값을 갖지 않도록 하는 양수 a의 최솟값은? (단, n은 실수이다.)

① 1   ② $\dfrac{3}{2}$ ③ 2

④ $\dfrac{5}{2}$ ⑤ 3

077

이차함수 $y=f(x)$의 그래프가 오른쪽 그림과 같을 때, 다음 중 함수 $g(x)=\int_x^{x+1}e^{f(t)}dt$의 최솟값은?

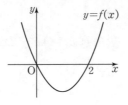

① $g(0)$ ② $g\left(\dfrac{1}{2}\right)$ ③ $g(1)$

④ $g\left(\dfrac{3}{2}\right)$ ⑤ $g(2)$

078

$0\le x\le 2\pi$에서 정의된 두 연속함수 $f(x)=\sin x+kx$와 $g(x)$에 대하여 $f(x)=\int_0^x(t-x)g(t)dt$일 때, $\int_0^\pi\{f(x)+g(x)\}dx$의 값은? (단, k는 상수이다.)

① $2-\pi^2$ ② $2-\dfrac{\pi^2}{2}$ ③ $4-2\pi^2$

④ $4-\pi^2$ ⑤ $4-\dfrac{\pi^2}{2}$

079 학교 기출 신유형

실수 전체의 집합에서 미분가능한 함수 $f(x)$가 다음 조건을 만족시킬 때, $f(1)$의 값은?

> (개) 곡선 $y=f(x)$는 원점을 지난다.
> (내) 모든 실수 x에 대하여
> $$\lim_{h\to 0}\frac{1}{h}\int_{x-h}^{x+h}f'(t)dt=2(x+e^x)e^x$$

① $\dfrac{1}{2}(e^2+1)$ ② $\dfrac{1}{2}(e^2+2)$ ③ $\dfrac{1}{2}(e^2+3)$

④ $\dfrac{1}{2}(e^2+4)$ ⑤ $\dfrac{1}{2}(e^2+5)$

080

실수 전체의 집합에서 미분가능한 함수 $f(x)$가 다음 조건을 만족시킨다.

> (개) 곡선 $y=f(x)$가 y축과 만나는 점의 y좌표는 1이다.
> (내) $2xf(x)=x(e^x+1)+\int_0^x(x+t)f'(t)dt$

방정식 $f(x)=0$의 해를 구하여라.

081 평가원 기출

실수 전체의 집합에서 미분가능한 함수 $f(x)$가 모든 실수 x에 대하여 다음 조건을 만족시킨다.

> (개) $f(x)>0$
> (내) $\ln f(x)+2\int_0^x(x-t)f(t)dt=0$

|보기|에서 옳은 것만을 있는 대로 고른 것은?

> ┌ 보기 ────
> ㄱ. $x>0$에서 함수 $f(x)$는 감소한다.
> ㄴ. 함수 $f(x)$의 최댓값은 1이다.
> ㄷ. 함수 $F(x)$를 $F(x)=\int_0^x f(t)dt$라고 할 때,
> $f(1)+\{F(1)\}^2=1$이다.

① ㄱ   ② ㄱ, ㄴ   ③ ㄱ, ㄷ

④ ㄴ, ㄷ   ⑤ ㄱ, ㄴ, ㄷ

상위권 보장 개념+필수 기출 문제

개념 1 정적분과 급수

(1) 함수 $f(x)$가 닫힌구간 $[a, b]$에서 연속일 때,

$$\lim_{n\to\infty}\sum_{k=1}^{n}f(x_k)\Delta x=\int_a^b f(x)dx$$

$$\left(\text{단, } \Delta x=\frac{b-a}{n}, \ x_k=a+k\Delta x\right)$$

참고 어떤 도형의 넓이나 부피를 구할 때, 주어진 도형을 잘게 나누어 도형의 넓이나 부피를 구하는 방법을 구분구적법이라고 한다.

(2) 함수 $f(x)$가 연속일 때

① $\displaystyle\lim_{n\to\infty}\sum_{k=1}^{n}f\left(\frac{k}{n}\right)\times\frac{1}{n}=\int_0^1 f(x)dx$

② $\displaystyle\lim_{n\to\infty}\sum_{k=1}^{n}f\left(\frac{p}{n}k\right)\times\frac{p}{n}=\int_0^p f(x)dx$

③ $\displaystyle\lim_{n\to\infty}\sum_{k=1}^{n}f\left(a+\frac{b-a}{n}k\right)\times\frac{b-a}{n}=\int_a^b f(x)dx$

④ $\displaystyle\lim_{n\to\infty}\sum_{k=1}^{n}f\left(a+\frac{p}{n}k\right)\times\frac{p}{n}=\int_a^{a+p} f(x)dx$

$$=\int_0^p f(a+x)dx$$

등급업 TIP

$\displaystyle\lim_{n\to\infty}\sum_{k=1}^{n}f\left(a+\frac{pk}{n}\right)\times\frac{p}{n}$의 값을 정적분을 이용하여 구할 때

(1) $a+\dfrac{pk}{n}$를 x로 나타내면 ➡ $\displaystyle\int_a^{a+p} f(x)dx$

(2) $\dfrac{pk}{n}$를 x로 나타내면 ➡ $\displaystyle\int_0^p f(a+x)dx$

(3) $\dfrac{k}{n}$를 x로 나타내면 ➡ $p\displaystyle\int_0^1 f(a+px)dx$

082 학교 기출 신유형

출제율 ▰▰▰▱

다음 |보기|에서 $\displaystyle\lim_{n\to\infty}\frac{3}{n}\sum_{k=1}^{n}f\left(1+\frac{2k}{n}\right)$를 정적분으로 바르게 나타낸 것의 개수는?

┌ **보기** ─────────────────────
ㄱ. $3\displaystyle\int_0^1 f(1+2x)dx$ ㄴ. $3\displaystyle\int_0^1 f(1+x)dx$

ㄷ. $\dfrac{3}{2}\displaystyle\int_0^2 f(1+x)dx$ ㄹ. $\dfrac{3}{2}\displaystyle\int_1^3 f(x)dx$
└──────────────────────────

① 0 ② 1 ③ 2

④ 3 ⑤ 4

083

출제율 ▰▰▰▱

함수 $f(x)=4x^2+3x+6$에 대하여 $\displaystyle\lim_{n\to\infty}\sum_{k=1}^{n}\frac{k}{n^2}f\left(\frac{k}{n}\right)$의 값은?

① 1 ② 2 ③ 3

④ 4 ⑤ 5

084

출제율 ▰▰▰▱

$\displaystyle\lim_{n\to\infty}\frac{1}{n}\left(\frac{2}{n}+\frac{4}{n}+\frac{6}{n}+\cdots+\frac{2n}{n}\right)$의 값을 구하여라.

085 교육청 기출

출제율 ▰▰▰▰

함수 $f(x)=\dfrac{1}{x^2+x}$의 그래프는 다음 그림과 같다.

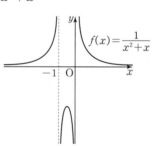

$\displaystyle\lim_{n\to\infty}\frac{2}{n}\sum_{k=1}^{n}f\left(1+\frac{2k}{n}\right)$의 값은?

① $\ln\dfrac{9}{8}$ ② $\ln\dfrac{5}{4}$ ③ $\ln\dfrac{11}{8}$

④ $\ln\dfrac{3}{2}$ ⑤ $\ln\dfrac{13}{8}$

개념 ② 곡선과 축 사이의 넓이

(1) 곡선과 x축 사이의 넓이

함수 $y=f(x)$가 닫힌구간 $[a,\ b]$에서 연속일 때, 곡선 $y=f(x)$와 x축 및 두 직선 $x=a$, $x=b$로 둘러싸인 부분의 넓이 S는

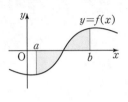

$$S=\int_a^b |f(x)|\, dx$$

(2) 곡선과 y축 사이의 넓이

함수 $x=f(y)$가 닫힌구간 $[c,\ d]$에서 연속일 때, 곡선 $x=f(y)$와 y축 및 두 직선 $y=c$, $y=d$로 둘러싸인 부분의 넓이 S는

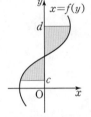

$$S=\int_c^d |f(y)|\, dy$$

등급업 TIP

오른쪽 그림과 같이 곡선 $y=f(x)$와 x축으로 둘러싸인 두 도형의 넓이를 각각 S_1, S_2라고 할 때,

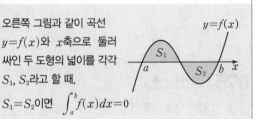

$S_1=S_2$이면 $\displaystyle\int_a^b f(x)dx=0$

086

출제율 ◖▬▬▬◗

곡선 $y=\sin x+\cos x$와 x축으로 둘러싸인 부분의 넓이는? $\left(\text{단, } -\dfrac{\pi}{4} \le x \le \dfrac{3}{4}\pi\right)$

① 1   ② $\sqrt{2}$ ③ 2
④ $2\sqrt{2}$ ⑤ $4\sqrt{2}$

087

출제율 ◖▬▬▬▬◗

곡선 $y=\sqrt{x}+a$와 직선 $x=4$ 및 x축, y축으로 둘러싸인 두 부분의 넓이가 같을 때, 상수 a의 값을 구하여라.

(단, $a<0$)

088

출제율 ◖▬▬▬▬◗

함수 $f(x)$가 $x \ge -4$인 모든 실수 x에 대하여

$$\int_{-4}^x f(t)dt=\frac{2}{3}(x+4)\sqrt{x+4}$$

를 만족시킬 때, 곡선 $y=f(x)$와 x축, y축 및 직선 $y=3$으로 둘러싸인 부분의 넓이는 $\dfrac{q}{p}$이다. $p+q$의 값을 구하여라. (단, p, q는 서로소인 자연수이다.)

089

출제율 ◖▬▬▬▬◗

함수 $y=\dfrac{2}{x}$의 그래프와 x축 및 두 직선 $x=1$, $x=4$로 둘러싸인 부분의 넓이가 직선 $x=a$에 의하여 이등분될 때, 양수 a의 값은?

① $\dfrac{e}{2}$ ② 2   ③ e
④ 3   ⑤ $e+1$

090

출제율 ◖▬▬▬▬◗

함수 $f(x)=e^x+1$의 역함수를 $g(x)$라고 할 때, $\displaystyle\int_0^1 f(x)dx+\int_2^{e+1} g(x)dx$의 값은?

① $e-2$ ② $e-1$ ③ e
④ $e+1$ ⑤ $e+2$

개념 3 두 곡선 사이의 넓이

(1) **두 곡선 사이의 넓이**

두 함수 $y=f(x)$와 $y=g(x)$가 닫힌구간 $[a, b]$에서 연속일 때, 두 곡선 $y=f(x)$, $y=g(x)$ 및 두 직선 $x=a$, $x=b$로 둘러싸인 부분의 넓이 S는

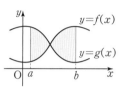

$$S=\int_a^b |f(x)-g(x)|\,dx$$

$\displaystyle \int_a^b \{(\text{위쪽의 식})-(\text{아래쪽의 식})\}dx$

참고 두 함수 $x=f(y)$와 $x=g(y)$가 닫힌구간 $[c, d]$에서 연속일 때, 두 곡선 $x=f(y)$, $x=g(y)$ 및 두 직선 $y=c$, $y=d$로 둘러싸인 부분의 넓이 S는

$$S=\int_c^d |f(y)-g(y)|\,dy$$

등급업 TIP 오른쪽 그림과 같이 두 곡선 $y=f(x)$, $y=g(x)$로 둘러싸인 도형의 넓이를 각각 S_1, S_2라고 할 때, $S_1=S_2$이면

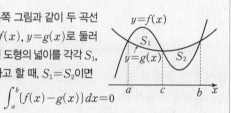

$$\int_a^b \{f(x)-g(x)\}dx=0$$

091 출제율 ◖▬▬▬◗

곡선 $y=2\sqrt{x+1}$과 x축 및 직선 $y=x-2$로 둘러싸인 부분의 넓이를 구하여라.

092 출제율 ◖▬▬▬◗

곡선 $y=e^x$ 위의 점 $\mathrm{P}(1, e)$에서의 접선을 l이라고 하자. 곡선 $y=e^x$과 y축 및 직선 l로 둘러싸인 부분의 넓이는?

① $\dfrac{e}{2}-1$ ② $e-\dfrac{3}{2}$ ③ $\dfrac{e}{2}$

④ $e-1$ ⑤ $\dfrac{e}{2}+1$

093 출제율 ◖▬▬▬◗

$0\leq x\leq 2\pi$에서 두 곡선 $y=\sin x$, $y=\cos x$로 둘러싸인 부분의 넓이를 구하여라.

094 출제율 ◖▬▬▬◗

두 곡선 $y=\log_2(x+1)$, $y=4-\log_2(x+1)$과 y축으로 둘러싸인 부분의 넓이는?

① $\dfrac{10}{\ln 2}-8$ ② $\dfrac{8}{\ln 2}-6$ ③ $\dfrac{6}{\ln 2}-4$

④ $\dfrac{4}{\ln 2}-2$ ⑤ $\dfrac{2}{\ln 2}$

095 평가원 기출 출제율 ◖▬▬▬◗

다음 그림과 같이 곡선 $y=e^{2x}$과 y축 및 직선 $y=-2x+a$로 둘러싸인 부분을 A, 곡선 $y=e^{2x}$과 두 직선 $y=-2x+a$, $x=1$로 둘러싸인 부분을 B라고 하자. A의 넓이와 B의 넓이가 같을 때, 상수 a의 값은?

(단, $1<a<e^2$)

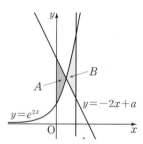

① $\dfrac{e^2+1}{2}$ ② $\dfrac{2e^2+1}{4}$ ③ $\dfrac{e^2}{2}$

④ $\dfrac{2e^2-1}{4}$ ⑤ $\dfrac{e^2-1}{2}$

개념 **4** 입체도형의 부피

(1) 입체도형의 부피

닫힌구간 $[a, b]$에서 x좌표가 x인 점을 지나고 x축에 수직인 평면으로 자른 단면의 넓이가 $S(x)$인 입체도형의 부피 V는

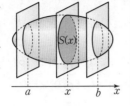

$$V = \int_a^b S(x)dx$$

참고 $S(x)$는 닫힌구간 $[a, b]$에서 연속인 경우만 생각한다.

등급업 TIP 단면의 넓이가 주어지지 않은 입체도형의 부피는 다음 순서로 구한다.

(ⅰ) 주어진 입체도형에 x축을 정하고 좌표평면 위에 나타낸다.

(ⅱ) x축에 수직인 평면으로 자른 단면의 넓이 $S(x)$를 식으로 나타낸다.

(ⅲ) x의 값의 범위를 정한다.

(ⅳ) (ⅲ)에서 정한 구간에서 $S(x)$를 적분한 값을 구한다.

096

출제율 ▬▬▬▭▭

밑면으로부터의 높이가 x인 지점에서 밑면에 평행한 평면으로 자른 단면의 넓이가 $e^{2x}+x+2$인 입체도형이 있다. 이 입체도형의 높이가 4일 때, 입체도형의 부피는 $\dfrac{e^a+b}{2}$이다. 자연수 a, b에 대하여 $a+b$의 값은?

① 38   ② 39   ③ 40

④ 41   ⑤ 42

097

출제율 ▬▬▬▬▭

물의 깊이가 x일 때 수면의 넓이가 $\ln(x+1)$인 물병이 있다. 이 물병에 담긴 물의 깊이가 5일 때, 물병에 담긴 물의 부피를 구하여라.

098

출제율 ▬▬▬▭▭

오른쪽 그림과 같이 윗면의 반지름의 길이가 6, 아랫면의 반지름의 길이가 4, 높이가 6인 원뿔대 모양의 그릇이 있다. 이 그릇의 부피를 나타낸 식으로 옳은 것은?

(단, 그릇의 두께는 무시한다.)

① $\pi\displaystyle\int_0^6 \left(4+\dfrac{x}{6}\right)^2 dx$ ② $\pi\displaystyle\int_0^6 \left(4+\dfrac{x}{4}\right)^2 dx$

③ $\pi\displaystyle\int_0^6 \left(4+\dfrac{x}{3}\right)^2 dx$ ④ $\pi\displaystyle\int_0^6 \left(4+\dfrac{x}{2}\right)^2 dx$

⑤ $\pi\displaystyle\int_0^6 (4+x)^2 dx$

099

출제율 ▬▬▬▭▭

곡선 $y=\sqrt{4-x^2}$ $(0 \le x \le 2)$와 x축, y축으로 둘러싸인 도형을 밑면으로 하는 입체도형을 x축에 수직인 평면으로 자른 단면이 정사각형이다. 이 입체도형의 부피는?

① 5   ② $\dfrac{16}{3}$ ③ $\dfrac{17}{3}$

④ 6   ⑤ $\dfrac{19}{3}$

100

출제율 ▬▬▬▭▭

다음 그림과 같이 곡선 $y=\sqrt{\sin x}$ $(0 \le x \le \pi)$와 x축으로 둘러싸인 도형을 밑면으로 하는 입체도형을 x축에 수직인 평면으로 자른 단면이 정삼각형일 때, 이 입체도형의 부피를 구하여라.

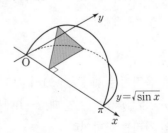

개념 ⑤ 속도와 거리

(1) 직선 위를 움직이는 점의 위치와 움직인 거리

수직선 위를 움직이는 점 P의 시각 t에서의 속도를 $v(t)$, 위치를 $x(t)$라고 하면

① $t=0$에서의 점 P의 위치가 $x(0)$일 때, $t=a$에서 점 P의 위치 $x(a)$는

$$x(a)=x(0)+\int_0^a v(t)dt$$

② $t=a$에서 $t=b$까지 점 P의 위치의 변화량은

$$\int_a^b v(t)dt$$

③ $t=a$에서 $t=b$까지 점 P가 움직인 거리는

$$\int_a^b |v(t)|dt$$

(2) 좌표평면 위를 움직이는 점의 위치와 움직인 거리

좌표평면 위를 움직이는 점 P의 시각 t에서의 위치 (x, y)가 $x=f(t)$, $y=g(t)$일 때, 시각 $t=a$에서 $t=b$까지 점 P가 움직인 거리는

$$\int_a^b \sqrt{\left(\frac{dx}{dt}\right)^2+\left(\frac{dy}{dt}\right)^2}dt=\int_a^b \sqrt{\{f'(t)\}^2+\{g'(t)\}^2}dt$$

등급업 TIP 거리, 속도, 가속도의 관계

$$\text{위치 } x(t) \xleftarrow[\text{적분}]{\text{미분}} \text{속도 } v(t) \xleftarrow[\text{적분}]{\text{미분}} \text{가속도 } a(t)$$

101

수직선 위를 움직이는 점 P의 시각 t에서의 속도가 $v(t)=2\sin\pi t$일 때, $t=0$에서 $t=2$까지 점 P가 움직인 거리는 $\frac{k}{\pi}$이다. 상수 k의 값을 구하여라.

102

좌표평면 위를 움직이는 점 $P(x, y)$의 시각 t에서의 위치 (x, y)가 $x=3t^2$, $y=1-t^2$일 때, $t=0$에서 $t=2$까지 점 P가 움직인 거리를 구하여라.

103

원점을 출발하여 수직선 위를 움직이는 점 P의 시각 t에서의 속도 $v(t)$가

$$v(t)=\begin{cases} t-3 & (0\le t\le 8) \\ 5e^{8-t} & (t\ge 8) \end{cases}$$

이라고 한다. 시각 t에서의 점 P의 위치를 $x(t)$라고 할 때, $\lim_{t\to\infty} x(t)$의 값은?

① 11 　　② 12 　　③ 13

④ 14 　　⑤ 15

104 교육청 기출

좌표평면 위를 움직이는 점 P의 시각 t ($0\le t\le 2\pi$)에서의 위치 (x, y)가

$$x=t+2\cos t, \quad y=\sqrt{3}\sin t$$

일 때, |보기|에서 옳은 것만을 있는 대로 고른 것은?

보기

ㄱ. $t=\frac{\pi}{2}$일 때, 점 P의 속도는 $(-1, 0)$이다.

ㄴ. 점 P의 속도의 크기의 최솟값은 1이다.

ㄷ. 점 P가 $t=\pi$에서 $t=2\pi$까지 움직인 거리는 $2\pi+2$이다.

① ㄱ 　　② ㄷ 　　③ ㄱ, ㄴ

④ ㄴ, ㄷ 　　⑤ ㄱ, ㄴ, ㄷ

개념 6 곡선의 길이

(1) 곡선의 길이

곡선 $y=f(x)$에 대하여 $x=a$에서 $x=b$까지의 곡선의 길이 l은

$$l=\int_a^b \sqrt{1+\left(\frac{dy}{dx}\right)^2}dx=\int_a^b \sqrt{1+\{f'(x)\}^2}dx$$

 등급업 TIP

점 P가 움직인 경로가 겹치지 않으면 점 P가 시각 $t=a$에서 시각 $t=b$까지 그리는 곡선의 길이는 좌표평면에서 점 P가 움직인 거리와 같다. 즉, 곡선 $x=f(t)$, $y=g(t)$에 대하여 $x=a$에서 $x=b$까지 겹치는 부분이 없을 때, 그 길이 l은

$$l=\int_a^b \sqrt{\left(\frac{dx}{dt}\right)^2+\left(\frac{dy}{dt}\right)^2}dt$$
$$=\int_a^b \sqrt{\{f'(t)\}^2+\{g'(t)\}^2}dt$$

105

$0\le\theta\le2\pi$에서 곡선 $x=\theta-\sin\theta$, $y=1-\cos\theta$의 길이는?

① 2   ② 4   ③ 6

④ 8   ⑤ 10

106

좌표평면에서 매개변수 t로 나타내어진 곡선

$$x=3t^2, y=2t^3 \ (0\le t\le 2\sqrt{2})$$

의 길이는?

① 46   ② 48   ③ 50

④ 52   ⑤ 54

107

$0\le\theta\le a$에서 곡선 $y=\frac{1}{2}(e^x+e^{-x})$의 길이가 $\frac{3}{4}$일 때, 양수 a의 값은?

① $\ln 2$ ② $\ln 3$ ③ $2\ln 2$

④ $\ln 5$ ⑤ $\ln 6$

108

$x=2$에서 $x=5$까지 곡선 $y=\ln(x^2-1)$의 길이는?

① $\ln 2$ ② $1+\ln 2$ ③ $2-\ln 2$

④ $3-\ln 2$ ⑤ $3+\ln 2$

109

닫힌구간 $[0, 2]$에서 곡선 $f(x)=x\sqrt{x}$의 길이를 l이라고 할 때, $27l$의 값을 구하여라.

최상위권 도약 실력 완성 문제

개념 1 정적분과 급수

110

닫힌구간 $[0, 1]$에서 정의된 연속함수 $f(x)$가 열린구간 $(0, 1)$에서 이계도함수를 갖고, $f'(x)>0$, $f''(x)<0$이다. $f(0)=0$, $f(1)=1$일 때, 다음 중 정적분 $\int_0^1 \{f(x)-x\}dx$의 값과 같은 것은?

① $\displaystyle\lim_{n\to\infty}\frac{1}{2n}\sum_{k=1}^{n}\left\{f\left(\frac{k}{n}\right)-\frac{k}{n}\right\}$

② $\displaystyle\lim_{n\to\infty}\frac{1}{n}\sum_{k=1}^{n}\left\{f\left(\frac{k}{n}\right)-\frac{k}{n}\right\}$

③ $\displaystyle\lim_{n\to\infty}\frac{2}{n}\sum_{k=1}^{n}\left\{f\left(\frac{k}{n}\right)-\frac{k}{n}\right\}$

④ $\displaystyle\lim_{n\to\infty}\frac{1}{n}\sum_{k=1}^{n}\left\{f\left(\frac{k}{n}\right)-\frac{2k}{n}\right\}$

⑤ $\displaystyle\lim_{n\to\infty}\frac{2}{n}\sum_{k=1}^{n}\left\{f\left(\frac{k}{n}\right)-\frac{2k}{n}\right\}$

111

$\displaystyle\lim_{n\to\infty}\frac{(1^2+2^2+3^2+\cdots+n^2)(1+2+3+\cdots+n)}{1^4+2^4+3^4+\cdots+n^4}$의 값은?

① $\dfrac{4}{5}$ ② $\dfrac{5}{6}$ ③ $\dfrac{6}{5}$

④ $\dfrac{8}{5}$ ⑤ $\dfrac{7}{6}$

112

정적분을 이용하여 다음 극한값을 구하여라.

$$\lim_{n\to\infty}\frac{1}{n^3}\left\{\sqrt{n^2-1^2}+2\sqrt{n^2-2^2}+\cdots+(n-1)\sqrt{n^2-(n-1)^2}\right\}$$

113

함수 $f(x)=\displaystyle\lim_{n\to\infty}\sum_{k=1}^{n}\frac{x\sqrt{4n^2-4nkx+k^2x^2}}{n^2}$에 대하여 $f(4)$의 값은?

① 1   ② 2   ③ 3

④ 4   ⑤ 5

114 학교 기출 신유형

등차수열 $\{a_k\}$의 일반항이 $a_k=-1-\dfrac{3}{n}+\dfrac{3k}{n}$일 때, 함수 $f(x)=3x^2-x+1$에 대하여 $\displaystyle\lim_{n\to\infty}\sum_{k=1}^{n}f(a_k)(a_{k+1}-a_k)$의 값은? (단, n은 자연수이다.)

① $\dfrac{19}{2}$ ② $\dfrac{21}{2}$ ③ $\dfrac{23}{2}$

④ $\dfrac{25}{2}$ ⑤ $\dfrac{27}{2}$

115

다음 그림과 같이 길이가 2인 선분 AB를 지름으로 하는 반원의 호 AB를 n 등분한 각 분점을 점 A에 가까운 것부터 차례로 $P_1, P_2, P_3, \cdots, P_{n-1}$이라고 하자. $k=1, 2, 3, \cdots, n-1$에 대하여 삼각형 ABP_k의 넓이를 S_k라고 할 때, $\displaystyle\lim_{n\to\infty}\frac{1}{n}\sum_{k=1}^{n-1}S_k$의 값을 구하여라.

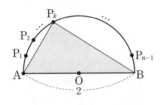

116

반지름의 길이가 2인 원 C의 중심을 O라 하면 원 C 위의 두 점 A, B에 대하여 $\angle AOB=\dfrac{2}{3}\pi$이다.

오른쪽 그림과 같이 $\angle AOB$를 n 등분한 직선이 원 C와 만나는 점을 차례로 $P_1, P_2, P_3, \cdots, P_{n-1}$이라고 할 때, $\displaystyle\lim_{n\to\infty}\frac{1}{n}\sum_{k=1}^{n-1}\overline{AP_k}=\frac{a}{\pi}$이다. 상수 a의 값은?

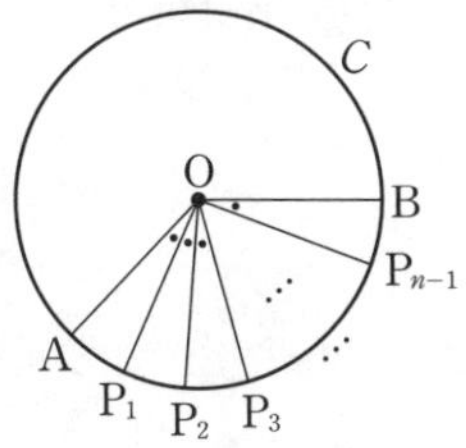

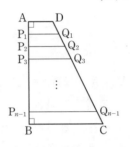

① 2   ② 4   ③ 6
④ 8   ⑤ 10

117

다음 그림과 같이 $\angle A=\angle B=90°$, $\overline{AD}=1$, $\overline{AB}=4$, $\overline{BC}=3$인 사다리꼴 ABCD에서 변 AB를 n 등분한 점을 차례대로 $P_1, P_2, P_3, \cdots, P_{n-1}$이라 하고 각 점에서 변 BC에 평행한 직선을 그어 변 CD와 만나는 점을 각각 $Q_1, Q_2, Q_3, \cdots, Q_{n-1}$이라고 할 때,

$\displaystyle\lim_{n\to\infty}\frac{3}{n}(\overline{P_1Q_1}^2+\overline{P_2Q_2}^2+\overline{P_3Q_3}^2+\cdots+\overline{P_nQ_n}^2)$의 값은?

(단, $B=P_n$, $C=Q_n$)

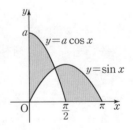

① 9   ② 10   ③ 11
④ 12   ⑤ 13

개념 2 곡선과 축 사이의 넓이

118 다빈출

두 함수 $y=\sin x$, $y=a\cos x$의 그래프가 오른쪽 그림과 같다. 색칠한 두 부분의 넓이가 서로 같을 때, 상수 a의 값을 구하여라.

119

곡선 $y = \dfrac{2x}{\sqrt{x^2+1}}$와 x축 및 두 직선 $x=-1$, $x=1$로 둘러싸인 부분의 넓이는?

① $\sqrt{2}-1$ ② $2(\sqrt{2}-1)$ ③ $2(\sqrt{2}+1)$

④ $4(\sqrt{2}-1)$ ⑤ $4(\sqrt{2}+1)$

120

오른쪽 그림과 같이 두 무리함수 $y=\sqrt{3x}$, $y=\sqrt{x}$의 그래프와 직선 $x=2$로 둘러싸인 부분의 넓이를 S_1, 무리함수 $y=\sqrt{x}$의 그래프와 직선 $x=2$ 및 x축으로 둘러싸인 부분의 넓이를 S_2라고 할 때, $S_1=kS_2$이다. 상수 k의 값은?

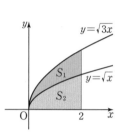

① $\sqrt{3}-1$ ② $\sqrt{3}$ ③ $\sqrt{3}+1$

④ $2\sqrt{3}$ ⑤ 3

121

함수 $y=x\sin x$의 그래프는 오른쪽 그림과 같다. 색칠한 부분의 넓이는?

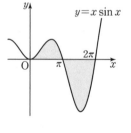

① π ② 2π

③ 3π ④ 4π

⑤ 5π

122 학교 기출 신 유형

자연수 n에 대하여 닫힌구간 $[(n-1)\pi, n\pi]$에서 곡선 $y=\left(\dfrac{1}{3}\right)^n \sin x$와 x축으로 둘러싸인 부분의 넓이를 S_n이라고 할 때, $\displaystyle\sum_{n=1}^{\infty} S_n$의 합은?

① $\dfrac{1}{9}$ ② $\dfrac{1}{6}$ ③ $\dfrac{1}{3}$

④ 1 ⑤ 3

123

함수 $y=e^x$의 그래프를 평행이동 하였더니 함수 $y=f(x)$의 그래프와 일치하였다. 함수 $y=f(x)$의 그래프가 오른쪽 그림과 같을 때, 곡선 $y=f(x)$와 x축 및 두 직선 $x=0$, $x=1$로 둘러싸인 부분의 넓이를 구하여라.

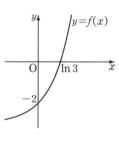

124

곡선 $y=2\ln|x+1|$과 직선 $y=2\ln 2$ 및 x축으로 둘러싸인 부분의 넓이는? (단, $x \neq -1$)

① 2 ② 3 ③ 4

④ 5 ⑤ 6

125

자연수 n에 대하여 곡선 $y=4^x-4^{-x}+n$과 두 직선 $x=-1$, $x=1$ 및 x축으로 둘러싸인 부분의 넓이를 S_n이라고 할 때, $\sum\limits_{n=5}^{20} S_n$의 값을 구하여라.

126

실수 전체의 집합에서 정의된 함수 $f(x)=(2x^2+a)e^x$의 역함수가 존재하도록 하는 실수 a의 최솟값을 m이라고 하자. 함수 $g(x)=(2x^2+m)e^x$의 역함수를 $h(x)$라고 할 때, $\int_m^{4e} h(x)dx$의 값을 구하여라.

127

양수 a에 대하여 열린구간 $(0, 1)$에서 정의된 함수
$$f(x)=\int_a^{x+1}|\ln t|dt-\int_a^x|\ln t|dt$$
는 $x=a$에서 최솟값을 갖는다. 곡선 $y=\dfrac{8}{x^3}$과 x축 및 두 직선 $x=a$, $x=a+1$로 둘러싸인 부분의 넓이를 S라고 할 때, S^2의 값은?

① 40   ② 50   ③ 60
④ 70   ⑤ 80

개념 ③ 두 곡선 사이의 넓이

128

원점에서 곡선 $y=\ln x$에 그은 접선과 곡선 $y=\ln x$ 및 x축으로 둘러싸인 부분의 넓이는?

① $\dfrac{e-2}{2}$ ② $\dfrac{e-1}{2}$ ③ $e-2$
④ $e-1$ ⑤ $e+1$

129

함수 $f(x)=1-e^{-2x}$에 대하여 두 곡선 $y=f(x)$, $y=f'(x)$와 y축으로 둘러싸인 부분의 넓이는?

① $1-\dfrac{1}{2}\ln 3$ ② $1+\dfrac{1}{2}\ln 3$ ③ $1-\ln 3$
④ $\ln 3$ ⑤ $1+\ln 3$

130

닫힌구간 $\left[-\dfrac{\pi}{2}, \dfrac{\pi}{2}\right]$에서 두 곡선 $y=\dfrac{1}{n}\cos x$, $y=\dfrac{1}{n+1}\cos x$로 둘러싸인 부분의 넓이를 S_n이라고 할 때, $\sum\limits_{n=1}^{\infty} S_n$의 값은? (단, n은 자연수이다.)

① $\dfrac{1}{2}$ ② 1   ③ $\dfrac{3}{2}$
④ 2   ⑤ $\dfrac{5}{2}$

131

두 곡선 $x=(1+e)e^y$, $x=e^{2y}+e$로 둘러싸인 부분의 넓이가 ae^2+be+c일 때, 유리수 a, b, c에 대하여 $a-b+c$의 값은?

① -2 ② -1 ③ 0

④ 1 ⑤ 2

132

오른쪽 그림과 같이 곡선 $y=\dfrac{2}{1+x^2}$와 세 직선 $x=-1$, $x=1$, $y=2$로 둘러싸인 부분의 넓이를 구하여라.

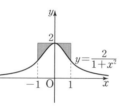

133 다빈출

함수 $f(x)=e^{ax}$과 그 역함수 $g(x)$에 대하여 두 곡선 $y=f(x)$, $y=g(x)$가 $x=e$에서 서로 접할 때, 두 곡선 $y=f(x)$, $y=g(x)$와 x축, y축으로 둘러싸인 부분의 넓이는? (단, a는 0이 아닌 상수이다.)

① e^2-2e ② e^2-e ③ e^2

④ e^2+e ⑤ e^2+2e

134

자연수 n에 대하여 함수 $f(x)=xe^{x-n}(x\ge0)$의 역함수를 $g(x)$라고 하자. 두 곡선 $y=f(x)$, $y=g(x)$로 둘러싸인 부분의 넓이를 S_n이라고 할 때, $\displaystyle\lim_{n\to\infty}\dfrac{S_n}{n^2}$의 값을 구하여라.

135 교육청 기출

함수 $f(x)=e^x-1$에 대하여 |보기|에서 옳은 것만을 있는 대로 고른 것은?

> ┌ 보기 ┐
>
> ㄱ. $\displaystyle\int_0^1 f(x)\,dx=e-2$
>
> ㄴ. $x>0$에서 $f(x)>x$이다.
>
> ㄷ. $\dfrac{5(e^5-1)}{2}<\displaystyle\int_0^{e^5-1} f^{-1}(x)\,dx<\dfrac{(e^5-1)^2}{2}$

① ㄱ   ② ㄷ   ③ ㄱ, ㄴ

④ ㄴ, ㄷ   ⑤ ㄱ, ㄴ, ㄷ

136

$x \geq 0$에서 일대일대응이고 미분가능한 함수 $f(x)$에 대하여 $f(0)=0$, $f(3)=3$, $f'(3)=\dfrac{1}{3}$이다. 곡선 $y=f(x)$ 위의 점 $(3, 3)$에서의 접선과 곡선 $y=f(x)$ 및 y축으로 둘러싸인 부분의 넓이가 $\dfrac{3}{2}$일 때, 함수 $f(x)$의 역함수 $g(x)$에 대하여 $\displaystyle\int_0^3 g(x)dx$의 값을 구하여라.

(단, 닫힌구간 $[0, 3]$에서 $f'(x)f''(x) < 0$이다.)

개념 ④ 입체도형의 부피

137

어떤 입체도형을 밑면으로부터 높이가 x $(0 \leq x \leq 3)$인 지점에서 밑면에 평행한 평면으로 자른 단면의 넓이가 $S(x)=x\sqrt{9-x^2}$일 때, 이 입체도형의 부피는?

① 5   ② 6   ③ 7
④ 8   ⑤ 9

138

곡선 $y=\cos x \left(\dfrac{\pi}{6} \leq x \leq \dfrac{\pi}{4}\right)$와 두 직선 $x=\dfrac{\pi}{6}$, $x=\dfrac{\pi}{4}$ 및 x축으로 둘러싸인 도형을 밑면으로 하는 입체도형이 있다. 이 입체도형을 x축 위의 $x=t \left(\dfrac{\pi}{6} \leq t \leq \dfrac{\pi}{4}\right)$인 점을 지나고 x축에 수직인 평면으로 자른 단면이 위의 그림과 같이 빗변의 길이가 1인 직각삼각형일 때, 이 입체도형의 부피는?

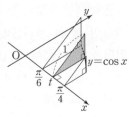

① $\dfrac{1}{16}$ ② $\dfrac{1}{8}$ ③ $\dfrac{3}{16}$

④ $\dfrac{1}{4}$ ⑤ $\dfrac{5}{16}$

139 교육청 기출

다음 그림과 같이 곡선 $y=e^x$과 y축 및 직선 $y=e$로 둘러싸인 도형을 밑면으로 하는 입체도형이 있다. 이 입체도형을 y축에 수직인 평면으로 자른 단면이 모두 정삼각형일 때, 이 입체도형의 부피는?

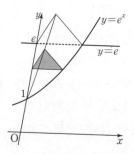

① $\dfrac{\sqrt{3}(e+1)}{4}$ ② $\dfrac{\sqrt{3}(e-1)}{2}$ ③ $\dfrac{\sqrt{3}(e-1)}{4}$

④ $\dfrac{\sqrt{3}(e-2)}{2}$ ⑤ $\dfrac{\sqrt{3}(e-2)}{4}$

140

오른쪽 그림과 같이 한 변의 길이가 4인 정삼각형 ABC가 있다. 밑면은 △ABC이고 $\overline{AB}$에 수직인 평면으로 자른 단면이 반원인 입체도형의 부피를 구하여라.

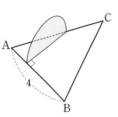

141 다빈출

오른쪽 그림과 같이 밑면의 반지름의 길이가 2, 높이가 5인 원기둥이 있다. 이 원기둥을 밑면의 한 지름을 지나고 밑면과 60°의 각을 이루는 평면으로 자를 때 생기는 두 입체도형 중 작은 입체도형의 부피가 $\dfrac{q}{p}\sqrt{3}$이다. $p+q$의 값을 구하여라.

(단, p, q는 서로소인 자연수이다.)

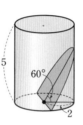

142 학교 기출 신유형

오른쪽 그림과 같이 반지름의 길이가 4인 구가 있다. 구의 중심으로부터의 거리가 2인 한 평면으로 이 구를 자를 때 생기는 두 입체도형 중 작은 입체도형의 부피를 V_1, 큰 입체도형의 부피를 V_2라고 하자. $\dfrac{V_1}{V_2}$의 값은?

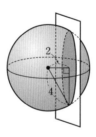

① $\dfrac{1}{9}$ ② $\dfrac{4}{27}$ ③ $\dfrac{5}{27}$

④ $\dfrac{2}{9}$ ⑤ $\dfrac{7}{27}$

개념 **5** 속도와 거리

143 다빈출

원점을 출발하여 수직선 위를 움직이는 점 P의 시각 t에서의 속도가 $v(t)=\dfrac{1}{2}\sin\pi t$일 때, 점 P가 출발 후 처음으로 진행 방향을 바꾸는 시각에서의 점 P의 좌표는?

① $\dfrac{1}{4\pi}$ ② $\dfrac{1}{2\pi}$ ③ $\dfrac{3}{4\pi}$

④ $\dfrac{1}{\pi}$ ⑤ $\dfrac{2}{\pi}$

144

함수 $f(x)=2x^3-9x^2+12x$에 대하여 좌표평면 위를 움직이는 점 $P(x, y)$의 시각 t에서의 위치가 $x=\cos f(t)$, $y=\sin f(t)$일 때, 닫힌구간 $[0, 2]$에서 점 P가 움직인 거리는?

① 2 ② 4 ③ 6

④ 8 ⑤ 10

145

단면의 넓이가 $6\,\text{cm}^2$인 고무호스로부터 흘러나오는 물의 t초 후의 속도는 $v=t(8-t)\,\text{cm/s}$라고 한다. 물이 나오는 순간부터 5초가 될 때까지 흘러나온 물의 양은?

① $150\,\text{cm}^3$ ② $175\,\text{cm}^3$ ③ $255\,\text{cm}^3$
④ $305\,\text{cm}^3$ ⑤ $350\,\text{cm}^3$

146

좌표평면 위를 움직이는 점 $P(x,\,y)$의 시각 t에서의 위치가 $x=e^{-t}\sin t,\ y=e^{-t}\cos t$일 때, $t=0$에서 $t=a$까지 점 P가 움직인 거리는 $\sqrt{2}\left(1-\dfrac{1}{e^2}\right)$이다. 상수 a의 값은?

① 1 ② 2 ③ 3
④ 4 ⑤ 5

147

$0\leq t\leq\dfrac{\pi}{2}$에서 좌표평면 위를 움직이는 점 P의 시각 t에서의 위치 $(x,\,y)$가

$$x=3\sin t-\sin 3t,\ y=3\cos t-\cos 3t$$

일 때, $t=0$에서 $t=\dfrac{\pi}{2}$까지 점 P가 움직인 거리는?

① 2 ② 4 ③ 6
④ 8 ⑤ 10

148 학교 기출 신유형

오른쪽 그림과 같이 곡선 $y=2\sqrt{x}$ 위를 움직이는 점 P에서 x축에 내린 수선의 발을 Q라 하고 곡선 $y=2\sqrt{x}$와 x축 및 직선 PQ로 둘러싸인 부분의 넓이를 S라고 하자. S는 매초 4의 비율로 커질 때, 점 P가 점 $(4,\,4)$를 지나는 순간의 속력을 구하여라.

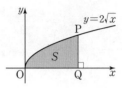

개념 6 곡선의 길이

149

$x=0$에서 $x=\dfrac{\pi}{6}$까지 곡선 $y=\ln(\cos x)$의 길이가 $a\ln 3$일 때, 유리수 a의 값은?

① $\dfrac{1}{2}$ ② $\dfrac{3}{2}$ ③ $\dfrac{5}{2}$
④ $\dfrac{7}{2}$ ⑤ $\dfrac{9}{2}$

150

함수 $f(x)=\dfrac{e^x+e^{-x}}{2}$에 대하여 다음 중 $x=-2$에서 $x=2$까지 곡선 $y=f(x)$의 길이는?

① $2f(2)$ ② $4f(2)$ ③ $f'(2)$

④ $2f'(2)$ ⑤ $4f'(2)$

151 다빈출

실수 전체의 집합에서 이계도함수를 갖는 함수 $f(x)$에 대하여 $f(1)=1$, $f(5)=4$일 때,

$\displaystyle\int_1^5 \sqrt{1+\{f'(x)\}^2}\,dx$의 최솟값을 구하여라.

152

좌표평면 위를 움직이는 점 P의 시각 t에서의 좌표 (x,y)가 $x=\dfrac{4}{3}t^{\frac{3}{2}}$, $y=\dfrac{1}{2}t^2-t$로 나타내어질 때, 점 P가 $t=1$에서 $t=a$까지 그리는 곡선의 길이는 6이다. 양수 a의 값은?

① 1 ② 2 ③ 3

④ 4 ⑤ 5

153

$x\geq0$에서 미분가능한 함수 $f(x)$가 다음 조건을 만족시킬 때, $f(\ln2)$의 값은?

> ㈎ 곡선 $y=f(x)$는 점 $(0,1)$을 지난다.
> ㈏ $x\geq0$에서 $f(x)$는 증가한다.
> ㈐ $0\leq x\leq t$에서의 곡선의 길이는 $\dfrac{1}{2}(e^t-e^{-t})$이다.

① $\dfrac{1}{4}$ ② $\dfrac{3}{4}$ ③ $\dfrac{5}{4}$

④ $\dfrac{7}{4}$ ⑤ $\dfrac{9}{4}$

154

오른쪽 그림과 같은 곡선 $\sqrt[3]{x^2}+\sqrt[3]{y^2}=1$의 전체 길이는?

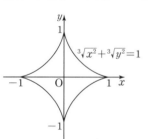

① 4 ② 5 ③ 6

④ 7 ⑤ 8

155

양의 실수 전체의 집합에서 미분가능한 함수 $f(x)$의 이계도함수가 존재하고, 임의의 양수 x, y에 대하여

$$f(xy)=yf(x)+xf(y)$$

가 성립한다. 곡선 $y=f'(x)$가 점 $(1, 1)$을 지날 때, $f(e)$의 값은?

① 0 ② 1 ③ e

④ $e+1$ ⑤ $2e$

156

실수 전체의 집합에서 연속인 함수 $f(x)$에 대하여

$$f(x)=\int_0^1 \frac{f(t)+e^x}{e^t+1}dt$$

가 성립할 때, $\dfrac{f(\ln 7)}{f(\ln 3)}$ 의 값은?

① 1 ② 2 ③ 3

④ 4 ⑤ 5

157

실수 전체의 집합에서 미분가능한 함수 $f(x)$가 있다. 양수 t에 대하여 곡선 $y=f(x)$ 위의 점 $A(t, f(t))$에서의 접선이 y축과 만나는 점을 B, 점 A에서 x축에 내린 수선의 발을 C라고 하자. 사각형 ABOC의 넓이를 $S(t)$라고 할 때, 다음 조건을 만족시킨다.

㉮ 모든 실수 x에 대하여 $f(x)>0$이다.

㉯ $S(t)=\left(\dfrac{3}{2}t^2+t\right)f(t)$

㉰ $\displaystyle\int_0^1 f(x)dx=1-\dfrac{1}{e^3}$

$\displaystyle\int_0^{\ln 2} f(x)dx$의 값은? (단, $t\neq 0$이고, O는 원점이다.)

① $\dfrac{7}{8}$ ② $\dfrac{8}{9}$ ③ 1

④ $\dfrac{10}{9}$ ⑤ $\dfrac{9}{8}$

158

함수 $f(x)=(a+x)-\displaystyle\int_0^x t\sin(x-t)dt$에 대하여 |보기|에서 옳은 것만을 있는 대로 고른 것은?

(단, a는 실수이다.)

• **보기** •

ㄱ. 모든 양의 실수 x에 대하여
$f(x)+f(-x)=2a$이다.

ㄴ. 함수 $f(x)$는 열린구간 $(0, \pi)$에서 $m<n$을 만족시키는 임의의 두 실수 m, n에 대하여
$f\left(\dfrac{m+n}{2}\right)>\dfrac{f(m)+f(n)}{2}$이다.

ㄷ. $a=0$이면 열린구간 $\left(0, \dfrac{\pi}{2}\right)$에서 함수
$g(\theta)=\displaystyle\int_0^\theta \dfrac{2f'(x)}{f(2x)}dx+\int_\theta^{\frac{\pi}{2}}\dfrac{1}{f'(x)}dx$
는 최댓값을 갖는다.

---

① ㄱ   ② ㄴ   ③ ㄷ

④ ㄱ, ㄴ   ⑤ ㄱ, ㄴ, ㄷ

159

$x<0$ 또는 $x>1$에서 정의된 함수
$f(x)=\displaystyle\sum_{n=1}^{\infty}\left(\dfrac{1}{x^2-x+1}\right)^n$에 대하여 곡선 $y=f(x)$와 두 직선 $x=4$, $x=n$ 및 x축으로 둘러싸인 부분의 넓이를 S_n이라고 할 때, $\displaystyle\lim_{n\to\infty}S_n$의 값은?

① 0 ② $\ln\dfrac{5}{4}$ ③ $\ln\dfrac{4}{3}$

④ $\ln\dfrac{3}{2}$ ⑤ $\ln 2$

160

다음 그림과 같이 곡선 $y=\dfrac{e^x+e^{-x}}{2}$ 모양인 트랙이 있다. 이 트랙 위의 $x=\ln 3$인 점 P에서 구슬을 굴렸을 때, 구슬은 굴러 내려온 거리의 $\dfrac{3}{4}$만큼 맞은편으로 올라간다고 한다. 이와 같이 구슬이 한없이 움직일 때, 움직인 총거리는 $\dfrac{q}{p}$이다. pq의 값을 구하여라.

(단, p, q는 서로소인 자연수이다.)

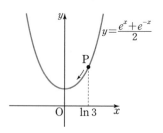

미니 모의고사 - 1회

01

$\displaystyle\int_{-1}^{0}\frac{x}{\sqrt{x^2+a}}dx=2\sqrt{2}-3$일 때, 상수 a의 값을 구하여라.

[3점]

02

정적분 $\displaystyle\int_{-\frac{\pi}{2}}^{\frac{\pi}{2}}(\sin x+\cos x)^2 dx$의 값은? [3점]

① $\dfrac{\pi}{8}$ ② $\dfrac{\pi}{4}$ ③ $\dfrac{\pi}{2}$

④ π ⑤ 2π

03

함수 $y=e^x$의 그래프 위의 점 (x, y)에서의 접선의 기울기를 $f(x)$라고 할 때, $\displaystyle\int_{0}^{1}x^2 f(x)dx$의 값은? [3점]

① $2-e$ ② $e-2$ ③ 2

④ e ⑤ $e+2$

04

다음 중 정적분 $\displaystyle\int_{1}^{2}x^2 dx$의 값과 같은 것은? [3점]

① $\displaystyle\lim_{n\to\infty}\sum_{k=1}^{n}\frac{1}{n}\left(\frac{k}{n}\right)^2$ ② $\displaystyle\lim_{n\to\infty}\sum_{k=1}^{n}\frac{1}{n}\left(\frac{2k}{n}\right)^2$

③ $\displaystyle\lim_{n\to\infty}\sum_{k=1}^{n}\frac{2}{n}\left(\frac{k}{n}\right)^2$ ④ $\displaystyle\lim_{n\to\infty}\sum_{k=1}^{n}\frac{2}{n}\left(1+\frac{2k}{n}\right)^2$

⑤ $\displaystyle\lim_{n\to\infty}\sum_{k=1}^{n}\frac{1}{n}\left(1+\frac{k}{n}\right)^2$

05

두 곡선 $y=\sqrt{x}$, $y=\sqrt{6-x}$와 x축으로 둘러싸인 부분의 넓이는? [3점]

① $2\sqrt{2}$ ② $2\sqrt{3}$ ③ $3\sqrt{2}$

④ $4\sqrt{2}$ ⑤ $4\sqrt{3}$

06

함수 $f(x)=\sin(\sin x)$에 대하여

$\displaystyle\int_{-1}^{1}f(x)dx+\int_{-2}^{2}f(x)dx$의 값을 구하여라. [4점]

07

$x>0$에서 미분가능한 함수 $f(x)$에 대하여

$$\int f(x)dx=xf(x)-x\ln x+k$$

가 성립한다. $f(e)=2$일 때, $f(e^{-2})$의 값은?

(단, k는 적분상수이다.) [4점]

① $-\dfrac{1}{2}$ ② $\dfrac{1}{2}$ ③ 1

④ $\dfrac{3}{2}$ ⑤ $\dfrac{5}{2}$

08

$x>0$에서 정의된 함수

$$f(x)=\int_0^x (tx^2-2x)e^{tx}dt$$

의 최솟값은? [4점]

① $3-e^2$ ② $1-e^2$ ③ e^2

④ $1+e^2$ ⑤ $3+e^2$

09

곡선 $f(x)=xe^{-x}$과 곡선 $y=f(x)$의 변곡점에서의 접선 및 x축으로 둘러싸인 부분의 넓이는 $1-\dfrac{b}{e^a}$이다. 자연수 a, b에 대하여 $a+b$의 값은? [4점]

① 2 ② 3 ③ 4

④ 5 ⑤ 6

10

수직선 위를 움직이는 두 점 P, Q가 동시에 원점에서 출발하여 t초 후의 속도가 각각 $\sin^2 t$, $\dfrac{1}{2}\sin t$이다. 출발 후 $t=\pi$까지 두 점 P, Q가 만나는 횟수는? [4점]

① 0 ② 1 ③ 2

④ 3 ⑤ 4

✔ 실력점검

맞힌 개수	/10개	점수	/35점

미니 모의고사 - 2회

01

함수 $f(x)=\int \dfrac{1}{1-e^x}dx$에 대하여 $f(1)-f(2)$의 값은?
[3점]

① $\ln\dfrac{e}{e-1}$ ② $\ln\dfrac{e-1}{e}$ ③ 1

④ $\ln\dfrac{e}{e+1}$ ⑤ $\ln\dfrac{e+1}{e}$

02

실수 전체의 집합에서 미분가능한 함수 $f(x)$에 대하여

$$\int_0^\pi f(x)\sin 2x\,dx = k\int_0^\pi f'(x)\cos 2x\,dx$$

이고 $f(\pi)=f(0)$일 때, 상수 k의 값은? [3점]

① -2 ② -1 ③ $\dfrac{1}{2}$

④ 1 ⑤ $\dfrac{3}{2}$

03

함수 $f(x)=\lim\limits_{n\to\infty}\sum\limits_{k=1}^{n}\left\{\left(\dfrac{kx}{n}\right)^2+\dfrac{kx}{n}\right\}\dfrac{x}{n}$에 대하여
$f'(5)$의 값을 구하여라. [3점]

04

오른쪽 그림과 같이 두 곡선 $y=x^2$, $y=\sqrt[4]{x}$로 둘러싸인 부분의 넓이를 구하여라. [3점]

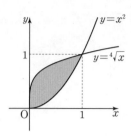

05

$x=1$에서 $x=9$까지 곡선 $y=\dfrac{1}{3}\sqrt{x}(x-3)$의 길이는?
[3점]

① $\dfrac{8}{3}$ ② $\dfrac{16}{3}$ ③ 8

④ $\dfrac{32}{3}$ ⑤ $\dfrac{40}{3}$

06

일반항이 $a_n=\int_1^e \dfrac{(\ln x)^n}{x}dx$인 수열 $\{a_n\}$에 대하여
$\sum\limits_{n=1}^{18} a_n a_{n+1}$의 값은? [4점]

① $\dfrac{1}{20}$ ② $\dfrac{3}{20}$ ③ $\dfrac{1}{4}$

④ $\dfrac{7}{20}$ ⑤ $\dfrac{9}{20}$

07

두 함수 $f(x)=\sqrt{x}\ln x$, $g(x)=e^x$에 대하여

$\displaystyle\lim_{h\to 0}\frac{\displaystyle\int_{g(2)}^{g(2+h)}f(x)dx}{h}$의 값은? [4점]

① e ② e^2 ③ $2e^2$

④ e^3 ⑤ $2e^3$

08

곡선 $y=e^x$ 위의 점 $\left(\dfrac{k}{n},\ e^{\frac{k}{n}}\right)$에서의 접선의 y절편을

$S_{\frac{k}{n}}$라고 할 때, $\displaystyle\sum_{n=1}^{\infty}\frac{1}{n}S_{\frac{k}{n}}$의 값은? [4점]

① $e-2$ ② $e-1$ ③ 1

④ $e+1$ ⑤ $e+2$

09

$0\le x\le\dfrac{\pi}{4}$에서 함수 $f(x)=\tan x$의 역함수를 $g(x)$라고

하자. 곡선 $y=f(x)$와 x축 및 두 직선 $x=0$, $x=\dfrac{\pi}{4}$로

둘러싸인 부분의 넓이가 A일 때, 정적분 $\displaystyle\int_0^1 g(x)dx$의

값을 A를 이용하여 나타내면? [4점]

① $\dfrac{\pi}{4}-A$ ② $\dfrac{\pi}{4}+A$ ③ $\dfrac{\pi}{2}-A$

④ $\dfrac{\pi}{2}+A$ ⑤ $\pi-A$

10

오른쪽 그림과 같은 입체도형의 밑면은 반지름의 길이가 1인 원이다. 밑면의 지름 AB 위에 임의의 한 점 P를 지나고 지름 AB에 수직인 밑면의 현 CD를 잡을 때, 현 CD를 포함하고 밑면에 수직으로 자른 입체도형의 단면은 항상 정삼각형이다. 이 입체도형의 부피는? [4점]

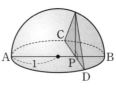

① $\dfrac{\sqrt{3}}{3}$ ② $\dfrac{2\sqrt{3}}{3}$ ③ $\sqrt{3}$

④ $\dfrac{4\sqrt{3}}{3}$ ⑤ $\dfrac{5\sqrt{3}}{3}$

✔ 실력점검

맞힌 개수	/10개	점수	/35점

I 수열의 극한

001 ⑤　　002 4　　003 ③　　004 ①　　005 10
006 ②　　007 ②　　008 ②　　009 ②　　010 ⑤
011 ②　　012 ①　　013 2　　014 ③　　015 ④
016 ⑤　　017 ③　　018 ④　　019 3　　020 ④
021 −4　　022 ⑤　　023 ③　　024 ①　　025 ⑤
026 ④　　027 ③　　028 25　　029 ③　　030 ④
031 ②　　032 4　　033 ④　　034 ③　　035 4
036 5　　037 4　　038 ②　　039 ②　　040 3
041 ⑤　　042 ⑤　　043 ②　　044 ③　　045 ①
046 $\frac{1}{2}$　　047 ③　　048 ③　　049 ④　　050 32
051 ②　　052 ②　　053 ⑤　　054 ②　　055 $\frac{9}{4}$
056 ③　　057 ③　　058 ①　　059 ③　　060 ③
061 8　　062 11　　063 ⑤　　064 63　　065 ①
066 ②　　067 ②　　068 ②　　069 $\frac{5}{12}$　　070 6
071 ①　　072 $\frac{1}{2}$　　073 ③　　074 ③　　075 ③
076 12　　077 6　　078 13　　079 ②　　080 ③
081 ④　　082 $\frac{20}{3}$　　083 ③　　084 ⑤　　085 −24
086 ⑤　　087 $\frac{1}{6}$　　088 ④　　089 ③　　090 ⑤
091 ⑤　　092 ⑤　　093 $\frac{80}{3}$　　094 ③　　095 ②
096 ④　　097 ③　　098 $\frac{1}{2}$　　099 $\frac{20}{3}$　　100 $\frac{1}{4}$
101 ⑤　　102 ②　　103 ①　　104 $\frac{1}{3}$　　105 ⑤
106 $\frac{21}{25}$　　107 25　　108 ④　　109 ③　　110 ①
111 ④　　112 $\frac{8}{5}$　　113 ⑤　　114 −41　　115 12
116 ③　　117 ④　　118 ④　　119 ①　　120 $\frac{8}{5}$
121 ③　　122 20　　123 16　　124 ③　　125 ①
126 $\frac{9}{8}$　　127 ③　　128 ③　　129 ①　　130 ①
131 $\sqrt{2}$　　132 ②　　133 ⑤　　134 ⑤　　135 5
136 ⑤　　137 ②　　138 $\frac{15}{8}$　　139 $\frac{20}{7}$　　140 ④
141 ②　　142 ③

상위 1% 도전 문제

143 ③　　144 2　　145 $\frac{\sqrt{130}}{4}$　　146 ②
147 $9\sqrt{3}-3\pi$

미니 모의고사 - 1회

01 ③　　02 ②　　03 1　　04 5　　05 ④
06 ⑤　　07 $\frac{5}{4}$　　08 ⑤　　09 ④　　10 ③

미니 모의고사 - 2회

01 ④　　02 ②　　03 ⑤　　04 ④　　05 $\frac{3}{2}<x<3$
06 ④　　07 8　　08 35　　09 ⑤　　10 $\frac{9}{2}\pi$

II 미분법

001 ④　　002 ①　　003 ④　　004 ①　　005 3
006 ln 3　　007 50　　008 ⑤　　009 ②　　010 ③
011 ②　　012 5　　013 ②　　014 ①　　015 $-\frac{7}{25}$
016 ①　　017 ②　　018 ①　　019 ②　　020 1
021 ④　　022 ④　　023 2　　024 ①　　025 ⑤
026 ③　　027 ③　　028 ①　　029 ④　　030 ②
031 ④　　032 ⑤　　033 ②　　034 −1　　035 ②
036 ②　　037 ①　　038 ③　　039 ①　　040 $1+2e$
041 ④　　042 ⑤　　043 ①　　044 ③　　045 ④
046 8　　047 ④　　048 $\frac{1}{3e^2}$　　049 ②
050 $14-3\sqrt{3}$　　051 ②　　052 ①　　053 $\frac{3}{5}$
054 ③　　055 ④　　056 $\frac{4}{3}$　　057 ②　　058 ⑤
059 4　　060 ⑤　　061 2　　062 ④　　063 ③
064 ④　　065 $\frac{\sqrt{3}}{6}\pi$　　066 ③　　067 ④　　068 ③
069 ①　　070 $-3\sqrt{2}$　　071 $\frac{7}{16}$　　072 ②　　073 −385
074 ②　　075 $\frac{5}{2}$　　076 2　　077 63　　078 ③
079 $-\frac{1}{3}$　　080 $\frac{27}{8}$　　081 −3　　082 2　　083 ③
084 ③　　085 ①　　086 8　　087 ④　　088 ①
089 −1　　090 ⑤　　091 1　　092 2　　093 ①
094 6　　095 ⑤　　096 ③　　097 $\frac{4}{3}$　　098 ①
099 ①　　100 ⑤　　101 36　　102 ②　　103 ④
104 ③　　105 29　　106 ③　　107 4　　108 ③
109 5　　110 ⑤　　111 ①　　112 ④　　113 ①
114 ④　　115 8π　　116 ②　　117 ③　　118 $\frac{15}{2}$
119 7　　120 ⑤　　121 ②　　122 ④　　123 $2\sqrt{2}$
124 ②　　125 $\sqrt{3}$　　126 ①　　127 ⑤　　128 ②
129 $\frac{1}{3}$　　130 e　　131 ⑤　　132 $-\frac{1}{5}$　　133 ⑤
134 ⑤　　135 $\frac{9}{2}$　　136 ④　　137 ③　　138 ④
139 ②　　140 −8　　141 $\frac{42}{5}\pi$　　142 ②　　143 $\frac{27}{8}$
144 ②　　145 ③　　146 3　　147 ④　　148 ④

149 $\frac{11}{6}\pi$ 150 $2\sqrt{2}$ 151 ①   152 ②   153 $32\sqrt{2}$

154 ⑤   155 ②   156 ⑤   157 ③   158 ②

159 ⑤   160 $\frac{2}{3}\pi$ 161 1   162 ②

163 $\frac{9}{8}+2\ln 2$ 164 2   165 $-\frac{1}{4}$

166 $-10+e^9$ 167 11   168 ⑤   169 ④

170 ④   171 ④   172 ①   173 ⑤   174 $a\leq 1$

175 12   176 1   177 1   178 ③   179 $\sqrt{2}$

180 ③   181 ③   182 ④   183 ④   184 ②

185 2   186 ④   187 ②   188 ⑤   189 ④

190 ④   191 ②   192 -3 193 ②   194 ④

195 ④   196 ⑤   197 ①   198 -3 199 ④

200 $-\frac{6}{\pi}$ 201 ④   202 ④   203 ④   204 ①

205 1   206 ③   207 $\frac{\sqrt{3}}{6}$ 208 ⑤   209 ④

210 1   211 ③   212 $\frac{1}{2}$ 213 -18 214 ①

215 ③   216 ⑤   217 ②   218 40   219 ②

220 $\frac{3\sqrt{3}}{8}$ 221 ③   222 ②   223 ③   224 $\frac{e^4}{4}-e$

225 ②   226 $-\frac{5}{e}$ 227 3   228 ③   229 ④

230 ④   231 ⑤   232 ②   233 $\frac{3\sqrt{145}}{145}$ 234 $2\sqrt{3}$

상위 1% 도전 문제

235 $-4e^3$ 236 67   237 3   238 ⑤   239 ⑤

240 14

미니 모의고사 - 1회

01 10   02 ⑤   03 ①   04 ③   05 $2\sqrt{26}$

06 $32\sqrt{2}$ 07 $\frac{3}{4}$ 08 ①   09 ⑤   10 $\frac{1}{4e}$

미니 모의고사 - 2회

01 ②   02 $36\ln 3$ 03 -1 04 ②   05 ④

06 ①   07 11   08 ⑤   09 ⑤   10 ③

III 적분법

001 ③   002 1   003 ④   004 ③   005 ⑤

006 ⑤   007 2   008 e 009 $\frac{21}{2}$ 010 ④

011 ②   012 ④   013 ④   014 ②   015 ④

016 $-\frac{2}{3}$ 017 ②   018 ③   019 ③   020 16

021 ②   022 $\frac{3}{4}$ 023 ①

024 $\frac{1}{2}x^2(\ln x)^2-\frac{1}{2}x^2\ln x+\frac{1}{4}x^2+C$ (단, C는 적분상수이다.)

025 ①   026 ④   027 -2 028 ②   029 ①

030 ③   031 ②   032 -2 033 ①   034 ②

035 ③   036 ②   037 ④   038 ④   039 0

040 10   041 ③   042 ②   043 $\frac{8}{\pi}$ 044 ②

045 ⑤   046 ⑤   047 ②   048 ③   049 ③

050 $\frac{3}{2}\pi$ 051 1   052 ②   053 ④   054 ④

055 ①   056 ③   057 $2\sqrt{3}$ 058 ④   059 ⑤

060 ③   061 $4\ln 4-3\ln 3-1$ 062 ②   063 12

064 ③   065 ②   066 ⑤   067 ⑤   068 ④

069 ①   070 ④   071 ①   072 ③   073 ③

074 ②   075 $\ln 2+1$ 076 ①   077 ②   078 ⑤

079 ①   080 $x=-1$ 081 ⑤   082 ④   083 ⑤

084 1   085 ④   086 ④   087 $-\frac{4}{3}$ 088 26

089 ②   090 ④   091 18   092 ①   093 $2\sqrt{2}$

094 ②   095 ①   096 ②   097 $6\ln 6-5$

098 ③   099 ②   100 $\frac{\sqrt{3}}{2}$ 101 8   102 $4\sqrt{10}$

103 ③   104 ⑤   105 ④   106 ④   107 ①

108 ⑤   109 $2(11\sqrt{22}-4)$ 110 ②   111 ②

112 $\frac{1}{3}$ 113 ④   114 ②   115 $\frac{2}{\pi}$ 116 ③

117 ⑤   118 2   119 ④   120 ①   121 ④

122 ④   123 $4-e$ 124 ③   125 400   126 6

127 ⑤   128 ①   129 ①   130 ④   131 ④

132 $4-\pi$ 133 ①   134 1   135 ⑤   136 3

137 ⑤   138 ①   139 ⑤   140 2π 141 19

142 ③   143 ④   144 ③   145 ⑤   146 ②

147 ③   148 $\frac{\sqrt{5}}{2}$ 149 ①   150 ④   151 5

152 ③   153 ③   154 ③

상위 1% 도전 문제

155 ③   156 ②   157 ①   158 ⑤   159 ③

160 84

미니 모의고사 - 1회

01 8   02 ④   03 ②   04 ⑤   05 ⑤

06 0   07 ②   08 ①   09 ②   10 ②

미니 모의고사 - 2회

01 ⑤   02 ③   03 30   04 $\frac{7}{15}$ 05 ④

06 ⑤   07 ⑤   08 ①   09 ①   10 ④

풍산자와 함께하면
어떤 시험 문제도 익숙해집니다.

풍산자의
1등급 로드맵

> 풍산자 반복수학   > 풍산자 필수유형

| 개념 기본서 1위 | 기초 반복 훈련서 | 단기 특강서 | 유형서 만족도 1위 | 상위권 필독서 |

> 풍산자   > 풍산자 라이트   > 풍산자 일등급유형

풍산자의 1등급 로드맵

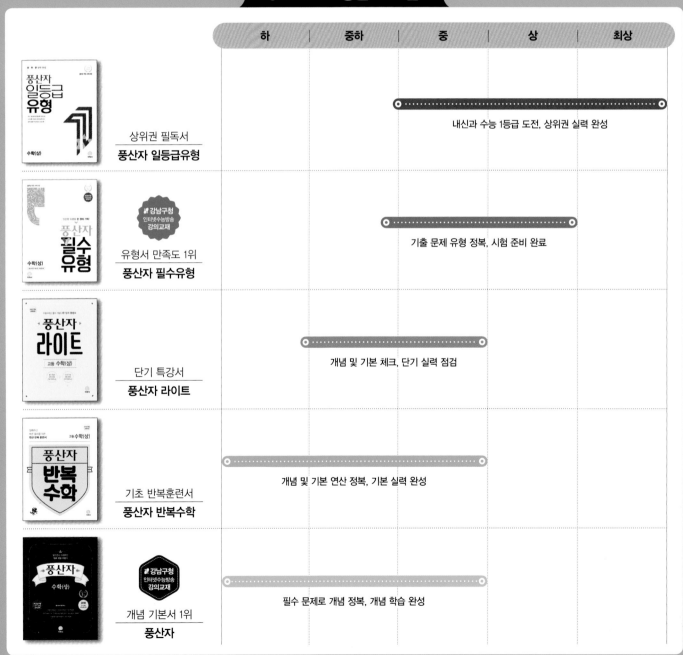

	하	중하	중	상	최상

상위권 필독서
풍산자 일등급유형
내신과 수능 1등급 도전, 상위권 실력 완성

유형서 만족도 1위
풍산자 필수유형
기출 문제 유형 정복, 시험 준비 완료

단기 특강서
풍산자 라이트
개념 및 기본 체크, 단기 실력 점검

기초 반복훈련서
풍산자 반복수학
개념 및 기본 연산 정복, 기본 실력 완성

개념 기본서 1위
풍산자
필수 문제로 개념 정복, 개념 학습 완성

상·위·권 실력 완성

풍산자
일등급
유형

• 최신 기출 문제 분석을 통한 문제 엄선

• 난이도별 구성으로 상위권 실력 완성

• 실력 점검용 미니모의고사 2회 수록

**정답과
풀이**

미적분

지학사

풍산자

일등급
유형

미적분

Ⅰ.
수열의 극한

01 수열의 극한

001

ㄱ. $\left(-\frac{1}{3}\right)^n$에 n 대신 $1, 2, 3, \cdots$을 차례대로 대입하면

$$-\frac{1}{3}, \frac{1}{9}, -\frac{1}{27}, \cdots$$

이므로 수열 $\left\{\left(-\frac{1}{3}\right)^n\right\}$은 0에 수렴한다.

ㄴ. 자연수 n에 대하여 $\sin n\pi = 0$이므로

$$3 + \sin n\pi = 3 + 0 = 3$$

즉, 수열 $\{3 + \sin n\pi\}$는 3에 수렴한다.

ㄷ. $(-1)^{n+1} + (-1)^n$에 n 대신 $1, 2, 3, \cdots$을 차례대로 대입하면

$$1 - 1 = 0, \ -1 + 1 = 0, \ 1 - 1 = 0, \ \cdots$$

이므로 수열 $\{(-1)^{n+1} + (-1)^n\}$은 0에 수렴한다.

따라서 수렴하는 것은 ㄱ, ㄴ, ㄷ이다.

답 ⑤

002

$$\lim_{n \to \infty}(a_n + 2b_n) = \lim_{n \to \infty}a_n + \lim_{n \to \infty}2b_n$$
$$= \lim_{n \to \infty}a_n + 2\lim_{n \to \infty}b_n$$
── 두 수열 $\{a_n\}$, $\{b_n\}$이 수렴하므로 수열의 극한에 대한 기본 성질을 이용한다.
$$= 2 + 2 \times 1 = 4$$

답 4

$\lim\limits_{n \to \infty}a_n = \alpha$, $\lim\limits_{n \to \infty}b_n = \beta$ (α, β는 실수)이면 실수 k, l, m에 대하여

$$\lim_{n \to \infty}\frac{ka_n + lb_n}{ma_nb_n} = \frac{k\lim\limits_{n \to \infty}a_n + l\lim\limits_{n \to \infty}b_n}{m\lim\limits_{n \to \infty}a_n \times \lim\limits_{n \to \infty}b_n} = \frac{k\alpha + l\beta}{m\alpha\beta}$$

(단, $m \neq 0$, $\alpha \neq 0$, $\beta \neq 0$)

003

$\dfrac{3a_n - 5}{a_n + 3} = b_n$이라고 하면 $\lim\limits_{n \to \infty}b_n = \dfrac{2}{3}$

이때 $a_n = \dfrac{-3b_n - 5}{b_n - 3}$이므로

$$\lim_{n \to \infty}a_n = \lim_{n \to \infty}\frac{-3b_n - 5}{b_n - 3} = \frac{-3\lim\limits_{n \to \infty}b_n - 5}{\lim\limits_{n \to \infty}b_n - 3}$$
$$= \frac{-3 \times \frac{2}{3} - 5}{\frac{2}{3} - 3} = 3$$

답 ③

$\lim\limits_{n \to \infty}a_n$이 수렴한다는 조건이 있으므로 수열의 극한에 대한 기본 성질을 이용하여 풀 수도 있다.

$\lim\limits_{n \to \infty}a_n = \alpha$ (α는 실수)라고 하면 $\lim\limits_{n \to \infty}\dfrac{3a_n - 5}{a_n + 3} = \dfrac{2}{3}$에서

$$\frac{3\alpha - 5}{\alpha + 3} = \frac{2}{3}, \ 9\alpha - 15 = 2\alpha + 6$$
$$7\alpha = 21 \qquad \therefore \alpha = 3$$

즉, $\lim\limits_{n \to \infty}a_n = 3$이다.

004

$a_n > 0$이므로 $\lim\limits_{n \to \infty}\dfrac{-3a_n + 4}{a_n + 2}$의 분모, 분자를 a_n으로 나누면

$$\lim_{n \to \infty}\frac{-3a_n + 4}{a_n + 2} = \lim_{n \to \infty}\frac{-3 + \frac{4}{a_n}}{1 + \frac{2}{a_n}} = \lim_{n \to \infty}\frac{-3 + 2 \times \frac{2}{a_n}}{1 + \frac{2}{a_n}}$$
$$= \frac{-3 + 2 \times 0}{1 + 0} = -3$$

답 ①

005

$a_n - 3 = c_n$, $a_n + 2b_n = d_n$으로 놓으면

$$a_n = c_n + 3, \ b_n = \frac{1}{2}(d_n - a_n)$$

$\lim\limits_{n \to \infty}c_n = 1$이므로

$$\lim_{n \to \infty}a_n = \lim_{n \to \infty}(c_n + 3) = \lim_{n \to \infty}c_n + 3 = 1 + 3 = 4$$

$\lim\limits_{n \to \infty}d_n = 5$이므로

$$\lim_{n \to \infty}b_n = \lim_{n \to \infty}\frac{1}{2}(d_n - a_n) = \frac{1}{2}\lim_{n \to \infty}d_n - \frac{1}{2}\lim_{n \to \infty}a_n$$
$$= \frac{1}{2} \times 5 - \frac{1}{2} \times 4 = \frac{1}{2}$$

$$\therefore \lim_{n \to \infty}a_n(2 + b_n) = \lim_{n \to \infty}a_n \times \left(2 + \lim_{n \to \infty}b_n\right) = 4\left(2 + \frac{1}{2}\right) = 10$$

답 10

$a_n = c_n + 3$, $b_n = \dfrac{1}{2}(d_n - a_n) = \dfrac{1}{2}(d_n - c_n - 3)$이고

$\lim\limits_{n \to \infty}c_n = 1$, $\lim\limits_{n \to \infty}d_n = 5$이므로

$$\lim_{n \to \infty}a_n(2 + b_n) = \lim_{n \to \infty}(c_n + 3)\left\{2 + \frac{1}{2}(d_n - c_n - 3)\right\}$$
$$= \lim_{n \to \infty}(c_n + 3)\left(\frac{1}{2}d_n - \frac{1}{2}c_n + \frac{1}{2}\right)$$
$$= \left(\lim_{n \to \infty}c_n + 3\right)\left(\frac{1}{2}\lim_{n \to \infty}d_n - \frac{1}{2}\lim_{n \to \infty}c_n + \frac{1}{2}\right)$$
$$= (1 + 3)\left(\frac{5}{2} - \frac{1}{2} + \frac{1}{2}\right) = 10$$

네 실수 p, q, r, s ($p \neq 0$, $r \neq 0$)에 대하여 $\lim\limits_{n \to \infty}\dfrac{ra_n + s}{pa_n + q} = \alpha$ (α는 실수)이면 $\dfrac{ra_n + s}{pa_n + q} = b_n$으로 놓고 a_n을 b_n에 대한 식으로 나타낸 후 $\lim\limits_{n \to \infty}b_n = \alpha$임을 이용한다.

006

ㄱ은 옳지 않다.

(반례) $a_n=n+3$, $b_n=n$이면 $\lim_{n\to\infty}a_n=\infty$, $\lim_{n\to\infty}b_n=\infty$이지만

$\lim_{n\to\infty}(a_n-b_n)=\lim_{n\to\infty}3=3\neq0$이다.

ㄴ도 옳지 않다.

(반례) $a_n=n$, $b_n=n^2$이면 $\lim_{n\to\infty}a_n=\infty$, $\lim_{n\to\infty}b_n=\infty$이지만

$\lim_{n\to\infty}\dfrac{a_n}{b_n}=\lim_{n\to\infty}\dfrac{1}{n}=0\neq1$이다.

ㄷ도 옳지 않다.

(반례) $a_n=n$, $b_n=\dfrac{1}{n}$이면 $\lim_{n\to\infty}a_n=\infty$, $\lim_{n\to\infty}b_n=0$이지만

$\lim_{n\to\infty}a_nb_n=\lim_{n\to\infty}1=1\neq0$이다.

ㄹ은 옳다.

$a_n-b_n=c_n$이라고 하면 $b_n=a_n-c_n$

이때 $\lim_{n\to\infty}c_n=0$이므로

$\lim_{n\to\infty}b_n=\lim_{n\to\infty}(a_n-c_n)=\lim_{n\to\infty}a_n-\lim_{n\to\infty}c_n$

$\qquad =a-0=a$ ┗ 두 수열 $\{a_n\}$, $\{c_n\}$이 수렴하므로 수열의 극한에 대한 기본 성질을 이용한다.

따라서 옳은 것은 ㄹ이다.

답 ②

007

$\lim_{n\to\infty}\dfrac{\sqrt{n+2}+\sqrt{n-2}}{\sqrt{4n+1}+\sqrt{4n-1}}=\lim_{n\to\infty}\dfrac{\sqrt{1+\dfrac{2}{n}}+\sqrt{1-\dfrac{2}{n}}}{\sqrt{4+\dfrac{1}{n}}+\sqrt{4-\dfrac{1}{n}}}$

┗ 분모, 분자를 $\sqrt{n}$으로 나눈다.

$\qquad\qquad =\dfrac{1+1}{2+2}=\dfrac{1}{2}$

답 ②

간단 풀이

$\dfrac{\infty}{\infty}$ 꼴에서 극한값을 구할 때에는 최고차항의 계수만 관찰하면 된다.

특히 (분모의 차수)=(분자의 차수)이면 극한값은

$\dfrac{(분자의\ 최고차항의\ 계수)}{(분모의\ 최고차항의\ 계수)}$이다.

$\therefore \lim_{n\to\infty}\dfrac{\sqrt{n+2}+\sqrt{n-2}}{\sqrt{4n+1}+\sqrt{4n-1}}=\dfrac{1+1}{\sqrt{4}+\sqrt{4}}=\dfrac{1}{2}$

008

$\lim_{n\to\infty}\dfrac{\sqrt{n^3+n}-\sqrt{n^3-n}}{\sqrt{n+2}-\sqrt{n-2}}$

┗ 분모, 분자를 각각 유리화한다.

$=\lim_{n\to\infty}\dfrac{(\sqrt{n^3+n}-\sqrt{n^3-n})(\sqrt{n^3+n}+\sqrt{n^3-n})(\sqrt{n+2}+\sqrt{n-2})}{(\sqrt{n+2}-\sqrt{n-2})(\sqrt{n+2}+\sqrt{n-2})(\sqrt{n^3+n}+\sqrt{n^3-n})}$

$=\lim_{n\to\infty}\dfrac{\{(n^3+n)-(n^3-n)\}(\sqrt{n+2}+\sqrt{n-2})}{\{(n+2)-(n-2)\}(\sqrt{n^3+n}+\sqrt{n^3-n})}$

┗ 분모, 분자를 $\sqrt{n^3}$, 즉 $n\sqrt{n}$으로 나눈다.

$=\lim_{n\to\infty}\dfrac{2\left(\sqrt{1+\dfrac{2}{n}}+\sqrt{1-\dfrac{2}{n}}\right)}{4\left(\sqrt{1+\dfrac{1}{n^2}}+\sqrt{1-\dfrac{1}{n^2}}\right)}$

$=\dfrac{2(1+1)}{4(1+1)}=\dfrac{1}{2}$

답 ②

009

$\lim_{n\to\infty}\dfrac{(n+2)^3-(n-2)^3}{3n^2-1}$

$=\lim_{n\to\infty}\dfrac{(n^3+6n^2+12n+8)-(n^3-6n^2+12n-8)}{3n^2-1}$

$=\lim_{n\to\infty}\dfrac{12n^2+16}{3n^2-1}$

┗ 분모, 분자를 n^2으로 나눈다.

$=\lim_{n\to\infty}\dfrac{12+\dfrac{16}{n^2}}{3-\dfrac{1}{n^2}}$

$=\dfrac{12+0}{3-0}=4$

답 ②

다른 풀이

$\lim_{n\to\infty}\dfrac{(n+2)^3-(n-2)^3}{3n^2-1}$에서 $(n+2)^3-(n-2)^3$은 다음과 같이 간단히 할 수도 있다.

$(n+2)^3-(n-2)^3$

$=\{(n+2)-(n-2)\}\{(n+2)^2+(n+2)(n-2)+(n-2)^2\}$

$=4(n^2+4n+4+n^2-4+n^2-4n+4)$

$=4(3n^2+4)=12n^2+16$

참고

(1) 곱셈 공식

$(a+b)^3=a^3+3a^2b+3ab^2+b^3$

$(a-b)^3=a^3-3a^2b+3ab^2-b^3$

(2) 인수분해 공식

$a^3+b^3=(a+b)(a^2-ab+b^2)$

$a^3-b^3=(a-b)(a^2+ab+b^2)$

010

$3^2+6^2+9^2+\cdots+9n^2=\sum_{k=1}^{n}(3k)^2=9\sum_{k=1}^{n}k^2$

$\qquad\qquad\qquad\qquad\qquad =9\times\dfrac{n(n+1)(2n+1)}{6}$

$\qquad\qquad\qquad\qquad\qquad =\dfrac{3n(n+1)(2n+1)}{2}$

$\therefore \lim_{n\to\infty}\dfrac{5n^3}{3^2+6^2+9^2+\cdots+9n^2}=\lim_{n\to\infty}\dfrac{10n^3}{3n(n+1)(2n+1)}$

┗ 분모, 분자를 n^3으로 나눈다.

$=\lim_{n\to\infty}\dfrac{10}{3\left(1+\dfrac{1}{n}\right)\left(2+\dfrac{1}{n}\right)}$

$=\dfrac{10}{3(1+0)(2+0)}=\dfrac{5}{3}$

답 ⑤

참고

자연수의 거듭제곱의 합

(1) $\sum_{k=1}^{n}k=1+2+3+\cdots+n=\dfrac{n(n+1)}{2}$

(2) $\sum_{k=1}^{n}k^2=1^2+2^2+3^2+\cdots+n^2=\dfrac{n(n+1)(2n+1)}{6}$

(3) $\sum_{k=1}^{n}k^3=1^3+2^3+3^3+\cdots+n^3=\left\{\dfrac{n(n+1)}{2}\right\}^2$

011

$$\sqrt{1+2+3+\cdots+n}-\sqrt{1+2+3+\cdots+(n-1)}$$

$$=\sqrt{\frac{n(n+1)}{2}}-\sqrt{\frac{n(n-1)}{2}}$$

$$=\sqrt{\frac{n}{2}}(\sqrt{n+1}-\sqrt{n-1})$$
└─ 분모를 1로 놓고 분자를 유리화한다.

$$=\frac{\sqrt{n}(\sqrt{n+1}-\sqrt{n-1})(\sqrt{n+1}+\sqrt{n-1})}{\sqrt{2}(\sqrt{n+1}+\sqrt{n-1})}$$

$$=\frac{2\sqrt{n}}{\sqrt{2}(\sqrt{n+1}+\sqrt{n-1})}$$

$$=\frac{\sqrt{2n}}{\sqrt{n+1}+\sqrt{n-1}}$$

$$\therefore \lim_{n\to\infty}\{\sqrt{1+2+3+\cdots+n}-\sqrt{1+2+3+\cdots+(n-1)}\}$$

$$=\lim_{n\to\infty}\frac{\sqrt{2n}}{\sqrt{n+1}+\sqrt{n-1}}$$

$$=\lim_{n\to\infty}\frac{\sqrt{2}}{\sqrt{1+\frac{1}{n}}+\sqrt{1-\frac{1}{n}}}$$
└─ 분모, 분자를 $\sqrt{n}$으로 나눈다.

$$=\frac{\sqrt{2}}{\sqrt{1}+\sqrt{1}}=\frac{\sqrt{2}}{2}$$

답 ②

012

$x^2+4nx-3n=0$에서 $x=-2n\pm\sqrt{4n^2+3n}$

이때 $a_n>0$이므로 $a_n=-2n+\sqrt{4n^2+3n}$

$$\therefore \lim_{n\to\infty}a_n=\lim_{n\to\infty}(-2n+\sqrt{4n^2+3n})$$
└─ 분모를 1로 놓고 분자를 유리화한다.

$$=\lim_{n\to\infty}\frac{(-2n+\sqrt{4n^2+3n})(-2n-\sqrt{4n^2+3n})}{-2n-\sqrt{4n^2+3n}}$$

$$=\lim_{n\to\infty}\frac{3n}{2n+\sqrt{4n^2+3n}}$$
└─ 분모, 분자를 n, 즉 $\sqrt{n^2}$으로 나눈다.

$$=\lim_{n\to\infty}\frac{3}{2+\sqrt{4+\frac{3}{n}}}$$

$$=\frac{3}{2+2}=\frac{3}{4}$$

답 ①

013

$\dfrac{1+a_n}{a_n}=2n^3+3$에서

$\dfrac{1}{a_n}+1=2n^3+3,\ \dfrac{1}{a_n}=2n^3+2$

$$\therefore a_n=\frac{1}{2n^3+2}$$

$$\therefore \lim_{n\to\infty}(4n^3+3n)a_n=\lim_{n\to\infty}\frac{4n^3+3n}{2n^3+2}$$
└─ 분모, 분자를 n^3으로 나눈다.

$$=\lim_{n\to\infty}\frac{4+\frac{3}{n^2}}{2+\frac{2}{n^3}}$$

$$=\frac{4+0}{2+0}=2$$

답 2

014

$$\lim_{n\to\infty}(2n^3-3n+4)a_n$$

$$=\lim_{n\to\infty}\left\{(n^3+3n+1)a_n\times\frac{2n^3-3n+4}{n^3+3n+1}\right\}$$

$$=\lim_{n\to\infty}(n^3+3n+1)a_n\times\lim_{n\to\infty}\frac{2n^3-3n+4}{n^3+3n+1}$$
└─ 분모, 분자를 n^3으로 나눈다.

$$=5\times\lim_{n\to\infty}\frac{2-\frac{3}{n^2}+\frac{4}{n^3}}{1+\frac{3}{n^2}+\frac{1}{n^3}}$$

$$=5\times 2=10$$

답 ③

015

▶ 접근

$\dfrac{\infty}{\infty}$ 꼴의 극한이고 0이 아닌 극한값이 존재하므로 분모와 분자의 차수가 같아야 함을 이용한다.

$\displaystyle\lim_{n\to\infty}\frac{an^3+bn+1}{2n-3}=2$에서 $a\neq 0$이면 $\displaystyle\lim_{n\to\infty}\frac{an^3+bn+1}{2n-3}$은 발산하므로 $a=0$이어야 한다.

이때

$$\lim_{n\to\infty}\frac{an^3+bn+1}{2n-3}=\lim_{n\to\infty}\frac{bn+1}{2n-3}$$
└─ 분모, 분자를 n으로 나눈다.

$$=\lim_{n\to\infty}\frac{b+\frac{1}{n}}{2-\frac{3}{n}}=\frac{b}{2}$$

이므로

$$\frac{b}{2}=2 \quad \therefore b=4$$

$$\therefore a+b=4$$

답 ④

▶풍쌤 비법

미정계수가 포함되어 있는 수열의 극한이 수렴할 때, $\dfrac{\infty}{\infty}$ 꼴의 극한은 분모의 최고차항으로 분모, 분자를 나누고, $\infty-\infty$ 꼴의 극한은 근호가 있는 쪽을 유리화하여 극한값을 미정계수를 사용하여 나타낸 후 이를 주어진 극한값과 비교한다.

016

$\displaystyle\lim_{n\to\infty}\frac{15}{\sqrt{n^2+kn}-\sqrt{n^2+1}}=3$에서

$$\lim_{n\to\infty}\frac{15}{\sqrt{n^2+kn}-\sqrt{n^2+1}}$$
└─ 분모를 유리화한다.

$$=\lim_{n\to\infty}\frac{15(\sqrt{n^2+kn}+\sqrt{n^2+1})}{(\sqrt{n^2+kn}-\sqrt{n^2+1})(\sqrt{n^2+kn}+\sqrt{n^2+1})}$$

$$=\lim_{n\to\infty}\frac{15(\sqrt{n^2+kn}+\sqrt{n^2+1})}{(n^2+kn)-(n^2+1)}$$

$$=\lim_{n\to\infty}\frac{15(\sqrt{n^2+kn}+\sqrt{n^2+1})}{kn-1}$$
└─ 분모, 분자를 n, 즉 $\sqrt{n^2}$으로 나눈다.

$$=\lim_{n\to\infty}\frac{15\left(\sqrt{1+\dfrac{k}{n}}+\sqrt{1+\dfrac{1}{n^2}}\right)}{k-\dfrac{1}{n}}=\frac{30}{k}$$

이므로

$$\frac{30}{k}=3 \qquad \therefore k=10$$

답 ⑤

017

$3n^2<(n^2+3)a_n<3n^2+2n+1$에서 각 변을 n^2+3으로 나누면

$$\frac{3n^2}{n^2+3}<a_n<\frac{3n^2+2n+1}{n^2+3}$$

이때

$$\lim_{n\to\infty}\frac{3n^2}{n^2+3}=3, \lim_{n\to\infty}\frac{3n^2+2n+1}{n^2+3}=3$$
<u>└ 최고차항의 계수의 비로 극한값을 구한다.</u>

이므로 수열의 극한의 대소 관계에 의하여

$$\lim_{n\to\infty}a_n=3$$

답 ③

[풍쌤 비법]

수열의 일반항 a_n을 포함한 $A<B<C$ 꼴의 부등식이 주어졌을 때, $\lim_{n\to\infty}(a_n$을 포함한 식$)$의 값을 구하려면 주어진 부등식을 $D<(a_n$을 포함한 식$)<E$ 꼴로 변형한 후 수열의 극한의 대소 관계를 이용한다.

018

$\sqrt{9n^2+4}<\sqrt{na_n}<3n+2$에서 각 변을 제곱하면

$$9n^2+4<na_n<(3n+2)^2$$
$$\frac{9n^2+4}{n^2}<\frac{a_n}{n}<\frac{(3n+2)^2}{n^2}$$
<u>└ 각 변을 n^2으로 나눈다.</u>

이때

$$\lim_{n\to\infty}\frac{9n^2+4}{n^2}=9, \lim_{n\to\infty}\frac{(3n+2)^2}{n^2}=\lim_{n\to\infty}\frac{9n^2+12n+4}{n^2}=9$$

이므로 수열의 극한의 대소 관계에 의하여

$$\lim_{n\to\infty}\frac{a_n}{n}=9$$

답 ④

[참고]

$a>0$, $b>0$일 때

$$a>b \Longleftrightarrow a^2>b^2 \Longleftrightarrow \sqrt{a}>\sqrt{b}$$

019

모든 자연수 n에 대하여

$$-1\leq\sin\frac{n}{2}\pi\leq1$$

이므로 각 변에 $3n^2$을 더하면

$$3n^2-1\leq 3n^2+\sin\frac{n}{2}\pi\leq3n^2+1$$

다시 각 변에 $\dfrac{n}{n^3+2}$을 곱하면

$$\frac{3n^3-n}{n^3+2}\leq\frac{n\left(3n^2+\sin\dfrac{n}{2}\pi\right)}{n^3+2}\leq\frac{3n^3+n}{n^3+2}$$

이때

$$\lim_{n\to\infty}\frac{3n^3-n}{n^3+2}=3, \lim_{n\to\infty}\frac{3n^3+n}{n^3+2}=3$$

이므로 수열의 극한의 대소 관계에 의하여

$$\lim_{n\to\infty}\frac{n\left(3n^2+\sin\dfrac{n}{2}\pi\right)}{n^3+2}=3$$

답 3

020

▶ 접근

주어진 부등식을 a_{2n}을 포함한 식으로 변형하여 $\dfrac{a_{2n}}{2n^2+4}$의 값의 범위를 구한 후 수열의 극한의 대소 관계를 이용한다.

부등식 $|a_n-2n^2|\leq1$이 모든 자연수 n에 대하여 성립하므로 n 대신 $2n$을 대입하여도 부등식은 성립한다.

즉, $|a_{2n}-2(2n)^2|\leq1$이므로

$$|a_{2n}-8n^2|\leq1$$
$$\therefore -1\leq a_{2n}-8n^2\leq1$$

각 변에 $8n^2$을 더하면

$$8n^2-1\leq a_{2n}\leq8n^2+1$$

각 변을 $2n^2+4$로 나누면

$$\frac{8n^2-1}{2n^2+4}\leq\frac{a_{2n}}{2n^2+4}\leq\frac{8n^2+1}{2n^2+4}$$

이때

$$\lim_{n\to\infty}\frac{8n^2-1}{2n^2+4}=4, \lim_{n\to\infty}\frac{8n^2+1}{2n^2+4}=4$$

이므로 수열의 극한의 대소 관계에 의하여

$$\lim_{n\to\infty}\frac{a_{2n}}{2n^2+4}=4$$

답 ④

021

$$\lim_{n\to\infty}\frac{2^n+4^{n+1}}{3^{n-1}-4^n}=\lim_{n\to\infty}\frac{2^n+4\times4^n}{\dfrac{1}{3}\times3^n-4^n}$$
<u>└ 분모, 분자를 4^n으로 나눈다.</u>
$$=\lim_{n\to\infty}\frac{\left(\dfrac{1}{2}\right)^n+4}{\dfrac{1}{3}\left(\dfrac{3}{4}\right)^n-1}$$
$$=\frac{0+4}{0-1}=-4$$

답 -4

[풍쌤 비법]

r^n 꼴이 포함된 식의 극한은 r의 값의 범위를 확인하여 극한값을 구한다. 이때 $|r|<1$이면 $\lim_{n\to\infty}r^n=0$임을 이용한다.

022

$x^n\left(\dfrac{x-1}{6}\right)^n=\left(\dfrac{x^2-x}{6}\right)^n$이므로 주어진 수열이 수렴하려면

$-1<\dfrac{x^2-x}{6}\le 1$

이어야 한다.

(i) $-1<\dfrac{x^2-x}{6}$에서

> 이차방정식 $x^2-x+6=0$의 판별식을 D라고 하면 $D=(-1)^2-4\times1\times6=-23<0$이므로 모든 실수 x에 대하여 $x^2-x+6>0$이 성립한다.

$x^2-x>-6,\ \overline{x^2-x+6>0}$

이때 $x^2-x+6>0$은 모든 실수 x에 대하여 성립하므로 이 부등식의 해는 모든 실수이다.

(ii) $\dfrac{x^2-x}{6}\le 1$에서

$x^2-x\le 6,\ x^2-x-6\le 0$

$(x+2)(x-3)\le 0$ $\qquad\therefore -2\le x\le 3$

(i), (ii)에서 $\quad -2\le x\le 3$

따라서 모든 정수 x의 값의 합은

$-2+(-1)+0+1+2+3=3$

답 ⑤

023

주어진 등비수열이 수렴하려면

$-1<\log_2 4k-3\le 1$

이어야 하므로

$2<\log_2 4k\le 4,\ \log_2 2^2<\log_2 4k\le \log_2 2^4$

$2^2<4k\le 2^4,\ 4<4k\le 16$

$\therefore 1<k\le 4$

답 ④

024

$\lim\limits_{n\to\infty}\dfrac{1}{2^n}=0,\ \lim\limits_{n\to\infty}\dfrac{1}{3^n}=0$이므로

$\lim\limits_{n\to\infty}\left(3+\dfrac{1}{2^n}\right)\left(a+\dfrac{1}{3^n}\right)=3a$

따라서 $3a=15$이므로 $\quad a=5$

답 ②

025

수열 $\{r^n\}$이 수렴하므로 $\quad -1<r\le 1$

ㄱ. $-1<r\le 1$에서

$-1\le -r<1,\ 0\le 1-r<2$

즉, $0\le \dfrac{1-r}{3}<\dfrac{2}{3}$이므로 수열 $\left\{\left(\dfrac{1-r}{3}\right)^n\right\}$은 항상 수렴한다.

ㄴ. $-1<r\le 1$에서 $\quad -\dfrac{1}{3}<\dfrac{r}{3}\le \dfrac{1}{3}$

$2-\dfrac{1}{3}<2+\dfrac{r}{3}\le 2+\dfrac{1}{3}$

즉, $\dfrac{5}{3}<2+\dfrac{r}{3}\le \dfrac{7}{3}$이므로 수열 $\left\{\left(2+\dfrac{r}{3}\right)^n\right\}$은 수렴하지 않는다.

ㄷ. 수열 $\{r^n\}$이 수렴하므로

$\lim\limits_{n\to\infty}\left(1-\dfrac{r^n}{3}\right)=1-\dfrac{1}{3}\lim\limits_{n\to\infty}r^n$

즉, 수열 $\left\{1-\dfrac{r^n}{3}\right\}$은 항상 수렴한다.

ㄹ. 수열 $\{r^n\}$이 수렴하고 $\lim\limits_{n\to\infty}r^n\ne -1$이므로

$\lim\limits_{n\to\infty}\dfrac{1}{1+r^n}=\dfrac{1}{1+\lim\limits_{n\to\infty}r^n}$

즉, 수열 $\left\{\dfrac{1}{1+r^n}\right\}$은 항상 수렴한다.

따라서 항상 수렴하는 수열인 것은 ㄱ, ㄷ, ㄹ이다.

답 ④

026

$5^{n+1}-4^n<(3^{n+1}+5^{n-1})a_n<3^n+5^{n+1}$의 각 변을 $3^{n+1}+5^{n-1}$으로 나누면

$\dfrac{5^{n+1}-4^n}{3^{n+1}+5^{n-1}}<a_n<\dfrac{3^n+5^{n+1}}{3^{n+1}+5^{n-1}}$

이때

$\lim\limits_{n\to\infty}\dfrac{5^{n+1}-4^n}{3^{n+1}+5^{n-1}}=\lim\limits_{n\to\infty}\dfrac{5\times5^n-4^n}{3\times3^n+\dfrac{1}{5}\times5^n}$

> 분모, 분자를 5^n으로 나눈다.

$\qquad\qquad =\lim\limits_{n\to\infty}\dfrac{5-\left(\dfrac{4}{5}\right)^n}{3\times\left(\dfrac{3}{5}\right)^n+\dfrac{1}{5}}=25$

$\lim\limits_{n\to\infty}\dfrac{3^n+5^{n+1}}{3^{n+1}+5^{n-1}}=\lim\limits_{n\to\infty}\dfrac{3^n+5\times5^n}{3\times3^n+\dfrac{1}{5}\times5^n}$

> 분모, 분자를 5^n으로 나눈다.

$\qquad\qquad =\lim\limits_{n\to\infty}\dfrac{\left(\dfrac{3}{5}\right)^n+5}{3\times\left(\dfrac{3}{5}\right)^n+\dfrac{1}{5}}=25$

이므로 수열의 극한의 대소 관계에 의하여

$\lim\limits_{n\to\infty}a_n=25$

답 ④

027

$\lim\limits_{n\to\infty}\dfrac{2^{2n-1}+3^{2n-1}}{4^{n-1}+a\times9^{n+1}}=\dfrac{1}{81}$에서

$\lim\limits_{n\to\infty}\dfrac{2^{2n-1}+3^{2n-1}}{4^{n-1}+a\times9^{n+1}}=\lim\limits_{n\to\infty}\dfrac{\dfrac{1}{2}\times4^n+\dfrac{1}{3}\times9^n}{\dfrac{1}{4}\times4^n+9a\times9^n}$

> 분모, 분자를 9^n으로 나눈다.

$\qquad\qquad =\lim\limits_{n\to\infty}\dfrac{\dfrac{1}{2}\times\left(\dfrac{4}{9}\right)^n+\dfrac{1}{3}}{\dfrac{1}{4}\times\left(\dfrac{4}{9}\right)^n+9a}=\dfrac{1}{27a}$

이므로

$\dfrac{1}{27a}=\dfrac{1}{81}$ $\qquad\therefore a=3$

$\therefore \lim\limits_{n\to\infty}\dfrac{a^{n+1}}{3-a^{n-1}}=\lim\limits_{n\to\infty}\dfrac{3^{n+1}}{3-3^{n-1}}=\lim\limits_{n\to\infty}\dfrac{3\times3^n}{3-\dfrac{1}{3}\times3^n}$

> 분모, 분자를 3^n으로 나눈다.

$\qquad\qquad =\lim\limits_{n\to\infty}\dfrac{3}{\dfrac{3}{3^n}-\dfrac{1}{3}}=-9$

답 ③

028

$\lim\limits_{n\to\infty}(a_{n+1}-a_n)=5$이므로

$\lim\limits_{n\to\infty}(a_{n+2}-a_{n+1})=5$, $\lim\limits_{n\to\infty}(a_{n+3}-a_{n+2})=5$,

$\lim\limits_{n\to\infty}(a_{n+4}-a_{n+3})=5$, $\lim\limits_{n\to\infty}(a_{n+5}-a_{n+4})=5$

$\therefore \lim\limits_{n\to\infty}(a_{n+5}-a_n)$

$\quad =\lim\limits_{n\to\infty}\{(a_{n+5}-a_{n+4})+(a_{n+4}-a_{n+3})+(a_{n+3}-a_{n+2})$

$\quad\qquad\qquad\qquad\qquad +(a_{n+2}-a_{n+1})+(a_{n+1}-a_n)\}$

$\quad =\lim\limits_{n\to\infty}(a_{n+5}-a_{n+4})+\lim\limits_{n\to\infty}(a_{n+4}-a_{n+3})+\lim\limits_{n\to\infty}(a_{n+3}-a_{n+2})$

$\quad\qquad\qquad\qquad +\lim\limits_{n\to\infty}(a_{n+2}-a_{n+1})+\lim\limits_{n\to\infty}(a_{n+1}-a_n)$

$\quad =5+5+5+5+5=25$

답 25

029

$a_{n+1}-a_n=\dfrac{4}{n(n+1)}=4\left(\dfrac{1}{n}-\dfrac{1}{n+1}\right)$의 n에 $1, 2, 3, \cdots, n-1$을 차례대로 대입하면

$a_2-a_1=4\left(1-\dfrac{1}{2}\right)$

$a_3-a_2=4\left(\dfrac{1}{2}-\dfrac{1}{3}\right)$

$a_4-a_3=4\left(\dfrac{1}{3}-\dfrac{1}{4}\right)$

$\qquad\qquad \vdots$

$a_n-a_{n-1}=4\left(\dfrac{1}{n-1}-\dfrac{1}{n}\right)$

위의 식들을 변끼리 더하여 정리하면

$a_n-a_1=4\left(1-\dfrac{1}{n}\right)$

$\therefore a_n=a_1+4\left(1-\dfrac{1}{n}\right)$

이때 $\lim\limits_{n\to\infty}a_n=24$이고

$\lim\limits_{n\to\infty}\left\{a_1+4\left(1-\dfrac{1}{n}\right)\right\}=a_1+4\lim\limits_{n\to\infty}\left(1-\dfrac{1}{n}\right)=a_1+4$

이므로 $\lim\limits_{n\to\infty}a_n=\lim\limits_{n\to\infty}\left\{a_1+4\left(1-\dfrac{1}{n}\right)\right\}$에서

$24=a_1+4$ $\quad \therefore a_1=20$

답 ③

참고

분수 꼴로 주어진 수열의 합은 부분분수로 변형하여 구한다.

(1) $\sum\limits_{k=1}^{n}\dfrac{1}{k(k+1)}=\sum\limits_{k=1}^{n}\left(\dfrac{1}{k}-\dfrac{1}{k+1}\right)$

(2) $\sum\limits_{k=1}^{n}\dfrac{1}{(k+a)(k+b)}=\dfrac{1}{b-a}\sum\limits_{k=1}^{n}\left(\dfrac{1}{k+a}-\dfrac{1}{k+b}\right)$ (단, $a\neq b$)

030

$4a_n-3b_n=c_n$이라고 하면

$b_n=\dfrac{4}{3}a_n-\dfrac{1}{3}c_n$

또, $\lim\limits_{n\to\infty}c_n=12$이고 $\lim\limits_{n\to\infty}a_n=\infty$이므로

$\lim\limits_{n\to\infty}\dfrac{c_n}{a_n}=0$

$\therefore \lim\limits_{n\to\infty}\dfrac{3a_n+2b_n}{a_n-b_n}=\lim\limits_{n\to\infty}\dfrac{3a_n+2\left(\dfrac{4}{3}a_n-\dfrac{1}{3}c_n\right)}{a_n-\left(\dfrac{4}{3}a_n-\dfrac{1}{3}c_n\right)}$

$\qquad\qquad\qquad =\lim\limits_{n\to\infty}\dfrac{\dfrac{17}{3}a_n-\dfrac{2}{3}c_n}{-\dfrac{1}{3}a_n+\dfrac{1}{3}c_n}$ ← 분모, 분자를 a_n으로 나눈다.

$\qquad\qquad\qquad =\lim\limits_{n\to\infty}\dfrac{\dfrac{17}{3}-\dfrac{2}{3}\times\dfrac{c_n}{a_n}}{-\dfrac{1}{3}+\dfrac{1}{3}\times\dfrac{c_n}{a_n}}$

$\qquad\qquad\qquad =-17$

답 ④

031

$a_nb_n=c_n$이라고 하면 $\quad a_n=\dfrac{c_n}{b_n}$

이때 $\lim\limits_{n\to\infty}b_n=\infty$, $\lim\limits_{n\to\infty}c_n=6$이므로

$\lim\limits_{n\to\infty}a_n=\lim\limits_{n\to\infty}\dfrac{c_n}{b_n}=0$

한편

$a_n^2b_n-a_nb_n-a_n+1=a_n^2b_n-a_n-a_nb_n+1$

$\qquad\qquad\qquad\qquad =a_n(a_nb_n-1)-(a_nb_n-1)$

$\qquad\qquad\qquad\qquad =(a_n-1)(a_nb_n-1)$

이므로

$\lim\limits_{n\to\infty}(a_n^2b_n-a_nb_n-a_n+1)=\lim\limits_{n\to\infty}(a_n-1)(a_nb_n-1)$

$\qquad\qquad\qquad\qquad\qquad =\left(\lim\limits_{n\to\infty}a_n-1\right)\left(\lim\limits_{n\to\infty}a_nb_n-1\right)$

$\qquad\qquad\qquad\qquad\qquad =(0-1)\times(6-1)=-5$

답 ②

032

이차방정식 $x^2-2a_nx+3a_{n+2}+4=0$이 중근을 가지므로 이 이차방정식의 판별식을 D라고 하면

$\dfrac{D}{4}=a_n^2-3a_{n+2}-4=0$

따라서 $\lim\limits_{n\to\infty}(a_n^2-3a_{n+2}-4)=0$이고 수열 $\{a_n\}$이 수렴하므로

$\lim\limits_{n\to\infty}a_n=\lim\limits_{n\to\infty}a_{n+2}=\alpha\,(\alpha\geq0)$라고 하면

$\alpha^2-3\alpha-4=0$, $(\alpha+1)(\alpha-4)=0$

$\therefore \alpha=4\,(\because \alpha>0)$

즉, $\lim\limits_{n\to\infty}a_n=4$이다.

답 4

참고

이차방정식의 근의 판별

계수가 실수인 이차방정식 $ax^2+bx+c=0$의 판별식을 $D=b^2-4ac$라고 할 때

(1) $D>0$ ➡ 서로 다른 두 실근을 갖는다.

(2) $D=0$ ➡ 중근 (서로 같은 두 실근)을 갖는다.

(3) $D<0$ ➡ 서로 다른 두 허근을 갖는다.

033

$a_nb_n=\dfrac{(a_n{}^2+b_n{}^2)-(a_n-b_n)^2}{2}$이므로 조건 (나), (다)에 의하여

$\displaystyle\lim_{n\to\infty}a_nb_n=\lim_{n\to\infty}\dfrac{(a_n{}^2+b_n{}^2)-(a_n-b_n)^2}{2}$

$\qquad\qquad=\dfrac{\displaystyle\lim_{n\to\infty}(a_n{}^2+b_n{}^2)-\Big\{\lim_{n\to\infty}(a_n-b_n)\Big\}^2}{2}$

$\qquad\qquad=\dfrac{29-3^2}{2}=10$

한편 $(a_n+b_n)^2=(a_n{}^2+b_n{}^2)+2a_nb_n$이므로

$\displaystyle\lim_{n\to\infty}(a_n+b_n)^2=\lim_{n\to\infty}\{(a_n{}^2+b_n{}^2)+2a_nb_n\}$

$\therefore\Big\{\displaystyle\lim_{n\to\infty}(a_n+b_n)\Big\}^2=\lim_{n\to\infty}(a_n{}^2+b_n{}^2)+2\lim_{n\to\infty}a_nb_n$

$\qquad\qquad\qquad=29+2\times10=49$

이때 조건 (가)에 의하여 $a_n+b_n>0$이므로

$\displaystyle\lim_{n\to\infty}(a_n+b_n)=7$

$\therefore\displaystyle\lim_{n\to\infty}\dfrac{a_nb_n}{(a_n-b_n)(a_n+b_n)}=\dfrac{\displaystyle\lim_{n\to\infty}a_nb_n}{\displaystyle\lim_{n\to\infty}(a_n-b_n)\times\lim_{n\to\infty}(a_n+b_n)}$

$\qquad\qquad\qquad=\dfrac{10}{3\times7}=\dfrac{10}{21}$

답 ④

다른 풀이

두 수열 $\{a_n\}$, $\{b_n\}$이 수렴하므로 $\displaystyle\lim_{n\to\infty}a_n=\alpha$, $\displaystyle\lim_{n\to\infty}b_n=\beta$라고 하면

조건 (가)에 의하여

$\alpha\geq\beta\geq0$

또, 조건 (나)에 의하여

$\alpha-\beta=3,\ \alpha^2+\beta^2=29$

위의 두 식을 연립하여 풀면

$\alpha=5,\ \beta=2\ (\because\alpha\geq0,\ \beta\geq0)$

즉, $\displaystyle\lim_{n\to\infty}a_n=5$, $\displaystyle\lim_{n\to\infty}b_n=2$이므로

$\displaystyle\lim_{n\to\infty}\dfrac{a_nb_n}{(a_n-b_n)(a_n+b_n)}=\dfrac{\displaystyle\lim_{n\to\infty}a_n\times\lim_{n\to\infty}b_n}{\Big(\lim_{n\to\infty}a_n-\lim_{n\to\infty}b_n\Big)\Big(\lim_{n\to\infty}a_n+\lim_{n\to\infty}b_n\Big)}$

$\qquad\qquad=\dfrac{5\times2}{(5-2)(5+2)}=\dfrac{10}{21}$

034

ㄱ은 옳다.

$a_n=\dfrac{(-1)^n+3}{2}$이므로 수열 $\{a_n\}$은

$1,2,1,2,\cdots$

따라서 수열 $\{a_n\}$은 발산한다.

ㄴ도 옳다. ┌ 수열 $\{a_n\}$은 $1,2,1,2,\cdots$로 진동하므로 발산한다.

$b_n=p\times(-1)^{n+1}+q$이므로 수열 $\{b_n\}$은

$p+q,\ -p+q,\ p+q,\ -p+q,\ \cdots$

이때 $p=-p$, 즉 $p=0$이면 수열 $\{b_n\}$은 q에 수렴한다.

따라서 수열 $\{b_n\}$이 수렴하도록 하는 실수 p가 존재한다.

ㄷ은 옳지 않다.

수열 $\{a_n+b_n\}$은

$1+p+q,\ 2-p+q,\ 1+p+q,\ 2-p+q,\ \cdots$

이므로 $1+p=2-p$, 즉 $p=\dfrac{1}{2}$이면 수열 $\{a_n+b_n\}$은

$\dfrac{3}{2}+q$에 수렴한다.

또, 수열 $\{a_nb_n\}$은

$p+q,\ -2p+2q,\ p+q,\ -2p+2q,\ \cdots$

이므로 $p+q=-2p+2q$, 즉 $3p=q$이면 수열 $\{a_nb_n\}$은 $4p$에 수렴한다.

$p=\dfrac{1}{2},\ 3p=q$에서 $q=\dfrac{3}{2}$

$\therefore\displaystyle\lim_{n\to\infty}(a_n+b_n)=\dfrac{3}{2}+q=\dfrac{3}{2}+\dfrac{3}{2}=3$,

$\qquad\displaystyle\lim_{n\to\infty}a_nb_n=4p=4\times\dfrac{1}{2}=2$

$a_n{}^2+b_n{}^2=(a_n+b_n)^2-2a_nb_n$이므로

$\displaystyle\lim_{n\to\infty}(a_n{}^2+b_n{}^2)=\lim_{n\to\infty}\{(a_n+b_n)^2-2a_nb_n\}$

$\qquad\qquad=\Big\{\displaystyle\lim_{n\to\infty}(a_n+b_n)\Big\}^2-2\lim_{n\to\infty}a_nb_n$

$\qquad\qquad=3^2-2\times2=5\neq6$

따라서 옳은 것은 ㄱ, ㄴ이다.

답 ③

다른 풀이

ㄷ은 옳지 않다.

$a_n=\dfrac{(-1)^n+3}{2},\ b_n=p\times(-1)^{n+1}+q$이므로

$a_n+b_n=\dfrac{(-1)^n+3}{2}+p\times(-1)^{n+1}+q$

$\qquad=\dfrac{1}{2}\times(-1)^n+\dfrac{3}{2}+(-p)\times(-1)^n+q$

$\qquad=\Big(\dfrac{1}{2}-p\Big)\times(-1)^n+\dfrac{3}{2}+q$

수열 $\{a_n+b_n\}$이 수렴하려면 $\dfrac{1}{2}-p=0$이어야 하므로

$p=\dfrac{1}{2}$

따라서 $b_n=\dfrac{1}{2}\times(-1)^{n+1}+q$이므로

$a_nb_n=\dfrac{(-1)^n+3}{2}\times\Big\{\dfrac{1}{2}\times(-1)^{n+1}+q\Big\}$

$\qquad=\Big\{\dfrac{1}{2}\times(-1)^n+\dfrac{3}{2}\Big\}\times\Big\{-\dfrac{1}{2}\times(-1)^n+q\Big\}$

$\qquad=-\dfrac{1}{4}\times(-1)^{2n}+\Big(\dfrac{q}{2}-\dfrac{3}{4}\Big)\times(-1)^n+\dfrac{3}{2}q$

$\qquad=\Big(\dfrac{q}{2}-\dfrac{3}{4}\Big)\times(-1)^n+\dfrac{3}{2}q-\dfrac{1}{4}$

수열 $\{a_nb_n\}$이 수렴하려면 $\dfrac{q}{2}-\dfrac{3}{4}=0$이어야 하므로

$q=\dfrac{3}{2}$

035

▶ 접근

$a_n+S_n=b_n$으로 놓고 수열의 합과 일반항 사이의 관계를 이용한다.

$a_n+S_n=b_n$ ······ ㉠

이라고 하면

$a_{n-1}+S_{n-1}=b_{n-1}$ ······ ㉡

㉠−㉡을 하면

$(a_n-a_{n-1})+(S_n-S_{n-1})=b_n-b_{n-1}$

$a_n-a_{n-1}+a_n=4$ ┌ 수열 $\{b_n\}$은 공차가 4인 등차수열이므로
$\qquad\qquad\qquad\qquad b_n-b_{n-1}=4$

$\therefore 2a_n - a_{n-1} = 4$

수열 $\{a_n\}$이 수렴하므로 $\lim\limits_{n \to \infty} a_n = \lim\limits_{n \to \infty} a_{n-1} = \alpha$라고 하면

$\lim\limits_{n \to \infty} (2a_n - a_{n-1}) = 4$에서

$2\alpha - \alpha = 4$ $\therefore \alpha = 4$

즉, $\lim\limits_{n \to \infty} a_n = 4$이다.

답 4

참고

수열의 합과 일반항 사이의 관계

수열 $\{a_n\}$의 첫째항부터 제n항까지의 합을 S_n이라고 하면

$a_1 = S_1$, $a_n = S_n - S_{n-1}$ $(n \geq 2)$

036

등차수열 $\{a_n\}$의 공차를 d라고 하면 $a_1 = 3$이므로

$a_n = a_1 + d(n-1) = 3 + d(n-1)$

$a_1 - a_2 + a_3 - a_4 + a_5 = 13$에서

$3 - (3+d) + (3+2d) - (3+3d) + (3+4d) = 13$

$2d = 10$ $\therefore d = 5$

따라서 $a_n = 3 + 5(n-1) = 5n - 2$이므로

$\lim\limits_{n \to \infty} \dfrac{a_n}{n} = \lim\limits_{n \to \infty} \dfrac{5n-2}{n} = \dfrac{5}{1} = 5$

답 5

037

$S_n = n^2 + 4n$ ...... ㉠

이므로

$S_{n-1} = (n-1)^2 + 4(n-1)$ $(n \geq 2)$ ...... ㉡

㉠$-$㉡을 하면

$a_n = 2n + 3$ $(n \geq 2)$

$\therefore \lim\limits_{n \to \infty} \dfrac{a_n \times a_{n-1}}{S_n} = \lim\limits_{n \to \infty} \dfrac{(2n+3) \times \{2(n-1)+3\}}{n^2 + 4n}$

$= \lim\limits_{n \to \infty} \dfrac{4n^2 + 8n + 3}{n^2 + 4n} = 4$

답 4

038

a_n, b_n을 두 근으로 하고 이차항의 계수가 1인 x에 대한 이차방정식은

$x^2 - (a_n + b_n)x + a_n b_n = 0$

이므로 조건 ㈎, ㈏에 의하여

$x^2 - 2nx - 2 = 0$ $\therefore x = n \pm \sqrt{n^2 + 2}$

$a_n < b_n$이므로 $a_n = n - \sqrt{n^2 + 2}$

$\therefore \lim\limits_{n \to \infty} na_n = \lim\limits_{n \to \infty} n(n - \sqrt{n^2 + 2})$ ← 분모를 1로 놓고 분자를 유리화한다.

$= \lim\limits_{n \to \infty} \dfrac{n(n - \sqrt{n^2+2})(n + \sqrt{n^2+2})}{n + \sqrt{n^2+2}}$

$= \lim\limits_{n \to \infty} \dfrac{-2n}{n + \sqrt{n^2+2}}$

$= \lim\limits_{n \to \infty} \dfrac{-2}{1 + \sqrt{1 + \dfrac{2}{n^2}}}$ ← 분모, 분자를 n, 즉 $\sqrt{n^2}$으로 나눈다.

$= \lim\limits_{n \to \infty} \dfrac{-2}{1 + 1} = -1$

답 ②

039

$f(x) = n$, 즉 $(x-5)^2 = n$에서

$x - 5 = \pm\sqrt{n}$ $\therefore x = 5 \pm \sqrt{n}$

따라서 $\alpha = 5 - \sqrt{n}$, $\beta = 5 + \sqrt{n}$ 또는 $\alpha = 5 + \sqrt{n}$, $\beta = 5 - \sqrt{n}$이므로

$g(n) = |\alpha - \beta| = 2\sqrt{n}$

$\therefore \lim\limits_{n \to \infty} \sqrt{2n}\{g(2n+1) - g(2n-1)\}$

$= \lim\limits_{n \to \infty} \sqrt{2n}(2\sqrt{2n+1} - 2\sqrt{2n-1})$

$= \lim\limits_{n \to \infty} 2\sqrt{2n}(\sqrt{2n+1} - \sqrt{2n-1})$ ← 분모를 1로 놓고 분자를 유리화한다.

$= \lim\limits_{n \to \infty} \dfrac{2\sqrt{2n}(\sqrt{2n+1} - \sqrt{2n-1})(\sqrt{2n+1} + \sqrt{2n-1})}{\sqrt{2n+1} + \sqrt{2n-1}}$

$= \lim\limits_{n \to \infty} \dfrac{4\sqrt{2n}}{\sqrt{2n+1} + \sqrt{2n-1}}$ ← 분모, 분자를 $\sqrt{n}$으로 나눈다.

$= \lim\limits_{n \to \infty} \dfrac{4\sqrt{2}}{\sqrt{2 + \dfrac{1}{n}} + \sqrt{2 - \dfrac{1}{n}}}$

$= \lim\limits_{n \to \infty} \dfrac{4\sqrt{2}}{\sqrt{2} + \sqrt{2}} = 2$

답 ②

040

$P(x) = 2(x+2)^{2n} + (2x+7)^n$이라고 하면 나머지정리에 의하여

$a_n = P(1) = 2 \times 3^{2n} + 9^n = 2 \times 3^{2n} + 3^{2n} = 3^{2n+1}$

$b_n = P(-2) = 3^n$

이므로

$\lim\limits_{n \to \infty} \dfrac{\log_3 a_n + \log_3 b_n}{n} = \lim\limits_{n \to \infty} \dfrac{\log_3 3^{2n+1} + \log_3 3^n}{n}$

$= \lim\limits_{n \to \infty} \dfrac{(2n+1) + n}{n}$

$= \lim\limits_{n \to \infty} \dfrac{3n+1}{n} = 3$

답 3

참고

(1) 나머지정리

다항식 $P(x)$를 일차식 $x - \alpha$로 나누었을 때의 나머지를 R이라고 하면 ➡ $R = P(\alpha)$

(2) 로그의 성질

$a > 0$, $a \neq 1$, $M > 0$, $N > 0$일 때

① $\log_a 1 = 0$, $\log_a a = 1$

② $\log_a MN = \log_a M + \log_a N$

③ $\log_a \dfrac{M}{N} = \log_a M - \log_a N$

④ $\log_a M^k = k\log_a M$ (단, k는 실수이다.)

041

$\sqrt{n^2 + 4n + 4} < \sqrt{n^2 + 6n + 4} < \sqrt{n^2 + 6n + 9}$이므로

$\sqrt{(n+2)^2} < \sqrt{n^2 + 6n + 4} < \sqrt{(n+3)^2}$

$\therefore n+2 < \sqrt{n^2 + 6n + 4} < n+3$

즉, $\sqrt{n^2 + 6n + 4}$의 정수 부분이 $n+2$이므로

$a_n = \sqrt{n^2 + 6n + 4} - (n+2)$

$$\therefore \lim_{n\to\infty} a_n$$

$$=\lim_{n\to\infty}\{\sqrt{n^2+6n+4}-(n+2)\}\underline{}\text{분모를 1로 놓고 분자를 유리화한다.}$$

$$=\lim_{n\to\infty}\frac{\{\sqrt{n^2+6n+4}-(n+2)\}\{\sqrt{n^2+6n+4}+(n+2)\}}{\sqrt{n^2+6n+4}+(n+2)}$$

$$=\lim_{n\to\infty}\frac{2n}{\sqrt{n^2+6n+4}+(n+2)}\underline{}\text{분모, 분자를 }n\text{, 즉 }\sqrt{n^2}\text{으로 나눈다.}$$

$$=\lim_{n\to\infty}\frac{2}{\sqrt{1+\dfrac{6}{n}+\dfrac{4}{n^2}}+\left(1+\dfrac{2}{n}\right)}$$

$$=\frac{2}{1+1}=1$$

답 ⑤

042

$$S_n=\sum_{k=1}^{n}a_k=\sum_{k=1}^{n}(2k^2-2k+1)$$

$$=2\sum_{k=1}^{n}k^2-2\sum_{k=1}^{n}k+\sum_{k=1}^{n}1$$

$$=2\times\frac{n(n+1)(2n+1)}{6}-2\times\frac{n(n+1)}{2}+n$$

$$=\frac{n(n+1)(2n+1)}{3}-n^2=\frac{2n^3+n}{3}$$

$$\therefore \lim_{n\to\infty}\frac{3n^3-2}{S_n}=\lim_{n\to\infty}\frac{3n^3-2}{\dfrac{2n^3+n}{3}}$$

$$=\lim_{n\to\infty}\frac{9n^3-6}{2n^3+n}\underline{}\text{분모, 분자를 }n^3\text{으로 나눈다.}$$

$$=\lim_{n\to\infty}\frac{9-\dfrac{6}{n^3}}{2+\dfrac{1}{n^2}}=\frac{9}{2}$$

답 ⑤

043

▶ 접근

곱셈 공식과 자연수의 거듭제곱의 합의 공식을 이용하여 a_n을 구한다.

$(1+2+3+\cdots+n)^2=1^2+2^2+3^2+\cdots+n^2+2a_n$이므로

$$a_n=\frac{1}{2}\{(1+2+3+\cdots+n)^2-(1^2+2^2+3^2+\cdots+n^2)\}$$

$$=\frac{1}{2}\left\{\left(\sum_{k=1}^{n}k\right)^2-\sum_{k=1}^{n}k^2\right\}$$

$$=\frac{1}{2}\left[\left\{\frac{n(n+1)}{2}\right\}^2-\frac{n(n+1)(2n+1)}{6}\right]$$

$$=\frac{n(n+1)(3n^2-n-2)}{24}$$

$$\therefore \lim_{n\to\infty}\frac{200a_n}{n^4}=\lim_{n\to\infty}\frac{25(n+1)(3n^2-n-2)}{3n^3}$$

└ 분모, 분자를 n^3으로 나눈다.

$$=\lim_{n\to\infty}\frac{25\left(1+\dfrac{1}{n}\right)\left(3-\dfrac{1}{n}-\dfrac{2}{n^2}\right)}{3}$$

$$=\frac{25\times1\times3}{3}=25$$

답 ②

044

수열 $\{a_n\}$이 $2a_{n+1}=a_n+a_{n+2}$를 만족시키므로 수열 $\{a_n\}$은 등차수열이다.

등차수열 $\{a_n\}$의 첫째항을 a, 공차를 d라고 하면

$$a_n=a+(n-1)d$$

$$\lim_{n\to\infty}\frac{n}{a_n}=\frac{1}{18}\text{에서}$$

$$\lim_{n\to\infty}\frac{n}{a_n}=\lim_{n\to\infty}\frac{n}{a+(n-1)d}=\lim_{n\to\infty}\frac{1}{\dfrac{a-d}{n}+d}=\frac{1}{d}$$

└ 분모, 분자를 n으로 나눈다.

이므로

$$\frac{1}{d}=\frac{1}{18}\qquad \therefore d=18$$

$$S_n=\frac{n\{2a+18(n-1)\}}{2}=n(a+9n-9)\text{이므로}$$

$$\lim_{n\to\infty}(\sqrt{S_{n+1}}-\sqrt{S_n})$$

$$=\lim_{n\to\infty}\{\sqrt{(n+1)(9n+a)}-\sqrt{n(9n+a-9)}\}$$

└ 분모를 1로 놓고 분자를 유리화한다.

$$=\lim_{n\to\infty}\frac{\{\sqrt{(n+1)(9n+a)}\}^2-\{\sqrt{n(9n+a-9)}\}^2}{\sqrt{(n+1)(9n+a)}+\sqrt{n(9n+a-9)}}$$

$$=\lim_{n\to\infty}\frac{18n+a}{\sqrt{(n+1)(9n+a)}+\sqrt{n(9n+a-9)}}$$

└ 분모, 분자를 n, 즉 $\sqrt{n^2}$으로 나눈다.

$$=\lim_{n\to\infty}\frac{18+\dfrac{a}{n}}{\sqrt{\left(1+\dfrac{1}{n}\right)\left(9+\dfrac{a}{n}\right)}+\sqrt{9+\dfrac{a-9}{n}}}$$

$$=\frac{18}{3+3}=3$$

답 ③

참고

(1) 등차수열의 합

등차수열의 첫째항부터 제n항까지의 합을 S_n이라고 하면

① 첫째항이 a, 제n항이 l일 때 ➡ $S_n=\dfrac{n(a+l)}{2}$

② 첫째항이 a, 공차가 d일 때 ➡ $S_n=\dfrac{n\{2a+(n-1)d\}}{2}$

(2) 등차수열의 귀납적 정의

① $\underline{a_{n+1}-a_n=d\ (\text{일정})}\Longleftrightarrow a_{n+1}=a_n+d$

└ 수열 $\{a_n\}$은 공차가 d인 등차수열이다.

② $\underline{a_{n+1}-a_n=a_{n+2}-a_{n+1}}\Longleftrightarrow 2a_{n+1}=a_n+a_{n+2}$

└ a_{n+1}은 a_n과 a_{n+2}의 등차중항이다.

$$\Longleftrightarrow a_{n+1}=\frac{a_n+a_{n+2}}{2}$$

045

$\sum_{k=1}^{n}(a_k+b_k)=S_n$이라고 하면 조건 ㈎에 의하여

$$S_n=\frac{1}{n+1}\ (n\geq1)$$

이때

$$a_n+b_n=S_n-S_{n-1}=\frac{1}{n+1}-\frac{1}{n}$$

$$=-\frac{1}{n(n+1)}=-\frac{1}{n^2+n}\ (n\geq2)$$

이므로

$$a_n=-\frac{1}{n^2+n}-b_n$$

$$\therefore \lim_{n\to\infty} n^2 a_n = \lim_{n\to\infty}\left(-\frac{n^2}{n^2+n} - n^2 b_n\right)$$
$$= -\lim_{n\to\infty}\frac{n^2}{n^2+n} - \lim_{n\to\infty} n^2 b_n$$
└── 분모, 분자를 n^2으로 나눈다.
$$= -\lim_{n\to\infty}\frac{1}{1+\frac{1}{n}} - 2 \ (\because \text{조건 (나)})$$
$$= -1-2 = -3$$

답 ①

046

$a_n = \log_2 \dfrac{n+2}{n+1}$ 이므로

$a_1 + a_2 + a_3 + \cdots + a_n$

$$= \log_2 \frac{3}{2} + \log_2 \frac{4}{3} + \log_2 \frac{5}{4} + \cdots + \log_2 \frac{n+2}{n+1}$$

$$= \log_2\left(\frac{3}{2} \times \frac{4}{3} \times \frac{5}{4} \times \cdots \times \frac{n+2}{n+1}\right)$$

$$= \log_2 \frac{n+2}{2}$$

$$\therefore \lim_{n\to\infty}\frac{2^{a_1+a_2+a_3+\cdots+a_n}}{n} = \lim_{n\to\infty}\frac{2^{\log_2 \frac{n+2}{2}}}{n}$$

$$= \lim_{n\to\infty}\frac{\frac{n+2}{2}}{n}$$

$$= \lim_{n\to\infty}\frac{n+2}{2n}$$
└── 분모, 분자를 n으로 나눈다.

$$= \lim_{n\to\infty}\frac{1+\frac{2}{n}}{2} = \frac{1}{2}$$

답 $\dfrac{1}{2}$

047

$$\lim_{n\to\infty}\frac{1}{n^x}\left\{\left(n+\frac{1}{n}\right)^{25} - \frac{1}{n^{25}}\right\} = \lim_{n\to\infty}\frac{1}{n^x}\left\{\left(\frac{n^2+1}{n}\right)^{25} - \frac{1}{n^{25}}\right\}$$
$$= \lim_{n\to\infty}\frac{1}{n^x}\left\{\frac{(n^2+1)^{25}-1}{n^{25}}\right\}$$
$$= \lim_{n\to\infty}\frac{(n^2+1)^{25}-1}{n^{x+25}}$$

이 극한값이 존재하려면 분모의 차수가 분자의 차수보다 크거나 같아야 하므로

$x+25 \geq 2 \times 25$ $\therefore x \geq 25$

따라서 실수 x의 최솟값은 25이다.

답 ③

048

$A_n(n, \sqrt{4n+1})$, $B_n(n, \sqrt{n-2})$ 이므로

$a_n = \overline{OA_n} = \sqrt{n^2+4n+1}$, $b_n = \overline{OB_n} = \sqrt{n^2+n-2}$

$$\therefore \lim_{n\to\infty}\frac{18}{a_n - b_n}$$
$$= \lim_{n\to\infty}\frac{18}{\sqrt{n^2+4n+1} - \sqrt{n^2+n-2}}$$
└── 분모를 유리화한다.
$$= \lim_{n\to\infty}\frac{18(\sqrt{n^2+4n+1} + \sqrt{n^2+n-2})}{(\sqrt{n^2+4n+1} - \sqrt{n^2+n-2})(\sqrt{n^2+4n+1} + \sqrt{n^2+n-2})}$$

$$= \lim_{n\to\infty}\frac{6(\sqrt{n^2+4n+1} + \sqrt{n^2+n-2})}{n+1}$$
└── 분모, 분자를 n, 즉 $\sqrt{n^2}$으로 나눈다.
$$= \lim_{n\to\infty}\frac{6\left(\sqrt{1+\frac{4}{n}+\frac{1}{n^2}} + \sqrt{1+\frac{1}{n}-\frac{2}{n^2}}\right)}{1+\frac{1}{n}}$$
$$= \frac{6(1+1)}{1} = 12$$

답 ③

참고

좌표평면 위의 두 점 사이의 거리
(1) 두 점 $A(x_1, y_1)$, $B(x_2, y_2)$ 사이의 거리는
$$\overline{AB} = \sqrt{(x_2-x_1)^2 + (y_2-y_1)^2}$$
(2) 원점 O와 점 $A(x_1, y_1)$ 사이의 거리는
$$\overline{OA} = \sqrt{x_1^2 + y_1^2}$$

049

$x^2 + (y-2)^2 = 4$에서

$x^2 + y^2 - 4y = 0$

$(x-n)^2 + y^2 = n^2$에서

$x^2 + y^2 - 2nx = 0$

두 원 $x^2+y^2-4y=0$, $x^2+y^2-2nx=0$의 교점을 지나는 직선의 방정식은

$x^2 + y^2 - 4y - (x^2+y^2-2nx) = 0$

$\therefore y = \dfrac{1}{2}nx$

직선 $y = \dfrac{1}{2}nx$와 원 $x^2+y^2-4y=0$의 교점의 x좌표는

$x^2 + \left(\dfrac{1}{2}nx\right)^2 - 4 \times \dfrac{1}{2}nx = 0$에서

$\dfrac{n^2+4}{4}x^2 - 2nx = 0$, $x\left(\dfrac{n^2+4}{4}x - 2n\right) = 0$

$\therefore x = 0$ 또는 $x = \dfrac{8n}{n^2+4}$

$\therefore A_n\left(\dfrac{8n}{n^2+4}, \dfrac{4n^2}{n^2+4}\right)$

$B_n(n, 0)$ 이므로

$$x_n = \frac{2 \times n + 3 \times \dfrac{8n}{n^2+4}}{2+3} = \frac{2n^3 + 32n}{5n^2+20}$$

$$y_n = \frac{2 \times 0 + 3 \times \dfrac{4n^2}{n^2+4}}{2+3} = \frac{12n^2}{5n^2+20}$$

$$\therefore \lim_{n\to\infty}\left(\frac{2n}{x_n} + 5y_n\right) = \lim_{n\to\infty}\left(\frac{5n^2+20}{n^2+16} + \frac{12n^2}{n^2+4}\right)$$
$$= \lim_{n\to\infty}\frac{5n^2+20}{n^2+16} + \lim_{n\to\infty}\frac{12n^2}{n^2+4}$$
└── 분모, 분자를 n^2으로 나눈다.
$$= \lim_{n\to\infty}\frac{5+\dfrac{20}{n^2}}{1+\dfrac{16}{n^2}} + \lim_{n\to\infty}\frac{12}{1+\dfrac{4}{n^2}}$$
$$= 5+12 = 17$$

답 ④

참고

(1) 두 원의 교점을 지나는 직선의 방정식 (공통인 현의 방정식)

　　두 점에서 만나는 두 원 $x^2+y^2+ax+by+c=0$,

　　$x^2+y^2+a'x+b'y+c'=0$의 교점을 지나는 직선의 방정식은

　　$x^2+y^2+ax+by+c-(x^2+y^2+a'x+b'y+c')=0$

　　즉, $(a-a')x+(b-b')y+c-c'=0$

(2) 좌표평면 위의 선분의 내분점과 외분점

　　두 점 $A(x_1, y_1)$, $B(x_2, y_2)$를 잇는 선분 AB를 $m:n$ $(m>0,$

　　$n>0)$으로 내분하는 점을 P, 외분하는 점을 Q라 하고 선분 AB

　　의 중점을 M이라고 하면

　　$P\left(\dfrac{mx_2+nx_1}{m+n}, \dfrac{my_2+ny_1}{m+n}\right)$

　　$Q\left(\dfrac{mx_2-nx_1}{m-n}, \dfrac{my_2-ny_1}{m-n}\right)$ (단, $m\neq n$)

　　$M\left(\dfrac{x_1+x_2}{2}, \dfrac{y_1+y_2}{2}\right)$

050

▶ 접근

원의 중심과 직선 $y=\dfrac{x}{n}$ 사이의 거리와 원의 반지름의 길이를 이용하여 a_n을 구한다.

원 $x^2+(y-2)^2=12$의 중심 $(0, 2)$와 직선 $y=\dfrac{x}{n}$, 즉 $x-ny=0$

사이의 거리를 d_n이라고 하면

$$d_n=\frac{|0-2n|}{\sqrt{1^2+(-n)^2}}=\frac{2n}{\sqrt{1+n^2}}$$

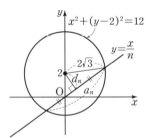

원 $x^2+(y-2)^2=12$의 반지름의 길이가 $\sqrt{12}=2\sqrt{3}$이므로

$$\begin{aligned}a_n&=2\sqrt{(2\sqrt{3})^2-d_n^2}\\&=2\sqrt{12-\frac{4n^2}{1+n^2}}\\&=2\sqrt{\frac{8n^2+12}{1+n^2}}\\&=4\sqrt{\frac{2n^2+3}{1+n^2}}\end{aligned}$$

$$\therefore \lim_{n\to\infty}a_n^2=\lim_{n\to\infty}\frac{32n^2+48}{1+n^2}=\lim_{n\to\infty}\frac{32+\dfrac{48}{n^2}}{\dfrac{1}{n^2}+1}=32$$

└ 분모, 분자를 n^2으로 나눈다.

답 32

다른 풀이

$y=\dfrac{x}{n}$와 $x^2+(y-2)^2=12$를 연립하여 풀면

$$x=\frac{2n\pm2n\sqrt{2n^2+3}}{n^2+1}, y=\frac{2\pm2\sqrt{2n^2+3}}{n^2+1}$$ (복부호동순)

따라서 직선 $y=\dfrac{x}{n}$와 원 $x^2+(y-2)^2=12$의 교점의 좌표는

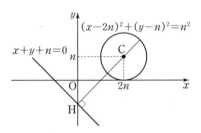

$$\left(\frac{2n+2n\sqrt{2n^2+3}}{n^2+1}, \frac{2+2\sqrt{2n^2+3}}{n^2+1}\right),$$

$$\left(\frac{2n-2n\sqrt{2n^2+3}}{n^2+1}, \frac{2-2\sqrt{2n^2+3}}{n^2+1}\right)$$이므로

$$\begin{aligned}a_n&=\sqrt{\left(\frac{4n\sqrt{2n^2+3}}{n^2+1}\right)^2+\left(\frac{4\sqrt{2n^2+3}}{n^2+1}\right)^2}\\&=\sqrt{\frac{16n^2(2n^2+3)+16(2n^2+3)}{(n^2+1)^2}}\\&=\sqrt{\frac{16(2n^2+3)(n^2+1)}{(n^2+1)^2}}=4\sqrt{\frac{2n^2+3}{n^2+1}}\end{aligned}$$

051

원 $(x-2n)^2+(y-n)^2=n^2$의 중심을 C라고 하면　$C(2n, n)$

위의 그림과 같이 원 $(x-2n)^2+(y-n)^2=n^2$의 중심 C에서 직선

$x+y+n=0$에 내린 수선의 발을 H라고 하면

$$\overline{CH}=\frac{|2n+n+n|}{\sqrt{1^2+1^2}}=\frac{4n}{\sqrt{2}}=2n\sqrt{2}$$

이때 원 $(x-2n)^2+(y-n)^2=n^2$의 반지름의 길이가 n이므로

$$M_n=\overline{CH}+n=(2\sqrt{2}+1)n, m_n=\overline{CH}-n=(2\sqrt{2}-1)n$$

$$\therefore a_n=M_n m_n=(2\sqrt{2}+1)n\times(2\sqrt{2}-1)n=7n^2$$

$$\begin{aligned}\therefore \lim_{n\to\infty}\frac{3}{n^3}\sum_{k=1}^{n}a_k&=\lim_{n\to\infty}\frac{3}{n^3}\sum_{k=1}^{n}7k^2=\lim_{n\to\infty}\frac{21}{n^3}\sum_{k=1}^{n}k^2\\&=\lim_{n\to\infty}\left\{\frac{21}{n^3}\times\underbrace{\frac{n(n+1)(2n+1)}{6}}\right\}\end{aligned}$$

└ 분모, 분자를 n^3으로 나눈다.

$$\begin{aligned}&=\lim_{n\to\infty}\left\{\frac{21}{1}\times\frac{\left(1+\dfrac{1}{n}\right)\left(2+\dfrac{1}{n}\right)}{6}\right\}\\&=\frac{21\times2}{6}=7\end{aligned}$$

답 ②

참고

원 위의 점과 직선 사이의 거리

원의 중심과 직선 사이의 거리를 d, 원의 반지름의 길이를 r이라고 할 때, 원 위의 점과 직선 사이의 거리의 최댓값을 M, 최솟값을 m이라고 하면

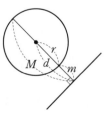

$M=d+r$, $m=d-r$

052

$\dfrac{n}{20}-1<\left[\dfrac{n}{20}\right]\leq\dfrac{n}{20}$이고 n이 자연수이므로

$\dfrac{1}{n}\left(\dfrac{n}{20}-1\right)<\dfrac{1}{n}\left[\dfrac{n}{20}\right]\leq\dfrac{1}{n}\times\dfrac{n}{20}$

$\dfrac{1}{20}-\dfrac{1}{n}<\dfrac{1}{n}\left[\dfrac{n}{20}\right]\leq\dfrac{1}{20}$

이때

$\displaystyle\lim_{n\to\infty}\left(\dfrac{1}{20}-\dfrac{1}{n}\right)=\dfrac{1}{20}$, $\displaystyle\lim_{n\to\infty}\dfrac{1}{20}=\dfrac{1}{20}$

이므로 수열의 극한의 대소 관계에 의하여

$\displaystyle\lim_{n\to\infty}\dfrac{1}{n}\left[\dfrac{n}{20}\right]=\dfrac{1}{20}$

따라서 $X=\dfrac{1}{20}$이므로

$80X=80\times\dfrac{1}{20}=4$

답 ②

053

조건 ㈏에서 $\dfrac{4n^3-n^2}{3n+2}<a_n+b_n<\dfrac{4n^3+n^2}{3n-2}$이므로 각 변을 n^2으로 나누면

$\dfrac{4n-1}{3n+2}<\dfrac{a_n}{n^2}+\dfrac{b_n}{n^2}<\dfrac{4n+1}{3n-2}$

이때

$\displaystyle\lim_{n\to\infty}\dfrac{4n-1}{3n+2}=\lim_{n\to\infty}\dfrac{4-\dfrac{1}{n}}{3+\dfrac{2}{n}}=\dfrac{4}{3}$

└ 분모, 분자를 n으로 나눈다.

$\displaystyle\lim_{n\to\infty}\dfrac{4n+1}{3n-2}=\lim_{n\to\infty}\dfrac{4+\dfrac{1}{n}}{3-\dfrac{2}{n}}=\dfrac{4}{3}$

이므로 수열의 극한의 대소 관계에 의하여

$\displaystyle\lim_{n\to\infty}\left(\dfrac{a_n}{n^2}+\dfrac{b_n}{n^2}\right)=\dfrac{4}{3}$

조건 ㈎에서 $\displaystyle\lim_{n\to\infty}\dfrac{a_n}{n^2}=\dfrac{1}{2}$이므로

$\displaystyle\lim_{n\to\infty}\dfrac{b_n}{n^2}=\dfrac{4}{3}-\lim_{n\to\infty}\dfrac{a_n}{n^2}=\dfrac{4}{3}-\dfrac{1}{2}=\dfrac{5}{6}$

$\therefore\displaystyle\lim_{n\to\infty}\dfrac{b_n}{a_n}=\lim_{n\to\infty}\dfrac{\dfrac{b_n}{n^2}}{\dfrac{a_n}{n^2}}=\dfrac{\dfrac{5}{6}}{\dfrac{1}{2}}=\dfrac{5}{3}$

답 ⑤

054

▶ 접근

주어진 부등식과 자연수의 거듭제곱의 합 공식을 이용하여

$a_1+\dfrac{a_2}{2^2}+\dfrac{a_3}{3^2}+\cdots+\dfrac{a_n}{n^2}$을 포함한 부등식을 유도한 후 수열의 극한의 대소 관계를 이용한다.

$3n^4-6n^3+3n^2<a_n<3n^4+6n^3+3n^2$의 각 변을 n^2으로 나누면

$3n^2-6n+3<\dfrac{a_n}{n^2}<3n^2+6n+3$

$\therefore\displaystyle\sum_{k=1}^{n}(3k^2-6k+3)<\sum_{k=1}^{n}\dfrac{a_k}{k^2}<\sum_{k=1}^{n}(3k^2+6k+3)$

이때

$\displaystyle\sum_{k=1}^{n}(3k^2-6k+3)$

$=3\displaystyle\sum_{k=1}^{n}k^2-6\sum_{k=1}^{n}k+3n$

$=3\times\dfrac{n(n+1)(2n+1)}{6}-6\times\dfrac{n(n+1)}{2}+3n$

$=\dfrac{2n^3-3n^2+n}{2}$

$\displaystyle\sum_{k=1}^{n}(3k^2+6k+3)$

$=3\displaystyle\sum_{k=1}^{n}k^2+6\sum_{k=1}^{n}k+3n$

$=3\times\dfrac{n(n+1)(2n+1)}{6}+6\times\dfrac{n(n+1)}{2}+3n$

$=\dfrac{2n^3+9n^2+13n}{2}$

이므로

$\dfrac{2n^3-3n^2+n}{2}<\displaystyle\sum_{k=1}^{n}\dfrac{a_k}{k^2}<\dfrac{2n^3+9n^2+13n}{2}$

각 변을 $2n^3$으로 나누면

$\dfrac{1}{2}-\dfrac{3}{4n}+\dfrac{1}{4n^2}<\dfrac{\displaystyle\sum_{k=1}^{n}\dfrac{a_k}{k^2}}{2n^3}<\dfrac{1}{2}+\dfrac{9}{4n}+\dfrac{13}{4n^2}$

이때

$\displaystyle\lim_{n\to\infty}\left(\dfrac{1}{2}-\dfrac{3}{4n}+\dfrac{1}{4n^2}\right)=\dfrac{1}{2}$, $\displaystyle\lim_{n\to\infty}\left(\dfrac{1}{2}+\dfrac{9}{4n}+\dfrac{13}{4n^2}\right)=\dfrac{1}{2}$

이므로 수열의 극한의 대소 관계에 의하여

$\displaystyle\lim_{n\to\infty}\dfrac{\displaystyle\sum_{k=1}^{n}\dfrac{a_k}{k^2}}{2n^3}=\dfrac{1}{2}$

즉, $\displaystyle\lim_{n\to\infty}\dfrac{a_1+\dfrac{a_2}{2^2}+\dfrac{a_3}{3^2}+\cdots+\dfrac{a_n}{n^2}}{2n^3}=\dfrac{1}{2}$

답 ②

055

조건 ㈎에서 이차방정식 $nx^2-(3n+1)x+n^2a_n=0$이 서로 다른 두 실근을 가지므로 이 이차방정식의 판별식을 D_1이라고 하면

$D_1=(3n+1)^2-4n^3a_n>0$

$\therefore a_n<\dfrac{(3n+1)^2}{4n^3}$ ...... ㉠

조건 ㈏에서 이차방정식 $x^2-(3n-1)x+(n^3+1)a_n=0$이 서로 다른 두 허근을 가지므로 이 이차방정식의 판별식을 D_2라고 하면

$D_2=(3n-1)^2-4(n^3+1)a_n<0$

$\therefore a_n>\dfrac{(3n-1)^2}{4(n^3+1)}$ ...... ㉡

㉠, ㉡에서

$\dfrac{(3n-1)^2}{4(n^3+1)}<a_n<\dfrac{(3n+1)^2}{4n^3}$

각 변에 n을 곱하여 정리하면

$\dfrac{9n^3-6n^2+n}{4n^3+4}<na_n<\dfrac{9n^2+6n+1}{4n^2}$

이때

$$\lim_{n\to\infty}\frac{9n^3-6n^2+n}{4n^3+4}=\lim_{n\to\infty}\frac{9-\dfrac{6}{n}+\dfrac{1}{n^2}}{4+\dfrac{4}{n^3}}=\frac{9}{4}$$
└ 분모, 분자를 n^3으로 나눈다.

$$\lim_{n\to\infty}\frac{9n^2+6n+1}{4n^2}=\lim_{n\to\infty}\frac{9+\dfrac{6}{n}+\dfrac{1}{n^2}}{4}=\frac{9}{4}$$
└ 분모, 분자를 n^2으로 나눈다.

이므로 수열의 극한의 대소 관계에 의하여

$$\lim_{n\to\infty}na_n=\frac{9}{4}$$

답 $\dfrac{9}{4}$

056

$a_n=P(3)=3\times3^n+5\times3+1=3^{n+1}+16$,
$b_n=P(5)=3\times5^n+5\times5+1=3\times5^n+26$이므로

$$\lim_{n\to\infty}\frac{a_n+b_n}{5^n-1}=\lim_{n\to\infty}\frac{3^{n+1}+3\times5^n+42}{5^n-1}$$
└ 분모, 분자를 5^n으로 나눈다.

$$=\lim_{n\to\infty}\frac{3\times\left(\dfrac{3}{5}\right)^n+3+\dfrac{42}{5^n}}{1-\dfrac{1}{5^n}}=3$$

답 ③

057

주어진 수열은
$2^{\frac{1}{2}},\ 2^{\frac{1}{2}+\frac{1}{4}},\ 2^{\frac{1}{2}+\frac{1}{4}+\frac{1}{8}},\ \cdots$

이므로 제n항을 a_n이라고 하면

$$a_n=2^{\frac{1}{2}+\frac{1}{4}+\frac{1}{8}+\cdots+\left(\frac{1}{2}\right)^n}=2^{\frac{\frac{1}{2}\left\{1-\left(\frac{1}{2}\right)^n\right\}}{1-\frac{1}{2}}}=2^{1-\left(\frac{1}{2}\right)^n}$$
└ 첫째항이 $\dfrac{1}{2}$, 공비가 $\dfrac{1}{2}$인 등비수열의 첫째항부터 제n항까지의 합

따라서 구하는 극한값은

$$\lim_{n\to\infty}a_n=\lim_{n\to\infty}2^{1-\left(\frac{1}{2}\right)^n}=2$$

답 ③

참고

등비수열의 합

첫째항이 a, 공비가 r인 등비수열의 첫째항부터 제n항까지의 합을 S_n이라고 하면

(1) $r\ne1$일 때 ➡ $S_n=\dfrac{a(1-r^n)}{1-r}=\dfrac{a(r^n-1)}{r-1}$

(2) $r=1$일 때 ➡ $S_n=na$

058

$\log a_{n+1}=1+\log a_n$에서
$\log a_{n+1}=\log10a_n$ ∴ $a_{n+1}=10a_n$
따라서 수열 $\{a_n\}$은 첫째항이 9, 공비가 10인 등비수열이므로

$$a_n=9\times10^{n-1},\ S_n=\frac{9(10^n-1)}{10-1}=10^n-1$$

$$\therefore \lim_{n\to\infty}\frac{\left(\dfrac{a_2}{9}\right)^n}{a_n+S_n}=\lim_{n\to\infty}\frac{10^n}{9\times10^{n-1}+(10^n-1)}$$
└ 분모, 분자를 10^n으로 나눈다.

$$=\lim_{n\to\infty}\frac{1}{\dfrac{9}{10}+1-\dfrac{1}{10^n}}=\frac{10}{19}$$

답 ①

참고

등비수열의 귀납적 정의

(1) $\underline{a_{n+1}\div a_n=r\ (일정)}\iff a_{n+1}=ra_n$
  └ 수열 $\{a_n\}$은 공비가 r인 등비수열이다.

(2) $\underline{a_{n+1}\div a_n=a_{n+2}\div a_{n+1}}\iff a_{n+1}^2=a_na_{n+2}$
  └ a_{n+1}은 a_n과 a_{n+2}의 $\iff a_{n+1}=\pm\sqrt{a_na_{n+2}}$
    등비중항이다.

059

이차방정식 $x^2-6a_nx+a_{n+1}^2=0$의 판별식을 D라고 하면

$$\frac{D}{4}=(3a_n)^2-a_{n+1}^2=0$$

$$(3a_n+a_{n+1})(3a_n-a_{n+1})=0$$

모든 자연수 n에 대하여 $a_n>0$이므로
$3a_n-a_{n+1}=0$ ∴ $a_{n+1}=3a_n$
따라서 수열 $\{a_n\}$은 첫째항이 3, 공비가 3인 등비수열이므로

$$a_n=3\times3^{n-1}=3^n,\ S_n=\frac{3(3^n-1)}{3-1}=\frac{3}{2}(3^n-1)$$

$$\therefore \lim_{n\to\infty}\frac{S_n}{a_n}=\lim_{n\to\infty}\frac{\dfrac{3}{2}(3^n-1)}{3^n}=\lim_{n\to\infty}\frac{3}{2}\left(1-\dfrac{1}{3^n}\right)=\frac{3}{2}$$

답 ③

060

조건 ㈎에서 $4^n<a_n<4^n+1$이므로 각 변을 4^n으로 나누면

$$1<\frac{a_n}{4^n}<1+\frac{1}{4^n}$$

이때

$$\lim_{n\to\infty}1=1,\ \lim_{n\to\infty}\left(1+\frac{1}{4^n}\right)=1$$

이므로 수열의 극한의 대소 관계에 의하여

$$\lim_{n\to\infty}\frac{a_n}{4^n}=1$$

조건 ㈏에서 $2+2^2+2^3+\cdots+2^n<b_n<2^{n+1}$이고

$$2+2^2+2^3+\cdots+2^n=\frac{2(2^n-1)}{2-1}=2^{n+1}-2$$이므로

$$2^{n+1}-2<b_n<2^{n+1}$$

각 변을 2^n으로 나누면

$$2-\frac{1}{2^{n-1}}<\frac{b_n}{2^n}<2$$

이때

$$\lim_{n\to\infty}\left(2-\frac{1}{2^{n-1}}\right)=2,\ \lim_{n\to\infty}2=2$$

이므로 수열의 극한의 대소 관계에 의하여

$$\lim_{n\to\infty}\frac{b_n}{2^n}=2$$

$$\therefore \lim_{n\to\infty}\frac{4a_n+b_n}{2a_n+2^n b_n}=\lim_{n\to\infty}\frac{\dfrac{4a_n}{4^n}+\dfrac{b_n}{4^n}}{\dfrac{2a_n}{4^n}+\dfrac{2^n b_n}{4^n}}$$

분모, 분자를 4^n으로 나눈다.

$$=\lim_{n\to\infty}\frac{4\times\dfrac{a_n}{4^n}+\dfrac{1}{2^n}\times\dfrac{b_n}{2^n}}{2\times\dfrac{a_n}{4^n}+\dfrac{b_n}{2^n}}$$

$$=\frac{4\times1+0\times2}{2\times1+2}=1$$

답 ③

061

(i) $|r|>1$일 때

$\lim_{n\to\infty}|r^n|=\infty$이므로

$$\lim_{n\to\infty}\frac{r^n}{3+r^n}=\lim_{n\to\infty}\frac{1}{\dfrac{3}{r^n}+1}=1$$

분모, 분자를 r^n으로 나눈다.

(ii) $|r|<1$일 때

$\lim_{n\to\infty}r^n=0$이므로 $\lim_{n\to\infty}\dfrac{r^n}{3+r^n}=0$

(iii) $r=1$일 때

$\lim_{n\to\infty}r^n=1$이므로 $\lim_{n\to\infty}\dfrac{r^n}{3+r^n}=\dfrac{1}{3+1}=\dfrac{1}{4}$

(iv) $r=-1$일 때

수열 $\{r^n\}$은 $-1,1,-1,1,\cdots$이므로 수열 $\left\{\dfrac{r^n}{3+r^n}\right\}$은 $-\dfrac{1}{2}$, $\dfrac{1}{4}$, $-\dfrac{1}{2}$, $\dfrac{1}{4}$, $\cdots$이다. 즉, 수열 $\left\{\dfrac{r^n}{3+r^n}\right\}$은 진동(발산)한다.

(i)~(iv)에 의하여 $X=\left\{0,\dfrac{1}{4},1\right\}$

따라서 $a=3$, $b=0+\dfrac{1}{4}+1=\dfrac{5}{4}$이므로

$$a+4b=3+4\times\dfrac{5}{4}=8$$

답 8

062

(i) $a>b$일 때

$\lim_{n\to\infty}\left(\dfrac{b}{a}\right)^n=0$이므로

$$\lim_{n\to\infty}\frac{a^{n+1}+2b^{n+1}}{2a^n+b^n}=\lim_{n\to\infty}\frac{a+2b\left(\dfrac{b}{a}\right)^n}{2+\left(\dfrac{b}{a}\right)^n}=\frac{a}{2}$$

분모, 분자를 a^n으로 나눈다.

즉, $\dfrac{a}{2}=6$이므로 $a=12$

따라서 순서쌍 (a,b)는

$(12,11)$, $(12,10)$, $(12,9)$, $(12,8)$, $(12,7)$, $(12,6)$, $(12,5)$, $(12,4)$, $(12,3)$, $(12,2)$, $(12,1)$

(ii) $a=b$일 때

$$\lim_{n\to\infty}\frac{a^{n+1}+2b^{n+1}}{2a^n+b^n}=\lim_{n\to\infty}\frac{a^{n+1}+2a^{n+1}}{2a^n+a^n}=\lim_{n\to\infty}\frac{a^{n+1}}{a^n}$$

$$=\lim_{n\to\infty}a=a$$

이므로 $a=6$

따라서 순서쌍 (a,b)는 $(6,6)$

(iii) $a<b$일 때

$\lim_{n\to\infty}\left(\dfrac{a}{b}\right)^n=0$이므로

$$\lim_{n\to\infty}\frac{a^{n+1}+2b^{n+1}}{2a^n+b^n}=\lim_{n\to\infty}\frac{a\left(\dfrac{a}{b}\right)^n+2b}{2\left(\dfrac{a}{b}\right)^n+1}=2b$$

분모, 분자를 b^n으로 나눈다.

즉, $2b=6$이므로 $b=3$

따라서 순서쌍 (a,b)는 $(1,3)$, $(2,3)$

수열 $\left\{\left(\dfrac{a-1}{b^2}\right)^n\right\}$은 첫째항과 공비가 모두 $\dfrac{a-1}{b^2}$이므로 수렴하려면

$-1<\dfrac{a-1}{b^2}\leq1$이어야 한다.

즉, $-b^2+1<a\leq b^2+1$이므로 (i), (ii), (iii)에서 이를 만족시키는 순서쌍 (a,b)는

$(1,3)$, $(2,3)$, $(6,6)$, $(12,4)$, $(12,5)$, $(12,6)$, $(12,7)$, $(12,8)$, $(12,9)$, $(12,10)$, $(12,11)$

의 11개이다.

답 11

참고

첫째항 $\dfrac{a-1}{b^2}$이 0인 수열은 모든 항이 0이므로 수열은 0으로 수렴한다. $\dfrac{a-1}{b^2}=0$일 때 $a=1$이므로 (iii)에서 $b=3$이다.

063

$f(x)=\lim_{n\to\infty}\dfrac{x^n-3^n}{x^n+3^n}$에서

(i) $|x|>3$, 즉 $x<-3$ 또는 $x>3$일 때

$\lim_{n\to\infty}\left|\left(\dfrac{3}{x}\right)^n\right|=0$이므로

$$f(x)=\lim_{n\to\infty}\frac{x^n-3^n}{x^n+3^n}=\lim_{n\to\infty}\frac{1-\left(\dfrac{3}{x}\right)^n}{1+\left(\dfrac{3}{x}\right)^n}=1$$

분모, 분자를 x^n으로 나눈다.

(ii) $|x|<3$, 즉 $-3<x<3$일 때

$\lim_{n\to\infty}\left(\dfrac{x}{3}\right)^n=0$이므로

$$f(x)=\lim_{n\to\infty}\frac{x^n-3^n}{x^n+3^n}=\lim_{n\to\infty}\frac{\left(\dfrac{x}{3}\right)^n-1}{\left(\dfrac{x}{3}\right)^n+1}=-1$$

분모, 분자를 3^n으로 나눈다.

(iii) $x=3$일 때

$$f(x)=\lim_{n\to\infty}\frac{x^n-3^n}{x^n+3^n}=\lim_{n\to\infty}\frac{3^n-3^n}{3^n+3^n}=0$$

(iv) $x=-3$일 때

$f(x)$는 정의되지 않는다.

(i)~(iv)에 의하여

$$f(x)=\begin{cases}1 & (x<-3 \text{ 또는 } x>3)\\-1 & (-3<x<3)\\0 & (x=3)\end{cases}$$

따라서 함수 $y=f(x)$의 그래프는 오른쪽 그림과 같으므로

$\lim_{x\to a-}f(x)<\lim_{x\to a+}f(x)$를 만족시키는

우극한값이 좌극한값보다 큰 x의 값을 구한다.

실수 a의 값은 3이다.

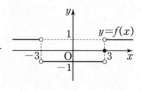

답 ⑤

참고

함수 $f(x)$가 x^n이 포함된 극한으로 정의된 경우에는 x의 값의 범위를 $|x|>1$, $|x|<1$, $x=1$, $x=-1$로 나누어서 $f(x)$를 구한다. 이 문제에서는 함수 $f(x)$에 x^n과 3^n이 함께 포함되어 있으므로 x의 값의 범위를 $|x|>3$, $|x|<3$, $x=3$, $x=-3$으로 나누어서 $f(x)$를 구한다.

064

$f(x)=\lim\limits_{n\to\infty}\dfrac{x^{2n}}{1+x^{2n}}$에서

(i) $|x|>1$, 즉 $x<-1$ 또는 $x>1$일 때

$\lim\limits_{n\to\infty}\dfrac{1}{x^{2n}}=0$이므로

$f(x)=\lim\limits_{n\to\infty}\dfrac{x^{2n}}{1+x^{2n}}=\lim\limits_{n\to\infty}\dfrac{1}{\dfrac{1}{x^{2n}}+1}=1$

분모, 분자를 x^{2n}으로 나눈다.

(ii) $|x|<1$, 즉 $-1<x<1$일 때

$\lim\limits_{n\to\infty}x^{2n}=0$이므로

$f(x)=\lim\limits_{n\to\infty}\dfrac{x^{2n}}{1+x^{2n}}=0$

(iii) $x=\pm1$일 때

$\lim\limits_{n\to\infty}x^{2n}=1$이므로

$f(x)=\lim\limits_{n\to\infty}\dfrac{x^{2n}}{1+x^{2n}}=\dfrac{1}{1+1}=\dfrac{1}{2}$

(i), (ii), (iii)에 의하여

$f(x)=\begin{cases} 1 & (x<-1 \text{ 또는 } x>1) \\ 0 & (-1<x<1) \\ \dfrac{1}{2} & (x=\pm1) \end{cases}$

함수 $g(x)$는 최고차항의 계수가 1인 이차함수이므로
$g(x)=x^2+ax+b$ (a, b는 상수)라고 하자.
함수 $f(x)$가 $x=-1$과 $x=1$에서 불연속이므로 함수 $f(x)g(x)$가 실수 전체의 집합에서 연속이려면 $x=-1$과 $x=1$에서 연속이어야 한다.

(iv) $x=-1$에서 연속이려면

$\lim\limits_{x\to-1-}f(x)g(x)=\lim\limits_{x\to-1+}f(x)g(x)=f(-1)g(-1)$

즉, $1-a+b=0=\dfrac{1}{2}(1-a+b)$이어야 하므로

$a-b=1$ ...... ㉠

(v) $x=1$에서 연속이려면

$\lim\limits_{x\to1-}f(x)g(x)=\lim\limits_{x\to1+}f(x)g(x)=f(1)g(1)$

즉, $0=1+a+b=\dfrac{1}{2}(1+a+b)$이어야 하므로

$a+b=-1$ ...... ㉡

㉠, ㉡을 연립하여 풀면 $a=0$, $b=-1$
따라서 $g(x)=x^2-1$이므로
$g(8)=8^2-1=63$

답 63

참고

함수의 연속

함수 $f(x)$가 실수 a에 대하여 다음 조건을 모두 만족시킬 때, $f(x)$는 $x=a$에서 연속이라고 한다.

(i) 함수 $f(x)$가 $x=a$에서 정의되어 있다.

(ii) 극한값 $\lim\limits_{x\to a}f(x)$가 존재한다.

(iii) $\lim\limits_{x\to a}f(x)=f(a)$

065

$\dfrac{a_{n+1}}{a_n}<\dfrac{3}{5}$의 n에 차례대로 $1, 2, 3, \cdots, n-1$을 대입하면

$\dfrac{a_2}{a_1}<\dfrac{3}{5}, \dfrac{a_3}{a_2}<\dfrac{3}{5}, \dfrac{a_4}{a_3}<\dfrac{3}{5}, \cdots, \dfrac{a_n}{a_{n-1}}<\dfrac{3}{5}$

위의 부등식들을 변끼리 곱하여 정리하면

$\dfrac{a_n}{a_1}<\left(\dfrac{3}{5}\right)^{n-1}$

수열 $\{a_n\}$의 모든 항이 양수이므로

$0<a_n<a_1\times\left(\dfrac{3}{5}\right)^{n-1}$

이때

$\lim\limits_{n\to\infty}0=0$, $\lim\limits_{n\to\infty}\left\{a_1\times\left(\dfrac{3}{5}\right)^{n-1}\right\}=0$

이므로 수열의 극한의 대소 관계에 의하여 $\lim\limits_{n\to\infty}a_n=0$

즉, $\lim\limits_{n\to\infty}\dfrac{a_n}{n^2}=0$이므로

$\lim\limits_{n\to\infty}\dfrac{-6n^2+n+5a_n}{3n^2-2n-a_n}=\lim\limits_{n\to\infty}\dfrac{-6+\dfrac{1}{n}+\dfrac{5a_n}{n^2}}{3-\dfrac{2}{n}-\dfrac{a_n}{n^2}}$

분모, 분자를 n^2으로 나눈다.

$=\dfrac{-6}{3}=-2$

답 ①

다른 풀이

수열 $\{a_n\}$이 모든 자연수 n에 대하여 $a_n>0$이고

$\dfrac{a_{n+1}}{a_n}<\dfrac{3}{5}$이므로 $0<\dfrac{a_{n+1}}{a_n}<1$

즉, 수열 $\{a_n\}$은 모든 자연수 n에 대하여

$a_1>a_2>a_3>\cdots>a_n>a_{n+1}>\cdots>0$

$\therefore 0<a_n<a_1$

각 변을 n^2으로 나누면

$0<\dfrac{a_n}{n^2}<\dfrac{a_1}{n^2}$

이때

$\lim\limits_{n\to\infty}0=0$, $\lim\limits_{n\to\infty}\dfrac{a_1}{n^2}=0$ ($\because$ a_1은 상수)

이므로 수열의 극한의 대소 관계에 의하여 $\lim\limits_{n\to\infty}\dfrac{a_n}{n^2}=0$

066

$a_n=\lim\limits_{k\to\infty}\dfrac{20^{k+1}+(5n)^k}{20^k+n^{2k}}$에서

(i) $1\leq n\leq3$일 때, $n^2<5n<20$이므로

$0<\dfrac{n^2}{20}<1$, $0<\dfrac{5n}{20}<1$

$\therefore \lim\limits_{k\to\infty}\left(\dfrac{n^2}{20}\right)^k=0$, $\lim\limits_{k\to\infty}\left(\dfrac{5n}{20}\right)^k=0$

$$\therefore a_n=\lim_{k\to\infty}\frac{20^{k+1}+(5n)^k}{20^k+n^{2k}}=\lim_{k\to\infty}\frac{20+\left(\frac{5n}{20}\right)^k}{1+\left(\frac{n^2}{20}\right)^k}=20$$

분모, 분자를 20^k으로 나눈다.

(ii) $n=4$일 때, $n^2<5n=20$이므로

$$0<\frac{n^2}{5n}<1,\ \frac{20}{5n}=1$$

$$\therefore \lim_{k\to\infty}\left(\frac{n^2}{5n}\right)^k=0,\ \lim_{k\to\infty}\left(\frac{20}{5n}\right)^k=1$$

$$\therefore a_n=\lim_{k\to\infty}\frac{20^{k+1}+(5n)^k}{20^k+n^{2k}}=\lim_{k\to\infty}\frac{20\left(\frac{20}{5n}\right)^k+1}{\left(\frac{20}{5n}\right)^k+\left(\frac{n^2}{5n}\right)^k}=21$$

분모, 분자를 $(5n)^k$으로 나눈다.

(iii) $n=5$일 때, $20<5n=n^2$이므로

$$\frac{n^2}{5n}=1,\ 0<\frac{20}{5n}<1$$

$$\therefore \lim_{k\to\infty}\left(\frac{n^2}{5n}\right)^k=1,\ \lim_{k\to\infty}\left(\frac{20}{5n}\right)^k=0$$

$$\therefore a_n=\lim_{k\to\infty}\frac{20^{k+1}+(5n)^k}{20^k+n^{2k}}=\lim_{k\to\infty}\frac{20\left(\frac{20}{5n}\right)^k+1}{\left(\frac{20}{5n}\right)^k+\left(\frac{n^2}{5n}\right)^k}=1$$

분모, 분자를 $(5n)^k$으로 나눈다.

(iv) $n\geq6$일 때, $20<5n<n^2$이므로

$$0<\frac{20}{n^2}<1,\ 0<\frac{5n}{n^2}<1$$

$$\therefore \lim_{k\to\infty}\left(\frac{20}{n^2}\right)^k=0,\ \lim_{k\to\infty}\left(\frac{5n}{n^2}\right)^k=0$$

$$\therefore a_n=\lim_{k\to\infty}\frac{20^{k+1}+(5n)^k}{20^k+n^{2k}}=\lim_{k\to\infty}\frac{20\left(\frac{20}{n^2}\right)^k+\left(\frac{5n}{n^2}\right)^k}{\left(\frac{20}{n^2}\right)^k+1}=0$$

분모, 분자를 $(n^2)^k$으로 나눈다.

(i)~(iv)에 의하여

$$\sum_{i=1}^{5}a_i=20\times3+21+1=82$$

이고 $m\geq6$일 때 $\sum_{i=1}^{m}a_i=82$이다.

따라서 $\sum_{i=1}^{m}(a_i+2i)\geq400$을 만족시키는 자연수 m은 $m\geq6$이므로

$$\sum_{i=1}^{m}(a_i+2i)=\sum_{i=1}^{m}a_i+2\sum_{i=1}^{m}i$$

$$=82+2\times\frac{m(m+1)}{2}$$

$$=m(m+1)+82$$

$\sum_{i=1}^{m}(a_i+2i)\geq400$에서

$m(m+1)+82\geq400$ $\therefore m(m+1)\geq318$

이때 $17\times18=306,\ 18\times19=342$이므로 자연수 m의 최솟값은 18이다.

답 ②

참고

$m=5$일 때

$$\sum_{i=1}^{m}(a_i+2i)=\sum_{i=1}^{5}(a_i+2i)=\sum_{i=1}^{5}a_i+2\sum_{i=1}^{5}i$$

$$=82+2\times\frac{5\times6}{2}=112$$

이므로 $m\leq5$이면 $\sum_{i=1}^{m}(a_i+2i)\leq112$이다.

따라서 $\sum_{i=1}^{m}(a_i+2i)\geq400$을 만족시키는 자연수 m은 $m\geq6$이다.

067

접근

a_n의 정수 부분과 소수 부분을 각각 각 자릿수의 합으로 나타낸 후 등비수열의 합의 공식을 이용하여 b_n과 c_n을 구한다.

$a_n=\underbrace{22\cdots2}_{n개}.\underbrace{22\cdots2}_{n개}\underbrace{44\cdots4}_{n개}$ 이므로

$$b_n=2(10^{n-1}+10^{n-2}+10^{n-3}+\cdots+1)$$

첫째항이 1, 공비가 10인 등비수열의 첫째항부터 제n항까지의 합

$$=2\times\frac{10^n-1}{10-1}=\frac{2}{9}(10^n-1)$$

$$c_n=2\left(\frac{1}{10}+\frac{1}{10^2}+\frac{1}{10^3}+\cdots+\frac{1}{10^n}\right)$$

$$+4\left(\frac{1}{10^{n+1}}+\frac{1}{10^{n+2}}+\frac{1}{10^{n+3}}+\cdots+\frac{1}{10^{2n}}\right)$$

$$=2\left(\frac{1}{10}+\frac{1}{10^2}+\frac{1}{10^3}+\cdots+\frac{1}{10^n}\right)$$

$$+\frac{4}{10^n}\left(\frac{1}{10}+\frac{1}{10^2}+\frac{1}{10^3}+\cdots+\frac{1}{10^n}\right)$$

$$=\left(2+\frac{4}{10^n}\right)\left(\frac{1}{10}+\frac{1}{10^2}+\frac{1}{10^3}+\cdots+\frac{1}{10^n}\right)$$

첫째항이 $\frac{1}{10}$, 공비가 $\frac{1}{10}$인 등비수열의 첫째항부터 제n항까지의 합

$$=\left(2+\frac{4}{10^n}\right)\times\frac{\frac{1}{10}\left\{1-\left(\frac{1}{10}\right)^n\right\}}{1-\frac{1}{10}}$$

$$=\frac{1}{9}\left(2+\frac{4}{10^n}\right)\left\{1-\left(\frac{1}{10}\right)^n\right\}$$

$$\therefore \lim_{n\to\infty}\left(\frac{1}{b_n}+c_n\right)$$

$$=\lim_{n\to\infty}\left[\frac{9}{2(10^n-1)}+\frac{1}{9}\left(2+\frac{4}{10^n}\right)\left\{1-\left(\frac{1}{10}\right)^n\right\}\right]$$

$$=0+\frac{1}{9}(2+0)(1-0)=\frac{2}{9}$$

답 ②

068

$$\sum_{n=1}^{\infty}\frac{2}{n(n+2)}=\lim_{n\to\infty}\sum_{k=1}^{n}\frac{2}{k(k+2)}=\lim_{n\to\infty}\sum_{k=1}^{n}\left(\frac{1}{k}-\frac{1}{k+2}\right)$$

$$=\lim_{n\to\infty}\left\{\left(1-\frac{1}{3}\right)+\left(\frac{1}{2}-\frac{1}{4}\right)+\left(\frac{1}{3}-\frac{1}{5}\right)+\cdots\right.$$

$$\left.+\left(\frac{1}{n-1}-\frac{1}{n+1}\right)+\left(\frac{1}{n}-\frac{1}{n+2}\right)\right\}$$

$$=\lim_{n\to\infty}\left(1+\frac{1}{2}-\frac{1}{n+1}-\frac{1}{n+2}\right)$$

$$=1+\frac{1}{2}=\frac{3}{2} \quad\underbrace{}_{\lim_{n\to\infty}\frac{1}{n+1}=0,\ \lim_{n\to\infty}\frac{1}{n+2}=0}$$

답 ②

풍쌤 비법

급수 $\sum\limits_{n=1}^{\infty}a_n$에서 a_n이 $\dfrac{1}{AB}$ 꼴로 주어진 경우의 급수의 합은 다음과 같은 순서에 따라 구한다.

(i) 주어진 조건을 이용하여 급수의 제n항을 구한다.

(ii) 부분분수를 이용하여 부분합 S_n을 구한다.

$$\Rightarrow \frac{1}{AB}=\frac{1}{B-A}\left(\frac{1}{A}-\frac{1}{B}\right)$$

(iii) $\lim\limits_{n\to\infty}S_n$의 값을 구한다.

참고

분수 꼴로 주어진 수열의 합에서 항이 연쇄적으로 소거되는 경우, 소거되지 않고 남는 항은 앞에서 첫 번째가 남으면 뒤에서도 첫 번째가 남는다. ➡ **070**번 참조

또, **068**번과 같이 건너뛰며 소거되는 경우는 앞에서 첫 번째, 세 번째가 남으면 뒤에서도 첫 번째, 세 번째가 남는다.

즉, 항이 연쇄적으로 소거될 때 앞에서 남는 항과 뒤에서 남는 항은 서로 대칭이 되는 위치에 있다.

069

접근

두 수 2, 3은 서로소이므로 $2^{n+2}\times3^n$의 양의 약수는
(2^{n+2}의 약수)$\times$(3^n의 약수) 꼴임을 이용하여 a_n을 구하고, 부분분수를 이용하여 제n항까지의 합을 구한다.

$a_n=\{(n+2)+1\}(n+1)=(n+1)(n+3)$이므로

$$\sum_{n=1}^{\infty}\frac{1}{a_n}=\sum_{n=1}^{\infty}\frac{1}{(n+1)(n+3)}=\frac{1}{2}\sum_{n=1}^{\infty}\left(\frac{1}{n+1}-\frac{1}{n+3}\right)$$

$$=\frac{1}{2}\lim_{n\to\infty}\sum_{k=1}^{n}\left(\frac{1}{k+1}-\frac{1}{k+3}\right)$$

$$=\frac{1}{2}\lim_{n\to\infty}\left\{\left(\frac{1}{2}-\frac{1}{4}\right)+\left(\frac{1}{3}-\frac{1}{5}\right)+\left(\frac{1}{4}-\frac{1}{6}\right)+\cdots\right.$$

$$\left.+\left(\frac{1}{n-1}-\frac{1}{n+1}\right)+\left(\frac{1}{n}-\frac{1}{n+2}\right)+\left(\frac{1}{n+1}-\frac{1}{n+3}\right)\right\}$$

$$=\frac{1}{2}\lim_{n\to\infty}\left(\frac{1}{2}+\frac{1}{3}-\frac{1}{n+2}-\frac{1}{n+3}\right)$$

$$=\frac{1}{2}\left(\frac{1}{2}+\frac{1}{3}\right)=\frac{5}{12}$$

답 $\dfrac{5}{12}$

참고

자연수의 양의 약수의 개수

자연수 N이 $N=a^m\times b^n$ (a, b는 서로 다른 소수, m, n은 자연수)으로 소인수분해될 때, N의 양의 약수의 개수는

$(m+1)(n+1)$

070

주어진 급수의 제n항을 a_n이라고 하면

$$a_n=\frac{2n+1}{1^2+2^2+3^2+\cdots+n^2}=\frac{2n+1}{\sum\limits_{k=1}^{n}k^2}$$

$$=\frac{2n+1}{\dfrac{n(n+1)(2n+1)}{6}}=\frac{6}{n(n+1)}$$

$$=6\left(\frac{1}{n}-\frac{1}{n+1}\right)$$

이므로 주어진 급수의 합은

$$\frac{3}{1^2}+\frac{5}{1^2+2^2}+\frac{7}{1^2+2^2+3^2}+\cdots$$

$$=\sum_{n=1}^{\infty}a_n=\lim_{n\to\infty}\sum_{k=1}^{n}a_k$$

$$=6\lim_{n\to\infty}\sum_{k=1}^{n}\left(\frac{1}{n}-\frac{1}{n+1}\right)$$

$$=6\lim_{n\to\infty}\left\{\left(1-\frac{1}{2}\right)+\left(\frac{1}{2}-\frac{1}{3}\right)+\left(\frac{1}{3}-\frac{1}{4}\right)+\cdots+\left(\frac{1}{n}-\frac{1}{n+1}\right)\right\}$$

$$=6\lim_{n\to\infty}\left(1-\frac{1}{n+1}\right)=6$$

답 6

071

주어진 급수의 제3항에서 제n항까지의 합을 S_n이라고 하면

$$S_n=\sum_{k=3}^{n}\log\left(1-\frac{4}{k^2}\right)$$

$$=\sum_{k=3}^{n}\log\frac{k^2-4}{k^2}$$

$$=\sum_{k=3}^{n}\log\left(\frac{k-2}{k}\times\frac{k+2}{k}\right)$$

$$=\log\left(\frac{1}{3}\times\frac{5}{3}\right)+\log\left(\frac{2}{4}\times\frac{6}{4}\right)+\log\left(\frac{3}{5}\times\frac{7}{5}\right)$$

$$+\log\left(\frac{4}{6}\times\frac{8}{6}\right)+\cdots+\log\left(\frac{n-4}{n-2}\times\frac{n}{n-2}\right)$$

$$+\log\left(\frac{n-3}{n-1}\times\frac{n+1}{n-1}\right)+\log\left(\frac{n-2}{n}\times\frac{n+2}{n}\right)$$

$$=\log\left\{\left(\frac{1}{3}\times\frac{5}{3}\right)\times\left(\frac{2}{4}\times\frac{6}{4}\right)\times\left(\frac{3}{5}\times\frac{7}{5}\right)\times\left(\frac{4}{6}\times\frac{8}{6}\right)\times\cdots\right.$$

$$\left.\times\left(\frac{n-4}{n-2}\times\frac{n}{n-2}\right)\times\left(\frac{n-3}{n-1}\times\frac{n+1}{n-1}\right)\times\left(\frac{n-2}{n}\times\frac{n+2}{n}\right)\right\}$$

$$=\log\left(\frac{1}{3}\times\frac{2}{4}\times\frac{n+1}{n-1}\times\frac{n+2}{n}\right)$$

$$=\log\frac{n^2+3n+2}{6n^2-6n}$$

$$\therefore \sum_{k=3}^{n}\log\left(1-\frac{4}{n^2}\right)=\lim_{n\to\infty}S_n=\lim_{n\to\infty}\log\frac{n^2+3n+2}{6n^2-6n} \quad\underbrace{}_{\text{분모, 분자를 }n^2\text{으로 나눈다.}}$$

$$=\lim_{n\to\infty}\log\frac{1+\dfrac{3}{n}+\dfrac{2}{n^2}}{6-\dfrac{6}{n}}=\log\frac{1}{6}$$

$$=-\log6$$

답 ①

072

$(n^2+3n+2)x^2-(2n+3)x+1=0$에서

$\{(n+1)x-1\}\{(n+2)x-1\}=0$

$\therefore x=\dfrac{1}{n+1}$ 또는 $x=\dfrac{1}{n+2}$

따라서 $\alpha_n=\dfrac{1}{n+1}$, $\beta_n=\dfrac{1}{n+2}$ $(\because \alpha_n>\beta_n)$이므로

$\displaystyle\sum_{n=1}^{\infty}(\alpha_n-\beta_n)$

$=\displaystyle\sum_{n=1}^{\infty}\left(\dfrac{1}{n+1}-\dfrac{1}{n+2}\right)$

$=\displaystyle\lim_{n\to\infty}\sum_{k=1}^{n}\left(\dfrac{1}{k+1}-\dfrac{1}{k+2}\right)$

$=\displaystyle\lim_{n\to\infty}\left\{\left(\dfrac{1}{2}-\dfrac{1}{3}\right)+\left(\dfrac{1}{3}-\dfrac{1}{4}\right)+\left(\dfrac{1}{4}-\dfrac{1}{5}\right)+\cdots+\left(\dfrac{1}{n+1}-\dfrac{1}{n+2}\right)\right\}$

$=\displaystyle\lim_{n\to\infty}\left(\dfrac{1}{2}-\dfrac{1}{n+2}\right)=\dfrac{1}{2}$

답 $\dfrac{1}{2}$

073

ㄱ은 발산한다.

주어진 급수의 제n항까지의 합을 S_n이라고 하면

$S_n=\displaystyle\sum_{k=1}^{n}(\sqrt{2k+2}-\sqrt{2k})$

$\qquad=(\sqrt{4}-\sqrt{2})+(\sqrt{6}-\sqrt{4})+(\sqrt{8}-\sqrt{6})$

$\qquad\qquad+\cdots+\{\sqrt{2n}-\sqrt{2(n-1)}\}+(\sqrt{2n+2}-\sqrt{2n})$

$\qquad=\sqrt{2n+2}-\sqrt{2}$

$\therefore \displaystyle\sum_{n=1}^{\infty}(\sqrt{2n+2}-\sqrt{2n})=\lim_{n\to\infty}S_n$

$\qquad\qquad\qquad\qquad\quad=\displaystyle\lim_{n\to\infty}(\sqrt{2n+2}-\sqrt{2})$

$\qquad\qquad\qquad\qquad\quad=\infty$

ㄴ은 발산한다.

$\displaystyle\lim_{n\to\infty}\dfrac{2+n}{3-4n}=\lim_{n\to\infty}\dfrac{\dfrac{2}{n}+1}{\dfrac{3}{n}-4}=-\dfrac{1}{4}\neq0$이므로 급수 $\displaystyle\sum_{n=1}^{\infty}\dfrac{2+n}{3-4n}$은

발산한다. └─ 분모, 분자를 n으로 나눈다.

ㄷ은 수렴한다.

$\displaystyle\sum_{n=1}^{\infty}\dfrac{1}{n^2+n}$

$=\displaystyle\sum_{n=1}^{\infty}\dfrac{1}{n(n+1)}$

$=\displaystyle\sum_{n=1}^{\infty}\left(\dfrac{1}{n}-\dfrac{1}{n+1}\right)$

$=\displaystyle\lim_{n\to\infty}\sum_{k=1}^{n}\left(\dfrac{1}{k}-\dfrac{1}{k+1}\right)$

$=\displaystyle\lim_{n\to\infty}\left\{\left(1-\dfrac{1}{2}\right)+\left(\dfrac{1}{2}-\dfrac{1}{3}\right)+\left(\dfrac{1}{3}-\dfrac{1}{4}\right)+\cdots+\left(\dfrac{1}{n}-\dfrac{1}{n+1}\right)\right\}$

$=\displaystyle\lim_{n\to\infty}\left(1-\dfrac{1}{n+1}\right)=1$

따라서 수렴하는 급수는 ㄷ이다.

답 ③

074

주어진 급수

$(a_1-3)+\left(\dfrac{a_2}{2^2}-3\right)+\left(\dfrac{a_3}{3^2}-3\right)+\cdots+\left(\dfrac{a_n}{n^2}-3\right)+\cdots=\displaystyle\sum_{n=1}^{\infty}\left(\dfrac{a_n}{n^2}-3\right)$

이 수렴하므로

$\displaystyle\lim_{n\to\infty}\left(\dfrac{a_n}{n^2}-3\right)=0$

$\dfrac{a_n}{n^2}-3=b_n$이라고 하면 $\displaystyle\lim_{n\to\infty}b_n=0$이고 $a_n=n^2(b_n+3)$이므로

$\displaystyle\lim_{n\to\infty}\dfrac{4n-3a_n}{2n-a_n}=\lim_{n\to\infty}\dfrac{4n-3n^2(b_n+3)}{2n-n^2(b_n+3)}$

$\qquad\qquad\qquad\quad$ └─ 분모, 분자를 n^2으로 나눈다.

$\qquad\qquad\qquad=\displaystyle\lim_{n\to\infty}\dfrac{\dfrac{4}{n}-3(b_n+3)}{\dfrac{2}{n}-(b_n+3)}$

$\qquad\qquad\qquad=\dfrac{0-3(0+3)}{0-(0+3)}=3$

답 ③

풍쌤 비법

수열 $\{a_n\}$을 포함한 급수가 수렴하면 이 급수의 일반항을 b_n으로 놓고 a_n을 b_n으로 나타낸 후 $\displaystyle\lim_{n\to\infty}b_n=0$임과 수열의 극한에 대한 기본 성질을 이용한다.

075

$\displaystyle\sum_{n=1}^{\infty}\left(a_n-\dfrac{3n^2+2}{4n-1}\right)=5$, 즉 급수 $\displaystyle\sum_{n=1}^{\infty}\left(a_n-\dfrac{3n^2+2}{4n-1}\right)$가 수렴하므로

$\displaystyle\lim_{n\to\infty}\left(a_n-\dfrac{3n^2+2}{4n-1}\right)=0$

$a_n-\dfrac{3n^2+2}{4n-1}=b_n$이라고 하면 $\displaystyle\lim_{n\to\infty}b_n=0$이고

$a_n=b_n+\dfrac{3n^2+2}{4n-1}$이다.

$\therefore \displaystyle\lim_{n\to\infty}\dfrac{8a_n}{n+4}=\lim_{n\to\infty}\dfrac{8b_n+8\times\dfrac{3n^2+2}{4n-1}}{n+4}$

$\qquad\qquad\quad=\displaystyle\lim_{n\to\infty}\dfrac{8(4n-1)b_n+8(3n^2+2)}{(n+4)(4n-1)}$

$\qquad\qquad\qquad\qquad\qquad$ └─ 분모, 분자를 n^2으로 나눈다.

$\qquad\qquad\quad=\displaystyle\lim_{n\to\infty}\dfrac{8\left(\dfrac{4}{n}-\dfrac{1}{n^2}\right)b_n+8\left(3+\dfrac{2}{n^2}\right)}{\left(1+\dfrac{4}{n}\right)\left(4-\dfrac{1}{n}\right)}$

$\qquad\qquad\quad=\dfrac{0+8(3+0)}{(1+0)(4-0)}=6$

답 ③

076

$\displaystyle\sum_{n=1}^{\infty}(2a_n-6)=10$, 즉 급수 $\displaystyle\sum_{n=1}^{\infty}(2a_n-6)$이 수렴하므로

$\displaystyle\lim_{n\to\infty}(2a_n-6)=0$

$2a_n-6=b_n$이라고 하면 $\displaystyle\lim_{n\to\infty}b_n=0$이고 $a_n=\dfrac{b_n}{2}+3$이다.

$\displaystyle\lim_{n\to\infty}b_n=0$에서 $\displaystyle\lim_{n\to\infty}b_{2n}=\lim_{n\to\infty}b_{n+1}=0$이므로

$\displaystyle\lim_{n\to\infty}(a_{2n}+3a_{n+1})=\lim_{n\to\infty}\left\{\left(\dfrac{b_{2n}}{2}+3\right)+3\left(\dfrac{b_{n+1}}{2}+3\right)\right\}$

$\qquad\qquad\qquad\quad=0+3+3(0+3)=12$

답 12

077

$3a_n+b_n=c_n$이라고 하면

$\displaystyle\sum_{n=1}^{\infty}c_n=21,\ b_n=c_n-3a_n$

$\therefore \displaystyle\sum_{n=1}^{\infty}b_n=\sum_{n=1}^{\infty}(c_n-3a_n)=\sum_{n=1}^{\infty}c_n-3\sum_{n=1}^{\infty}a_n$

$=21-3\times5=6$

답 6

▌간단 풀이◀

급수 $\displaystyle\sum_{n=1}^{\infty}b_n$이 수렴한다는 조건이 없으므로 위와 같이 풀어야 하지만 정답만 얻고자 한다면 다음과 같이 $\displaystyle\sum_{n=1}^{\infty}b_n$이 수렴한다는 가정 하에 급수의 성질을 이용하여 풀 수도 있다.

$\displaystyle\sum_{n=1}^{\infty}(3a_n+b_n)=21$에서 $\quad 3\sum_{n=1}^{\infty}a_n+\sum_{n=1}^{\infty}b_n=21$

$\therefore \displaystyle\sum_{n=1}^{\infty}b_n=21-3\sum_{n=1}^{\infty}a_n=21-3\times5=6$

078

$a_n-\dfrac{5}{n(n+1)}=b_n$이라고 하면

$\displaystyle\sum_{n=1}^{\infty}b_n=8,\ a_n=b_n+\dfrac{5}{n(n+1)}$

이때

$\displaystyle\sum_{n=1}^{\infty}\dfrac{5}{n(n+1)}=5\lim_{n\to\infty}\sum_{k=1}^{n}\dfrac{1}{k(k+1)}$

$=5\displaystyle\lim_{n\to\infty}\sum_{k=1}^{n}\left(\dfrac{1}{k}-\dfrac{1}{k+1}\right)$

$=5\displaystyle\lim_{n\to\infty}\left\{\left(1-\dfrac{1}{2}\right)+\left(\dfrac{1}{2}-\dfrac{1}{3}\right)+\left(\dfrac{1}{3}-\dfrac{1}{4}\right)+\cdots\right.$

$\left.+\left(\dfrac{1}{n}-\dfrac{1}{n+1}\right)\right\}$

$=5\displaystyle\lim_{n\to\infty}\left(1-\dfrac{1}{n+1}\right)=5$

이므로

$\displaystyle\sum_{n=1}^{\infty}a_n=\sum_{n=1}^{\infty}\left\{b_n+\dfrac{5}{n(n+1)}\right\}$

$=\displaystyle\sum_{n=1}^{\infty}b_n+\sum_{n=1}^{\infty}\dfrac{5}{n(n+1)}$

$=8+5=13$

답 13

079

두 급수 $\displaystyle\sum_{n=1}^{\infty}a_n,\ \sum_{n=1}^{\infty}b_n$이 모두 수렴하므로

$\displaystyle\sum_{n=1}^{\infty}a_n=\alpha,\ \sum_{n=1}^{\infty}b_n=\beta$ ($\alpha,\ \beta$는 상수)

라고 하면 $\displaystyle\sum_{n=1}^{\infty}(3a_n-b_n)=15$에서

$3\alpha-\beta=15$ ······ ㉠

$\displaystyle\sum_{n=1}^{\infty}(a_n+2b_n)=26$에서

$\alpha+2\beta=26$ ······ ㉡

㉠, ㉡을 연립하여 풀면 $\quad\alpha=8,\ \beta=9$

즉, $\displaystyle\sum_{n=1}^{\infty}a_n=8,\ \sum_{n=1}^{\infty}b_n=9$이므로

$\displaystyle\sum_{n=1}^{\infty}(a_n+b_n)=\sum_{n=1}^{\infty}a_n+\sum_{n=1}^{\infty}b_n=8+9=17$

답 ②

▌다른 풀이◀

$p(3a_n-b_n)+q(a_n+2b_n)=a_n+b_n$ ($p,\ q$는 상수)라고 하면

$(3p+q)a_n+(-p+2q)b_n=a_n+b_n$

$\therefore 3p+q=1,\ -p+2q=1$

위의 두 식을 연립하여 풀면

$p=\dfrac{1}{7},\ q=\dfrac{4}{7}$

두 급수 $\displaystyle\sum_{n=1}^{\infty}(3a_n-b_n),\ \sum_{n=1}^{\infty}(a_n+2b_n)$이 모두 수렴하므로 급수의 성질에 의하여

$\displaystyle\sum_{n=1}^{\infty}(a_n+b_n)=\dfrac{1}{7}\sum_{n=1}^{\infty}(3a_n-b_n)+\dfrac{4}{7}\sum_{n=1}^{\infty}(a_n+2b_n)$

$=\dfrac{1}{7}\times15+\dfrac{4}{7}\times26=\dfrac{119}{7}=17$

080

ㄱ은 옳다.

$\displaystyle\sum_{n=1}^{\infty}a_n=\alpha,\ \sum_{n=1}^{\infty}(a_n+b_n)=\beta$ ($\alpha,\ \beta$는 상수)라 하고, $a_n+b_n=c_n$

이라고 하면

$\displaystyle\sum_{n=1}^{\infty}c_n=\beta,\ b_n=c_n-a_n$

$\therefore \displaystyle\sum_{n=1}^{\infty}b_n=\sum_{n=1}^{\infty}(c_n-a_n)=\sum_{n=1}^{\infty}c_n-\sum_{n=1}^{\infty}a_n=\beta-\alpha$

즉, $\displaystyle\sum_{n=1}^{\infty}b_n$은 수렴한다.

ㄴ도 옳다.

$\displaystyle\sum_{n=1}^{\infty}(a_n+1)=\alpha,\ \sum_{n=1}^{\infty}(b_n-1)=\beta$ ($\alpha,\ \beta$는 상수)라고 하면

$\displaystyle\sum_{n=1}^{\infty}(a_n+b_n)=\sum_{n=1}^{\infty}\{(a_n+1)+(b_n-1)\}$

$=\displaystyle\sum_{n=1}^{\infty}(a_n+1)+\sum_{n=1}^{\infty}(b_n-1)$

$=\alpha+\beta$

즉, $\displaystyle\sum_{n=1}^{\infty}(a_n+b_n)$은 수렴한다.

ㄷ은 옳지 않다.

(반례) 수열 $\{a_n\}$을 0, 1, 0, 1, $\cdots$이라 하고, 수열 $\{b_n\}$을 1, 0, 1, 0, $\cdots$이라고 하면 $\displaystyle\sum_{n=1}^{\infty}a_nb_n=0$이고 $\displaystyle\lim_{n\to\infty}a_n\neq0$이지만 $\displaystyle\lim_{n\to\infty}b_n\neq0$이다.

따라서 옳은 것은 ㄱ, ㄴ이다.

답 ③

081

$\displaystyle\sum_{n=1}^{\infty}\dfrac{2^n+(-1)^n}{5^n}=\sum_{n=1}^{\infty}\left\{\left(\dfrac{2}{5}\right)^n+\left(-\dfrac{1}{5}\right)^n\right\}$

$=\displaystyle\sum_{n=1}^{\infty}\left(\dfrac{2}{5}\right)^n+\sum_{n=1}^{\infty}\left(-\dfrac{1}{5}\right)^n$

$=\dfrac{\dfrac{2}{5}}{1-\dfrac{2}{5}}+\dfrac{-\dfrac{1}{5}}{1-\left(-\dfrac{1}{5}\right)}$

$=\dfrac{2}{3}-\dfrac{1}{6}=\dfrac{1}{2}$

답 ④

082

→ 접근

등비수열 $\{a_n\}$, $\{b_n\}$의 공비를 각각 r_1, r_2로 놓고 주어진 조건을 이용하여 r_1, r_2를 구한다.

등비수열 $\{a_n\}$, $\{b_n\}$의 공비를 각각 r_1, r_2라고 하면

$a_1=b_1=2$이므로

$\sum\limits_{n=1}^{\infty}a_n=5$에서 $\dfrac{2}{1-r_1}=5$ $\quad\therefore r_1=\dfrac{3}{5}$

$\sum\limits_{n=1}^{\infty}b_n=6$에서 $\dfrac{2}{1-r_2}=6$ $\quad\therefore r_2=\dfrac{2}{3}$

따라서 $a_n=2\times\left(\dfrac{3}{5}\right)^{n-1}$, $b_n=2\times\left(\dfrac{2}{3}\right)^{n-1}$이므로

$a_nb_n=\left\{2\times\left(\dfrac{3}{5}\right)^{n-1}\right\}\times\left\{2\times\left(\dfrac{2}{3}\right)^{n-1}\right\}$

$\qquad=4\times\left(\dfrac{2}{5}\right)^{n-1}$

즉, 수열 $\{a_nb_n\}$은 첫째항이 4, 공비가 $\dfrac{2}{5}$인 등비수열이므로

$\sum\limits_{n=1}^{\infty}a_nb_n=\dfrac{4}{1-\dfrac{2}{5}}=\dfrac{20}{3}$

답 $\dfrac{20}{3}$

083

주어진 급수는 첫째항과 공비가 모두 $\dfrac{2x-3}{7}$이므로 주어진 급수가 수렴하려면

$-1<\dfrac{2x-3}{7}<1$, $-7<2x-3<7$

$-4<2x<10$ $\quad\therefore -2<x<5$

따라서 정수 x는

-1, 0, 1, 2, 3, 4

의 6개이다.

답 ③

084

수열 $\{a_n\}$은 첫째항이 1, 공비가 $\dfrac{2}{3}$인 등비수열이므로

$a_n=\left(\dfrac{2}{3}\right)^{n-1}$

수열 $\{b_n\}$은 첫째항이 1, 공비가 $\dfrac{1}{5}$인 등비수열이므로

$b_n=\left(\dfrac{1}{5}\right)^{n-1}$

$-1<\dfrac{2}{3}<1$, $-1<\dfrac{1}{5}<1$이므로 두 급수 $\sum\limits_{n=1}^{\infty}a_n$, $\sum\limits_{n=1}^{\infty}b_n$은 수렴한다.

$\sum\limits_{n=1}^{\infty}a_n=\dfrac{1}{1-\dfrac{2}{3}}=3$, $\sum\limits_{n=1}^{\infty}b_n=\dfrac{1}{1-\dfrac{1}{5}}=\dfrac{5}{4}$

①, ② 급수의 성질에 의하여 두 급수 $\sum\limits_{n=1}^{\infty}(a_n+b_n)$, $\sum\limits_{n=1}^{\infty}(a_n-b_n)$은 수렴한다.

③ $(-1)^na_n=(-1)^n\times\left(\dfrac{2}{3}\right)^{n-1}$

$\qquad=(-1)\times(-1)^{n-1}\times\left(\dfrac{2}{3}\right)^{n-1}$

$\qquad=-\left(-\dfrac{2}{3}\right)^{n-1}$

즉, 급수 $\sum\limits_{n=1}^{\infty}(-1)^na_n$은 첫째항이 -1, 공비가 $-\dfrac{2}{3}$인 등비급수이고 $-1<-\dfrac{2}{3}<1$이므로 급수 $\sum\limits_{n=1}^{\infty}(-1)^na_n$은 수렴한다.

④ $a_nb_n=\left(\dfrac{2}{3}\right)^{n-1}\times\left(\dfrac{1}{5}\right)^{n-1}=\left(\dfrac{2}{15}\right)^{n-1}$

즉, 급수 $\sum\limits_{n=1}^{\infty}a_nb_n$은 첫째항이 1, 공비가 $\dfrac{2}{15}$인 등비급수이고 $-1<\dfrac{2}{15}<1$이므로 급수 $\sum\limits_{n=1}^{\infty}a_nb_n$은 수렴한다.

⑤ $\dfrac{a_n}{b_n}=\dfrac{\left(\dfrac{2}{3}\right)^{n-1}}{\left(\dfrac{1}{5}\right)^{n-1}}=\left(\dfrac{10}{3}\right)^{n-1}$

즉, 급수 $\sum\limits_{n=1}^{\infty}\dfrac{a_n}{b_n}$은 첫째항이 1, 공비가 $\dfrac{10}{3}$인 등비급수이고 $\dfrac{10}{3}>1$이므로 급수 $\sum\limits_{n=1}^{\infty}\dfrac{a_n}{b_n}$은 발산한다.

답 ⑤

085

$\sum\limits_{n=1}^{\infty}\dfrac{1}{3^n}\cos\dfrac{n}{4}\pi$

$=\dfrac{1}{3}\cos\dfrac{\pi}{4}+\dfrac{1}{3^2}\cos\dfrac{\pi}{2}+\dfrac{1}{3^3}\cos\dfrac{3}{4}\pi+\dfrac{1}{3^4}\cos\pi+\dfrac{1}{3^5}\cos\dfrac{5}{4}\pi$

$\quad+\dfrac{1}{3^6}\cos\dfrac{3}{2}\pi+\dfrac{1}{3^7}\cos\dfrac{7}{4}\pi+\dfrac{1}{3^8}\cos 2\pi+\dfrac{1}{3^9}\cos\dfrac{9}{4}\pi$

$\quad+\dfrac{1}{3^{10}}\cos\dfrac{5}{2}\pi+\dfrac{1}{3^{11}}\cos\dfrac{11}{4}\pi+\dfrac{1}{3^{12}}\cos 3\pi+\dfrac{1}{3^{13}}\cos\dfrac{13}{4}\pi$

$\quad+\dfrac{1}{3^{14}}\cos\dfrac{7}{2}\pi+\dfrac{1}{3^{15}}\cos\dfrac{15}{4}\pi+\dfrac{1}{3^{16}}\cos 4\pi+\cdots$

$=\dfrac{1}{3}\times\dfrac{\sqrt{2}}{2}+\dfrac{1}{3^3}\times\left(-\dfrac{\sqrt{2}}{2}\right)+\dfrac{1}{3^4}\times(-1)+\dfrac{1}{3^5}\times\left(-\dfrac{\sqrt{2}}{2}\right)$

$\quad+\dfrac{1}{3^7}\times\dfrac{\sqrt{2}}{2}+\dfrac{1}{3^8}\times 1+\dfrac{1}{3^9}\times\dfrac{\sqrt{2}}{2}+\dfrac{1}{3^{11}}\times\left(-\dfrac{\sqrt{2}}{2}\right)$

$\quad+\dfrac{1}{3^{12}}\times(-1)+\dfrac{1}{3^{13}}\times\left(-\dfrac{\sqrt{2}}{2}\right)+\dfrac{1}{3^{15}}\times\dfrac{\sqrt{2}}{2}+\dfrac{1}{3^{16}}\times 1+\cdots$

$=\dfrac{\sqrt{2}}{2}\left(\dfrac{1}{3}-\dfrac{1}{3^5}+\dfrac{1}{3^9}-\dfrac{1}{3^{13}}+\cdots\right)-\dfrac{\sqrt{2}}{2}\left(\dfrac{1}{3^3}-\dfrac{1}{3^7}+\dfrac{1}{3^{11}}-\dfrac{1}{3^{15}}+\cdots\right)$

$\qquad\qquad\qquad-\left(\dfrac{1}{3^4}-\dfrac{1}{3^8}+\dfrac{1}{3^{12}}-\dfrac{1}{3^{16}}+\cdots\right)$

$=\dfrac{\sqrt{2}}{2}\times\dfrac{\dfrac{1}{3}}{1-\left(-\dfrac{1}{3^4}\right)}-\dfrac{\sqrt{2}}{2}\times\dfrac{\dfrac{1}{3^3}}{1-\left(-\dfrac{1}{3^4}\right)}-\dfrac{\dfrac{1}{3^4}}{1-\left(-\dfrac{1}{3^4}\right)}$

$=\dfrac{27}{164}\sqrt{2}-\dfrac{3}{164}\sqrt{2}-\dfrac{1}{82}=\dfrac{6}{41}\sqrt{2}-\dfrac{1}{82}$

따라서 $a=\dfrac{6}{41}$, $b=-\dfrac{1}{82}$이므로

$\dfrac{2a}{b}=\dfrac{2\times\dfrac{6}{41}}{-\dfrac{1}{82}}=-24$

답 -24

086

등차수열 $\{a_n\}$의 첫째항을 a, 공차를 d라고 하면

$a_3=4$에서 $a+2d=4$ ······ ㉠

$a_6=-2$에서 $a+5d=-2$ ······ ㉡

㉠, ㉡을 연립하여 풀면

$a=8$, $d=-2$

$$\therefore a_n = 8 + (n-1) \times (-2) = -2(n-1) + 8$$

따라서

$$2^{a_n} = 2^{-2(n-1)+8} = 2^8 \times \left(\frac{1}{4}\right)^{n-1}$$

이므로

$$\sum_{n=1}^{\infty} 2^{a_n} = \frac{2^8}{1 - \frac{1}{4}} = \frac{2^{10}}{3}$$

답 ⑤

087

$|x| < \frac{1}{3}$에서 $|3x| < 1$이므로

$$2 + 8x + 26x^2 + \cdots + (3^n - 1)x^{n-1} + \cdots$$

$$= \sum_{n=1}^{\infty} (3^n - 1)x^{n-1} = \sum_{n=1}^{\infty} 3(3x)^{n-1} - \sum_{n=1}^{\infty} x^{n-1}$$

$$= \frac{3}{1-3x} - \frac{1}{1-x} = \frac{2}{(1-3x)(1-x)}$$

따라서 $\dfrac{2}{(1-3x)(1-x)} = \dfrac{24}{5}$이므로

$$\frac{1}{(1-3x)(1-x)} = \frac{12}{5}, \ 5 = 12(1-3x)(1-x)$$

$$36x^2 - 48x + 7 = 0, \ (6x-1)(6x-7) = 0$$

$$\therefore x = \frac{1}{6} \left(\because |x| < \frac{1}{3} \right)$$

답 $\dfrac{1}{6}$

088

등비수열 $\{a_n\}$의 첫째항을 a, 공비를 r라고 하면

$a_n = a \times r^{n-1}$이므로

$$a_{2n-1} = a \times r^{2n-2} = a \times r^{2(n-1)}$$

$\displaystyle\sum_{n=1}^{\infty} a_n = 15$에서

$$\frac{a}{1-r} = 15 \qquad \cdots\cdots \ \text{㉠}$$

$\displaystyle\sum_{n=1}^{\infty} a_{2n-1} = 9$에서

$$\frac{a}{1-r^2} = 9$$

$$\frac{a}{(1-r)(1+r)} = 9, \ \frac{15}{1+r} = 9 \ (\because \text{㉠})$$

$$1+r = \frac{5}{3} \qquad \therefore r = \frac{2}{3}$$

$r = \dfrac{2}{3}$를 ㉠에 대입하면

$$\frac{a}{1 - \frac{2}{3}} = 15 \qquad \therefore a = 5$$

따라서 $a_n = 5 \times \left(\dfrac{2}{3}\right)^{n-1}$이므로

$$a_2 = 5 \times \frac{2}{3} = \frac{10}{3}$$

답 ④

089

$0.\dot{4}\dot{5} = 0.454545 \cdots$이므로

$$a_n = \begin{cases} 4 \ (n\text{이 홀수}) \\ 5 \ (n\text{이 짝수}) \end{cases}$$

$$\therefore \sum_{n=1}^{\infty} \frac{a_n}{3^n} = \frac{4}{3} + \frac{5}{3^2} + \frac{4}{3^3} + \frac{5}{3^4} + \frac{4}{3^5} + \frac{5}{3^6} + \cdots$$

$$= 4\underbrace{\left(\frac{1}{3} + \frac{1}{3^3} + \frac{1}{3^5} + \cdots\right)}_{\substack{\text{첫째항이 } \frac{1}{3}, \text{ 공비가 } \frac{1}{9} \text{인} \\ \text{등비급수}}} + 5\underbrace{\left(\frac{1}{3^2} + \frac{1}{3^4} + \frac{1}{3^6} + \cdots\right)}_{\substack{\text{첫째항이 } \frac{1}{9}, \text{ 공비가 } \frac{1}{9} \text{인} \\ \text{등비급수}}}$$

$$= 4 \times \frac{\frac{1}{3}}{1 - \frac{1}{9}} + 5 \times \frac{\frac{1}{9}}{1 - \frac{1}{9}} = \frac{3}{2} + \frac{5}{8} = \frac{17}{8}$$

답 ③

090

$$a_3 = 0.\dot{3} = 0.3 + 0.03 + 0.003 + \cdots \quad \text{첫째항이 0.3, 공비가 0.1인 등비급수}$$

$$= \frac{0.3}{1 - 0.1} = \frac{1}{3}$$

$$a_5 = 0.08\dot{3} = 0.08 + 0.003 + 0.0003 + 0.00003 + \cdots \quad \text{첫째항이 0.003, 공비가 0.1인 등비급수}$$

$$= 0.08 + \frac{0.003}{1 - 0.1} = \frac{2}{25} + \frac{1}{300} = \frac{1}{12}$$

등비수열 $\{a_n\}$의 첫째항을 a, 공비를 r $(a > 0, r > 0)$라고 하면

$a_3 = \dfrac{1}{3}$에서 $ar^2 = \dfrac{1}{3}$ $\qquad$ 모든 항이 양수이므로 $a > 0, r > 0$ $\qquad \cdots\cdots$ ㉠

$a_5 = \dfrac{1}{12}$에서 $ar^4 = \dfrac{1}{12}$ $\qquad\qquad\qquad\qquad\qquad \cdots\cdots$ ㉡

㉡÷㉠을 하면

$$r^2 = \frac{1}{4} \qquad \therefore r = \frac{1}{2} \ (\because r > 0)$$

$r = \dfrac{1}{2}$을 ㉠에 대입하면 $a = \dfrac{4}{3}$

$$\therefore \sum_{n=1}^{\infty} a_n = \frac{\frac{4}{3}}{1 - \frac{1}{2}} = \frac{8}{3}$$

답 ⑤

091

$\overline{P_0 P_1} = 6$, $\overline{P_n P_{n+1}} = \dfrac{1}{3}\overline{P_{n-1}P_n}$이므로

$$\overline{P_{n-1}P_n} = 6 \times \left(\frac{1}{3}\right)^{n-1} \ (\text{단, } n = 1, 2, 3, \cdots)$$

이때

$$p = \overline{P_0 P_1} + \overline{P_2 P_3} + \overline{P_4 P_5} + \cdots$$

$$= 6 + 6 \times \left(\frac{1}{3}\right)^2 + 6 \times \left(\frac{1}{3}\right)^4 + \cdots$$

$$= \frac{6}{1 - \frac{1}{9}} = \frac{27}{4} \quad \text{첫째항이 6, 공비가 } \frac{1}{9} \text{인 등비급수}$$

$$q = \overline{P_1 P_2} + \overline{P_3 P_4} + \overline{P_5 P_6} + \cdots$$

$$= 6 \times \frac{1}{3} + 6 \times \left(\frac{1}{3}\right)^3 + 6 \times \left(\frac{1}{3}\right)^5 + \cdots$$

$$= \frac{6 \times \frac{1}{3}}{1 - \frac{1}{9}} = \frac{9}{4} \quad \text{첫째항이 } 6 \times \frac{1}{3}, \text{ 공비가 } \frac{1}{9} \text{인 등비급수}$$

이므로

$$p + q = \frac{27}{4} + \frac{9}{4} = 9$$

답 ⑤

참고

다음 그림과 같이 n이 짝수일 때 점 P_n을 이은 직선 l과 n이 홀수일
때 점 P_n을 이은 직선 m을 생각해 보자.

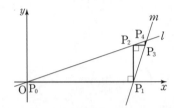

n이 한없이 커질 때 점 P_n은 두 직선 l, m 위를 번갈아 가며 위치하
므로 점 P_n이 가까워지는 점의 좌표는 두 직선 l, m의 교점이 된다.
직선 l은 두 점 $P_0(0, 0)$, $P_2(6, 2)$를 지나므로 직선 l의 방정식은

$$y=\frac{1}{3}x \qquad \cdots\cdots \ \text{㉠}$$

직선 m은 두 점 $P_1(6, 0)$, $P_3\left(\frac{20}{3}, 2\right)$를 지나므로 직선 m의 방정
식은

$$y=3x-18 \qquad \cdots\cdots \ \text{㉡}$$

㉠, ㉡을 연립하여 풀면

$$x=\frac{27}{4}, \ y=\frac{9}{4}$$

즉, 두 직선 l, m의 교점은 $\left(\frac{27}{4}, \frac{9}{4}\right)$이므로 점 P_n이 한없이 가까
워지는 점과 일치한다.

092

▶ 접근

두 원 C_n, C_{n+1}의 닮음비를 구하여 모든 원의 둘레의 길이의 합을 등비
급수로 나타낸다.

원 C_{n+1}은 원 C_n의 중심을 지나고 원 C_n에 내접하므로 원 C_{n+1}의
반지름의 길이는 원 C_n의 반지름의 길이의 $\frac{1}{2}$이다.

따라서 두 원 C_n, C_{n+1}의 닮음비는 $1 : \frac{1}{2}$이므로 그 둘레의 길이의

비도 $1 : \frac{1}{2}$이다.

원 C_1의 반지름의 길이는 2이므로 원 C_1의 둘레의 길이는

$2\pi \times 2 = 4\pi$

따라서 모든 원의 둘레의 길이의 합은

$$4\pi + 4\pi \times \frac{1}{2} + 4\pi \times \left(\frac{1}{2}\right)^2 + \cdots = \frac{4\pi}{1-\frac{1}{2}} = 8\pi$$

답 ⑤

093

직각삼각형 A_1BB_1에서 $\overline{A_1B}=1$, $\overline{BB_1}=3$이므로

$\overline{A_1B_1}=\sqrt{1^2+3^2}=\sqrt{10}$

$\therefore S_1=(\sqrt{10})^2=10$

또, 직각삼각형 $A_2B_1B_2$에서

$\overline{A_2B_1}=\frac{1}{4}\times\sqrt{10}$, $\overline{B_1B_2}=\frac{3}{4}\times\sqrt{10}$

이므로

$\overline{A_2B_2}=\sqrt{\left(\frac{\sqrt{10}}{4}\right)^2+\left(\frac{3\sqrt{10}}{4}\right)^2}=\frac{5}{2}$

두 정사각형 $A_1B_1C_1D_1$, $A_2B_2C_2D_2$의 닮음비가 $\sqrt{10} : \frac{5}{2}$이므로 넓

이의 비는

$(\sqrt{10})^2 : \left(\frac{5}{2}\right)^2=10 : \frac{25}{4}=8 : 5$

$\therefore S_2=\frac{5}{8}S_1$

마찬가지 방법으로

$S_3=\left(\frac{5}{8}\right)^2 S_2$, $S_4=\left(\frac{5}{8}\right)^3 S_3$, $\cdots$

이므로 수열 $\{S_n\}$은 첫째항이 10, 공비가 $\frac{5}{8}$인 등비수열이다.

$\therefore \sum_{n=1}^{\infty} S_n=\frac{10}{1-\frac{5}{8}}=\frac{80}{3}$

답 $\frac{80}{3}$

094

수열 $-1, a_1, a_2, a_3, \cdots, a_n, 7$은 첫째항이 -1, 제 $(n+2)$항이 7인
등차수열이므로

$-1+\{(n+2)-1\}d_n=7$

$(n+1)d_n=8 \qquad \therefore d_n=\frac{8}{n+1}$

$\therefore \sum_{n=1}^{\infty} d_{n-1}d_{n+1}$

$=\sum_{n=1}^{\infty}\frac{64}{n(n+2)}=\lim_{n\to\infty}\sum_{k=1}^{n}\frac{64}{k(k+2)}$

$=\lim_{n\to\infty}32\sum_{k=1}^{n}\left(\frac{1}{k}-\frac{1}{k+2}\right)$

$=\lim_{n\to\infty}32\left\{\left(1-\frac{1}{3}\right)+\left(\frac{1}{2}-\frac{1}{4}\right)+\left(\frac{1}{3}-\frac{1}{5}\right)+\cdots\right.$

$\left.+\left(\frac{1}{n-1}-\frac{1}{n+1}\right)+\left(\frac{1}{n}-\frac{1}{n+2}\right)\right\}$

$=\lim_{n\to\infty}32\left(1+\frac{1}{2}-\frac{1}{n+1}-\frac{1}{n+2}\right)$

$=32\left(1+\frac{1}{2}\right)=48$

답 ③

095

각 급수의 제n항까지의 부분합을 S_n이라고 하자.

ㄱ은 수렴한다.

$S_{2n-1}=1$, $S_{2n}=1-\dfrac{1}{n+1}$이므로

$\lim\limits_{n\to\infty}S_{2n-1}=1$

$\lim\limits_{n\to\infty}S_{2n}=\lim\limits_{n\to\infty}\left(1-\dfrac{1}{n+1}\right)=1-0=1$

즉, $\lim\limits_{n\to\infty}S_{2n-1}=\lim\limits_{n\to\infty}S_{2n}=1$이므로 주어진 급수는 1에 수렴한다.

ㄴ은 발산한다.

$S_{2n-1}=1$, $S_{2n}=1-\dfrac{n}{n+1}$이므로

$\lim\limits_{n\to\infty}S_{2n-1}=1$

$\lim\limits_{n\to\infty}S_{2n}=\lim\limits_{n\to\infty}\left(1-\dfrac{n}{n+1}\right)=1-1=0$

즉, $\lim\limits_{n\to\infty}S_{2n-1}\neq\lim\limits_{n\to\infty}S_{2n}$이므로 주어진 급수는 발산한다.

ㄷ도 발산한다.

$S_{2n-1}=2$, $S_{2n}=2-\dfrac{n+2}{n+1}$이므로

$\lim\limits_{n\to\infty}S_{2n-1}=2$

$\lim\limits_{n\to\infty}S_{2n}=\lim\limits_{n\to\infty}\left(2-\dfrac{n+2}{n+1}\right)=2-1=1$

즉, $\lim\limits_{n\to\infty}S_{2n-1}\neq\lim\limits_{n\to\infty}S_{2n}$이므로 주어진 급수는 발산한다.

ㄹ은 수렴한다.

$S_{2n-1}=-1$, $S_{2n}=-1+\dfrac{1}{2n+1}$이므로

$\lim\limits_{n\to\infty}S_{2n-1}=-1$

$\lim\limits_{n\to\infty}S_{2n}=\lim\limits_{n\to\infty}\left(-1+\dfrac{1}{2n+1}\right)=-1+0=-1$

즉, $\lim\limits_{n\to\infty}S_{2n-1}=\lim\limits_{n\to\infty}S_{2n}=-1$이므로 주어진 급수는 -1에 수렴한다.

따라서 수렴하는 것은 ㄱ, ㄹ이다.

답 ②

풍쌤 비법

항의 부호가 교대로 변하는 급수는 홀수 번째 항까지의 부분합 S_{2n-1}과 짝수 번째 항까지의 부분합 S_{2n}의 극한값을 구하여 다음과 같이 수렴, 발산을 조사한다.

(1) $\lim\limits_{n\to\infty}S_{2n-1}=\lim\limits_{n\to\infty}S_{2n}=\alpha$ (α는 실수)이면 급수는 α에 수렴한다.

즉, 급수의 합은 α이다.

(2) $\lim\limits_{n\to\infty}S_{2n-1}\neq\lim\limits_{n\to\infty}S_{2n}$이면 급수는 발산한다.

참고

항의 부호가 교대로 변하는 급수에서 괄호가 있는 경우와 없는 경우는 그 결과가 다르므로 잘 확인해야 한다.

예를 들어, ㄷ의 급수가

$\left(2-\dfrac{3}{2}\right)+\left(\dfrac{3}{2}-\dfrac{4}{3}\right)+\left(\dfrac{4}{3}-\dfrac{5}{4}\right)+\cdots$

와 같이 주어진 경우는 급수의 제n항까지의 부분합 S_n이

$S_n=\left(2-\dfrac{3}{2}\right)+\left(\dfrac{3}{2}-\dfrac{4}{3}\right)+\left(\dfrac{4}{3}-\dfrac{5}{4}\right)+\cdots+\left(\dfrac{n+1}{n}-\dfrac{n+2}{n+1}\right)$

$=2-\dfrac{n+2}{n+1}$

이므로

$\lim\limits_{n\to\infty}S_n=\lim\limits_{n\to\infty}\left(2-\dfrac{n+2}{n+1}\right)=2-1=1$

즉, 주어진 급수는 1에 수렴한다.

096

두 함수 $f(x)=x^2-(n+1)x+n^2$, $g(x)=(n+1)x-2n$의 그래프의 두 교점의 x좌표는 이차방정식

$x^2-(n+1)x+n^2=(n+1)x-2n$

의 두 근이다. 즉, a_n, b_n은 이차방정식

$x^2-2(n+1)x+n^2+2n=0$

의 두 근이므로 이차방정식의 근과 계수의 관계에 의하여

$a_nb_n=n^2+2n=n(n+2)$

$\therefore \displaystyle\sum_{n=1}^{\infty}\dfrac{20}{a_nb_n}=\sum_{n=1}^{\infty}\dfrac{20}{n(n+2)}$

$=10\displaystyle\sum_{n=1}^{\infty}\left(\dfrac{1}{n}-\dfrac{1}{n+2}\right)$

$=10\lim\limits_{n\to\infty}\displaystyle\sum_{k=1}^{n}\left(\dfrac{1}{k}-\dfrac{1}{k+2}\right)$

$=10\lim\limits_{n\to\infty}\left\{\left(1-\dfrac{1}{3}\right)+\left(\dfrac{1}{2}-\dfrac{1}{4}\right)+\left(\dfrac{1}{3}-\dfrac{1}{5}\right)+\cdots\right.$

$\left.+\left(\dfrac{1}{n-1}-\dfrac{1}{n+1}\right)+\left(\dfrac{1}{n}-\dfrac{1}{n+2}\right)\right\}$

$=10\lim\limits_{n\to\infty}\left(1+\dfrac{1}{2}-\dfrac{1}{n+1}-\dfrac{1}{n+2}\right)$

$=10\left(1+\dfrac{1}{2}\right)=15$

답 ④

참고

이차방정식의 근과 계수의 관계

이차방정식 $ax^2+bx+c=0$의 두 근을 α, β라고 하면

$\alpha+\beta=-\dfrac{b}{a}$, $\alpha\beta=\dfrac{c}{a}$

097

$\displaystyle\sum_{n=1}^{\infty}\dfrac{a_{n+2}-a_n}{a_na_{n+2}}$

$=\displaystyle\sum_{n=1}^{\infty}\left(\dfrac{1}{a_n}-\dfrac{1}{a_{n+2}}\right)=\lim\limits_{n\to\infty}\displaystyle\sum_{k=1}^{n}\left(\dfrac{1}{a_k}-\dfrac{1}{a_{k+2}}\right)$

$=\lim\limits_{n\to\infty}\left\{\left(\dfrac{1}{a_1}-\dfrac{1}{a_3}\right)+\left(\dfrac{1}{a_2}-\dfrac{1}{a_4}\right)+\left(\dfrac{1}{a_3}-\dfrac{1}{a_5}\right)+\cdots\right.$

$\left.+\left(\dfrac{1}{a_{n-1}}-\dfrac{1}{a_{n+1}}\right)+\left(\dfrac{1}{a_n}-\dfrac{1}{a_{n+2}}\right)\right\}$

$=\lim\limits_{n\to\infty}\left(\dfrac{1}{a_1}+\dfrac{1}{a_2}-\dfrac{1}{a_{n+1}}-\dfrac{1}{a_{n+2}}\right)$

$=\lim\limits_{n\to\infty}\left(\dfrac{1}{2}+\dfrac{1}{5}-\dfrac{1}{a_{n+1}}-\dfrac{1}{a_{n+2}}\right)$

이때 $\lim\limits_{n\to\infty}a_{n+1}=\lim\limits_{n\to\infty}a_{n+2}=\lim\limits_{n\to\infty}a_n=\dfrac{4}{5}$이므로

$\lim\limits_{n\to\infty}\dfrac{1}{a_{n+1}}=\lim\limits_{n\to\infty}\dfrac{1}{a_{n+2}}=\dfrac{5}{4}$

$\therefore \displaystyle\sum_{n=1}^{\infty}\dfrac{a_{n+2}-a_n}{a_na_{n+2}}=\lim\limits_{n\to\infty}\left(\dfrac{1}{2}+\dfrac{1}{5}-\dfrac{1}{a_{n+1}}-\dfrac{1}{a_{n+2}}\right)$

$=\dfrac{1}{2}+\dfrac{1}{5}-\dfrac{5}{4}-\dfrac{5}{4}=-\dfrac{9}{5}$

답 ③

098

$a_{n+1}=a_{n+2}-a_n$에서

$a_n=a_{n+2}-a_{n+1}$

이므로

$\displaystyle\sum_{n=1}^{\infty}\frac{a_n}{a_{n+1}a_{n+2}}$

$\displaystyle=\sum_{n=1}^{\infty}\frac{a_{n+2}-a_{n+1}}{a_{n+1}a_{n+2}}=\sum_{n=1}^{\infty}\left(\frac{1}{a_{n+1}}-\frac{1}{a_{n+2}}\right)$

$\displaystyle=\lim_{n\to\infty}\sum_{k=1}^{n}\left(\frac{1}{a_{k+1}}-\frac{1}{a_{k+2}}\right)$

$\displaystyle=\lim_{n\to\infty}\left\{\left(\frac{1}{a_2}-\frac{1}{a_3}\right)+\left(\frac{1}{a_3}-\frac{1}{a_4}\right)+\left(\frac{1}{a_4}-\frac{1}{a_5}\right)+\cdots\right.$

$\displaystyle\left.+\left(\frac{1}{a_{n+1}}-\frac{1}{a_{n+2}}\right)\right\}$

$\displaystyle=\lim_{n\to\infty}\left(\frac{1}{a_2}-\frac{1}{a_{n+2}}\right)$

이때 $a_1=1$, $a_2=2$이고 $a_{n+2}=a_n+a_{n+1}$이므로

$a_3=1+2=3$, $a_4=2+3=5$, $a_5=3+5=8$, $\cdots$

따라서 $\displaystyle\lim_{n\to\infty}a_n=\infty$이므로

$\displaystyle\lim_{n\to\infty}\frac{1}{a_{n+2}}=\lim_{n\to\infty}\frac{1}{a_n}=0$

$\displaystyle\therefore\sum_{n=1}^{\infty}\frac{a_n}{a_{n+1}a_{n+2}}=\lim_{n\to\infty}\left(\frac{1}{a_2}-\frac{1}{a_{n+2}}\right)=\frac{1}{a_2}=\frac{1}{2}$

답 $\dfrac{1}{2}$

099

$S_n=\dfrac{4n}{n+2}$이므로

(ⅰ) $n\geq2$일 때

$a_n=S_n-S_{n-1}=\dfrac{4n}{n+2}-\dfrac{4n-4}{n+1}$

$=\dfrac{8}{(n+1)(n+2)}$ ...... ㉠

(ⅱ) $n=1$일 때

$a_1=S_1=\dfrac{4}{3}$

이것은 ㉠에 $n=1$을 대입한 것과 같다.

(ⅰ), (ⅱ)에서

$a_n=\dfrac{8}{(n+1)(n+2)}$ $(n\geq1)$

$\displaystyle\therefore\sum_{n=1}^{\infty}(a_n+a_{n+1})$

$\displaystyle=\sum_{n=1}^{\infty}\left\{\frac{8}{(n+1)(n+2)}+\frac{8}{(n+2)(n+3)}\right\}$

$\displaystyle=8\sum_{n=1}^{\infty}\left\{\left(\frac{1}{n+1}-\frac{1}{n+2}\right)+\left(\frac{1}{n+2}-\frac{1}{n+3}\right)\right\}$

$\displaystyle=8\sum_{n=1}^{\infty}\left(\frac{1}{n+1}-\frac{1}{n+3}\right)$

$\displaystyle=8\lim_{n\to\infty}\sum_{k=1}^{n}\left(\frac{1}{k+1}-\frac{1}{k+3}\right)$

$\displaystyle=8\lim_{n\to\infty}\left\{\left(\frac{1}{2}-\frac{1}{4}\right)+\left(\frac{1}{3}-\frac{1}{5}\right)+\left(\frac{1}{4}-\frac{1}{6}\right)+\cdots\right.$

$\displaystyle\left.+\left(\frac{1}{n}-\frac{1}{n+2}\right)+\left(\frac{1}{n+1}-\frac{1}{n+3}\right)\right\}$

$\displaystyle=8\lim_{n\to\infty}\left(\frac{1}{2}+\frac{1}{3}-\frac{1}{n+2}-\frac{1}{n+3}\right)$

$\displaystyle=8\left(\frac{1}{2}+\frac{1}{3}\right)=\frac{20}{3}$

답 $\dfrac{20}{3}$

다른 풀이

a_n+a_{n+1}을 다음과 같이 구할 수도 있다.

$n\geq2$일 때

$a_n+a_{n+1}=(S_n-S_{n-1})+(S_{n+1}-S_n)$

$=S_{n+1}-S_{n-1}$

$=\dfrac{4n+4}{n+3}-\dfrac{4n-4}{n+1}$

$=\left(4-\dfrac{8}{n+3}\right)-\left(4-\dfrac{8}{n+1}\right)$

$=8\left(\dfrac{1}{n+1}-\dfrac{1}{n+3}\right)$ ...... ㉠

이때 $a_1+a_2=S_2=2$이고 이것은 ㉠에 $n=1$을 대입한 것과 같으므로 $a_n+a_{n+1}=8\left(\dfrac{1}{n+1}-\dfrac{1}{n+3}\right)$

간단 풀이

$\displaystyle\lim_{n\to\infty}S_n=\lim_{n\to\infty}\frac{4n}{n+2}=4$이므로 $\displaystyle\lim_{n\to\infty}S_{n+1}=\lim_{n\to\infty}S_n=4$

$\displaystyle\therefore\sum_{n=1}^{\infty}(a_n+a_{n+1})=\lim_{n\to\infty}\sum_{k=1}^{n}(a_k+a_{k+1})$

$\displaystyle=\lim_{n\to\infty}\left(\sum_{k=1}^{n}a_k+\sum_{k=1}^{n}a_{k+1}\right)$

$\displaystyle=\lim_{n\to\infty}(S_n+S_{n+1}-a_1)$

$\displaystyle=4+4-\frac{4}{3}=\frac{20}{3}\left(\because a_1=S_1=\frac{4}{3}\right)$

100

$a_n=\dfrac{1}{n+2}$, $b_n=\dfrac{1+(-1)^n}{n+4}$이므로 두 수열 $\{a_n\}$, $\{b_n\}$의 각 항을 나열하면

$\{a_n\}$: $\dfrac{1}{3}$, $\dfrac{1}{4}$, $\dfrac{1}{5}$, $\dfrac{1}{6}$, $\dfrac{1}{7}$, $\dfrac{1}{8}$, $\cdots$

$\{b_n\}$: 0, $\dfrac{1}{3}$, 0, $\dfrac{1}{4}$, 0, $\dfrac{1}{5}$, $\cdots$

따라서 수열 $\{a_nb_n\}$의 각 항은

0, $\dfrac{1}{4}\times\dfrac{1}{3}$, 0, $\dfrac{1}{6}\times\dfrac{1}{4}$, 0, $\dfrac{1}{8}\times\dfrac{1}{5}$, $\cdots$

이므로

$\displaystyle\sum_{n=1}^{\infty}a_nb_n=0+\frac{1}{4}\times\frac{1}{3}+0+\frac{1}{6}\times\frac{1}{4}+0+\frac{1}{8}\times\frac{1}{5}+\cdots$

$\displaystyle=\frac{1}{4}\times\frac{1}{3}+\frac{1}{6}\times\frac{1}{4}+\frac{1}{8}\times\frac{1}{5}+\cdots$

$\displaystyle=\sum_{n=1}^{\infty}\left(\frac{1}{2n+2}\times\frac{1}{n+2}\right)$

$\displaystyle=\frac{1}{2}\sum_{n=1}^{\infty}\frac{1}{(n+1)(n+2)}$

$\displaystyle=\frac{1}{2}\sum_{n=1}^{\infty}\left(\frac{1}{n+1}-\frac{1}{n+2}\right)$

$\displaystyle=\frac{1}{2}\lim_{n\to\infty}\sum_{k=1}^{n}\left(\frac{1}{k+1}-\frac{1}{k+2}\right)$

$\displaystyle=\frac{1}{2}\lim_{n\to\infty}\left\{\left(\frac{1}{2}-\frac{1}{3}\right)+\left(\frac{1}{3}-\frac{1}{4}\right)+\left(\frac{1}{4}-\frac{1}{5}\right)+\cdots\right.$

$\displaystyle\left.+\left(\frac{1}{n+1}-\frac{1}{n+2}\right)\right\}$

$\displaystyle=\frac{1}{2}\lim_{n\to\infty}\left(\frac{1}{2}-\frac{1}{n+2}\right)=\frac{1}{4}$

답 $\dfrac{1}{4}$

101

조건 ㈎에서 $\log a_n + \log a_{n+1} + \log b_n = 0$이므로

$\log a_n a_{n+1} b_n = 0$ ∴ $a_n a_{n+1} b_n = 1$

$$\therefore b_n = \frac{1}{a_n a_{n+1}} \ (\because a_n a_{n+1} \neq 0)$$

$$= \frac{1}{a_{n+1} - a_n} \left(\frac{1}{a_n} - \frac{1}{a_{n+1}} \right)$$

<u>등차수열 $\{a_n\}$의 공차가 3이므로</u>

$$= \frac{1}{3} \left(\frac{1}{a_n} - \frac{1}{a_{n+1}} \right) \quad a_{n+1} - a_n = 3$$

$$\therefore \sum_{n=1}^{\infty} b_n = \sum_{n=1}^{\infty} \frac{1}{3} \left(\frac{1}{a_n} - \frac{1}{a_{n+1}} \right)$$

$$= \frac{1}{3} \lim_{n \to \infty} \sum_{k=1}^{n} \left(\frac{1}{a_k} - \frac{1}{a_{k+1}} \right)$$

$$= \frac{1}{3} \lim_{n \to \infty} \left\{ \left(\frac{1}{a_1} - \frac{1}{a_2} \right) + \left(\frac{1}{a_2} - \frac{1}{a_3} \right) + \left(\frac{1}{a_3} - \frac{1}{a_4} \right) + \cdots \right.$$
$$\left. + \left(\frac{1}{a_n} - \frac{1}{a_{n+1}} \right) \right\}$$

$$= \frac{1}{3} \lim_{n \to \infty} \left(\frac{1}{a_1} - \frac{1}{a_{n+1}} \right)$$

<u>수열 $\{a_n\}$의 공차가 3이므로</u>

$$= \frac{1}{3} \lim_{n \to \infty} \left(\frac{1}{a_1} - \frac{1}{3n + a_1} \right) \quad a_{n+1} = a_1 + \{(n+1) - 1\} \times 3$$
$$= 3n + a_1$$

$$= \frac{1}{3a_1}$$

이때 조건 ㈏에서 $\sum_{n=1}^{\infty} b_n = \frac{1}{12}$이므로

$\frac{1}{3a_1} = \frac{1}{12}$ ∴ $a_1 = 4$

답 ⑤

102

오른쪽 그림과 같이 점 B_n에서 x축에 내린 수선의 발을 H_n이라고 하면

$$S_n = \frac{1}{2} \times \overline{OA_n} \times \overline{B_n H_n}$$

$$= \frac{1}{2} \times \frac{10}{n+2} \times \frac{20}{n+3}$$

$$= \frac{100}{(n+2)(n+3)}$$

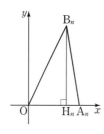

$S_n < 1$에서

$\frac{100}{(n+2)(n+3)} < 1$ ∴ $(n+2)(n+3) > 100$

이때

$n = 7$이면 $(7+2)(7+3) = 90 < 100$

$n = 8$이면 $(8+2)(8+3) = 110 > 100$

이므로 $S_n < 1$을 만족시키는 n의 최솟값은 8이다.

즉, $m = 8$이므로

$$\sum_{n=m}^{\infty} S_n = \sum_{n=8}^{\infty} \frac{100}{(n+2)(n+3)}$$

$$= 100 \sum_{n=8}^{\infty} \left(\frac{1}{n+2} - \frac{1}{n+3} \right)$$

$$= 100 \lim_{n \to \infty} \sum_{k=8}^{n} \left(\frac{1}{k+2} - \frac{1}{k+3} \right)$$

$$= 100 \lim_{n \to \infty} \left\{ \left(\frac{1}{10} - \frac{1}{11} \right) + \left(\frac{1}{11} - \frac{1}{12} \right) + \left(\frac{1}{12} - \frac{1}{13} \right) \right.$$
$$\left. + \cdots + \left(\frac{1}{n+2} - \frac{1}{n+3} \right) \right\}$$

$$= 100 \lim_{n \to \infty} \left(\frac{1}{10} - \frac{1}{n+3} \right) = 100 \times \frac{1}{10} = 10$$

답 ②

103

▶ 접근

$n = \frac{3n}{3}$, $n+1 = \frac{3n+3}{3}$임을 이용하여 자연수 n과 $n+1$ 사이의 유리수 중 3을 분모로 하는 기약분수를 구한다.

$n = \frac{3n}{3}$, $n+1 = \frac{3n+3}{3}$이므로 자연수 n과 $n+1$ 사이의 유리수 중 3을 분모로 하는 기약분수는 $\frac{3n+1}{3}$, $\frac{3n+2}{3}$이다.

$$\therefore a_n = \frac{3n+1}{3} + \frac{3n+2}{3}$$

$$= \frac{6n+3}{3} = 2n+1$$

$$\therefore \sum_{n=1}^{\infty} \frac{1}{a_n a_{n+1}} = \sum_{n=1}^{\infty} \frac{1}{(2n+1)(2n+3)}$$

$$= \frac{1}{2} \sum_{n=1}^{\infty} \left(\frac{1}{2n+1} - \frac{1}{2n+3} \right)$$

$$= \frac{1}{2} \lim_{n \to \infty} \sum_{k=1}^{n} \left(\frac{1}{2k+1} - \frac{1}{2k+3} \right)$$

$$= \frac{1}{2} \lim_{n \to \infty} \left\{ \left(\frac{1}{3} - \frac{1}{5} \right) + \left(\frac{1}{5} - \frac{1}{7} \right) + \left(\frac{1}{7} - \frac{1}{9} \right) + \cdots \right.$$
$$\left. + \left(\frac{1}{2n+1} - \frac{1}{2n+3} \right) \right\}$$

$$= \frac{1}{2} \lim_{n \to \infty} \left(\frac{1}{3} - \frac{1}{2n+3} \right)$$

$$= \frac{1}{2} \times \frac{1}{3} = \frac{1}{6}$$

답 ①

104

곡선 $y = \sqrt{3x}$ 위의 점 중에서 x좌표와 y좌표가 모두 자연수이려면 자연수 n에 대하여 $x = 3n^2$이어야 한다.

∴ $a_n = 3n^2$, $b_n = 3n$

$$\therefore \sum_{n=2}^{\infty} \frac{1}{a_n - b_n}$$

$$= \sum_{n=2}^{\infty} \frac{1}{3n^2 - 3n} = \frac{1}{3} \sum_{n=2}^{\infty} \frac{1}{n(n-1)}$$

$$= \frac{1}{3} \sum_{n=2}^{\infty} \left(\frac{1}{n-1} - \frac{1}{n} \right) = \frac{1}{3} \lim_{n \to \infty} \sum_{k=2}^{n} \left(\frac{1}{k-1} - \frac{1}{k} \right)$$

$$= \frac{1}{3} \lim_{n \to \infty} \left\{ \left(1 - \frac{1}{2} \right) + \left(\frac{1}{2} - \frac{1}{3} \right) + \left(\frac{1}{3} - \frac{1}{4} \right) + \cdots + \left(\frac{1}{n-1} - \frac{1}{n} \right) \right\}$$

$$= \frac{1}{3} \lim_{n \to \infty} \left(1 - \frac{1}{n} \right) = \frac{1}{3}$$

답 $\frac{1}{3}$

105

$S_n = An^2 + Bn$ (A, B는 상수, $A \neq 0$)이라고 하면

$\lim_{n \to \infty} \frac{S_n}{n^2 - 1} = 1$에서

$$\lim_{n \to \infty} \frac{S_n}{n^2 - 1} = \lim_{n \to \infty} \frac{An^2 + Bn}{n^2 - 1} = \lim_{n \to \infty} \frac{A + \frac{B}{n}}{1 - \frac{1}{n^2}} = A$$

<u>분모, 분자를 n^2으로 나눈다.</u>

이므로 $A = 1$

$\lim_{n \to \infty} (\sqrt{S_n} - n) = \frac{3}{2}$에서

$$\lim_{n\to\infty}(\sqrt{n^2+Bn}-n)=\lim_{n\to\infty}\frac{(\sqrt{n^2+Bn}-n)(\sqrt{n^2+Bn}+n)}{\sqrt{n^2+Bn}+n}$$

분모를 1로 놓고 분자를 유리화 한다.

$$=\lim_{n\to\infty}\frac{Bn}{\sqrt{n^2+Bn}+n}$$

분모, 분자를 n, 즉 $\sqrt{n^2}$으로 나눈다.

$$=\lim_{n\to\infty}\frac{B}{\sqrt{1+\dfrac{B}{n}}+1}=\frac{B}{2}$$

이므로

$$\frac{B}{2}=\frac{3}{2} \qquad \therefore B=3$$

$$\therefore S_n=n^2+3n$$

(ⅰ) $n\geq2$일 때

$$a_n=S_n-S_{n-1}$$
$$=n^2+3n-\{(n-1)^2+3(n-1)\}$$
$$=2n+2 \qquad\cdots\cdots\ \text{㉠}$$

(ⅱ) $n=1$일 때

$$a_1=S_1=4$$

이것은 ㉠에 $n=1$을 대입하여 얻은 것과 같다.

(ⅰ), (ⅱ)에서 $a_n=2n+2$

$$\therefore \sum_{n=1}^{\infty}\frac{2n}{a_nS_n}$$
$$=\sum_{n=1}^{\infty}\frac{2n}{(2n+2)(n^2+3n)}=\sum_{n=1}^{n}\frac{1}{(n+1)(n+3)}$$
$$=\frac{1}{2}\sum_{n=1}^{\infty}\left(\frac{1}{n+1}-\frac{1}{n+3}\right)=\frac{1}{2}\lim_{n\to\infty}\sum_{k=1}^{n}\left(\frac{1}{k+1}-\frac{1}{k+3}\right)$$
$$=\frac{1}{2}\lim_{n\to\infty}\left\{\left(\frac{1}{2}-\frac{1}{4}\right)+\left(\frac{1}{3}-\frac{1}{5}\right)+\left(\frac{1}{4}-\frac{1}{6}\right)+\cdots\right.$$
$$\left.+\left(\frac{1}{n}-\frac{1}{n+2}\right)+\left(\frac{1}{n+1}-\frac{1}{n+3}\right)\right\}$$
$$=\frac{1}{2}\lim_{n\to\infty}\left(\frac{1}{2}+\frac{1}{3}-\frac{1}{n+2}-\frac{1}{n+3}\right)$$
$$=\frac{1}{2}\left(\frac{1}{2}+\frac{1}{3}\right)=\frac{5}{12}$$

답 ⑤

참고

첫째항이 a, 공차가 d인 등차수열 $\{a_n\}$의 첫째항부터 제n항까지의 합을 S_n이라고 하면

$$S_n=\frac{n\{2a+(n-1)d\}}{2}=\frac{d}{2}n^2+\frac{2a-d}{2}n$$

이므로 S_n은 An^2+Bn (A, B는 상수) 꼴이다.
한편, 수열 $\{a_n\}$의 첫째항부터 제n항까지의 합 S_n이
$S_n=An^2+Bn+C$ (A, B, C는 상수)일 때,
$C=0$이면 수열 $\{a_n\}$은 첫째항부터 등차수열을 이루고
$C\neq0$이면 수열 $\{a_n\}$은 둘째항부터 등차수열을 이룬다.

106

급수 $\sum\limits_{n=1}^{\infty}\left(\dfrac{a_n}{n^2}+\dfrac{3^{n-1}-5^n}{5^{n+1}+2}\right)$이 수렴하므로

$$\lim_{n\to\infty}\left(\frac{a_n}{n^2}+\frac{3^{n-1}-5^n}{5^{n+1}+2}\right)=0$$

$\dfrac{a_n}{n^2}+\dfrac{3^{n-1}-5^n}{5^{n+1}+2}=b_n$이라고 하면 $\lim\limits_{n\to\infty}b_n=0$이고

$\dfrac{a_n}{n^2}=b_n-\dfrac{3^{n-1}-5^n}{5^{n+1}+2}$이므로

$$\lim_{n\to\infty}\frac{a_n}{n^2}=\lim_{n\to\infty}\left(b_n-\frac{3^{n-1}-5^n}{5^{n+1}+2}\right)$$
$$=\lim_{n\to\infty}b_n-\lim_{n\to\infty}\frac{3^{n-1}-5^n}{5^{n+1}+2}$$

분모, 분자를 5^n으로 나눈다.

$$=\lim_{n\to\infty}b_n-\lim_{n\to\infty}\frac{\dfrac{1}{3}\times\left(\dfrac{3}{5}\right)^n-1}{5+\dfrac{2}{5^n}}$$
$$=0+\frac{1}{5}=\frac{1}{5}$$

$$\therefore \lim_{n\to\infty}\frac{4n^2+a_n}{5n^2+3n}=\lim_{n\to\infty}\frac{4+\dfrac{a_n}{n^2}}{5+\dfrac{3}{n}}=\frac{4+\dfrac{1}{5}}{5}=\frac{21}{25}$$

분모, 분자를 n^2으로 나눈다.

답 $\dfrac{21}{25}$

107

$\sum\limits_{n=1}^{\infty}a_n=k$이므로

$$\lim_{n\to\infty}a_n=0,\ \lim_{n\to\infty}S_{2n+1}=\lim_{n\to\infty}S_n=k$$

$S_{2n+1}+2S_n=a_n+\dfrac{n^2+2n}{2n^2+1}$에서

$$\lim_{n\to\infty}(S_{2n+1}+2S_n)=\lim_{n\to\infty}\left(a_n+\frac{n^2+2n}{2n^2+1}\right)$$

이때

$$\lim_{n\to\infty}(S_{2n+1}+2S_n)=\lim_{n\to\infty}S_{2n+1}+2\lim_{n\to\infty}S_n$$
$$=k+2k=3k$$
$$\lim_{n\to\infty}\left(a_n+\frac{n^2+2n}{2n^2+1}\right)=\lim_{n\to\infty}a_n+\lim_{n\to\infty}\frac{n^2+2n}{2n^2+1}$$

분모, 분자를 n^2으로 나눈다.

$$=0+\lim_{n\to\infty}\frac{1+\dfrac{2}{n}}{2+\dfrac{1}{n^2}}=\frac{1}{2}$$

이므로 $3k=\dfrac{1}{2}$ $\qquad\therefore k=\dfrac{1}{6}$

$$\therefore 150k=150\times\frac{1}{6}=25$$

답 25

108

조건 ㈎에 의하여 $\lim\limits_{n\to\infty}(a_n+b_n)=0$ $\qquad\cdots\cdots\ \text{㉠}$

조건 ㈏에서 $\dfrac{2+2n^2}{3n^2+3}<b_n<\dfrac{3+2n^2}{3n^2+3}$이므로

이때

$$\lim_{n\to\infty}\frac{2+2n^2}{3n^2+3}=\lim_{n\to\infty}\frac{\dfrac{2}{n^2}+2}{3+\dfrac{3}{n^2}}=\frac{2}{3},$$

분모, 분자를 n^2으로 나눈다.

$$\lim_{n\to\infty}\frac{3+2n^2}{3n^2+3}=\lim_{n\to\infty}\frac{\dfrac{3}{n^2}+2}{3+\dfrac{3}{n^2}}=\frac{2}{3}$$

이므로 수열의 극한값의 대소 관계에 의하여

$$\lim_{n\to\infty}b_n=\frac{2}{3}$$

㉠에서 $a_n+b_n=c_n$이라고 하면 $\lim\limits_{n\to\infty}c_n=0$이고

$a_n=c_n-b_n$이므로

$$\lim_{n\to\infty}a_n=\lim_{n\to\infty}(c_n-b_n)=\lim_{n\to\infty}c_n-\lim_{n\to\infty}b_n=-\frac{2}{3}$$

$$\therefore \lim_{n\to\infty}(a_n{}^2+b_n{}^2)=\left(\lim_{n\to\infty}a_n\right)^2+\left(\lim_{n\to\infty}b_n\right)^2$$
$$=\left(-\frac{2}{3}\right)^2+\left(\frac{2}{3}\right)^2=\frac{8}{9}$$

답 ④

109

조건 ㈎에서 $2n^2+3<(1+2+3+\cdots+n)a_n$이므로

$$2n^2+3<\frac{n(n+1)}{2}a_n$$

$$\therefore a_n>\frac{4n^2+6}{n^2+n}\left(\because \frac{n(n+1)}{2}>0\right) \qquad\cdots\cdots\text{㉠}$$

조건 ㈏에서 $b_n<10-2a_n$이므로

$$2a_n<10-b_n \qquad \therefore a_n<5-\frac{b_n}{2} \qquad\cdots\cdots\text{㉡}$$

㉠, ㉡에서 $\dfrac{4n^2+6}{n^2+n}<a_n<5-\dfrac{b_n}{2}$

이때

$$\lim_{n\to\infty}\frac{4n^2+6}{n^2+n}=\lim_{n\to\infty}\frac{4+\dfrac{6}{n^2}}{1+\dfrac{1}{n}}=4,$$
└ 분모, 분자를 n^2으로 나눈다. 조건 ㈐에 의하여 $\lim\limits_{n\to\infty}(b_n-2)=0$이므로 $\lim\limits_{n\to\infty}b_n=2$

$$\lim_{n\to\infty}\left(5-\frac{b_n}{2}\right)=\lim_{n\to\infty}5-\frac{1}{2}\lim_{n\to\infty}b_n=5-\frac{1}{2}\times2=4$$

이므로 수열의 극한값의 대소 관계에 의하여

$$\lim_{n\to\infty}a_n=4$$

답 ③

110

> ▶ 접근
>
> 급수 $\sum\limits_{n=1}^{\infty}A_n$이 수렴하면 $\lim\limits_{n\to\infty}A_n=0$임을 이용하여 식을 세워 두 식에서 나오는 $\lim\limits_{n\to\infty}a_n$의 값이 서로 같음을 이용한다.

두 급수 $\sum\limits_{n=1}^{\infty}\left(na_n-\dfrac{4n^2+1}{n+1}\right)$과 $\sum\limits_{n=1}^{\infty}\left(\dfrac{1}{2}a_n-\dfrac{an^2+bn}{n+5}\right)$이 모두 수렴하므로

$$\lim_{n\to\infty}\left(na_n-\frac{4n^2+1}{n+1}\right)=0 \qquad\cdots\cdots\text{㉠}$$
$$\lim_{n\to\infty}\left(\frac{1}{2}a_n-\frac{an^2+bn}{n+5}\right)=0 \qquad\cdots\cdots\text{㉡}$$

㉠에서 $na_n-\dfrac{4n^2+1}{n+1}=c_n$이라고 하면 $\lim\limits_{n\to\infty}c_n=0$이고

$a_n=\dfrac{c_n}{n}+\dfrac{4n^2+1}{n^2+n}$이므로

$$\lim_{n\to\infty}a_n=\lim_{n\to\infty}\left(\frac{c_n}{n}+\frac{4n^2+1}{n^2+n}\right)=\lim_{n\to\infty}\frac{4n^2+1}{n^2+n}$$
└ 분모, 분자를 n^2으로 나눈다.
$$=\lim_{n\to\infty}\frac{4+\dfrac{1}{n^2}}{1+\dfrac{1}{n}}=4$$

㉡에서 $\dfrac{1}{2}a_n-\dfrac{an^2+bn}{n+5}=d_n$이라고 하면 $\lim\limits_{n\to\infty}d_n=0$이고

$a_n=2d_n+\dfrac{2an^2+2bn}{n+5}$이므로

$$\lim_{n\to\infty}a_n=\lim_{n\to\infty}\left(2d_n+\frac{2an^2+2bn}{n+5}\right)=\lim_{n\to\infty}\frac{2an^2+2bn}{n+5}$$

이때 $\lim\limits_{n\to\infty}a_n=4$이므로

$$\lim_{n\to\infty}\frac{2an^2+2bn}{n+5}=4 \qquad\cdots\cdots\text{㉢}$$

㉢에서 극한값이 존재하므로 $a=0$

즉, $\lim\limits_{n\to\infty}\dfrac{2an^2+2bn}{n+5}=\lim\limits_{n\to\infty}\dfrac{2bn}{n+5}=\lim\limits_{n\to\infty}\dfrac{2b}{1+\dfrac{5}{n}}=2b$이므로
└ 분모, 분자를 n으로 나눈다.

$2b=4 \qquad \therefore b=2$

$\therefore a-b=0-2=-2$

답 ①

111

ㄱ은 옳다.

$\sum\limits_{n=1}^{\infty}(a_n-3)=\sum\limits_{n=1}^{\infty}(b_n+1)=5$이므로

$$\lim_{n\to\infty}(a_n-3)=0, \lim_{n\to\infty}(b_n+1)=0$$
$$\lim_{n\to\infty}a_n=3, \lim_{n\to\infty}b_n=-1$$
$$\therefore \lim_{n\to\infty}a_n>\lim_{n\to\infty}b_n$$

ㄴ은 옳지 않다.

ㄱ에서 $\lim\limits_{n\to\infty}a_n=3$, $\lim\limits_{n\to\infty}b_n=-1$이므로

$$\lim_{n\to\infty}(a_n-2b_n)=\lim_{n\to\infty}a_n-2\lim_{n\to\infty}b_n$$
$$=3-2\times(-1)=5\neq0$$

따라서 $\sum\limits_{n=1}^{\infty}(a_n-2b_n)$은 발산한다.

ㄷ은 옳다.

$\sum\limits_{n=1}^{\infty}(a_n-3)=5$에서

$$\sum_{n=1}^{\infty}(a_n-3)=\lim_{n\to\infty}\sum_{k=1}^{n}(a_k-3)=\lim_{n\to\infty}\left(\sum_{k=1}^{n}a_k-\sum_{k=1}^{n}3\right)$$
$$=\lim_{n\to\infty}(S_n-3n)$$

이므로 $\lim\limits_{n\to\infty}(S_n-3n)=5$

$$\therefore \lim_{n\to\infty}(S_n-a_n-3n)=\lim_{n\to\infty}(S_n-3n)-\lim_{n\to\infty}a_n$$
$$=5-3=2 \qquad\cdots\cdots\text{㉠}$$

$\sum\limits_{n=1}^{\infty}(b_n+1)=5$에서

$$\sum_{n=1}^{\infty}(b_n+1)=\lim_{n\to\infty}\sum_{k=1}^{n}(b_k+1)=\lim_{n\to\infty}\left(\sum_{k=1}^{n}b_k+\sum_{k=1}^{n}1\right)$$
$$=\lim_{n\to\infty}(T_n+n)$$

이므로 $\lim\limits_{n\to\infty}(T_n+n)=5$

$$\therefore \lim_{n\to\infty}(T_n+3b_n+n)=\lim_{n\to\infty}(T_n+n)+3\lim_{n\to\infty}b_n$$
$$=5-3=2 \qquad\cdots\cdots\text{㉡}$$

㉠, ㉡에서 $\lim\limits_{n\to\infty}(S_n-a_n-3n)=\lim\limits_{n\to\infty}(T_n+3b_n+n)$

따라서 옳은 것은 ㄱ, ㄷ이다.

답 ④

112

주어진 급수가 수렴하므로

$$\lim_{n\to\infty}\left\{\frac{n(1^2+2^2+3^2+\cdots+n^2)}{1^3+2^3+3^3+\cdots+n^3}-\frac{a_n}{3n^2}\right\}=0$$

$\dfrac{n(1^2+2^2+3^2+\cdots+n^2)}{1^3+2^3+3^3+\cdots+n^3}-\dfrac{a_n}{3n^2}=b_n$이라고 하면 $\lim\limits_{n\to\infty}b_n=0$이고

$$\frac{a_n}{3n^2}=\frac{n(1^2+2^2+3^2+\cdots+n^2)}{1^3+2^3+3^3+\cdots+n^3}-b_n$$

$$=\frac{n\times\dfrac{n(n+1)(2n+1)}{6}}{\left\{\dfrac{n(n+1)}{2}\right\}^2}-b_n$$

$$=\frac{4n+2}{3n+3}-b_n$$

이므로

$$\lim_{n\to\infty}\frac{a_n}{3n^2}=\lim_{n\to\infty}\left(\frac{4n+2}{3n+3}-b_n\right)=\lim_{n\to\infty}\frac{4n+2}{3n+3}-\lim_{n\to\infty}b_n$$
$$\underbrace{}_{\text{분모, 분자를 } n\text{으로 나눈다.}}$$

$$=\lim_{n\to\infty}\frac{4+\dfrac{2}{n}}{3+\dfrac{3}{n}}-\lim_{n\to\infty}b_n=\frac{4}{3}$$

$$\therefore \lim_{n\to\infty}\frac{a_n}{n^2}=\lim_{n\to\infty}\left(\frac{a_n}{3n^2}\times3\right)=\frac{4}{3}\times3=4$$

$$\therefore \lim_{n\to\infty}\frac{4n^2+a_n}{5n^2+3n}=\lim_{n\to\infty}\frac{4+\dfrac{a_n}{n^2}}{5+\dfrac{3}{n}}=\frac{4+4}{5}=\frac{8}{5}$$
$$\underbrace{}_{\substack{\text{분모, 분자를}\\ n^2\text{으로 나눈다.}}}$$

답 $\dfrac{8}{5}$

113

$$\sum_{n=1}^{\infty}n^2(a_n-a_{n+1})$$
$$=\lim_{n\to\infty}\sum_{k=1}^{n}k^2(a_k-a_{k+1})$$
$$=\lim_{n\to\infty}\{1^2(a_1-a_2)+2^2(a_2-a_3)+3^2(a_3-a_4)+\cdots$$
$$\qquad\qquad\qquad\qquad\qquad\qquad +n^2(a_n-a_{n+1})\}$$
$$=\lim_{n\to\infty}[(1^2-0^2)a_1+(2^2-1^2)a_2+(3^2-2^2)a_3+\cdots$$
$$\qquad\qquad\qquad\qquad +\{n^2-(n-1)^2\}a_n-n^2a_{n+1}]$$
$$=\sum_{n=1}^{\infty}\{n^2-(n-1)^2\}a_n-\lim_{n\to\infty}n^2a_{n+1}$$
$$=\sum_{n=1}^{\infty}(2n-1)a_n-\lim_{n\to\infty}n^2a_{n+1}$$
$$=2\sum_{n=1}^{\infty}na_n-\sum_{n=1}^{\infty}a_n-\lim_{n\to\infty}n^2a_{n+1}$$
$$=2\times8-5-0=11$$

답 ⑤

114

조건 (나)에서 $3a_n+b_n=\dfrac{4}{n(n+1)}$이므로

$$\sum_{n=1}^{\infty}(3a_n+b_n)$$
$$=\sum_{n=1}^{\infty}\frac{4}{n(n+1)}=4\sum_{n=1}^{\infty}\left(\frac{1}{n}-\frac{1}{n+1}\right)$$
$$=4\lim_{n\to\infty}\sum_{k=1}^{n}\left(\frac{1}{k}-\frac{1}{k+1}\right)$$
$$=4\lim_{n\to\infty}\left\{\left(1-\frac{1}{2}\right)+\left(\frac{1}{2}-\frac{1}{3}\right)+\left(\frac{1}{3}-\frac{1}{4}\right)+\cdots+\left(\frac{1}{n}-\frac{1}{n+1}\right)\right\}$$
$$=4\lim_{n\to\infty}\left(1-\frac{1}{n+1}\right)=4$$

$3a_n+b_n=c_n$이라고 하면 $\sum\limits_{n=1}^{\infty}c_n=4$이므로

$$\sum_{n=1}^{\infty}b_n=\sum_{n=1}^{\infty}(c_n-3a_n)$$
$$=\sum_{n=1}^{\infty}c_n-3\sum_{n=1}^{\infty}a_n$$
$$=4-3\times15=-41\ (\because\text{조건 (가)})$$

답 -41

115

$\sum\limits_{n=1}^{\infty}\log a_n=\alpha,\ \sum\limits_{n=1}^{\infty}\log b_n=\beta\ (\alpha,\ \beta\text{는 상수})$라고 하면

$\sum\limits_{n=1}^{\infty}\log a_nb_n=9$에서

$$\sum_{n=1}^{\infty}(\log a_n+\log b_n)=9,\ \sum_{n=1}^{\infty}\log a_n+\sum_{n=1}^{\infty}\log b_n=9$$

$$\therefore \alpha+\beta=9 \qquad\qquad\qquad\qquad\cdots\cdots\ \bigcirc$$

$\sum\limits_{n=1}^{\infty}\log\dfrac{a_n^3}{b_n}=3$에서

$$\sum_{n=1}^{\infty}(3\log a_n-\log b_n)=3,\ 3\sum_{n=1}^{\infty}\log a_n-\sum_{n=1}^{\infty}\log b_n=3$$

$$\therefore 3\alpha-\beta=3 \qquad\qquad\qquad\qquad\cdots\cdots\ \bigcirc\!\!\!\!\bigcirc$$

$\bigcirc$, $\bigcirc\!\!\!\!\bigcirc$을 연립하여 풀면

$\alpha=3,\ \beta=6$

따라서 $\sum\limits_{n=1}^{\infty}\log a_n=3,\ \sum\limits_{n=1}^{\infty}\log b_n=6$이므로

$$\sum_{n=1}^{\infty}\log a_n^2b_n=\sum_{n=1}^{\infty}(2\log a_n+\log b_n)$$
$$=2\sum_{n=1}^{\infty}\log a_n+\sum_{n=1}^{\infty}\log b_n$$
$$=2\times3+6=12$$

답 12

116

ㄱ은 발산한다.

$\dfrac{3}{4n-1}>\dfrac{3}{4n}=\dfrac{3}{4}\times\dfrac{1}{n}$이고 $\sum\limits_{n=1}^{\infty}\dfrac{1}{n}$이 발산하므로 $\sum\limits_{n=1}^{\infty}\dfrac{3}{4n-1}$도 발산한다.

ㄴ도 발산한다.

$\dfrac{n+3}{n^2}=\dfrac{1}{n}+\dfrac{3}{n^2}>\dfrac{1}{n}$이고 $\sum\limits_{n=1}^{\infty}\dfrac{1}{n}$이 발산하므로 $\sum\limits_{n=1}^{\infty}\dfrac{n+3}{n^2}$도 발산한다.

ㄷ은 수렴한다.

$\sum\limits_{n=1}^{\infty}\dfrac{1}{n^2}=A\ (A\text{는 상수})$라고 하면

$$\sum_{n=1}^{\infty}\frac{1}{(3n)^2}=\sum_{n=1}^{\infty}\frac{1}{9n^2}=\frac{1}{9}\sum_{n=1}^{\infty}\frac{1}{n^2}=\frac{1}{9}A$$

즉, $\sum\limits_{n=1}^{\infty}\dfrac{1}{(3n)^2}$은 수렴한다.

따라서 수렴하는 것은 ㄷ이다.

답 ③

풍쌤 비법

모든 자연수 n에 대하여 $0<a_n\le b_n$일 때, $\sum\limits_{n=1}^{\infty}a_n$이 발산하면 $\sum\limits_{n=1}^{\infty}b_n$도 발산한다.

참고

$\lim\limits_{n\to\infty}\dfrac{1}{n}=0$이지만

$$\sum_{n=1}^{\infty}\frac{1}{n}=1+\frac{1}{2}+\frac{1}{3}+\frac{1}{4}+\frac{1}{5}+\frac{1}{6}+\frac{1}{7}+\frac{1}{8}+\cdots$$
$$=1+\frac{1}{2}+\left(\frac{1}{3}+\frac{1}{4}\right)+\left(\frac{1}{5}+\frac{1}{6}+\frac{1}{7}+\frac{1}{8}\right)+\cdots$$
$$>1+\frac{1}{2}+\left(\frac{1}{4}+\frac{1}{4}\right)+\left(\frac{1}{8}+\frac{1}{8}+\frac{1}{8}+\frac{1}{8}\right)+\cdots$$
$$=1+\frac{1}{2}+\frac{1}{2}+\frac{1}{2}+\cdots=\infty$$

이므로 $\sum\limits_{n=1}^{\infty}\dfrac{1}{n}$은 발산한다.

또, $\lim\limits_{n\to\infty}\dfrac{1}{n^2}=0$이고

$$\sum_{n=1}^{\infty}\frac{1}{n^2}=1+\frac{1}{2^2}+\frac{1}{3^2}+\frac{1}{4^2}+\frac{1}{5^2}+\cdots$$
$$<1+\frac{1}{1\times2}+\frac{1}{2\times3}+\frac{1}{3\times4}+\frac{1}{4\times5}+\cdots$$
$$=1+\sum_{n=1}^{\infty}\frac{1}{n(n+1)}$$
$$=1+\sum_{n=1}^{\infty}\left(\frac{1}{n}-\frac{1}{n+1}\right)$$
$$=1+\left(1-\frac{1}{2}\right)+\left(\frac{1}{2}-\frac{1}{3}\right)+\left(\frac{1}{3}-\frac{1}{4}\right)+\left(\frac{1}{4}-\frac{1}{5}\right)+\cdots$$
$$=2$$

이다. 따라서 $\sum\limits_{n=1}^{\infty}\dfrac{1}{n^2}$은 2보다 작은 어떤 A로 수렴한다.

117

ㄱ은 옳다.

$\sum\limits_{n=1}^{\infty}(a_n+2b_n)=p$, $\sum\limits_{n=1}^{\infty}(2a_n-b_n)=q$ (p, q는 상수)라 하고
$a_n+2b_n=c_n$, $2a_n-b_n=d_n$이라고 하면

$\sum\limits_{n=1}^{\infty}c_n=p$, $\sum\limits_{n=1}^{\infty}d_n=q$이고

$a_n=\dfrac{1}{5}c_n+\dfrac{2}{5}d_n$, $b_n=\dfrac{2}{5}c_n-\dfrac{1}{5}d_n$이므로

$$\sum_{n=1}^{\infty}a_n=\sum_{n=1}^{\infty}\left(\frac{1}{5}c_n+\frac{2}{5}d_n\right)$$
$$=\frac{1}{5}\sum_{n=1}^{\infty}c_n+\frac{2}{5}\sum_{n=1}^{\infty}d_n=\frac{1}{5}p+\frac{2}{5}q$$
$$\sum_{n=1}^{\infty}b_n=\sum_{n=1}^{\infty}\left(\frac{2}{5}c_n-\frac{1}{5}d_n\right)$$
$$=\frac{2}{5}\sum_{n=1}^{\infty}c_n-\frac{1}{5}\sum_{n=1}^{\infty}d_n=\frac{2}{5}p-\frac{1}{5}q$$

따라서 두 급수 $\sum\limits_{n=1}^{\infty}a_n$, $\sum\limits_{n=1}^{\infty}b_n$은 모두 수렴한다.

ㄴ은 옳지 않다.

(반례) $\{a_n\}$: 0, 1, 0, 1, 0, 1, $\cdots$이면
$\{a_{n+1}\}$: 1, 0, 1, 0, 1, 0, $\cdots$이므로

$$\sum_{n=1}^{\infty}a_n a_{n+1}=0+0+0+0+0+0+0+\cdots=0$$

그런데 $\lim\limits_{n\to\infty}a_n\neq0$이므로 $\sum\limits_{n=1}^{\infty}a_n$은 발산한다.

ㄷ은 옳다.

$$\alpha-\beta=\sum_{n=1}^{\infty}a_n-\sum_{n=1}^{\infty}b_n=\sum_{n=1}^{\infty}(a_n-b_n)$$
$$=\lim_{n\to\infty}\sum_{k=1}^{n}(a_k-b_k)<0\ (\because a_n<b_n)$$
$$\therefore \alpha<\beta$$

따라서 옳은 것은 ㄱ, ㄷ이다.

답 ④

118

$$\sum_{n=3}^{15}\frac{k}{n(n-1)}$$
$$=k\sum_{n=3}^{15}\left(\frac{1}{n-1}-\frac{1}{n}\right)$$
$$=k\left\{\left(\frac{1}{2}-\frac{1}{3}\right)+\left(\frac{1}{3}-\frac{1}{4}\right)+\left(\frac{1}{4}-\frac{1}{5}\right)+\cdots+\left(\frac{1}{14}-\frac{1}{15}\right)\right\}$$
$$=k\left(\frac{1}{2}-\frac{1}{15}\right)=\frac{13}{30}k$$

이므로 $\sum\limits_{n=3}^{15}\dfrac{k}{n(n-1)}$의 값이 정수가 되도록 하는 자연수 k의 최솟값은 30이다.

즉, $a=30$이므로

$$\sum_{n=1}^{\infty}\left(\frac{5}{a}\right)^n=\sum_{n=1}^{\infty}\left(\frac{5}{30}\right)^n=\sum_{n=1}^{\infty}\left(\frac{1}{6}\right)^n$$
$$=\frac{\frac{1}{6}}{1-\frac{1}{6}}=\frac{1}{5}$$

답 ④

119

$b_n=9^n a_n$으로 놓고 수열 $\{b_n\}$의 첫째항부터 제n항까지의 합을 S_n이라고 하면 $S_n=5^n-1$

(ⅰ) $n\geq2$일 때

$$b_n=S_n-S_{n-1}=5^n-1-(5^{n-1}-1)$$
$$=5^n-5^{n-1}=4\times5^{n-1} \qquad\cdots\cdots ㉠$$

(ⅱ) $n=1$일 때

$$b_1=S_1=4$$

이것은 ㉠에 $n=1$을 대입하여 얻은 것과 같다.

(ⅰ), (ⅱ)에서 $b_n=4\times5^{n-1}$

따라서 $9^n a_n=4\times5^{n-1}$이므로

$$a_n=\frac{4}{9}\times\left(\frac{5}{9}\right)^{n-1} \qquad \therefore \frac{a_n}{5^n}=\frac{4}{45}\times\left(\frac{1}{9}\right)^{n-1}$$
$$\therefore \sum_{n=1}^{\infty}\frac{a_n}{5^n}=\sum_{n=1}^{\infty}\frac{4}{45}\times\left(\frac{1}{9}\right)^{n-1}$$
$$=\frac{\frac{4}{45}}{1-\frac{1}{9}}=\frac{1}{10}$$

답 ①

120

등비수열 $\{a_n\}$의 첫째항을 a, 공비를 r $(-1<r<1)$라고 하면

$$a_n=a\times r^{n-1}$$

$\left.\begin{array}{l}\sum\limits_{n=1}^{\infty}a_n\text{이 수렴하므로}\\-1<r<1\end{array}\right.$

$\sum\limits_{n=1}^{\infty}a_n=2$에서

$$\frac{a}{1-r}=2$$
$$\therefore a=2-2r \qquad\cdots\cdots ㉠$$

$a_n\times(-2)^n=a\times r^{n-1}\times(-2)^n=-2a\times(-2r)^{n-1}$이므로

$\sum\limits_{n=1}^{\infty}\{a_n\times(-2)^n\}=-2$에서

$$\frac{-2a}{1-(-2r)}=-2$$
$$\therefore a=1+2r \qquad\cdots\cdots ㉡$$

㉠, ㉡을 연립하여 풀면

$$a=\frac{3}{2},\ r=\frac{1}{4}$$

따라서 $a_n=\dfrac{3}{2}\times\left(\dfrac{1}{4}\right)^{n-1}$이므로

$$a_{2n-1}=\frac{3}{2}\times\left(\frac{1}{4}\right)^{2n-2}=\frac{3}{2}\times\left(\frac{1}{16}\right)^{n-1}$$
$$\therefore \sum_{n=1}^{\infty}a_{2n-1}=\sum_{n=1}^{\infty}\frac{3}{2}\times\left(\frac{1}{16}\right)^{n-1}=\frac{\frac{3}{2}}{1-\frac{1}{16}}=\frac{8}{5}$$

답 $\dfrac{8}{5}$

121

$\dfrac{5n^2-1}{n^2+n+2}<\displaystyle\sum_{k=1}^{n}a_k<\dfrac{5n^2-1}{n^2+n}$ 에서

$\displaystyle\lim_{n\to\infty}\dfrac{5n^2-1}{n^2+n+2}=\lim_{n\to\infty}\dfrac{5-\dfrac{1}{n^2}}{1+\dfrac{1}{n}+\dfrac{2}{n^2}}=5$

ㄴ 분모, 분자를 n^2으로 나눈다.

$\displaystyle\lim_{n\to\infty}\dfrac{5n^2-1}{n^2+n}=\lim_{n\to\infty}\dfrac{5-\dfrac{1}{n^2}}{1+\dfrac{1}{n}}=5$

이므로 수열의 극한값의 대소 관계에 의하여

$\displaystyle\lim_{n\to\infty}\sum_{k=1}^{n}a_k=5$

즉, $\displaystyle\sum_{n=1}^{\infty}a_n=5$이므로 $p=5$

$\therefore \displaystyle\sum_{n=1}^{\infty}\dfrac{1}{p^n}=\sum_{n=1}^{\infty}\dfrac{1}{5^n}=\dfrac{\dfrac{1}{5}}{1-\dfrac{1}{5}}=\dfrac{1}{4}$

답 ③

122

$\dfrac{k+k^2+k^3+\cdots+k^n}{5^n}=\dfrac{\dfrac{k(k^n-1)}{k-1}}{5^n}=\dfrac{k}{k-1}\left\{\left(\dfrac{k}{5}\right)^n-\left(\dfrac{1}{5}\right)^n\right\}$

이고, $1<k<5$에서 $\dfrac{1}{5}<\dfrac{k}{5}<1$이므로

$\displaystyle\sum_{n=1}^{\infty}\dfrac{k+k^2+k^3+\cdots+k^n}{5^n}=\dfrac{k}{k-1}\sum_{n=1}^{\infty}\left\{\left(\dfrac{k}{5}\right)^n-\left(\dfrac{1}{5}\right)^n\right\}$

$=\dfrac{k}{k-1}\left(\dfrac{\dfrac{k}{5}}{1-\dfrac{k}{5}}-\dfrac{\dfrac{1}{5}}{1-\dfrac{1}{5}}\right)$

$=\dfrac{k}{k-1}\left(\dfrac{k}{5-k}-\dfrac{1}{4}\right)$

$=\dfrac{k}{k-1}\times\dfrac{5(k-1)}{4(5-k)}$

$=\dfrac{5k}{4(5-k)}$

즉, $\dfrac{5k}{4(5-k)}=1$이므로

$5k=20-4k$ $\therefore 9k=20$

답 20

123

$a_na_{n+1}=2^n$에서

$n=1$일 때 $a_1a_2=2$ $\therefore a_2=2^4\left(\because a_1=\dfrac{1}{8}\right)$

$n=2$일 때 $a_2a_3=2^2$ $\therefore a_3=\dfrac{1}{2^2}$

$n=3$일 때 $a_3a_4=2^3$ $\therefore a_4=2^5$

$n=4$일 때 $a_4a_5=2^4$ $\therefore a_5=\dfrac{1}{2}$

$n=5$일 때 $a_5a_6=2^5$ $\therefore a_6=2^6$

$\vdots$

따라서 자연수 n에 대하여

$\{a_{2n-1}\}: \dfrac{1}{2^3},\ \dfrac{1}{2^2},\ \dfrac{1}{2},\ \cdots$

ㄴ 첫째항이 $\dfrac{1}{8}$, 공비가 2인 등비수열

$\{a_{2n}\}: 2^4,\ 2^5,\ 2^6,\ \cdots$

ㄴ 첫째항이 16, 공비가 2인 등비수열

이므로

$a_{2n-1}=\dfrac{1}{2^3}\times 2^{n-1},\ a_{2n}=2^4\times 2^{n-1}$

$\therefore \displaystyle\sum_{n=1}^{\infty}\dfrac{1}{a_{2n-1}}=\sum_{n=1}^{\infty}\dfrac{2^3}{2^{n-1}}=\sum_{n=1}^{\infty}8\times\left(\dfrac{1}{2}\right)^{n-1}$

$=\dfrac{8}{1-\dfrac{1}{2}}=16$

답 16

다른 풀이

$a_na_{n+1}=2^n$ ...... ㉠

㉠에서 n 대신 $n+1$을 대입하면

$a_{n+1}a_{n+2}=2^{n+1}$ ...... ㉡

㉡÷㉠을 하면

$\dfrac{a_{n+2}}{a_n}=2$

$\therefore a_{n+2}=2a_n$

ㄴ $\{a_{2n-1}\}: a_3=2a_1,\ a_5=2a_3,\ a_7=2a_5,\ \cdots$
　　$\{a_{2n}\}: a_4=2a_2,\ a_6=2a_4,\ a_8=2a_6,\ \cdots$

즉, 두 수열 $\{a_{2n-1}\}$, $\{a_{2n}\}$은 공비가 2인 등비수열이다.

이때 $a_1=\dfrac{1}{8}$이므로 수열 $\left\{\dfrac{1}{a_{2n-1}}\right\}$은 첫째항이 8, 공비가 $\dfrac{1}{2}$인 등비

수열이다.　　　　ㄴ $a_{2n-1}=\dfrac{1}{8}\times 2^{n-1}$이므로

$\therefore \displaystyle\sum_{n=1}^{\infty}\dfrac{1}{a_{2n-1}}=\dfrac{8}{1-\dfrac{1}{2}}=16$　　　$\dfrac{1}{a_{2n-1}}=8\times\left(\dfrac{1}{2}\right)^{n-1}$

124

$x^n=(-5)^n$에서

(i) $n=2k$ (k는 자연수)일 때

$x^n=(-5)^n=(-5)^{2k}=5^{2k}>0$

이때 n은 짝수이므로 실근의 개수는 2이다.

$\therefore a_{2k}=2$

(ii) $n=2k+1$ (k는 자연수)일 때

$x^n=(-5)^n=(-5)^{2k+1}=-5^{2k+1}<0$

이때 n은 홀수이므로 실근의 개수는 1이다.

$\therefore a_{2k+1}=1$

(i), (ii)에서 $a_n=\begin{cases}2\ (n=2,4,6,\cdots)\\1\ (n=3,5,7,\cdots)\end{cases}$

$\therefore \displaystyle\sum_{n=2}^{\infty}\dfrac{a_n}{4^n}=\dfrac{a_2}{4^2}+\dfrac{a_3}{4^3}+\dfrac{a_4}{4^4}+\dfrac{a_5}{4^5}+\dfrac{a_6}{4^6}+\dfrac{a_7}{4^7}+\cdots$

$=\dfrac{2}{4^2}+\dfrac{1}{4^3}+\dfrac{2}{4^4}+\dfrac{1}{4^5}+\dfrac{2}{4^6}+\dfrac{1}{4^7}+\cdots$

$=2\left(\dfrac{1}{4^2}+\dfrac{1}{4^4}+\dfrac{1}{4^6}+\cdots\right)+\left(\dfrac{1}{4^3}+\dfrac{1}{4^5}+\dfrac{1}{4^7}+\cdots\right)$

ㄴ 첫째항이 $\dfrac{1}{4^2}$, 공비가 $\dfrac{1}{4^2}$인 등비급수　　ㄴ 첫째항이 $\dfrac{1}{4^3}$, 공비가 $\dfrac{1}{4^2}$인 등비급수

$$=2\times\frac{\dfrac{1}{4^2}}{1-\dfrac{1}{4^2}}+\frac{\dfrac{1}{4^3}}{1-\dfrac{1}{4^2}}$$

$$=\frac{2}{15}+\frac{1}{60}=\frac{3}{20}$$

답 ③

참고

a의 n제곱근 중에서 실수는 다음과 같다.

	$a>0$	$a=0$	$a<0$
n이 짝수	$\sqrt[n]{a},\ -\sqrt[n]{a}$ (2개)	0 (1개)	없다. (0개)
n이 홀수	$\sqrt[n]{a}$ (1개)	0 (1개)	$\sqrt[n]{a}$ (1개)

125

$f(n)+g(n)=\sin\dfrac{2n-1}{4}\pi+\cos\dfrac{2n-1}{4}\pi$에 $n=1,2,3,4$를 차례대로 대입하면

$$f(1)+g(1)=\sin\frac{1}{4}\pi+\cos\frac{1}{4}\pi=\sqrt{2}$$

$$f(2)+g(2)=\sin\frac{3}{4}\pi+\cos\frac{3}{4}\pi=0$$

$$f(3)+g(3)=\sin\frac{5}{4}\pi+\cos\frac{5}{4}\pi=-\sqrt{2}$$

$$f(4)+g(4)=\sin\frac{7}{4}\pi+\cos\frac{7}{4}\pi=0$$

또,

$$f(n+4)+g(n+4)=\sin\frac{2n+7}{4}\pi+\cos\frac{2n+7}{4}\pi$$

$$\left\lfloor\sin\frac{2n+7}{4}\pi=\sin\left(2\pi+\frac{2n-1}{4}\pi\right)\right.$$
$$=\sin\frac{2n-1}{4}\pi$$
$$\cos\frac{2n+7}{4}\pi=\cos\left(2\pi+\frac{2n-1}{4}\pi\right)$$
$$=\cos\frac{2n-1}{4}\pi$$

$$=\sin\frac{2n-1}{4}\pi+\cos\frac{2n-1}{4}\pi$$

$$=f(n)+g(n)$$

이므로

$$\sum_{n=1}^{\infty}\left\{\frac{f(n)+g(n)}{2}\right\}^n=\frac{\sqrt{2}}{2}-\left(\frac{\sqrt{2}}{2}\right)^3+\left(\frac{\sqrt{2}}{2}\right)^5-\left(\frac{\sqrt{2}}{2}\right)^7+\cdots$$

$$\left\lfloor\text{첫째항이 }\frac{\sqrt{2}}{2},\text{ 공비가 }-\left(\frac{\sqrt{2}}{2}\right)^2=-\frac{1}{2}\right.$$
$$\text{인 등비급수}$$

$$=\frac{\dfrac{\sqrt{2}}{2}}{1-\left(-\dfrac{1}{2}\right)}=\frac{\sqrt{2}}{3}$$

답 ①

126

등비수열 $\{a_n\}$의 첫째항을 a, 공비를 $r\ (-1<r<1)$라고 하면

$a_n=a\times r^{n-1}$　　　　　　　$\lfloor$조건 (나)에 의하여 급수 $\sum\limits_{n=1}^{\infty}a_n$이

조건 (가)에서 $2a_4=a_2+a_3$이므로　　　　$\text{수렴하므로}\quad -1<r<1$

$2ar^3=ar+ar^2$　　　　$\lfloor a_4$는 $a_2,\ a_3$의 등차중항이다. 즉, $a_2,\ a_4,\ a_3$

이 식의 양변을 ar로 나누면　　　$\text{또는 }a_3,\ a_4,\ a_2$는 이 순서대로 등차수열을 이룬다.

$\lfloor a_n\neq0$이므로　$ar\neq0$

$2r^2=1+r,\ 2r^2-r-1=0$

$(2r+1)(r-1)=0$　　　$\therefore r=-\dfrac{1}{2}\ (\because -1<r<1)$

조건 (나)에서 $\sum\limits_{n=1}^{\infty}a_n=12$이므로

$$\frac{a}{1-\left(-\dfrac{1}{2}\right)}=12\qquad\therefore a=18$$

따라서 $a_n=18\times\left(-\dfrac{1}{2}\right)^{n-1}$이므로

$$a_5=18\times\left(-\frac{1}{2}\right)^4=\frac{9}{8}$$

답 $\dfrac{9}{8}$

127

주어진 급수의 제n항을 a_n이라고 하면 a_n은 첫째항이 $\dfrac{4}{5^n}$이고 공비가 $\dfrac{1}{5}$인 등비수열의 첫째항부터 제n항까지의 합이므로

$$a_n=\frac{\dfrac{4}{5^n}\left\{1-\left(\dfrac{1}{5}\right)^n\right\}}{1-\dfrac{1}{5}}=\frac{5}{5^n}\left\{1-\left(\frac{1}{5}\right)^n\right\}=\left(\frac{1}{5}\right)^{n-1}-5\left(\frac{1}{25}\right)^n$$

따라서 주어진 급수의 합은

$$\sum_{n=1}^{\infty}\left\{\left(\frac{1}{5}\right)^{n-1}-5\left(\frac{1}{25}\right)^n\right\}=\frac{1}{1-\dfrac{1}{5}}-5\times\frac{\dfrac{1}{25}}{1-\dfrac{1}{25}}$$

$$=\frac{5}{4}-\frac{5}{24}=\frac{25}{24}$$

답 ③

128

$\log_3 x=[\log_3 x]$이려면 $\log_3 x$는 정수이어야 한다.

이때 $0<x<1$이므로　$\log_3 x<0$

즉, $\log_3 x$가 $-1,\ -2,\ -3,\ -4,\ \cdots$이어야 하므로

x는 $\dfrac{1}{3},\ \left(\dfrac{1}{3}\right)^2,\ \left(\dfrac{1}{3}\right)^3,\ \left(\dfrac{1}{3}\right)^4,\ \cdots$

따라서 구하는 x의 값들의 합은

$$\frac{1}{3}+\left(\frac{1}{3}\right)^2+\left(\frac{1}{3}\right)^3+\left(\frac{1}{3}\right)^4+\cdots=\frac{\dfrac{1}{3}}{1-\dfrac{1}{3}}=\frac{1}{2}$$

답 ③

129

급수 $\sum\limits_{n=1}^{\infty}(3^{2x-3}-2\times3^{x-2})^n$이 수렴하려면

$$-1<3^{2x-3}-2\times3^{x-2}<1\qquad\cdots\cdots\ \text{㉠}$$

이어야 한다.

㉠의 각 변에 3^3, 즉 27을 곱하면

$$-27<3^{2x}-6\times3^x<27$$

(i) $-27<3^{2x}-6\times3^x$에서

$3^{2x}-6\times3^x+27>0$

$3^x=t\ (t>0)$라고 하면

$t^2-6t+27=(t-3)^2+18>0$

즉, 주어진 부등식은 항상 성립한다.

(ii) $3^{2x}-6\times3^x<27$에서

$\qquad 3^{2x}-6\times3^x-27<0$

$\qquad 3^x=t\ (t>0)$라고 하면

$\qquad t^2-6t-27<0,\ (t+3)(t-9)<0$

$\qquad \therefore t<9\ (\because t+3>0)$

$\qquad$즉, $3^x<9$이므로 $\quad 3^x<3^2$

$\qquad \therefore x<2$

(i), (ii)에서 $x<2$이므로 구하는 정수 x의 최댓값은 1이다.

답 ①

130

$\displaystyle\sum_{n=1}^{\infty}(2r)^{n-1}=t$이므로

$-1<2r<1 \qquad \therefore -\dfrac{1}{2}<r<\dfrac{1}{2}$

$\displaystyle\sum_{n=1}^{\infty}(2r)^{n-1}=t$에서 $\quad t=\dfrac{1}{1-2r}$

따라서 r와 t 사이의 관계를 그래프로
나타내면 오른쪽 그림과 같으므로

$t>\dfrac{1}{2}$

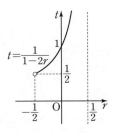

즉, t의 값이 될 수 없는 것은 ① $\dfrac{1}{2}$이다.

답 ①

131

$\displaystyle\sum_{n=1}^{\infty}x(2x+1)^n$이 수렴하므로

$-1<2x+1<0$ 또는 $0<2x+1<1\ (\because x(2x+1)\ne0)$

$\therefore -1<x<-\dfrac{1}{2}$ 또는 $-\dfrac{1}{2}<x<0$

한편

$f(x)=\dfrac{x(2x+1)}{1-(2x+1)}=-x-\dfrac{1}{2}$

이므로 함수 $y=f(x)$의 그래프는
오른쪽 그림과 같다.

따라서 점 P의 자취의 길이는 두 점

$\left(-1,\ \dfrac{1}{2}\right),\ \left(0,\ -\dfrac{1}{2}\right)$ 사이의 거리와 같으므로

$\sqrt{(0+1)^2+\left(-\dfrac{1}{2}-\dfrac{1}{2}\right)^2}=\sqrt{2}$

답 $\sqrt{2}$

참고

두 점 사이의 거리

(1) 두 점 $A(x_1,\ y_1)$, $B(x_2,\ y_2)$ 사이의 거리는

$\quad\Rightarrow \overline{AB}=\sqrt{(x_2-x_1)^2+(y_2-y_1)^2}$

(2) 원점 $O(0,\ 0)$과 점 $A(x_1,\ y_1)$ 사이의 거리는

$\quad\Rightarrow \overline{OA}=\sqrt{{x_1}^2+{y_1}^2}$

132

조건 (내)에서 $\log a_n+\log a_{n+1}=\log a_n\log a_{n+1}$이므로

$(\log a_n-1)\log a_{n+1}=\log a_n$

$\therefore \log a_{n+1}=\dfrac{\log a_n}{\log a_n-1}$ $\qquad\qquad$ ...... ㉠

조건 (개)에서 $a_1=\dfrac{1}{100}$이므로

$\log a_1=\log\dfrac{1}{100}=\log10^{-2}=-2$

㉠의 n에 1, 2, 3, $\cdots$을 차례대로 대입하면

$\log a_2=\dfrac{\log a_1}{\log a_1-1}=\dfrac{-2}{-2-1}=\dfrac{2}{3}\qquad \therefore a_2=10^{\frac{2}{3}}$

$\log a_3=\dfrac{\log a_2}{\log a_2-1}=\dfrac{\dfrac{2}{3}}{\dfrac{2}{3}-1}=-2 \qquad \therefore a_3=10^{-2}=\dfrac{1}{100}$

$\log a_4=\dfrac{\log a_3}{\log a_3-1}=\dfrac{-2}{-2-1}=\dfrac{2}{3} \qquad \therefore a_4=10^{\frac{2}{3}}$

$\qquad\qquad\vdots$

$\therefore a_n=\begin{cases}\dfrac{1}{100} & (n=1,\ 3,\ 5,\ \cdots)\\[2mm]10^{\frac{2}{3}} & (n=2,\ 4,\ 6,\ \cdots)\end{cases}$

조건 (대)에서 $\log b_n=\displaystyle\sum_{k=1}^{6n}\log a_k$이므로

$\log b_n=\displaystyle\sum_{k=1}^{6n}\log a_k$

$\qquad =\log a_1+\log a_2+\log a_3+\cdots+\log a_{6n}$

$\qquad =\log a_1a_2a_3\cdots a_{6n}$

$\therefore b_n=a_1a_2a_3\cdots a_{6n}=\left(\dfrac{1}{100}\times10^{\frac{2}{3}}\right)^{3n}$

$\qquad =10^{-4n}$

$\qquad =\left(\dfrac{1}{10000}\right)^n$

$\therefore \displaystyle\sum_{n=1}^{\infty}b_n=\sum_{n=1}^{\infty}\left(\dfrac{1}{10000}\right)^n=\dfrac{\dfrac{1}{10000}}{1-\dfrac{1}{10000}}=\dfrac{1}{9999}$

답 ②

133

두 등비수열 $\{a_n\}$, $\{b_n\}$의 첫째항을 각각 a, b라 하고, 공비를 각각
r, s라고 하면

$a_n=a\times r^{n-1}$, $b_n=b\times s^{n-1}$

ㄱ은 옳다.

$\quad$두 등비급수 $\displaystyle\sum_{n=1}^{\infty}a_n$, $\displaystyle\sum_{n=1}^{\infty}b_n$이 모두 수렴하므로

$\quad -1<r<1,\ -1<s<1$

$\quad$이때 $a_nb_n=ab\times(rs)^{n-1}$이고 $-1<rs<1$이므로 급수 $\displaystyle\sum_{n=1}^{\infty}a_nb_n$

$\quad$은 수렴한다.

ㄴ도 옳다.

$\quad {a_n}^2=a^2\times(r^2)^{n-1}$, ${b_n}^2=b^2\times(s^2)^{n-1}$이고 두 등비급수 $\displaystyle\sum_{n=1}^{\infty}{a_n}^2$,

$\quad \displaystyle\sum_{n=1}^{\infty}{b_n}^2$이 모두 수렴하므로

$\quad 0\le r^2<1,\ 0\le s^2<1$

$\quad$따라서 $-1<r<1,\ -1<s<1$이므로 두 등비급수 $\displaystyle\sum_{n=1}^{\infty}a_n$,

$\quad \displaystyle\sum_{n=1}^{\infty}b_n$이 모두 수렴한다.

ㄷ도 옳다.

$a_n{}^3=a^3\times(r^3)^{n-1}$, $b_n{}^3=b^3\times(s^3)^{n-1}$이고 두 등비급수 $\sum\limits_{n=1}^{\infty}a_n{}^3$,

$\sum\limits_{n=1}^{\infty}b_n{}^3$이 모두 수렴하므로

$-1<r^3<1$, $-1<s^3<1$

따라서 $-1<r<1$, $-1<s<1$이므로 두 등비급수 $\sum\limits_{n=1}^{\infty}a_n$,

$\sum\limits_{n=1}^{\infty}b_n$도 모두 수렴한다.

급수의 성질에 의하여

$\sum\limits_{n=1}^{\infty}(a_n+b_n)=\sum\limits_{n=1}^{\infty}a_n+\sum\limits_{n=1}^{\infty}b_n$

이므로 급수 $\sum\limits_{n=1}^{\infty}(a_n+b_n)$은 수렴한다.

따라서 옳은 것은 ㄱ, ㄴ, ㄷ이다.

답 ⑤

참고

첫째항이 0인 등비급수는 0으로 수렴한다.
따라서 $a=b=0$인 경우 ㄱ, ㄴ, ㄷ 모두 옳다.

134

$21\times7^n=3\times7^{n+1}$의 양의 약수는

$1, 7, 7^2, 7^3, \cdots, 7^{n+1}$,

$3, 3\times7, 3\times7^2, 3\times7^3, \cdots, 3\times7^{n+1}$

이므로

$T_n=\sum\limits_{k=1}^{2n+4}\dfrac{1}{a_k}$

$=\left(1+\dfrac{1}{7}+\dfrac{1}{7^2}+\dfrac{1}{7^3}+\cdots+\dfrac{1}{7^{n+1}}\right)$

$\qquad+\left(\dfrac{1}{3}+\dfrac{1}{3\times7}+\dfrac{1}{3\times7^2}+\dfrac{1}{3\times7^3}+\cdots+\dfrac{1}{3\times7^{n+1}}\right)$

$=\left(1+\dfrac{1}{7}+\dfrac{1}{7^2}+\dfrac{1}{7^3}+\cdots+\dfrac{1}{7^{n+1}}\right)$

$\qquad+\dfrac{1}{3}\left(1+\dfrac{1}{7}+\dfrac{1}{7^2}+\dfrac{1}{7^3}+\cdots+\dfrac{1}{7^{n+1}}\right)$

$=\left(1+\dfrac{1}{3}\right)\left(1+\dfrac{1}{7}+\dfrac{1}{7^2}+\dfrac{1}{7^3}+\cdots+\dfrac{1}{7^{n+1}}\right)$

$=\dfrac{4}{3}\left(1+\dfrac{1}{7}+\dfrac{1}{7^2}+\dfrac{1}{7^3}+\cdots+\dfrac{1}{7^{n+1}}\right)$

$\therefore t=\lim\limits_{n\to\infty}T_n$

$=\lim\limits_{n\to\infty}\dfrac{4}{3}\left(1+\dfrac{1}{7}+\dfrac{1}{7^2}+\dfrac{1}{7^3}+\cdots+\dfrac{1}{7^{n+1}}\right)$

$=\dfrac{4}{3}\times\dfrac{1}{1-\dfrac{1}{7}}=\dfrac{14}{9}$

$\therefore 9t=14$

답 ⑤

135

자연수 k에 대하여 $\dfrac{2}{k}$가 정수 또는 유한소수가 되려면 $k=1$이거나 k를 소인수분해하였을 때 2 또는 5만을 인수로 가져야 한다.

따라서

$a_1=\dfrac{2}{1}=2$, $a_2=\dfrac{2}{2}=1$, $a_3=\dfrac{2}{2^2}=\dfrac{1}{2}$, $a_4=\dfrac{2}{5}$,

$a_5=\dfrac{2}{2^3}=\dfrac{1}{2^2}$, $a_6=\dfrac{2}{2\times5}=\dfrac{1}{5}$, $a_7=\dfrac{2}{2^4}=\dfrac{1}{2^3}$,

$a_8=\dfrac{2}{2^2\times5}=\dfrac{1}{2\times5}$, $a_9=\dfrac{2}{5^2}$, $\cdots$

이므로

$\sum\limits_{n=1}^{\infty}a_n=2+1+\dfrac{1}{2}+\dfrac{2}{5}+\dfrac{1}{2^2}+\dfrac{1}{5}+\dfrac{1}{2^3}+\dfrac{2}{2\times5}+\dfrac{2}{5^2}+\cdots$

$=2\left(1+\dfrac{1}{5}+\dfrac{1}{5^2}+\dfrac{1}{5^3}+\cdots\right)+\left(1+\dfrac{1}{5}+\dfrac{1}{5^2}+\dfrac{1}{5^3}+\cdots\right)$

$\qquad+\dfrac{1}{2}\left(1+\dfrac{1}{5}+\dfrac{1}{5^2}+\dfrac{1}{5^3}+\cdots\right)$

$\qquad+\dfrac{1}{2^2}\left(1+\dfrac{1}{5}+\dfrac{1}{5^2}+\dfrac{1}{5^3}+\cdots\right)+\cdots$

$=\left(2+1+\dfrac{1}{2}+\dfrac{1}{2^2}+\dfrac{1}{2^3}+\cdots\right)\left(1+\dfrac{1}{5}+\dfrac{1}{5^2}+\dfrac{1}{5^3}+\cdots\right)$

$=\dfrac{2}{1-\dfrac{1}{2}}\times\dfrac{1}{1-\dfrac{1}{5}}=4\times\dfrac{5}{4}=5$

답 5

참고

유한소수로 나타낼 수 있는 유리수

➡ 정수가 아닌 유리수를 기약분수로 나타내었을 때, 분모의 소인수가 2 또는 5뿐이면 그 분수는 유한소수로 나타낼 수 있다.

136

조건 ㈎에서 두 급수 $\sum\limits_{n=1}^{\infty}\left(\dfrac{x-3}{8}\right)^n$, $\sum\limits_{n=1}^{\infty}\left(\log_3\dfrac{x}{9}\right)^n$이 모두 수렴하므로

$-1<\dfrac{x-3}{8}<1$, $-1<\log_3\dfrac{x}{9}<1$

$-1<\dfrac{x-3}{8}<1$에서

$-8<x-3<8$

$\therefore -5<x<11$ $\qquad\qquad\qquad$ ……㉠

$-1<\log_3\dfrac{x}{9}<1$에서

$\dfrac{1}{3}<\dfrac{x}{9}<3$

$\therefore 3<x<27$ $\qquad\qquad\qquad$ ……㉡

㉠, ㉡에서 $3<x<11$

조건 ㈏에서 $\lim\limits_{n\to\infty}\dfrac{x^{n+2}-3^{2n}-5^{n+1}}{x^n+3^{2n+1}+5^n}=-\dfrac{1}{3}$이므로

$\lim\limits_{n\to\infty}\dfrac{x^2\times x^n-9^n-5\times5^n}{x^n+3\times9^n+5^n}=-\dfrac{1}{3}$

(i) $3<x<9$일 때

$\lim\limits_{n\to\infty}\dfrac{x^2\times x^n-9^n-5\times5^n}{\underset{\substack{\llcorner\text{분모, 분자를 }9^n\text{으로}\\\text{나눈다.}}}{x^n+3\times9^n+5^n}}=\lim\limits_{n\to\infty}\dfrac{x^2\times\left(\dfrac{x}{9}\right)^n-1-5\times\left(\dfrac{5}{9}\right)^n}{\left(\dfrac{x}{9}\right)^n+3+\left(\dfrac{5}{9}\right)^n}$

$\qquad\qquad\qquad\qquad=-\dfrac{1}{3}$

034 정답과 풀이

(ii) $x=9$일 때

$$\lim_{n\to\infty}\frac{x^2\times x^n-9^n-5\times 5^n}{x^n+3\times 9^n+5^n}=\lim_{n\to\infty}\frac{9^2\times 9^n-9^n-5\times 5^n}{9^n+3\times 9^n+5^n}$$
$$=\lim_{n\to\infty}\frac{80\times 9^n-5\times 5^n}{4\times 9^n+5^n}$$
$$=\lim_{n\to\infty}\frac{80-5\times\left(\frac{5}{9}\right)^n}{4+\left(\frac{5}{9}\right)^n}$$
$$=20$$

— 분모, 분자를 9^n으로 나눈다.

(iii) $9<x<11$일 때

$$\lim_{n\to\infty}\frac{x^2\times x^n-9^n-5\times 5^n}{x^n+3\times 9^n+5^n}=\lim_{n\to\infty}\frac{x^2-\left(\frac{9}{x}\right)^n-5\times\left(\frac{5}{x}\right)^n}{1+3\times\left(\frac{9}{x}\right)^n+\left(\frac{5}{x}\right)^n}$$
$$=x^2$$

— 분모, 분자를 x^n으로 나눈다.

(i), (ii), (iii)에서 조건 (나)를 만족시키는 x의 값의 범위는

— $x^2=-\frac{1}{3}$인 실수 x는 존재하지 않는다.

$3<x<9$

따라서 구하는 정수 x의 값의 합은

$$4+5+6+7+8=30$$

답 ⑤

137

수열 $\{a_n\}$의 각 항을 나열하면

$$a_1=0.\dot{2}=\frac{2}{9},\ a_2=0.\dot{2}\dot{0}=\frac{20}{99},\ a_3=0.\dot{2}0\dot{0}=\frac{200}{999},$$
$$a_4=0.\dot{2}00\dot{0}=\frac{2000}{9999},\ a_5=0.\dot{2}000\dot{0}=\frac{20000}{99999},\ \cdots$$

이므로

$$\frac{1}{a_2}-\frac{1}{a_1}=\frac{99}{20}-\frac{9}{2}=\frac{9}{20}$$
$$\frac{1}{a_3}-\frac{1}{a_2}=\frac{999}{200}-\frac{99}{20}=\frac{9}{200}=\frac{9}{20}\times\frac{1}{10}$$
$$\frac{1}{a_4}-\frac{1}{a_3}=\frac{9999}{2000}-\frac{999}{200}=\frac{9}{2000}=\frac{9}{20}\times\left(\frac{1}{10}\right)^2$$
$$\frac{1}{a_5}-\frac{1}{a_4}=\frac{99999}{20000}-\frac{9999}{2000}=\frac{9}{20000}=\frac{9}{20}\times\left(\frac{1}{10}\right)^3$$
$$\vdots$$

즉, 수열 $\left\{\frac{1}{a_{n+1}}-\frac{1}{a_n}\right\}$은 첫째항이 $\frac{9}{20}$, 공비가 $\frac{1}{10}$인 등비수열이다.

$$\therefore\ \sum_{n=1}^{\infty}\left(\frac{1}{a_{n+1}}-\frac{1}{a_n}\right)=\frac{\frac{9}{20}}{1-\frac{1}{10}}=\frac{1}{2}$$

답 ②

참고

순환소수를 분수로 나타내기

순환소수는 다음과 같은 방법으로 분수로 나타낼 수 있다.

(i) 분모는 순환마디를 이루는 숫자의 개수만큼 9를 쓰고, 그 뒤에 소수점 아래 순환마디에 포함되지 않는 숫자의 개수만큼 0을 쓴다.

(ii) 분자는 (순환마디를 포함하는 전체의 수) − (순환하지 않는 부분의 수)를 쓴다.

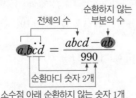

138

점 P_n은 직선 $y=\left(\frac{1}{3}\right)^{n-1}(2-x)$와 곡선 $y=-x(x-2)$의 교점이므로 점 P_n의 x좌표는

$$\left(\frac{1}{3}\right)^{n-1}(2-x)=-x(x-2)$$
$$x(x-2)-\left(\frac{1}{3}\right)^{n-1}(x-2)=0,\ (x-2)\left\{x-\left(\frac{1}{3}\right)^{n-1}\right\}=0$$
$$\therefore\ x=\left(\frac{1}{3}\right)^{n-1}\ (\because\ x\neq 2)$$

점 P_n의 y좌표는

$$\left(\frac{1}{3}\right)^{n-1}\left\{2-\left(\frac{1}{3}\right)^{n-1}\right\}=2\left(\frac{1}{3}\right)^{n-1}-\left(\frac{1}{3}\right)^{2n-2}$$
$$=2\left(\frac{1}{3}\right)^{n-1}-\left(\frac{1}{9}\right)^{n-1}$$

즉, $P_n\left(\left(\frac{1}{3}\right)^{n-1},\ 2\left(\frac{1}{3}\right)^{n-1}-\left(\frac{1}{9}\right)^{n-1}\right)$이므로

$$\overline{P_nH_n}=2\left(\frac{1}{3}\right)^{n-1}-\left(\frac{1}{9}\right)^{n-1}$$

$$\therefore\ \sum_{n=1}^{\infty}\overline{P_nH_n}=\sum_{n=1}^{\infty}\left\{2\left(\frac{1}{3}\right)^{n-1}-\left(\frac{1}{9}\right)^{n-1}\right\}$$
$$=\sum_{n=1}^{\infty}2\left(\frac{1}{3}\right)^{n-1}-\sum_{n=1}^{\infty}\left(\frac{1}{9}\right)^{n-1}$$
$$=\frac{2}{1-\frac{1}{3}}-\frac{1}{1-\frac{1}{9}}$$
$$=3-\frac{9}{8}=\frac{15}{8}$$

답 $\frac{15}{8}$

139

$\overline{P_1P_2}=\frac{1}{2}\overline{OP_1}$, $\overline{P_{n+1}P_{n+2}}=\frac{1}{2}\overline{P_nP_{n+1}}$이고 $\angle OP_1P_2=60°$, $\angle P_nP_{n+1}P_{n+2}=60°$이므로 점 P_n이 한없이 가까워지는 점의 x좌표는

$$\overline{OP_1}-\overline{P_1P_2}\cos 60°-\overline{P_2P_3}\cos 60°+\overline{P_3P_4}$$
$$\qquad-\overline{P_4P_5}\cos 60°-\overline{P_5P_6}\cos 60°+\overline{P_6P_7}$$
$$\qquad-\overline{P_7P_8}\cos 60°-\overline{P_8P_9}\cos 60°+\overline{P_9P_{10}}-\cdots$$

$$=4-\left(4\times\frac{1}{2}\right)\times\frac{1}{2}-\left\{4\times\left(\frac{1}{2}\right)^2\right\}\times\frac{1}{2}+4\times\left(\frac{1}{2}\right)^3$$
$$\qquad-\left\{4\times\left(\frac{1}{2}\right)^4\right\}\times\frac{1}{2}-\left\{4\times\left(\frac{1}{2}\right)^5\right\}\times\frac{1}{2}+4\times\left(\frac{1}{2}\right)^6$$
$$\qquad-\left\{4\times\left(\frac{1}{2}\right)^7\right\}\times\frac{1}{2}-\left\{4\times\left(\frac{1}{2}\right)^8\right\}\times\frac{1}{2}+4\times\left(\frac{1}{2}\right)^9-\cdots$$

$$=4-4\times\left(\frac{1}{2}\right)^2-4\times\left(\frac{1}{2}\right)^3+4\times\left(\frac{1}{2}\right)^3-4\times\left(\frac{1}{2}\right)^5-4\times\left(\frac{1}{2}\right)^6$$
$$\qquad+4\times\left(\frac{1}{2}\right)^6-4\times\left(\frac{1}{2}\right)^8-4\times\left(\frac{1}{2}\right)^9+4\times\left(\frac{1}{2}\right)^9-\cdots$$

$$=\left\{4+4\times\left(\frac{1}{2}\right)^3+4\times\left(\frac{1}{2}\right)^6+\cdots\right\}$$
$$\qquad-\left\{4\times\left(\frac{1}{2}\right)^2+4\times\left(\frac{1}{2}\right)^5+4\times\left(\frac{1}{2}\right)^8+\cdots\right\}$$
$$\qquad-\left\{4\times\left(\frac{1}{2}\right)^3+4\times\left(\frac{1}{2}\right)^6+4\times\left(\frac{1}{2}\right)^9+\cdots\right\}$$

$$=\frac{4}{1-\left(\frac{1}{2}\right)^3}-\frac{4\times\left(\frac{1}{2}\right)^2}{1-\left(\frac{1}{2}\right)^3}-\frac{4\times\left(\frac{1}{2}\right)^3}{1-\left(\frac{1}{2}\right)^3}$$

$$=\frac{32}{7}-\frac{8}{7}-\frac{4}{7}=\frac{20}{7}$$

답 $\frac{20}{7}$

140

오른쪽 그림과 같이 그림 R_1에서 반원의 중심을 D라 하고, 점 D에서 변 A_1B_1, A_1C_1에 내린 수선의 발을 각각 E, F라 고 하자.

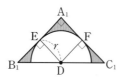

직각삼각형 $A_1B_1C_1$에서 피타고라스 정리에 의하여

$\overline{B_1C_1}=\sqrt{(\sqrt{2})^2+(\sqrt{2})^2}=2$

$\triangle EB_1D \equiv \triangle FC_1D$ (SAS 합동)이므로

$\overline{B_1D}=\overline{DC_1}=\dfrac{1}{2}\overline{B_1C_1}=1$

따라서 반원의 반지름의 길이를 r라고 하면 직각삼각형 EB_1D에서 $\overline{EB_1}=\overline{ED}=r$, $\overline{B_1D}=1$이므로 피타고라스 정리에 의하여

$r^2+r^2=1$, $r^2=\dfrac{1}{2}$ $\therefore r=\dfrac{\sqrt{2}}{2}\,(\because r>0)$

$\therefore S_1=\triangle A_1B_1C_1-(\text{반원의 넓이})$

$\quad =\dfrac{1}{2}\times\sqrt{2}\times\sqrt{2}-\dfrac{1}{2}\times\left(\dfrac{\sqrt{2}}{2}\right)^2\pi$

$\quad =1-\dfrac{\pi}{4}$

그림 R_2에서 $\triangle A_1B_1C_1 \varpropto \triangle A_2B_2C_2$ (AA 닮음)이고 $\overline{A_2B_2}=\overline{A_2C_2}=\dfrac{\sqrt{2}}{2}$이므로 삼각형 $A_1B_1C_1$과 $A_2B_2C_2$의 닮음비는

$\sqrt{2}:\dfrac{\sqrt{2}}{2}=1:\dfrac{1}{2}$

그림 R_n에서 새로 색칠한 부분과 그림 R_{n+1}에서 새로 색칠한 부분 도 닮음이고 닮음비가 $1:\dfrac{1}{2}$이므로 그 넓이의 비는

$1:\left(\dfrac{1}{2}\right)^2=1:\dfrac{1}{4}$

따라서 $\displaystyle\lim_{n\to\infty}S_n$은 첫째항이 $1-\dfrac{\pi}{4}$, 공비가 $\dfrac{1}{4}$인 등비급수의 합이므로

$\displaystyle\lim_{n\to\infty}S_n=\dfrac{1-\dfrac{\pi}{4}}{1-\dfrac{1}{4}}=\dfrac{4-\pi}{3}$

답 ④

141

오른쪽 그림과 같이 그림 R_1에서 반원의 중심을 O라 하고 선분 OA_1을 그으면 선분 OA_1과 반원의 교점은 A_2이다. 반원과 선분 A_1B_1, A_1C_1의 교점을 각각 D, E라 하고 $\overline{OD}$, $\overline{OE}$를 그으면 그림 R_1의 도형은 선분 OA_1에 대하여 대칭이므로

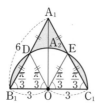

$S_1=2[\{\triangle ODA_1-(\text{부채꼴 }ODA_2\text{의 넓이})\}$
$\qquad\qquad +\{(\text{부채꼴 }OB_1D\text{의 넓이})-\triangle OB_1D\}]$

삼각형 OB_1D는 한 변의 길이가 3인 정삼각형이므로

$\angle B_1OD=\dfrac{\pi}{3}$

$\overline{OA_1}\perp\overline{B_1C_1}$이므로

$\angle A_1OB_1=\dfrac{\pi}{2}$

$\therefore \angle A_1OD=\dfrac{\pi}{2}-\dfrac{\pi}{3}=\dfrac{\pi}{6}$

정삼각형 $A_1B_1C_1$의 한 변의 길이가 6이므로

$\overline{OA_1}=\dfrac{\sqrt{3}}{2}\times 6=3\sqrt{3}$

$\therefore S_1=2\Big\{\Big(\dfrac{1}{2}\times 3\sqrt{3}\times 3\times\sin\dfrac{\pi}{6}-\dfrac{1}{2}\times 3^2\times\dfrac{\pi}{6}\Big)$
$\qquad\qquad\qquad +\Big(\dfrac{1}{2}\times 3^2\times\dfrac{\pi}{3}-\dfrac{\sqrt{3}}{4}\times 3^2\Big)\Big\}$

$\quad =2\Big(\dfrac{9\sqrt{3}}{4}-\dfrac{3}{4}\pi+\dfrac{3}{2}\pi-\dfrac{9\sqrt{3}}{4}\Big)=\dfrac{3}{2}\pi$

그림 R_2에서 정삼각형 $A_2B_2C_2$의 높이가 3이므로

$\overline{A_1B_1}:\overline{A_1O}=\overline{A_2B_2}:3$에서 $2:\sqrt{3}=\overline{A_2B_2}:3$

$\begin{array}{l}\text{그림 }R_1\text{의 반원의}\\ \text{반지름의 길이와 같다.}\end{array}$
$\overline{A_1B_1}:\overline{A_1O}=6:3\sqrt{3}=2:\sqrt{3}$

$\therefore \overline{A_2B_2}=\dfrac{6}{\sqrt{3}}=2\sqrt{3}$

모든 정삼각형은 서로 닮음이므로 삼각형 $A_1B_1C_1$과 $A_2B_2C_2$는 닮음이고 닮음비는

$6:2\sqrt{3}=1:\dfrac{\sqrt{3}}{3}$

그림 R_n에서 새로 색칠한 도형과 그림 R_{n+1}에서 새로 색칠한 도형 도 닮음이고 닮음비가 $1:\dfrac{\sqrt{3}}{3}$이므로 그 넓이의 비는

$1^2:\left(\dfrac{\sqrt{3}}{3}\right)^2=1:\dfrac{1}{3}$

따라서 $\displaystyle\lim_{n\to\infty}S_n$은 첫째항이 $\dfrac{3}{2}\pi$, 공비가 $\dfrac{1}{3}$인 등비급수의 합이므로

$\displaystyle\lim_{n\to\infty}S_n=\dfrac{\dfrac{3}{2}\pi}{1-\dfrac{1}{3}}=\dfrac{9}{4}\pi$

답 ②

참고

(1) 한 변의 길이가 a인 정삼각형의 높이를 h, 넓이를 S라고 하면

$\Rightarrow h=\dfrac{\sqrt{3}}{2}a$, $S=\dfrac{\sqrt{3}}{4}a^2$

(2) 두 변의 길이가 a, b이고 그 끼인각의 크기가 θ인 삼각형의 넓이 를 S라고 하면

$\Rightarrow S=\dfrac{1}{2}ab\sin\theta$

(3) 반지름의 길이가 r, 중심각의 크기가 θ(라디안)인 부채꼴에서 호 의 길이를 l, 넓이를 S라고 하면

$\Rightarrow l=r\theta$, $S=\dfrac{1}{2}r^2\theta=\dfrac{1}{2}rl$

142

그림 R_1에서 $\overline{AE_1}:\overline{E_1D_1}=3:1$이므로

$\overline{AE_1}=\dfrac{3}{4}\overline{AD_1}=3$, $\overline{E_1D_1}=\dfrac{1}{4}\overline{AD_1}=1$

직각삼각형 $E_1C_1D_1$에서 피타고라스 정리에 의하여

$\overline{E_1C_1}=\sqrt{\overline{E_1D_1}^2+\overline{D_1C_1}^2}=\sqrt{1^2+2^2}=\sqrt{5}$

삼각형 $E_1F_1C_1$은 직각이등변삼각형이므로

$\overline{E_1F_1}:\overline{E_1C_1}=1:\sqrt{2}$에서 $\overline{E_1F_1}:\sqrt{5}=1:\sqrt{2}$

$\therefore \overline{C_1F_1}=\overline{E_1F_1}=\dfrac{\sqrt{5}}{\sqrt{2}}=\dfrac{\sqrt{10}}{2}$

$\therefore S_1=\triangle E_1C_1D_1+\triangle E_1F_1C_1$

$\quad =\dfrac{1}{2}\times 1\times 2+\dfrac{1}{2}\times\dfrac{\sqrt{10}}{2}\times\dfrac{\sqrt{10}}{2}=\dfrac{9}{4}$

그림 R_1에서 다음과 같이 점 F_1을 지나고 변 D_1C_1에 평행한 선분을 그어 변 AD_1, B_1C_1과의 교점을 각각 H_1, H_2라고 하자.

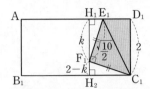

$\overline{F_1H_1}=k$라고 하면 $\overline{H_1H_2}=\overline{D_1C_1}=2$이므로 $\overline{F_1H_2}=2-k$

또, $\triangle F_1E_1H_1 \equiv \triangle C_1F_1H_2$ (RHA 합동)이므로

$\overline{H_1E_1}=\overline{H_2F_1}=2-k$, $\overline{C_1H_2}=\overline{F_1H_1}=k$

직각삼각형 $C_1F_1H_2$에서 피타고라스 정리에 의하여

$(2-k)^2+k^2=\left(\dfrac{\sqrt{10}}{2}\right)^2$, $2k^2-4k+4=\dfrac{5}{2}$

$4k^2-8k+8=5$, $4k^2-8k+3=0$

$(2k-3)(2k-1)=0$

$\therefore k=\dfrac{3}{2} (\because \overline{F_1H_1}>\overline{F_1H_2})$

따라서 $\overline{F_1H_1}=\dfrac{3}{2}$, $\overline{H_1E_1}=\dfrac{1}{2}$이므로 직각삼각형 $F_1E_1H_1$에서

$\tan(\angle H_1E_1F_1)=\dfrac{\overline{F_1H_1}}{\overline{H_1E_1}}=3$

그림 R_2에서 $\overline{AB_2}=\overline{D_2C_2}=a$라고 하면

$\overline{AD_2}=2a$, $\overline{D_2E_1}=3-2a$

$\therefore \tan(\angle D_2E_1C_2)=\dfrac{\overline{D_2C_2}}{\overline{D_2E_1}}=\dfrac{a}{3-2a}$

이때 $\tan(\angle D_2E_1C_2)=\tan(\angle H_1E_1F_1)=3$이므로

$\dfrac{a}{3-2a}=3$, $a=3(3-2a)$

$\therefore a=\dfrac{9}{7}$

따라서 직사각형 $AB_1C_1D_1$과 $AB_2C_2D_2$의 닮음비는

$2:\dfrac{9}{7}=1:\dfrac{9}{14}$

두 사각형 $E_1F_1C_1D_1$과 $E_2F_2C_2D_2$도 닮음이고 그 닮음비도

$1:\dfrac{9}{14}$이다.

그림 R_n에서 새로 색칠한 사각형과 그림 R_{n+1}에서 새로 색칠한 사각형도 닮음이고 닮음비가 $1:\dfrac{9}{14}$이므로 그 넓이의 비는

$1^2:\left(\dfrac{9}{14}\right)^2=1:\dfrac{81}{196}$

따라서 $\lim\limits_{n\to\infty}S_n$은 첫째항이 $\dfrac{9}{4}$, 공비가 $\dfrac{81}{196}$인 등비급수의 합이므로

$\lim\limits_{n\to\infty}S_n=\dfrac{\dfrac{9}{4}}{1-\dfrac{81}{196}}=\dfrac{441}{115}$

답 ③

다른 풀이

$\tan(\angle D_2E_1C_2)$의 값은 삼각함수의 덧셈정리를 이용하여 구할 수도 있다.

직각삼각형 $E_1C_1D_1$에서 $\tan(\angle D_1E_1C_1)=\dfrac{\overline{D_1C_1}}{\overline{E_1D_1}}=2$

직각삼각형 $E_1F_1C_1$에서 $\tan(\angle C_1E_1F_1)=\dfrac{\overline{F_1C_1}}{\overline{E_1F_1}}=1$

$\therefore \tan(\angle D_1E_1F_1)=\dfrac{\tan(\angle D_1E_1C_1)+\tan(\angle C_1E_1F_1)}{1-\tan(\angle D_1E_1C_1)\tan(\angle C_1E_1F_1)}$

$=\dfrac{2+1}{1-2\times1}=-3$

$\therefore \tan(\angle D_2E_1C_2)=\tan(\pi-\angle D_1E_1F_1)$

$=-\tan(\angle D_1E_1F_1)=3$

참고

(1) 삼각함수의 덧셈정리

① $\sin(\alpha+\beta)=\sin\alpha\cos\beta+\cos\alpha\sin\beta$

$\sin(\alpha-\beta)=\sin\alpha\cos\beta-\cos\alpha\sin\beta$

② $\cos(\alpha+\beta)=\cos\alpha\cos\beta-\sin\alpha\sin\beta$

$\cos(\alpha-\beta)=\cos\alpha\cos\beta+\sin\alpha\sin\beta$

③ $\tan(\alpha+\beta)=\dfrac{\tan\alpha+\tan\beta}{1-\tan\alpha\tan\beta}$

$\tan(\alpha-\beta)=\dfrac{\tan\alpha-\tan\beta}{1+\tan\alpha\tan\beta}$

(2) 여러 가지 각에 대한 삼각함수의 성질

① $2n\pi+\theta$의 삼각함수 (단, n은 정수)

$\sin(2n\pi+\theta)=\sin\theta$, $\cos(2n\pi+\theta)=\cos\theta$,

$\tan(2n\pi+\theta)=\tan\theta$

② $-\theta$의 삼각함수

$\sin(-\theta)=-\sin\theta$, $\cos(-\theta)=\cos\theta$,

$\tan(-\theta)=-\tan\theta$

③ $\dfrac{\pi}{2}\pm\theta$의 삼각함수

$\sin\left(\dfrac{\pi}{2}\pm\theta\right)=\cos\theta$, $\cos\left(\dfrac{\pi}{2}\pm\theta\right)=\mp\sin\theta$,

$\tan\left(\dfrac{\pi}{2}\pm\theta\right)=\mp\dfrac{1}{\tan\theta}$ (복부호동순)

④ $\pi\pm\theta$의 삼각함수

$\sin(\pi\pm\theta)=\mp\sin\theta$, $\cos(\pi\pm\theta)=-\cos\theta$,

$\tan(\pi\pm\theta)=\pm\tan\theta$ (복부호동순)

143

$\angle \mathrm{P_0OP_n} = \theta_n$이라고 하면

$\theta_1 = \dfrac{2}{3}\pi$

$\theta_2 = \theta_1 - \dfrac{1}{2}\theta_1 + \dfrac{2}{3}\pi = \dfrac{1}{2}\theta_1 + \dfrac{2}{3}\pi$

$\quad = \dfrac{1}{2} \times \dfrac{2}{3}\pi + \dfrac{2}{3}\pi$

$\quad = \dfrac{2}{3}\pi\left(1 + \dfrac{1}{2}\right)$

$\theta_3 = \theta_2 - \dfrac{1}{2}\theta_2 + \dfrac{2}{3}\pi = \dfrac{1}{2}\theta_2 + \dfrac{2}{3}\pi$

$\quad = \dfrac{1}{2} \times \dfrac{2}{3}\pi\left(1 + \dfrac{1}{2}\right) + \dfrac{2}{3}\pi$

$\quad = \dfrac{2}{3}\pi\left\{1 + \dfrac{1}{2} + \left(\dfrac{1}{2}\right)^2\right\}$

$\theta_4 = \theta_3 - \dfrac{1}{2}\theta_3 + \dfrac{2}{3}\pi = \dfrac{1}{2}\theta_3 + \dfrac{2}{3}\pi$

$\quad = \dfrac{1}{2} \times \dfrac{2}{3}\pi\left\{1 + \dfrac{1}{2} + \left(\dfrac{1}{2}\right)^2\right\} + \dfrac{2}{3}\pi$

$\quad = \dfrac{2}{3}\pi\left\{1 + \dfrac{1}{2} + \left(\dfrac{1}{2}\right)^2 + \left(\dfrac{1}{2}\right)^3\right\}$

$\quad \vdots$

이므로

$\theta_n = \dfrac{2}{3}\pi\left\{1 + \dfrac{1}{2} + \left(\dfrac{1}{2}\right)^2 + \cdots + \left(\dfrac{1}{2}\right)^{n-1}\right\}$

$\quad = \dfrac{2}{3}\pi \times \dfrac{1 - \left(\dfrac{1}{2}\right)^n}{1 - \dfrac{1}{2}}$

$\quad = \dfrac{4}{3}\pi\left\{1 - \left(\dfrac{1}{2}\right)^n\right\}$

$l_n = 2 \times \theta_n = 2 \times \dfrac{4}{3}\pi\left\{1 - \left(\dfrac{1}{2}\right)^n\right\} = \dfrac{8}{3}\pi\left\{1 - \left(\dfrac{1}{2}\right)^n\right\}$이므로

$\displaystyle\lim_{n\to\infty} l_n = \lim_{n\to\infty} \dfrac{8}{3}\pi\left\{1 - \left(\dfrac{1}{2}\right)^n\right\} = \dfrac{8}{3}\pi$

답 ③

144

처음 $5\,\mathrm{L}$의 물을 두 물통 A, B에 각각 $4\,\mathrm{L}$, $1\,\mathrm{L}$로 나누어 담았을 때의 두 물통 A, B에 담긴 물의 양을 각각 $a_0\,\mathrm{L}$, $b_0\,\mathrm{L}$라 하고 주어진 시행을 n번 반복한 후에 물통 B에 담긴 물의 양을 $b_n\,\mathrm{L}$라고 하자.

$a_0 = 4$, $b_0 = 1$이므로

$a_1 = \dfrac{4}{2} + \dfrac{1}{4}\left(1 + \dfrac{4}{2}\right) = \dfrac{11}{4}$

또,

$a_{n+1} = \dfrac{a_n}{2} + \dfrac{1}{4}\left(b_n + \dfrac{a_n}{2}\right) = \dfrac{5}{8}a_n + \dfrac{1}{4}b_n$ ······ ㉠

이고 두 물통 A, B에 담긴 물의 양은 $5\,\mathrm{L}$로 일정하므로

$a_n + b_n = 5$

$\therefore b_n = 5 - a_n$ ······ ㉡

㉡을 ㉠에 대입하면

$a_{n+1} = \dfrac{5}{8}a_n + \dfrac{1}{4}(5 - a_n) = \dfrac{3}{8}a_n + \dfrac{5}{4}$

상수 k에 대하여

$a_{n+1} - k = \dfrac{3}{8}(a_n - k)$라고 하면

$a_{n+1} = \dfrac{3}{8}a_n + \dfrac{5}{8}k$이므로

$\dfrac{5}{8}k = \dfrac{5}{4}$ $\therefore k = 2$

즉, $a_{n+1} - 2 = \dfrac{3}{8}(a_n - 2)$이므로 수열 $\{a_n - 2\}$는 첫째항이

$a_1 - 2 = \dfrac{11}{4} - 2 = \dfrac{3}{4}$이고 공비가 $\dfrac{3}{8}$인 등비수열이다.

따라서 $a_n - 2 = \dfrac{3}{4}\left(\dfrac{3}{8}\right)^{n-1}$이므로

$a_n = \dfrac{3}{4}\left(\dfrac{3}{8}\right)^{n-1} + 2$

$\therefore \displaystyle\lim_{n\to\infty} a_n = \lim_{n\to\infty}\left\{\dfrac{3}{4}\left(\dfrac{3}{8}\right)^{n-1} + 2\right\} = \dfrac{3}{4} \times 0 + 2 = 2$

답 2

간단 풀이

$\displaystyle\lim_{n\to\infty} a_n = \alpha$라고 하면 $\displaystyle\lim_{n\to\infty} a_{n+1} = \lim_{n\to\infty} a_n = \alpha$이므로

$a_{n+1} = \dfrac{3}{8}a_n + \dfrac{5}{4}$에서

$\displaystyle\lim_{n\to\infty} a_{n+1} = \lim_{n\to\infty}\left(\dfrac{3}{8}a_n + \dfrac{5}{4}\right)$, $\displaystyle\lim_{n\to\infty} a_{n+1} = \dfrac{3}{8}\lim_{n\to\infty} a_n + \dfrac{5}{4}$

$\alpha = \dfrac{3}{8}\alpha + \dfrac{5}{4}$, $\dfrac{5}{8}\alpha = \dfrac{5}{4}$ $\therefore \alpha = 2$

$\therefore \displaystyle\lim_{n\to\infty} a_n = 2$

참고

㉡에서 $b_n = 5 - a_n$이므로

$\displaystyle\lim_{n\to\infty} b_n = \lim_{n\to\infty}(5 - a_n) = 5 - \lim_{n\to\infty} a_n = 5 - 2 = 3$

145

직선 l_n과 곡선 $y = |x^2 - 4nx|$가 서로 다른 세 점에서 만나고 $a_n \neq 0$이므로 오른쪽 그림과 같이 직선 l_n과 곡선 $y = -x^2 + 4nx$는 접해야 한다.

$a_n < b_n < c_n$이므로 접점은 B_n이다.

$y = -x^2 + 4nx$에서

$y' = -2x + 4n$

접점 $\mathrm{B}_n(b_n, -b_n^2 + 4nb_n)$에서의

접선의 기울기가 $\dfrac{n}{2}$이므로

$\dfrac{n}{2} = -2b_n + 4n$ $\therefore b_n = \dfrac{7}{4}n$

즉, $\mathrm{B}_n\left(\dfrac{7}{4}n, \dfrac{63}{16}n^2\right)$이므로 직선 l_n의 방정식은

$y - \dfrac{63}{16}n^2 = \dfrac{n}{2}\left(x - \dfrac{7}{4}n\right)$

$\therefore y = \dfrac{n}{2}x + \dfrac{49}{16}n^2$

직선 l_n과 곡선 $y=x^2-4nx$의 두 교점이 A_n, C_n이므로 x에 대한 이차방정식 $\dfrac{n}{2}x+\dfrac{49}{16}n^2=x^2-4nx$, 즉 $x^2-\dfrac{9}{2}nx-\dfrac{49}{16}n^2=0$의 두 근은 a_n, c_n이다.

따라서 이차방정식의 근과 계수의 관계에 의하여

$$a_n+c_n=\frac{9}{2}n,\ a_nc_n=-\frac{49}{16}n^2$$

$\mathrm{A}_n(a_n,\ a_n^2-4na_n)$, $\mathrm{C}_n(c_n,\ c_n^2-4nc_n)$이므로

$$\overline{\mathrm{A}_n\mathrm{C}_n}=\sqrt{(c_n-a_n)^2+\{c_n^2-4nc_n-(a_n^2-4na_n)\}^2}$$
$$=\sqrt{(c_n-a_n)^2+(c_n-a_n)^2(c_n+a_n-4n)^2}$$
$$=\sqrt{(c_n-a_n)^2\{1+(c_n+a_n-4n)^2\}}$$

이때

$$(c_n-a_n)^2=(c_n+a_n)^2-4a_nc_n$$
$$=\left(\frac{9}{2}n\right)^2-4\times\left(-\frac{49}{16}n^2\right)$$
$$=\frac{65}{2}n^2$$

이므로

$$\overline{\mathrm{A}_n\mathrm{C}_n}=\sqrt{(c_n-a_n)^2\{1+(c_n+a_n-4n)^2\}}$$
$$=\sqrt{\frac{65}{2}n^2\left\{1+\left(\frac{9}{2}n-4n\right)^2\right\}}$$
$$=\sqrt{\frac{65}{2}n^2\left(1+\frac{1}{4}n^2\right)}$$

$$\therefore \lim_{n\to\infty}\frac{\overline{\mathrm{A}_n\mathrm{C}_n}}{n^2}=\lim_{n\to\infty}\frac{\sqrt{\dfrac{65}{2}n^2\left(1+\dfrac{1}{4}n^2\right)}}{n^2}=\lim_{n\to\infty}\frac{\sqrt{\dfrac{65}{2}\left(\dfrac{1}{n^2}+\dfrac{1}{4}\right)}}{1}$$

_{└ 분모, 분자를 n^2, 즉 $\sqrt{n^4}$으로 나눈다.}

$$=\sqrt{\frac{65}{2}\left(0+\frac{1}{4}\right)}=\frac{\sqrt{130}}{4}$$

目 $\dfrac{\sqrt{130}}{4}$

146

명제 $p\longrightarrow q$가 참이면 그 대우 $\sim q\longrightarrow\sim p$도 참이다.

$\sim q$: $x^2+x-2\geq0$에서

$(x+2)(x-1)\geq0$ $\quad\therefore x\leq-2$ 또는 $x\geq1$

$\sim p$: $(x^2-2ax+a)(x^2+x-2)\geq0$

명제 $\sim q\longrightarrow\sim p$가 참이 되려면 $x\leq-2$ 또는 $x\geq1$에서

$(x^2-2ax+a)(x^2+x-2)\geq0$이어야 한다.

이때 $x^2+x-2\geq0$이므로 $f(x)=x^2-2ax+a$라고 하면 $x\leq-2$ 또는 $x\geq1$에서 $f(x)\geq0$이어야 한다.

이차방정식 $x^2-2ax+a=0$의 판별식을 D라고 하면

(i) $D\leq0$일 때

　　모든 실수 x에 대하여 $f(x)\geq0$이므로

　　$\dfrac{D}{4}=a^2-a\leq0$에서

　　$a(a-1)\leq0$

　　$\therefore 0\leq a\leq1$

(ii) $D>0$일 때

　　$\dfrac{D}{4}=a^2-a>0$에서

　　$a(a-1)>0$

　　$\therefore a<0$ 또는 $a>1$　　　　　　　…… ㉠

이때 함수 $y=f(x)$의 그래프가 x축과 서로 다른 두 점에서 만나므로 $x\leq-2$ 또는 $x\geq1$에서 $f(x)\geq0$이려면 $y=f(x)$의 그래프는 오른쪽 그림과 같아야 한다.

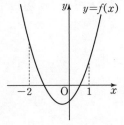

$f(-2)\geq0$에서

$4+4a+a\geq0$, $5a\geq-4$

$\therefore a\geq-\dfrac{4}{5}$　　　　　　　…… ㉡

$f(1)\geq0$에서

$1-2a+a\geq0$ $\quad\therefore a\leq1$　　　　　　　…… ㉢

$f(x)=x^2-2ax+a=(x-a)^2-a^2+a$에서 $y=f(x)$의 그래프에서 축의 방정식은 $x=a$이므로

$-2<a<1$　　　　　　　…… ㉣

㉠~㉣에서 $-\dfrac{4}{5}\leq a<0$

(i), (ii)에서 $-\dfrac{4}{5}\leq a\leq1$

따라서 $M=1$, $m=-\dfrac{4}{5}$이므로

$$\sum_{n=1}^{\infty}(Mm)^n=\sum_{n=1}^{\infty}\left(-\frac{4}{5}\right)^n=\frac{-\dfrac{4}{5}}{1-\left(-\dfrac{4}{5}\right)}=-\frac{4}{9}$$

目 ②

참고

(1) 명제 $p\longrightarrow q$의 참, 거짓

　두 조건 p, q의 진리집합을 각각 P, Q라고 할 때

　① $P\subset Q$이면 $p\longrightarrow q$는 참이다.

　② $P\not\subset Q$이면 $p\longrightarrow q$는 거짓이다.

(2) 명제와 그 대우의 참, 거짓

　① 명제 $p\longrightarrow q$가 참이면 그 대우 $\sim q\longrightarrow\sim p$도 참이다.

　② 명제 $p\longrightarrow q$가 거짓이면 그 대우 $\sim q\longrightarrow\sim p$도 거짓이다.

147

그림 R_1에서 정삼각형 DEF는 한 변의 길이가 3이므로 내접원의 반지름의 길이를 r라고 하자.

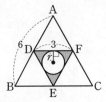

정삼각형 DEF의 넓이에서

$$\frac{\sqrt{3}}{4}\times3^2=\frac{1}{2}\times r\times(3+3+3)$$

$$\therefore r=\frac{\sqrt{3}}{2}$$

$$\therefore S_1=\frac{\sqrt{3}}{4}\times3^2-\left(\frac{\sqrt{3}}{2}\right)^2\pi=\frac{3}{4}(3\sqrt{3}-\pi)$$

그림 R_2에서 두 정삼각형 DEF와 GHI는 닮음이고 닮음비가 $2:1$, 즉 $1:\frac{1}{2}$이다.

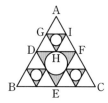

그림 R_1에서 색칠된 부분과 그림 R_2에서 새로 색칠된 한 부분도 닮음이고 그 닮음비가 $1:\frac{1}{2}$이다.

그림 R_n에서 새로 색칠한 한 부분과 그림 R_{n+1}에서 새로 색칠된 한 부분도 닮음이고 그 닮음비가 $1:\frac{1}{2}$이므로 그 넓이의 비는

$$1^2:\left(\frac{1}{2}\right)^2=1:\frac{1}{4}$$

이때 새로 색칠된 부분의 수가 3배씩 늘어나므로 $\lim_{n\to\infty}S_n$은 첫째항이 $\frac{3}{4}(3\sqrt{3}-\pi)$, 공비가 $\frac{3}{4}$인 등비급수의 합이다.

$$\therefore \lim_{n\to\infty}S_n=\frac{\frac{3}{4}(3\sqrt{3}-\pi)}{1-\frac{3}{4}}=9\sqrt{3}-3\pi$$

답 $9\sqrt{3}-3\pi$

01

$\frac{a_n}{n}=b_n$이라고 하면

$\lim_{n\to\infty}b_n=\frac{1}{3}$, $a_n=nb_n$이므로

$$\lim_{n\to\infty}\frac{\sqrt{9n^2+3n}-2n}{a_n}=\lim_{n\to\infty}\frac{\sqrt{9n^2+3n}-2n}{nb_n}$$

— 분모, 분자를 n, 즉 $\sqrt{n^2}$으로 나눈다.

$$=\lim_{n\to\infty}\frac{\sqrt{9+\frac{3}{n}}-2}{b_n}$$

$$=\frac{\lim_{n\to\infty}\left(\sqrt{9+\frac{3}{n}}-2\right)}{\lim_{n\to\infty}b_n}$$

$$=\frac{3-2}{\frac{1}{3}}=3$$

답 ③

02

$\lim_{n\to\infty}\frac{\sqrt{n^2-2021}-n}{n-\sqrt{n^2-2020}}$

— 분모, 분자를 유리화한다.

$$=\lim_{n\to\infty}\frac{(\sqrt{n^2-2021}-n)(\sqrt{n^2-2021}+n)(n+\sqrt{n^2-2020})}{(n-\sqrt{n^2-2020})(n+\sqrt{n^2-2020})(\sqrt{n^2-2021}+n)}$$

$$=\lim_{n\to\infty}\frac{-2021(n+\sqrt{n^2-2020})}{2020(\sqrt{n^2-2021}+n)}$$

— 분모, 분자를 n, 즉 $\sqrt{n^2}$으로 나눈다.

$$=\lim_{n\to\infty}\frac{-2021\left(1+\sqrt{1-\frac{2020}{n^2}}\right)}{2020\left(\sqrt{1-\frac{2021}{n^2}}+1\right)}$$

$$=\frac{-2021(1+1)}{2020(1+1)}=-\frac{2021}{2020}$$

답 ②

03

$a_n=\frac{n}{(n+1)!}$이라 하고 수열 $\{a_n\}$의 첫째항부터 제 n항까지의 합을 S_n이라고 하면

$$S_n=\frac{1}{2!}+\frac{2}{3!}+\frac{3}{4!}+\cdots+\frac{n}{(n+1)!}$$

$$=\left(1-\frac{1}{2!}\right)+\left(\frac{1}{2!}-\frac{1}{3!}\right)+\left(\frac{1}{3!}-\frac{1}{4!}\right)+\cdots+\left\{\frac{1}{n!}-\frac{1}{(n+1)!}\right\}$$

$$=1-\frac{1}{(n+1)!}$$

$$\therefore \frac{1}{2!}+\frac{2}{3!}+\frac{3}{4!}+\cdots+\frac{n}{(n+1)!}+\cdots=\sum_{n=1}^{\infty}a_n=\lim_{n\to\infty}\sum_{k=1}^{n}a_k$$

$$=\lim_{n\to\infty}S_n$$

$$=\lim_{n\to\infty}\left\{1-\frac{1}{(n+1)!}\right\}$$

$$=1$$

답 1

04

$f(x)=x^3-2a_nx+8n^2$이라고 하면 $f(x)$가 $x-2n$으로 나누어떨어지므로 $f(2n)=0$에서

$8n^3-4na_n+8n^2=0,\ 4na_n=8n^3+8n^2$

$\therefore a_n=2n(n+1)$

$\therefore \displaystyle\sum_{n=1}^{\infty}\frac{10}{a_n}$

$\displaystyle =\sum_{n=1}^{\infty}\frac{5}{n(n+1)}$

$\displaystyle =5\sum_{n=1}^{\infty}\left(\frac{1}{n}-\frac{1}{n+1}\right)$

$\displaystyle =5\lim_{n\to\infty}\sum_{k=1}^{n}\left(\frac{1}{k}-\frac{1}{k+1}\right)$

$\displaystyle =5\lim_{n\to\infty}\left\{\left(1-\frac{1}{2}\right)+\left(\frac{1}{2}-\frac{1}{3}\right)+\left(\frac{1}{3}-\frac{1}{4}\right)+\cdots+\left(\frac{1}{n}-\frac{1}{n+1}\right)\right\}$

$\displaystyle =5\lim_{n\to\infty}\left(1-\frac{1}{n+1}\right)=5$

답 5

05

급수 $\displaystyle\sum_{n=1}^{\infty}\left(\frac{a_n}{n}-3\right)$이 수렴하므로 $\displaystyle\lim_{n\to\infty}\left(\frac{a_n}{n}-3\right)=0$

$\dfrac{a_n}{n}-3=b_n$이라고 하면

$\displaystyle\lim_{n\to\infty}b_n=0,\ a_n=n(b_n+3)$이므로

$\displaystyle\lim_{n\to\infty}\frac{n+3a_n}{n-a_n}=\lim_{n\to\infty}\frac{n+3n(b_n+3)}{n-n(b_n+3)}$

$\displaystyle =\lim_{n\to\infty}\frac{1+3(b_n+3)}{1-(b_n+3)}$ — 분모, 분자를 n으로 나눈다.

$\displaystyle =\frac{1+3(0+3)}{1-(0+3)}=-5$

답 ④

06

$\dfrac{5^n}{(4-2\sin\theta)^{n+1}}=\dfrac{5}{(4-2\sin\theta)^2}\times\left(\dfrac{5}{4-2\sin\theta}\right)^{n-1}$이므로

수열 $\left\{\dfrac{5^n}{(4-2\sin\theta)^{n+1}}\right\}$은 첫째항이 $\dfrac{5}{(4-2\sin\theta)^2}$이고, 공비가 $\dfrac{5}{4-2\sin\theta}$인 등비수열이다.

따라서 $\displaystyle\lim_{n\to\infty}\frac{5^n}{(4-2\sin\theta)^{n+1}}$이 0이 아닌 극한값을 가지려면

$\dfrac{5}{4-2\sin\theta}\neq0,\ -1<\dfrac{5}{4-2\sin\theta}\leq1$ ...... ㉠

한편 $-1\leq\sin\theta\leq1$이므로

$4-2\sin\theta>0$

따라서 ㉠에서 $0<\dfrac{5}{4-2\sin\theta}\leq1$

(ⅰ) $\dfrac{5}{4-2\sin\theta}>0$일 때

$4-2\sin\theta>0$이므로 $\dfrac{5}{4-2\sin\theta}>0$은 모든 실수 θ에 대하여 항상 성립한다.

(ⅱ) $\dfrac{5}{4-2\sin\theta}\leq1$일 때

$4-2\sin\theta>0$이므로 양변에 $4-2\sin\theta$를 곱하여도 부등호의 방향은 바뀌지 않는다.

즉, $5\leq4-2\sin\theta$이므로

$2\sin\theta\leq-1$ $\therefore \sin\theta\leq-\dfrac{1}{2}$

(ⅰ), (ⅱ)에서 $\sin\theta\leq-\dfrac{1}{2}$이므로 실수 θ의 값으로 적당한 것은 ⑤ $\dfrac{7}{6}\pi$이다.

답 ⑤

07

(ⅰ) $n\geq2$일 때

$a_n=S_n-S_{n-1}$

$=(n+2)\times5^n-(n+1)\times5^{n-1}$

$=(4n+9)\times5^{n-1}$ ...... ㉠

(ⅱ) $n=1$일 때

$a_1=S_1=3\times5=15$

이것은 ㉠에 $n=1$을 대입하여 얻은 값과 같지 않다.

(ⅰ), (ⅱ)에서

$a_1=15,\ a_n=(4n+9)\times5^{n-1}\ (n\geq2)$

$\displaystyle\therefore \lim_{n\to\infty}\frac{S_n}{a_n}=\lim_{n\to\infty}\frac{(n+2)\times5^n}{(4n+9)\times5^{n-1}}$

$\displaystyle =5\lim_{n\to\infty}\frac{n+2}{4n+9}=5\lim_{n\to\infty}\frac{1+\dfrac{2}{n}}{4+\dfrac{9}{n}}=\frac{5}{4}$

└─ 분모, 분자를 n으로 나눈다.

답 $\dfrac{5}{4}$

08

$a_1+2a_2+3a_3+\cdots+(n-1)a_{n-1}+na_n=2n+1$ ...... ㉠

㉠에 n 대신 $n-1$을 대입하면

$a_1+2a_2+3a_3+\cdots+(n-1)a_{n-1}=2n-1$ ...... ㉡

㉠-㉡을 하면

$na_n=2$ $\therefore a_n=\dfrac{2}{n}$ (단, $n\geq2$)

$a_1=3,\ a_n=\dfrac{2}{n}\ (n\geq2)$이므로

$\displaystyle\sum_{n=1}^{\infty}a_na_{n+1}$

$=a_1a_2+a_2a_3+a_3a_4+a_4a_5+\cdots$

$=3\times\dfrac{2}{2}+\dfrac{2}{2}\times\dfrac{2}{3}+\dfrac{2}{3}\times\dfrac{2}{4}+\dfrac{2}{4}\times\dfrac{2}{5}+\cdots$

$\displaystyle =3+4\sum_{n=1}^{\infty}\frac{1}{(n+1)(n+2)}$

$\displaystyle =3+4\sum_{n=1}^{\infty}\left(\frac{1}{n+1}-\frac{1}{n+2}\right)$

$\displaystyle =3+4\lim_{n\to\infty}\sum_{k=1}^{n}\left(\frac{1}{k+1}-\frac{1}{k+2}\right)$

$\displaystyle =3+4\lim_{n\to\infty}\left\{\left(\frac{1}{2}-\frac{1}{3}\right)+\left(\frac{1}{3}-\frac{1}{4}\right)+\left(\frac{1}{4}-\frac{1}{5}\right)+\cdots+\left(\frac{1}{n+1}-\frac{1}{n+2}\right)\right\}$

$\displaystyle =3+4\lim_{n\to\infty}\left(\frac{1}{2}-\frac{1}{n+2}\right)$

$=3+4\times\dfrac{1}{2}=5$

답 ⑤

참고

$n \geq 2$일 때 $a_n = \dfrac{2}{n}$이고, $n=1$일 때는 $a_n = \dfrac{2}{n}$가 성립하지 않으므로 다음과 같이 계산하지 않도록 주의한다.

$$\sum_{n=1}^{\infty} a_n a_{n+1}$$
$$=\sum_{n=1}^{\infty} \frac{4}{n(n+1)} = 4\sum_{n=1}^{\infty}\left(\frac{1}{n}-\frac{1}{n+1}\right)$$
$$=4\lim_{n \to \infty}\sum_{k=1}^{n}\left(\frac{1}{k}-\frac{1}{k+1}\right)$$
$$=4\lim_{n \to \infty}\left\{\left(1-\frac{1}{2}\right)+\left(\frac{1}{2}-\frac{1}{3}\right)+\left(\frac{1}{3}-\frac{1}{4}\right)+\cdots+\left(\frac{1}{n}-\frac{1}{n+1}\right)\right\}$$
$$=4\lim_{n \to \infty}\left(1-\frac{1}{n+1}\right)=4$$

09

$f(1)=1$

$f(2)=1+3$

$f(3)=1+3+5+7$

$f(4)=1+3+5+7+9+11+13+15$

$\qquad \vdots$

따라서 $f(n)$은 첫째항이 1, 공차가 2인 등차수열의 첫째항부터 제2^{n-1}항까지의 합이므로

$$f(n)=\frac{2^{n-1}(1+2^n-1)}{2}=2^{2n-2}=4^{n-1}$$

$$\therefore \sum_{n=1}^{\infty}\frac{1}{f(n)}=\sum_{n=1}^{\infty}\left(\frac{1}{4}\right)^{n-1}=\frac{1}{1-\frac{1}{4}}=\frac{4}{3}$$

답 ④

10

기금을 조성한 후 n번째 해에 지급하는 장학금을 a_n억 원이라고 하면 해마다 지급하는 장학금의 총액은 $\displaystyle\sum_{n=1}^{\infty} a_n$억 원이다.

$a_1 = 20 \times 1.1 \times 0.2 = 20 \times \dfrac{11}{10} \times \dfrac{2}{10} = \dfrac{22}{5}$

$a_2 = (20 \times 1.1 \times 0.8) \times 1.1 \times 0.2$

$\quad = (20 \times 1.1 \times 0.2) \times 1.1 \times 0.8$

$\quad = a_1 \times \dfrac{11}{10} \times \dfrac{8}{10} = a_1 \times \dfrac{22}{25}$

$a_3 = \{(20 \times 1.1 \times 0.8) \times 1.1 \times 0.8\} \times 1.1 \times 0.2$

$\quad = (20 \times 1.1 \times 0.2) \times 1.1 \times 0.8 \times 1.1 \times 0.8$

$\quad = a_1 \times \dfrac{11}{10} \times \dfrac{8}{10} \times \dfrac{11}{10} \times \dfrac{8}{10} = a_1 \times \left(\dfrac{22}{25}\right)^2$

$\qquad \vdots$

이므로

$$a_n = a_1 \times \left(\frac{22}{25}\right)^{n-1}$$

따라서 수열 $\{a_n\}$은 첫째항이 $\dfrac{22}{5}$, 공비가 $\dfrac{22}{25}$인 등비수열이므로

$$\sum_{n=1}^{\infty} a_n = \frac{\dfrac{22}{5}}{1-\dfrac{22}{25}} = \frac{110}{3}$$

즉, 해마다 지급할 장학금의 총액은 $\dfrac{110}{3}$억 원이다.

답 ③

01

$\dfrac{3a_n+1}{a_n+3}=b_n$이라고 하면 $\displaystyle\lim_{n \to \infty} b_n = 1$

이때 $a_n = \dfrac{1-3b_n}{b_n-3}$이므로

$$\lim_{n \to \infty} a_n = \lim_{n \to \infty}\frac{1-3b_n}{b_n-3} = \frac{1-3\lim_{n \to \infty}b_n}{\lim_{n \to \infty}b_n-3}$$
$$=\frac{1-3\times1}{1-3}=1$$

답 ④

간단 풀이

수열 $\{a_n\}$이 수렴하므로 $\displaystyle\lim_{n \to \infty} a_n = \alpha$라고 하면

$\displaystyle\lim_{n \to \infty}\dfrac{3a_n+1}{a_n+3}=1$에서 $\dfrac{3\alpha+1}{\alpha+3}=1$

$3\alpha+1=\alpha+3$, $2\alpha=2$ $\quad\therefore \alpha=1$

즉, $\displaystyle\lim_{n \to \infty} a_n = 1$이다.

02

$\dfrac{1}{2n^2+3} < a_n < \dfrac{1}{2n^2+1}$의 각 변에 n^2을 곱하면

$$\frac{n^2}{2n^2+3} < n^2 a_n < \frac{n^2}{2n^2+1}$$

이때

$$\lim_{n \to \infty}\frac{n^2}{2n^2+3} = \lim_{n \to \infty}\frac{1}{2+\dfrac{3}{n^2}} = \frac{1}{2},$$

    분모, 분자를 n^2으로 나눈다.

$$\lim_{n \to \infty}\frac{n^2}{2n^2+1} = \lim_{n \to \infty}\frac{1}{2+\dfrac{1}{n^2}} = \frac{1}{2}$$

이므로 수열의 극한값의 대소 관계에 의하여

$$\lim_{n \to \infty} n^2 a_n = \frac{1}{2}$$

답 ②

03

등비수열 $\left\{(x-5)\left(\dfrac{x}{2}\right)^{n-1}\right\}$이 수렴하려면

$$x-5=0 \text{ 또는 } -1<\frac{x}{2}\leq1$$

이어야 하므로

$x=5$ 또는 $-2<x\leq2$

따라서 정수 x는 $-1, 0, 1, 2, 5$의 5개이다.

답 ⑤

04

$P_n(n, 5^n)$, $Q_n(n, 3^n)$이므로

$\overline{P_n Q_n} = 5^n - 3^n$

$P_{n+1}(n+1, 5^{n+1})$, $Q_{n+1}(n+1, 3^{n+1})$이므로

$\overline{P_{n+1}Q_{n+1}} = 5^{n+1} - 3^{n+1}$

$$\therefore \lim_{n\to\infty}\frac{\overline{P_{n+1}Q_{n+1}}}{\overline{P_nQ_n}}=\lim_{n\to\infty}\frac{5^{n+1}-3^{n+1}}{5^n-3^n}$$

$$\underset{\llcorner\,\text{분모, 분자를 }5^n\text{으로 나눈다.}}{}$$

$$=\lim_{n\to\infty}\frac{5-3\left(\dfrac{3}{5}\right)^n}{1-\left(\dfrac{3}{5}\right)^n}=5$$

답 ④

05

급수 $\displaystyle\sum_{n=1}^{\infty}\frac{(2x-1)^n}{5^n}=\sum_{n=1}^{\infty}\left(\frac{2x-1}{5}\right)^n$이 수렴하려면

$$-1<\frac{2x-1}{5}<1$$

이어야 하므로

$$-5<2x-1<5,\ -4<2x<6$$

$$\therefore -2<x<3 \qquad\qquad \cdots\cdots\ \text{㉠}$$

수열 $\left\{\left(\log_2\dfrac{x}{3}\right)^n\right\}$이 수렴하려면

$$-1<\log_2\frac{x}{3}\le1$$

이어야 하므로 $\dfrac{1}{2}<\dfrac{x}{3}\le2$

$$\therefore \frac{3}{2}<x\le6 \qquad\qquad \cdots\cdots\ \text{㉡}$$

㉠, ㉡에서 $\dfrac{3}{2}<x<3$

답 $\dfrac{3}{2}<x<3$

06

수열 $\{a_n\}$의 첫째항을 a라고 하면 공차가 3이므로

$$a_n=a+3(n-1)=3n+a-3$$

$a_{n+1}=3n+a$이므로

$$a_{n+1}-a_n=3$$

$$a_{n+1}+a_n=6n+2a-3$$

$$a_{n+1}{}^2+a_n{}^2=(3n+a)^2+(3n+a-3)^2$$
$$=9n^2+6an+a^2+9n^2+a^2+9+6an-6a-18n$$
$$=18n^2+(12a-18)n+2a^2-6a+9$$

$$\therefore b_n=a_{n+1}{}^4-a_n{}^4$$
$$=(a_{n+1}{}^2+a_n{}^2)(a_{n+1}{}^2-a_n{}^2)$$
$$=(a_{n+1}{}^2+a_n{}^2)(a_{n+1}+a_n)(a_{n+1}-a_n)$$
$$=\{18n^2+(12a-18)n+2a^2-6a+9\}\times(6n+2a-3)\times3$$
$$=3\{18n^2+(12a-18)n+2a^2-6a+9\}(6n+2a-3)$$

$$\therefore \lim_{n\to\infty}\frac{b_n}{a_n{}^3}$$
$$=\lim_{n\to\infty}\frac{3\{18n^2+(12a-18)n+2a^2-6a+9\}(6n+2a-3)}{(3n+a-3)^3}$$

$$\underset{\llcorner\,\text{분모, 분자를 }n^3\text{으로 나눈다.}}{}$$

$$=\lim_{n\to\infty}\frac{3\left\{18+\dfrac{12a-18}{n}+\dfrac{2a^2-6a+9}{n^2}\right\}\left(6+\dfrac{2a-3}{n}\right)}{\left(3+\dfrac{a-3}{n}\right)^3}$$

$$=\frac{3\times18\times6}{3^3}=12$$

답 ④

07

원 C_n은 중심이 점 $P_n\left(n,\sqrt{\dfrac{n}{4}}\right)$이고 y축에 접하므로 그 방정식은

$$(x-n)^2+\left(y-\sqrt{\frac{n}{4}}\right)^2=n^2$$

원 C_n이 x축과 만나는 점의 x좌표는

$$(x-n)^2+\frac{n}{4}=n^2,\ x^2-2nx+\frac{n}{4}=0$$

$$\therefore x=n\pm\sqrt{n^2-\frac{n}{4}}$$

원 C_n이 x축과 만나는 점 중 원점과 가까운 점이 Q_n이므로

$$Q_n\left(n-\sqrt{n^2-\frac{n}{4}},\ 0\right)$$

$\overline{OQ_n}=n-\sqrt{n^2-\dfrac{n}{4}}$이므로

$$\lim_{n\to\infty}\frac{1}{\overline{OQ_n}}=\lim_{n\to\infty}\frac{1}{n-\sqrt{n^2-\dfrac{n}{4}}}$$

$$\underset{\llcorner\,\text{분모를 유리화한다.}}{}$$

$$=\lim_{n\to\infty}\frac{n+\sqrt{n^2-\dfrac{n}{4}}}{\left(n-\sqrt{n^2-\dfrac{n}{4}}\right)\left(n+\sqrt{n^2-\dfrac{n}{4}}\right)}$$

$$=4\lim_{n\to\infty}\frac{n+\sqrt{n^2-\dfrac{n}{4}}}{n}$$

$$\underset{\llcorner\,\text{분모, 분자를 }n,\ \text{즉 }\sqrt{n^2}\text{으로 나눈다.}}{}$$

$$=4\lim_{n\to\infty}\frac{1+\sqrt{1-\dfrac{1}{4n}}}{1}$$

$$=4\times2=8$$

답 8

08

등비수열 $\{a_n\}$의 첫째항을 $a\ (a>0)$, 공비를 r라고 하면

$$a_n=ar^{n-1} \qquad \therefore \frac{1}{a_n}=\frac{1}{a}\times\left(\frac{1}{r}\right)^{n-1}$$

조건 ㈎에서 $\displaystyle\sum_{k=1}^{9}a_k=\sum_{k=1}^{9}\frac{1}{a_k}$이므로

$$\frac{a(1-r^9)}{1-r}=\frac{\dfrac{1}{a}\left\{1-\left(\dfrac{1}{r}\right)^9\right\}}{1-\dfrac{1}{r}}\ (\because r\neq1)$$

$$\frac{a(1-r^9)}{1-r}=\frac{r}{a(r-1)}\times\frac{r^9-1}{r^9}$$

$$\frac{a(r^9-1)}{r-1}=\frac{1}{ar^8}\times\frac{r^9-1}{r-1}$$

$$\therefore a^2r^8=1 \qquad\qquad \cdots\cdots\ \text{㉠}$$

조건 ㈏에서 $a_5+a_6=-1$이므로

$$ar^4+ar^5=-1,\ ar^4(1+r)=-1$$

$$\therefore ar^4=-\frac{1}{1+r} \qquad\qquad \cdots\cdots\ \text{㉡}$$

㉡을 ㉠에 대입하면

$$\left(-\frac{1}{1+r}\right)^2=1,\ \frac{1}{1+2r+r^2}=1$$

$$1+2r+r^2=1,\ r^2+2r=0$$

$$r(r+2)=0 \qquad \therefore r=-2\ (\because r\neq0)$$

$r=-2$를 ㉠에 대입하면

$a^2 \times (-2)^8 = 1$, $a^2 = \dfrac{1}{256}$

$\therefore a = \dfrac{1}{16}$ ($\because a>0$)

따라서 $\dfrac{1}{a_n} = 16 \times \left(-\dfrac{1}{2}\right)^{n-1}$이므로

$\displaystyle\sum_{n=1}^{\infty} \dfrac{1}{a_n} = \dfrac{16}{1-\left(-\dfrac{1}{2}\right)} = \dfrac{32}{3}$

즉, $p=3$, $q=32$이므로

$p+q=35$

답 35

참고

$r=1$이면 조건 (나)에 의하여 $a+a=-1$, 즉 $a=-\dfrac{1}{2}$이 되어 첫째항이 양수라는 조건에 맞지 않는다.

$\therefore r \ne 1$

또, $r=0$이면 조건 (나)를 만족시키지 않으므로

$r \ne 0$

09

333^n을 4로 나눈 나머지는 333^n의 일의 자리의 수를 4로 나눈 나머지와 같다.

$n=1, 2, 3, \cdots$일 때 333^n의 일의 자리의 수를 차례로 나열하면

$3, 9, 7, 1, 3, \cdots$

이므로 수열 $\{a_n\}$을 차례로 나열하면

$a_1=3$, $a_2=1$, $a_3=3$, $a_4=1$, $a_5=3$, $\cdots$

$\therefore 48\displaystyle\sum_{n=1}^{\infty} \dfrac{a_n}{\{6+(-1)^n\}^n}$

$=48\left(\dfrac{a_1}{5} + \dfrac{a_2}{7^2} + \dfrac{a_3}{5^3} + \dfrac{a_4}{7^4} + \dfrac{a_5}{5^5} + \dfrac{a_6}{7^6} + \cdots\right)$

$=48\left(\dfrac{3}{5} + \dfrac{1}{7^2} + \dfrac{3}{5^3} + \dfrac{1}{7^4} + \dfrac{3}{5^5} + \dfrac{1}{7^6} + \cdots\right)$

$=48\left\{3\underbrace{\left(\dfrac{1}{5} + \dfrac{1}{5^3} + \dfrac{1}{5^5} + \cdots\right)}_{\substack{\text{첫째항이 } \frac{1}{5}, \text{ 공비가} \\ \frac{1}{25} \text{인 등비급수}}} + \underbrace{\left(\dfrac{1}{7^2} + \dfrac{1}{7^4} + \dfrac{1}{7^6} + \cdots\right)}_{\substack{\text{첫째항이 } \frac{1}{49}, \text{ 공비가} \\ \frac{1}{49} \text{인 등비급수}}}\right\}$

$=48\left(3 \times \dfrac{\frac{1}{5}}{1-\frac{1}{25}} + \dfrac{\frac{1}{49}}{1-\frac{1}{49}}\right)$

$=48\left(\dfrac{5}{8} + \dfrac{1}{48}\right) = 31$

답 ⑤

10

선분 $A_n A_{n+1}$을 지름으로 하는 반원의 호의 길이를 l_n이라고 하면 구하는 모든 반원의 호의 길이의 합은 $\displaystyle\sum_{n=1}^{\infty} l_n$이다.

$\overline{A_1 A_2} = 3$이므로 $l_1 = \dfrac{3}{2}\pi$

$\overline{A_2 A_3} = 3 \times \dfrac{2}{3} = 2$이므로 $l_2 = \pi$

$\overline{A_3 A_4} = 2 \times \dfrac{2}{3} = \dfrac{4}{3}$이므로 $l_3 = \dfrac{2}{3}\pi$

$\overline{A_4 A_5} = \dfrac{4}{3} \times \dfrac{2}{3} = \dfrac{8}{9}$이므로 $l_4 = \dfrac{4}{9}\pi$

$\overline{A_5 A_6} = \dfrac{8}{9} \times \dfrac{2}{3} = \dfrac{16}{27}$이므로 $l_5 = \dfrac{8}{27}\pi$

$\overline{A_6 A_7} = \dfrac{16}{27} \times \dfrac{2}{3} = \dfrac{32}{81}$이므로 $l_6 = \dfrac{16}{81}\pi$

$\vdots$

$\therefore \displaystyle\sum_{n=1}^{\infty} l_n = \dfrac{3}{2}\pi + \pi + \dfrac{2}{3}\pi + \dfrac{4}{9}\pi + \dfrac{8}{27}\pi + \dfrac{16}{81}\pi + \cdots$

$= \pi\left\{\underbrace{\left(\dfrac{3}{2} + \dfrac{2}{3} + \dfrac{8}{27} + \cdots\right)}_{\substack{\text{첫째항이 } \frac{3}{2}, \text{ 공비가} \\ \frac{4}{9} \text{인 등비급수}}} + \underbrace{\left(1 + \dfrac{4}{9} + \dfrac{16}{81} + \cdots\right)}_{\text{첫째항이 } 1, \text{ 공비가 } \frac{4}{9} \text{인 등비급수}}\right\}$

$= \pi\left(\dfrac{\frac{3}{2}}{1-\frac{4}{9}} + \dfrac{1}{1-\frac{4}{9}}\right)$

$= \pi\left(\dfrac{27}{10} + \dfrac{9}{5}\right) = \dfrac{9}{2}\pi$

답 $\dfrac{9}{2}\pi$

II. 미분법

03 여러 가지 함수의 미분

001

ㄱ. $\lim\limits_{x \to 0} \dfrac{2^x - 3^{x+1}}{4^x} = \dfrac{2^0 - 3^1}{4^0} = \dfrac{1-3}{1} = -2$

ㄴ. $\lim\limits_{x \to \infty} \dfrac{5^{x+2}}{3^x - 5^x} = \lim\limits_{x \to \infty} \dfrac{5^2}{\left(\dfrac{3}{5}\right)^x - 1} = \dfrac{25}{0-1} = -25$

ㄷ. $\lim\limits_{x \to 3} \log_{\frac{1}{2}}(3x-1) = \log_{\frac{1}{2}}(9-1) = \log_{2^{-1}} 2^3 = -3$

ㄹ. $\lim\limits_{x \to \infty} \log_2 \dfrac{4x+1}{x+6} = \lim\limits_{x \to \infty} \log_2 \dfrac{4 + \dfrac{1}{x}}{1 + \dfrac{6}{x}} = \log_2 \dfrac{4+0}{1+0}$

$\qquad\qquad = \log_2 4 = \log_2 2^2 = 2$

따라서 극한값이 큰 것부터 순서대로 나열하면
ㄹ—ㄱ—ㄷ—ㄴ이다.

답 ④

풍쌤 비법

(1) 지수함수 $y = a^x\,(a>0,\ a \neq 1)$에서

| $a>1$ | $0<a<1$ |
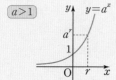 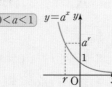

① $a>1$일 때, $\lim\limits_{x \to r} a^x = a^r$, $\lim\limits_{x \to \infty} a^x = \infty$, $\lim\limits_{x \to -\infty} a^x = 0$

② $0<a<1$일 때, $\lim\limits_{x \to r} a^x = a^r$, $\lim\limits_{x \to \infty} a^x = 0$, $\lim\limits_{x \to -\infty} a^x = \infty$

(2) 로그함수 $y = \log_a x\,(a>0,\ a \neq 1)$에서

| $a>1$ | $0<a<1$ |
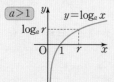 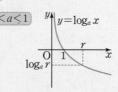

① $a>1$일 때, $\lim\limits_{x \to r} \log_a x = \log_a r\,(r$는 양수$)$,

$\qquad \lim\limits_{x \to 0+} \log_a x = -\infty$, $\lim\limits_{x \to \infty} \log_a x = \infty$

② $0<a<1$일 때, $\lim\limits_{x \to r} \log_a x = \log_a r\,(r$는 양수$)$,

$\qquad \lim\limits_{x \to 0+} \log_a x = \infty$, $\lim\limits_{x \to \infty} \log_a x = -\infty$

002

$\lim\limits_{x \to \infty} \dfrac{a \times 3^{x+2} + 2^x}{3^x - 2^x} = \lim\limits_{x \to \infty} \dfrac{a \times 9 + \left(\dfrac{2}{3}\right)^x}{1 - \left(\dfrac{2}{3}\right)^x} = 9a = 54$

$\therefore a = 6$

답 ①

003

$\lim\limits_{x \to \infty} \{\log_6(ax-2) - \log_6(x+1)\} = \lim\limits_{x \to \infty} \log_6 \dfrac{ax-2}{x+1}$

$\qquad\qquad\qquad\qquad\qquad\qquad = \lim\limits_{x \to \infty} \log_6 \dfrac{a - \dfrac{2}{x}}{1 + \dfrac{1}{x}}$

$\qquad\qquad\qquad\qquad\qquad\qquad = \log_6 a = 2$

$\therefore a = 6^2 = 36$

답 ④

참고

로그의 성질

$a>0,\ a \neq 1,\ M>0,\ N>0$일 때

(1) $\log_a 1 = 0$, $\log_a a = 1$

(2) $\log_a MN = \log_a M + \log_a N$

(3) $\log_a \dfrac{M}{N} = \log_a M - \log_a N$

(4) $\log_a M^k = k \log_a M$ (단, k는 실수이다.)

004

$\dfrac{1}{x} = t$로 놓으면 $x \to 0+$일 때 $t \to \infty$이므로

$\lim\limits_{x \to 0+} \dfrac{f(x)}{g(x)} = \lim\limits_{x \to 0+} \dfrac{\log_5 \dfrac{5}{x}}{\log_5 \left(\dfrac{10}{x} + 1\right)}$

$\qquad\qquad = \lim\limits_{t \to \infty} \dfrac{\log_5 5t}{\log_5(10t+1)}$

$\qquad\qquad = \lim\limits_{t \to \infty} \dfrac{1 + \log_5 t}{\log_5 t + \log_5\left(10 + \dfrac{1}{t}\right)}$

$\qquad\qquad = \lim\limits_{t \to \infty} \dfrac{\dfrac{1}{\log_5 t} + 1}{1 + \dfrac{\log_5\left(10 + \dfrac{1}{t}\right)}{\log_5 t}}$

$\qquad\qquad = \dfrac{1}{1} = 1$

$\log_5 5t = \log_5 5 + \log_5 t$,
$\log_5(10t+1)$
$= \log_5 t \left(10 + \dfrac{1}{t}\right)$
$= \log_5 t + \log_5\left(10 + \dfrac{1}{t}\right)$

답 ①

005

$\lim\limits_{x \to 0} \left\{\left(1 + \dfrac{x}{a}\right)(1+ax)\right\}^{\frac{1}{x}} = \lim\limits_{x \to 0} \left(1 + \dfrac{x}{a}\right)^{\frac{1}{x}} (1+ax)^{\frac{1}{x}}$

$\qquad\qquad = \lim\limits_{x \to 0} \left\{\left(1 + \dfrac{x}{a}\right)^{\frac{a}{x}}\right\}^{\frac{1}{a}} \{(1+ax)^{\frac{1}{ax}}\}^a$

$\qquad\qquad = e^{\frac{1}{a}} \times e^a$

$\qquad\qquad = e^{a + \frac{1}{a}} = e^{\frac{10}{3}}$

$a + \dfrac{1}{a} = \dfrac{10}{3}$에서 $3a^2 - 10a + 3 = 0$

$(3a-1)(a-3) = 0$ $\qquad \therefore a = 3\,(\because a$는 자연수$)$

답 3

006

$x-1=t$로 놓으면 $x \to 1$일 때 $t \to 0$이므로

$$\lim_{x \to 1} \left(\frac{x-1}{\log_9 x} - \frac{x-1}{\log_3 x} \right) = \lim_{t \to 0} \left\{ \frac{t}{\log_9 (t+1)} - \frac{t}{\log_3 (t+1)} \right\}$$

$$= \lim_{t \to 0} \left\{ \frac{1}{\frac{\log_9 (t+1)}{t}} - \frac{1}{\frac{\log_3 (t+1)}{t}} \right\}$$

$$= \ln 9 - \ln 3$$

$$= 2\ln 3 - \ln 3$$

$$= \ln 3$$

답 $\ln 3$

007

▶ 접근

$\lim\limits_{x \to \infty} \left(1 + \frac{1}{ax} \right)^{bx} = \lim\limits_{x \to \infty} \left\{ \left(1 + \frac{1}{ax} \right)^{ax} \right\}^{\frac{b}{a}}$ 꼴이 되도록 식을 변형한다.

$\underline{\lim\limits_{x \to \infty} \left(\frac{x+a}{x-a} \right)^x = \lim\limits_{x \to \infty} \left(1 + \frac{2a}{x-a} \right)^x}$ $\quad \frac{x+a}{x-a} = \frac{x-a+2a}{x-a} = \frac{x-a}{x-a} + \frac{2a}{x-a}$

$x-a=t$로 놓으면 $x \to \infty$일 때 $t \to \infty$이므로 $\quad = 1 + \frac{2a}{x-a}$

$$\lim_{x \to \infty} \left(1 + \frac{2a}{x-a} \right)^x = \lim_{t \to \infty} \left(1 + \frac{2a}{t} \right)^{t+a}$$

$$= \lim_{t \to \infty} \left\{ \left(1 + \frac{2a}{t} \right)^{\frac{t}{2a}} \right\}^{\frac{2a(t+a)}{t}} \quad \begin{array}{l} \lim\limits_{t \to \infty} \frac{2a(t+a)}{t} \\ = \lim\limits_{t \to \infty} 2a \left(1 + \frac{a}{t} \right) \\ = 2a \end{array}$$

$$= e^{2a} = e^{100}$$

$2a = 100 \qquad \therefore a = 50$

답 50

008

$\lim\limits_{x \to 0} \dfrac{(x+2)^2 - a}{e^{bx} - e^{ax}} = \dfrac{1}{2}$에서 $x \to 0$일 때 극한값이 존재하고 (분모) $\to 0$이므로 (분자) $\to 0$이어야 한다.

즉, $\lim\limits_{x \to 0} \{ (x+2)^2 - a \} = 0$이므로

$2^2 - a = 0 \qquad \therefore a = 4$

$$\lim_{x \to 0} \frac{(x+2)^2 - a}{e^{bx} - e^{ax}} = \lim_{x \to 0} \frac{(x+2)^2 - 4}{e^{bx} - e^{4x}}$$

$$= \lim_{x \to 0} \frac{x(x+4)}{e^{bx} - e^{4x}}$$

$$= \lim_{x \to 0} \left\{ \frac{x}{e^{bx} - e^{4x}} \times (x+4) \right\}$$

$$= \lim_{x \to 0} \left\{ \frac{1}{\frac{e^{bx} - e^{4x}}{x}} \times (x+4) \right\}$$

$$= \lim_{x \to 0} \left\{ \frac{1}{\frac{e^{bx}-1}{x} - \frac{e^{4x}-1}{x}} \times (x+4) \right\}$$

$$= \lim_{x \to 0} \left\{ \frac{1}{\frac{e^{bx}-1}{bx} \times b - \frac{e^{4x}-1}{4x} \times 4} \times (x+4) \right\}$$

$$= \frac{1}{b-4} \times 4$$

$$= \frac{4}{b-4} = \frac{1}{2}$$

$b - 4 = 8 \qquad \therefore b = 12$

$\therefore a + b = 4 + 12 = 16$

답 ⑤

간단 풀이

$$\lim_{x \to 0} \frac{(x+2)^2 - a}{e^{bx} - e^{ax}} = \lim_{x \to 0} \frac{(x+2)^2 - 4}{e^{bx} - e^{4x}}$$

$$= \lim_{x \to 0} \frac{x(x+4)}{e^{bx} - e^{4x}}$$

$$= \lim_{x \to 0} \left\{ \frac{bx - 4x}{e^{bx} - e^{4x}} \times \frac{x(x+4)}{x(b-4)} \right\}$$

$$= \lim_{x \to 0} \left(\frac{bx - 4x}{e^{bx} - e^{4x}} \times \frac{x+4}{b-4} \right)$$

$$= 1 \times \frac{4}{b-4}$$

$$= \frac{4}{b-4} = \frac{1}{2}$$

참고

미정계수의 결정

두 함수 $f(x)$, $g(x)$에 대하여 $\lim\limits_{x \to a} \dfrac{f(x)}{g(x)} = \alpha$ (α는 상수)일 때

(1) $\lim\limits_{x \to a} g(x) = 0$이면 $\lim\limits_{x \to a} f(x) = 0$이다.

(2) $\lim\limits_{x \to a} f(x) = 0$이고 $\alpha \neq 0$이면 $\lim\limits_{x \to a} g(x) = 0$이다.

009

두 점 A, B의 좌표를 각각 구하면

A$(t, \ln t)$, B$(t, -\ln t)$

$\therefore \overline{AB} = \ln t - (-\ln t) = 2\ln t$

삼각형 AQB의 넓이가 1이므로

$\dfrac{1}{2} \times 2\ln t \times \overline{PQ} = 1 \qquad \therefore \overline{PQ} = \dfrac{1}{\ln t}$

$\therefore f(t) = \dfrac{1}{\ln t}$

$t-1 = s$로 놓으면 $t \to 1+$일 때 $s \to 0+$이므로

$$\lim_{t \to 1+} (t-1)f(t) = \lim_{t \to 1+} \frac{t-1}{\ln t} = \lim_{s \to 0+} \frac{s}{\ln(s+1)} = 1$$

답 ②

010

$f(x) = x^3 \ln x^4 = 4x^3 \ln x$에서

$f'(x) = 12x^2 \ln x + 4x^3 \times \dfrac{1}{x} = 12x^2 \ln x + 4x^2$이므로

$f'(e^x) = 12 \times (e^x)^2 \times \ln e^x + 4 \times (e^x)^2$

$\qquad = 12xe^{2x} + 4e^{2x}$

$$\therefore \lim_{x \to 0} \left\{ \frac{f'(e^x)}{4e^{2x}} \right\}^{\frac{1}{x}} = \lim_{x \to 0} \left(\frac{12xe^{2x} + 4e^{2x}}{4e^{2x}} \right)^{\frac{1}{x}}$$

$$= \lim_{x \to 0} (3x+1)^{\frac{1}{x}}$$

$$= \lim_{x \to 0} \{ (3x+1)^{\frac{1}{3x}} \}^3 = e^3$$

답 ③

참고

곱의 미분법

두 함수 $f(x)$, $g(x)$가 미분가능할 때

$\{ f(x)g(x) \}' = f'(x)g(x) + f(x)g'(x)$

011

$f(x) = (2^x + 8)\log_2 x$에서 $f(1) = 0$이므로

$$\lim_{x \to 1} \frac{f(x)}{x^2-1} = \lim_{x \to 1} \frac{f(x)-f(1)}{(x+1)(x-1)}$$
$$= \lim_{x \to 1} \frac{f(x)-f(1)}{x-1} \times \lim_{x \to 1} \frac{1}{x+1}$$
$$= \frac{f'(1)}{2}$$

$f'(x) = 2^x \ln 2 \times \log_2 x + (2^x+8) \times \dfrac{1}{x \ln 2}$이므로

$$f'(1) = \frac{10}{\ln 2}$$

$$\therefore \lim_{x \to 1} \frac{f(x)}{x^2-1} = \frac{f'(1)}{2} = \frac{5}{\ln 2}$$

답 ②

참고

미분계수

함수 $f(x)$의 $x=a$에서의 미분계수는

$$f'(a) = \lim_{x \to a} \frac{f(x)-f(a)}{x-a} = \lim_{h \to 0} \frac{f(a+h)-f(a)}{h}$$

012

$g(x) = f(x)e^{x-1} - 2x$로 놓으면

$g'(x) = f'(x)e^{x-1} + f(x)\underline{e^{x-1}} - 2$ $(e^{x-1})' = \left(\dfrac{e^x}{e}\right)' = \dfrac{e^x}{e} = e^{x-1}$

$g(1) = f(1) - 2 = 2 - 2 = 0$이므로

$$\lim_{x \to 1} \frac{f(x)e^{x-1}-2x}{x-1} = \lim_{x \to 1} \frac{g(x)-g(1)}{x-1}$$
$$= g'(1)$$
$$= f'(1) + f(1) - 2$$
$$= 5 + 2 - 2 = 5$$

답 5

013

$$f(x) = \lim_{n \to \infty} \frac{9n^2}{n+1}(\sqrt[n]{x}-1) = \lim_{n \to \infty} \frac{9n^2}{n+1}(x^{\frac{1}{n}}-1)$$
$$= \lim_{n \to \infty}\left(\frac{9}{1+\frac{1}{n}} \times \frac{x^{\frac{1}{n}}-1}{\frac{1}{n}}\right)$$

$\dfrac{1}{n} = h$로 놓으면 $n \to \infty$일 때 $h \to 0+$이므로

$$\lim_{n \to \infty}\left(\frac{9}{1+\frac{1}{n}} \times \frac{x^{\frac{1}{n}}-1}{\frac{1}{n}}\right) = \lim_{h \to 0+}\left(\frac{9}{1+h} \times \frac{x^h-1}{h}\right) = 9\ln x$$

즉, $f(x) = 9\ln x$이므로 $f'(x) = \dfrac{9}{x}$

$$\therefore f'(3) = \frac{9}{3} = 3$$

답 ②

014

함수 $f(x)$가 $x=1$에서 미분가능하려면 $x=1$에서 연속이어야 하므로

$\underbrace{\lim_{x \to 1+} f(x) = \lim_{x \to 1-} f(x) = f(1)}$

$\lim_{x \to 1+} 3^x = \lim_{x \to 1-} (ax+b) = f(1)$

$\therefore a+b = 3$ ······ ㉠

또, $f'(1)$이 존재해야 하므로

$$f'(x) = \begin{cases} 3^x \ln 3 & (x>1) \\ a & (x<1) \end{cases}$$

에서 $\underbrace{\lim_{x \to 1+} 3^x \ln 3 = \lim_{x \to 1-} a}_{\lim_{x \to 1+} f'(x) = \lim_{x \to 1-} f'(x)}$

$\therefore a = 3\ln 3$

$a = 3\ln 3$을 ㉠에 대입하면

$3\ln 3 + b = 3$ $\therefore b = 3 - 3\ln 3$

$\therefore a - b = 3\ln 3 - (3 - 3\ln 3) = 6\ln 3 - 3$

답 ①

참고

미분가능성과 연속성

두 함수 $g(x)$, $h(x)$에 대하여 함수

$f(x) = \begin{cases} g(x) & (x \geq a) \\ h(x) & (x < a) \end{cases}$ 가 $x=a$에서 미분가능하면

(1) 함수 $f(x)$가 $x=a$에서 연속이다.

➡ $\lim_{x \to a+} g(x) = \lim_{x \to a-} h(x) = g(a)$

(2) 함수 $f(x)$의 $x=a$에서의 미분계수가 존재한다.

➡ $\lim_{x \to a+} \dfrac{g(x)-g(a)}{x-a} = \lim_{x \to a-} \dfrac{h(x)-h(a)}{x-a}$

015

$0 < \alpha < \dfrac{\pi}{2}$, $\dfrac{3}{2}\pi < \beta < 2\pi$에서

$\cos\alpha > 0$, $\sin\beta < 0$

$\cos\alpha = \sqrt{1-\sin^2\alpha} = \sqrt{1-\left(\dfrac{4}{5}\right)^2} = \dfrac{3}{5}$

$\sin\beta = -\sqrt{1-\cos^2\beta} = -\sqrt{1-\left(\dfrac{3}{5}\right)^2} = -\dfrac{4}{5}$

$\therefore \cos(\alpha-\beta) = \cos\alpha\cos\beta + \sin\alpha\sin\beta$
$$= \frac{3}{5} \times \frac{3}{5} + \frac{4}{5} \times \left(-\frac{4}{5}\right) = -\frac{7}{25}$$

답 $-\dfrac{7}{25}$

참고

삼각함수 사이의 관계

(1) $\tan\theta = \dfrac{\sin\theta}{\cos\theta}$ (2) $\sin^2\theta + \cos^2\theta = 1$

016

$\sin\alpha + \cos\beta = \dfrac{2}{3}$의 양변을 제곱하면

$\sin^2\alpha + 2\sin\alpha\cos\beta + \cos^2\beta = \dfrac{4}{9}$ ······ ㉠

$\cos\alpha + \sin\beta = \dfrac{1}{\sqrt{3}}$의 양변을 제곱하면

$\cos^2\alpha + 2\cos\alpha\sin\beta + \sin^2\beta = \dfrac{1}{3}$ ······ ㉡

㉠+㉡을 하면

$\sin^2\alpha + \cos^2\alpha + 2(\sin\alpha\cos\beta + \cos\alpha\sin\beta) + \cos^2\beta + \sin^2\beta = \dfrac{7}{9}$

$2 + 2(\sin\alpha\cos\beta + \cos\alpha\sin\beta) = \dfrac{7}{9}$

$\sin\alpha\cos\beta + \cos\alpha\sin\beta = -\dfrac{11}{18}$

$\therefore \sin(\alpha+\beta) = -\dfrac{11}{18}$

답 ①

017

정사각형 ABCD의 한 변의 길이를 $4a$라고 하면

$\overline{AP}=3a$, $\overline{CQ}=2a$

$\angle PBC=\theta_1$, $\angle QBC=\theta_2$라 하고 점 P에서 $\overline{BC}$에 내린 수선의 발을 H라고 하면

$\overline{BH}=\overline{AP}=3a$

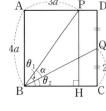

$\triangle PBH$에서 $\tan\theta_1=\dfrac{4a}{3a}=\dfrac{4}{3}$

$\triangle QBC$에서 $\tan\theta_2=\dfrac{2a}{4a}=\dfrac{1}{2}$

이때 $\alpha=\theta_1-\theta_2$이므로

$\tan\alpha=\tan(\theta_1-\theta_2)=\dfrac{\tan\theta_1-\tan\theta_2}{1+\tan\theta_1\tan\theta_2}$

$=\dfrac{\dfrac{4}{3}-\dfrac{1}{2}}{1+\dfrac{4}{3}\times\dfrac{1}{2}}=\dfrac{1}{2}$

답 ②

018

▶ 접근

직선 $y=ax+b$와 x축의 양의 방향이 이루는 각의 크기를 α라고 할 때, $\tan\alpha=a$임을 이용한다.

두 직선 $y=4x$, $y=mx$가 x축의 양의 방향과 이루는 각의 크기를 각각 2θ, $\theta\left(0<2\theta<\dfrac{\pi}{2}\right)$라고 하면

$\tan 2\theta=4$, $\tan\theta=m$

$\tan 2\theta=\tan(\theta+\theta)=\dfrac{2\tan\theta}{1-\tan^2\theta}$이므로

$4=\dfrac{2m}{1-m^2}$, $4m^2+2m-4=0$

$2m^2+m-2=0$ $\therefore m=\dfrac{-1\pm\sqrt{17}}{4}$

이때 $0<2\theta<\dfrac{\pi}{2}$에서 $0<\theta<\dfrac{\pi}{4}$이므로 $m>0$

$\therefore m=\dfrac{-1+\sqrt{17}}{4}$ $\underbrace{\qquad}_{0<\tan\theta<1}$

따라서 $a=-1$, $b=17$이므로

$a+b=-1+17=16$

답 ①

019

$x-\dfrac{1}{2}=t$로 놓으면 $x\to\dfrac{1}{2}$일 때 $t\to 0$이므로

$\displaystyle\lim_{x\to\frac{1}{2}}\dfrac{\sin(\cos\pi x)}{x-\dfrac{1}{2}}=\lim_{t\to 0}\dfrac{\sin\left\{\cos\pi\left(t+\dfrac{1}{2}\right)\right\}}{t}$

$=\displaystyle\lim_{t\to 0}\dfrac{\sin\left\{\cos\left(\pi t+\dfrac{\pi}{2}\right)\right\}}{t}$

$=\displaystyle\lim_{t\to 0}\dfrac{\sin(-\sin\pi t)}{t}$ $\boxed{\cos\left(\pi t+\dfrac{\pi}{2}\right)=-\sin\pi t}$

$=\displaystyle\lim_{t\to 0}\left\{\dfrac{\sin(-\sin\pi t)}{-\sin\pi t}\times\dfrac{\sin\pi t}{\pi t}\times(-\pi)\right\}$

$=1\times 1\times(-\pi)=-\pi$

답 ②

▶ 풍쌤 비법

치환을 이용한 삼각함수의 극한

$x-a=t$로 놓으면 $x\to a$일 때 $t\to 0$이므로

(1) $\displaystyle\lim_{x\to a}\dfrac{\sin(x-a)}{x-a}=\lim_{t\to 0}\dfrac{\sin t}{t}=1$

(2) $\displaystyle\lim_{x\to a}\dfrac{\tan(x-a)}{x-a}=\lim_{t\to 0}\dfrac{\tan t}{t}=1$

참고

$\dfrac{n\pi}{2}\pm\theta$ (n은 정수) 꼴의 삼각함수의 변환

(i) n이 홀수이면 sin ➡ cos, cos ➡ sin
  n이 짝수이면 sin ➡ sin, cos ➡ cos
  으로 변형한다.

(ii) θ는 항상 예각으로 생각하고 $\dfrac{n\pi}{2}\pm\theta$가 나타내는 동경이 속하는 사분면에서 원래 주어진 삼각함수의 부호를 따른다.

020

▶ 접근

함수 $f(x)$를 이용하여 $\displaystyle\lim_{x\to 0}\dfrac{\sin f(x)}{f(\sin x)}$를 $\displaystyle\lim_{x\to 0}\dfrac{\sin ax}{ax}$ 꼴이 되도록 식을 변형한다.

$\displaystyle\lim_{x\to 0}\dfrac{\sin f(x)}{f(\sin x)}=\lim_{x\to 0}\dfrac{\sin(x^2-2x)}{\sin^2 x-2\sin x}$

$=\displaystyle\lim_{x\to 0}\left\{\dfrac{\sin(x^2-2x)}{x^2-2x}\times\dfrac{x^2-2x}{\sin x(\sin x-2)}\right\}$

$=\displaystyle\lim_{x\to 0}\left\{\dfrac{\sin(x^2-2x)}{x^2-2x}\times\dfrac{x(x-2)}{\sin x(\sin x-2)}\right\}$

$=\displaystyle\lim_{x\to 0}\left\{\dfrac{\sin(x^2-2x)}{x^2-2x}\times\dfrac{x}{\sin x}\times\dfrac{x-2}{\sin x-2}\right\}$

$=1\times 1\times\dfrac{-2}{-2}=1$

답 1

021

$\dfrac{2}{x-3}=t$로 놓으면 $x=3+\dfrac{2}{t}$이고 $x\to\infty$일 때 $t\to 0$이므로

$\displaystyle\lim_{x\to\infty}\dfrac{3x+1}{5}\tan\dfrac{2}{x-3}=\lim_{t\to 0}\dfrac{10t+6}{5t}\tan t$

$\boxed{x=3+\dfrac{2}{t}$이므로$}$ $=\displaystyle\lim_{t\to 0}\left(\dfrac{10t+6}{5}\times\dfrac{\tan t}{t}\right)$

$\dfrac{3x+1}{5}=\dfrac{3\left(3+\dfrac{2}{t}\right)+1}{5}=\dfrac{6}{5}\times 1=\dfrac{6}{5}$

$=\dfrac{10+\dfrac{6}{t}}{5}=\dfrac{10t+6}{5t}$

답 ④

022

$\displaystyle\lim_{x\to 0}\dfrac{ax\tan x+b}{1-\cos x}=8$에서 $x\to 0$일 때 극한값이 존재하고

(분모)$\to 0$이므로 (분자)$\to 0$이어야 한다.

즉, $\displaystyle\lim_{x\to 0}(ax\tan x+b)=0$이므로 $b=0$

$\displaystyle\lim_{x\to 0}\dfrac{ax\tan x+b}{1-\cos x}=\lim_{x\to 0}\dfrac{ax\tan x}{1-\cos x}$

$$=\lim_{x\to0}\frac{ax\tan x(1+\cos x)}{(1-\cos x)(1+\cos x)}$$

$$=\lim_{x\to0}\frac{ax\tan x(1+\cos x)}{1-\cos^2 x}$$

$$=\lim_{x\to0}\frac{ax\tan x(1+\cos x)}{\sin^2 x}$$

$$=\lim_{x\to0}\frac{\dfrac{ax\tan x(1+\cos x)}{x^2}}{\dfrac{\sin^2 x}{x^2}}$$

$$=\lim_{x\to0}\frac{a\times\dfrac{\tan x}{x}\times(1+\cos x)}{\left(\dfrac{\sin x}{x}\right)^2}$$

$$=\frac{a\times1\times(1+1)}{1^2}$$

$$=2a=8$$

$$\therefore a=4$$

$$\therefore a+b=4+0=4$$

답 ④

$\lim\limits_{x\to0}\dfrac{x}{1-\cos x}$, $\lim\limits_{x\to0}\dfrac{1-\cos x}{x}$ 꼴의 극한은 다음과 같은 순서로 구한다.

(i) 분모, 분자에 $1+\cos x$를 각각 곱한다.

(ii) $1-\cos^2 x=\sin^2 x$임을 이용한다.

(iii) 삼각함수의 극한을 이용한다.

023

$\overline{OP}=\sqrt{t^2+\sin^2 t}$이고 원 C의 반지름의 길이는 $\sin t$이므로

$\overline{OR}=\overline{OP}-\overline{RP}=\sqrt{t^2+\sin^2 t}-\sin t$

$$\lim_{t\to0+}\frac{\overline{OQ}}{\overline{OR}}=\lim_{t\to0+}\frac{t}{\sqrt{t^2+\sin^2 t}-\sin t}$$

$\dfrac{0}{0}$ 꼴이므로 분모, 분자 중 무리식이 있으면 근호가 있는 쪽을 유리화한다.

$$=\lim_{t\to0+}\frac{t(\sqrt{t^2+\sin^2 t}+\sin t)}{(\sqrt{t^2+\sin^2 t}-\sin t)(\sqrt{t^2+\sin^2 t}+\sin t)}$$

$$=\lim_{t\to0+}\frac{t(\sqrt{t^2+\sin^2 t}+\sin t)}{t^2+\sin^2 t-\sin^2 t}$$

$$=\lim_{t\to0+}\frac{\sqrt{t^2+\sin^2 t}+\sin t}{t}$$

분모, 분자를 t로 나눈다.

$$=\lim_{t\to0+}\left(\sqrt{1+\frac{\sin^2 t}{t^2}}+\frac{\sin t}{t}\right)$$

$$=\sqrt{1+1}+1$$

$$=1+\sqrt{2}$$

따라서 $a=1$, $b=1$이므로

$a+b=1+1=2$

답 2

024

$$\lim_{h\to0}\frac{f(\pi+2h)-f(\pi-h)}{h}$$

$$=\lim_{h\to0}\frac{f(\pi+2h)-f(\pi)+f(\pi)-f(\pi-h)}{h}$$

$$=2\lim_{h\to0}\frac{f(\pi+2h)-f(\pi)}{2h}+\lim_{h\to0}\frac{f(\pi-h)-f(\pi)}{-h}$$

$$=2f'(\pi)+f'(\pi)$$

$$=3f'(\pi)$$

$f(x)=e^x\cos x$에서

$f'(x)=e^x\cos x+e^x\times(-\sin x)$

$\quad\quad=e^x(\cos x-\sin x)$

이므로

$3f'(\pi)=3e^\pi(\cos\pi-\sin\pi)=-3e^\pi$

답 ①

025

$f(x)=\sin^2 x=\sin x\sin x$에서

$f'(x)=\cos x\sin x+\sin x\cos x$

$\quad\quad=2\sin x\cos x$

$$\therefore\lim_{x\to\pi}\frac{5f'(x)}{x-\pi}=\lim_{x\to\pi}\frac{10\sin x\cos x}{x-\pi}$$

$x-\pi=t$로 놓으면 $x\to\pi$일 때 $t\to0$이므로

$$\lim_{x\to\pi}\frac{10\sin x\cos x}{x-\pi}=\lim_{t\to0}\frac{10\sin(t+\pi)\cos(t+\pi)}{t}$$

$$=\lim_{t\to0}\frac{10\times(-\sin t)\times(-\cos t)}{t}$$

$$=\lim_{t\to0}\left(10\times\frac{\sin t}{t}\times\cos t\right)$$

$$=10\times1\times1=10$$

답 ⑤

026

$$f'(0)=\lim_{h\to0}\frac{f(h)-f(0)}{h}$$

$$=\lim_{h\to0}\frac{3\tan h-7h^2\sin\dfrac{1}{h}}{h}$$

$$=3\lim_{h\to0}\frac{\tan h}{h}-7\lim_{h\to0}h\sin\frac{1}{h}$$

이때 $-|h|\le h\sin\dfrac{1}{h}\le|h|$이고 $\lim\limits_{h\to0}(-|h|)=\lim\limits_{h\to0}|h|=0$

이므로 함수의 극한의 대소 관계에 의하여

$$\lim_{h\to0}h\sin\frac{1}{h}=0$$

$$\therefore f'(0)=3\times1-7\times0=3$$

답 ③

참고

함수의 극한의 대소 관계

세 함수 $f(x),g(x),h(x)$에 대하여 $\lim\limits_{x\to a}f(x)=\alpha$, $\lim\limits_{x\to a}g(x)=\beta$

(α, β는 실수)일 때, a에 가까운 모든 x에 대하여

(1) $f(x)\le g(x)$이면 $\alpha\le\beta$이다.

(2) $f(x)\le h(x)\le g(x)$이고 $\alpha=\beta$이면 $\lim\limits_{x\to a}h(x)=\alpha$이다.

027

$$f(x)=\lim_{h\to0}\frac{x\sin(x+h)-x\sin x}{h}$$

$$=x\lim_{h\to0}\frac{\sin(x+h)-\sin x}{h}$$

$$=x(\sin x)'$$

$$=x\cos x$$

이므로
$$f'(x) = 1 \times \cos x + x \times (-\sin x)$$
$$= \cos x - x \sin x$$
$$\therefore f'\left(\frac{\pi}{4}\right) = \cos\frac{\pi}{4} - \frac{\pi}{4}\sin\frac{\pi}{4}$$
$$= \frac{\sqrt{2}}{2} - \frac{\pi}{4} \times \frac{\sqrt{2}}{2}$$
$$= \frac{\sqrt{2}}{2} - \frac{\sqrt{2}}{8}\pi$$

답 ③

028

함수 $f(x)$가 $x=0$에서 미분가능하려면 $x=0$에서 연속이어야 하므로
$$\lim_{x \to 0+}(3a\cos x + 2b\sin x) = \lim_{x \to 0-}e^x = f(0)$$
$$3a = 1 \qquad \therefore a = \frac{1}{3}$$
또, $f'(0)$이 존재해야 하므로
$$f'(x) = \begin{cases} -3a\sin x + 2b\cos x & (x>0) \\ e^x & (x<0) \end{cases} \text{에서}$$
$$\lim_{x \to 0+}(-3a\sin x + 2b\cos x) = \lim_{x \to 0-}e^x$$
$$2b = 1 \qquad \therefore b = \frac{1}{2}$$
$$\therefore ab = \frac{1}{3} \times \frac{1}{2} = \frac{1}{6}$$

답 ①

029

> ▸ 접근
>
> $x \to 0+$, $x \to 0-$로 나누어 극한값을 구하고 이때의 극한값이 서로 같아야 함을 이용한다.

$\dfrac{1}{x} = t$로 놓으면 $x \to 0+$일 때 $t \to \infty$이고 $x \to 0-$일 때 $t \to -\infty$이므로
$$\lim_{x \to 0+}\frac{3^{\frac{1}{x}} + 3^b}{3^{\frac{1}{x}} + 3^a} = \lim_{t \to \infty}\frac{3^t + 3^b}{3^t + 3^a} = \lim_{t \to \infty}\frac{1 + 3^b \times \left(\frac{1}{3}\right)^t}{1 + 3^a \times \left(\frac{1}{3}\right)^t} = 1$$
$$\lim_{x \to 0-}\frac{3^{\frac{1}{x}} + 3^b}{3^{\frac{1}{x}} + 3^a} = \lim_{t \to -\infty}\frac{3^t + 3^b}{3^t + 3^a} = \frac{3^b}{3^a} = 3^{b-a}$$

<small>$\underbrace{\quad\quad\quad\quad}_{\lim\limits_{t \to \infty}\left(\frac{1}{3}\right)^t = 0}$</small>

<small>$\underbrace{\quad\quad\quad\quad}_{\lim\limits_{t \to -\infty}3^t = 0}$</small>

이때 $\lim\limits_{x \to 0}\dfrac{3^{\frac{1}{x}} + 3^b}{3^{\frac{1}{x}} + 3^a}$의 값이 c로 존재하려면
$$c = 1 = 3^{b-a} \qquad \therefore b-a = 0, \; c = 1$$
$$\therefore a - b + c = -(b-a) + c = 1$$

답 ④

030

ㄱ. $-x = t$로 놓으면 $x \to -\infty$일 때 $t \to \infty$이므로
$$\lim_{x \to -\infty}\frac{5^x}{5^x - 5^{-x}} = \lim_{t \to \infty}\frac{5^{-t}}{5^{-t} - 5^t} = \lim_{t \to \infty}\frac{\left(\frac{1}{25}\right)^t}{\left(\frac{1}{25}\right)^t - 1} = 0$$

ㄴ. $\lim\limits_{x \to 0+}\dfrac{1}{x} = \infty$, $\lim\limits_{x \to 0-}\dfrac{1}{x} = -\infty$이므로

$$\lim_{x \to 0+}2^{\frac{1}{x}} = \infty, \; \lim_{x \to 0+}2^{-\frac{1}{x}} = \lim_{x \to 0+}\left(\frac{1}{2}\right)^{\frac{1}{x}} = 0$$
$$\lim_{x \to 0-}2^{\frac{1}{x}} = 0, \; \lim_{x \to 0-}2^{-\frac{1}{x}} = \lim_{x \to 0-}\left(\frac{1}{2}\right)^{\frac{1}{x}} = \infty$$
이때 $\lim\limits_{x \to 0+}\dfrac{2^{\frac{1}{x}}}{2^{\frac{1}{x}} - 2^{-\frac{1}{x}}} = \lim\limits_{x \to 0+}\dfrac{1}{1 - 2^{-\frac{2}{x}}} = 1$, $\lim\limits_{x \to 0-}\dfrac{2^{\frac{1}{x}}}{2^{\frac{1}{x}} - 2^{-\frac{1}{x}}} = 0$
이므로
$$\lim_{x \to 0+}\frac{2^{\frac{1}{x}}}{2^{\frac{1}{x}} - 2^{-\frac{1}{x}}} \neq \lim_{x \to 0-}\frac{2^{\frac{1}{x}}}{2^{\frac{1}{x}} - 2^{-\frac{1}{x}}}$$
따라서 극한값이 존재하지 않는다.

ㄷ. $\lim\limits_{x \to \infty}\log_2\dfrac{1}{x} = \lim\limits_{x \to \infty}(-\log_2 x) = -\infty$

ㄹ. $\lim\limits_{x \to \infty}(\log_3\sqrt{3x^2 + 7} - \log_3 x) = \lim\limits_{x \to \infty}\log_3\dfrac{\sqrt{3x^2 + 7}}{x}$
$$= \lim_{x \to \infty}\log_3\sqrt{3 + \frac{7}{x^2}}$$
$$= \log_3\sqrt{3} = \frac{1}{2}$$

따라서 극한값이 존재하는 것은 ㄱ, ㄹ이다.

답 ②

031

$$\lim_{x \to 0+}\frac{a^x + \log_b x}{b^x + \log_a x} = \lim_{x \to 0+}\frac{a^x + \frac{\log x}{\log b}}{b^x + \frac{\log x}{\log a}}$$
이때 $\lim\limits_{x \to 0+}a^x = 1$, $\lim\limits_{x \to 0+}b^x = 1$이고 $\lim\limits_{x \to 0+}\log x = -\infty$이므로
$$\lim_{x \to 0+}\frac{a^x + \frac{\log x}{\log b}}{b^x + \frac{\log x}{\log a}} = \lim_{x \to 0+}\frac{\frac{a^x}{\log x} + \frac{1}{\log b}}{\frac{b^x}{\log x} + \frac{1}{\log a}} = \frac{\frac{1}{\log b}}{\frac{1}{\log a}}$$
$$= \frac{\log a}{\log b} = \log_b a = \frac{2}{3}$$
$$\therefore \log_a b = \frac{1}{\log_b a} = \frac{3}{2}$$

답 ④

참고

로그의 밑의 변환

$a \neq 1$, $a > 0$, $b > 0$일 때

(1) $\log_a b = \dfrac{\log_c b}{\log_c a}$ (단, $c > 0$, $c \neq 1$)

(2) $\log_a b = \dfrac{1}{\log_b a}$ (단, $b \neq 1$)

032

$$f(6) = \lim_{n \to \infty}\frac{1}{n}\log(6^n + 6^{3n})$$
$$= \lim_{n \to \infty}\frac{1}{n}\log 6^{3n}(6^{-2n} + 1)$$
$$= \lim_{n \to \infty}\frac{1}{n}\{\log 6^{3n} + \log(6^{-2n} + 1)\}$$
$$= \lim_{n \to \infty}\left\{3\log 6 + \frac{1}{n}\log(6^{-2n} + 1)\right\}$$
$$= 3\log 6$$
$$f\left(\frac{1}{6}\right) = \lim_{n \to \infty}\frac{1}{n}\log(6^{-n} + 6^{-3n})$$
$$= \lim_{n \to \infty}\frac{1}{n}\log 6^{-n}(1 + 6^{-2n})$$

$$=\lim_{n\to\infty}\frac{1}{n}\{\log 6^{-n}+\log(1+6^{-2n})\}$$

$$=\lim_{n\to\infty}\left\{-\log 6+\frac{1}{n}\log(1+6^{-2n})\right\}$$

$$=-\log 6$$

$$\therefore f(6)-f\left(\frac{1}{6}\right)=3\log 6-(-\log 6)=4\log 6$$

답 ⑤

033

$f(3)=22$이므로

$a^3+b=22$ ...... ㉠

$\lim_{x\to-\infty}\{f(x)+5\}=\lim_{x\to-\infty}(a^x+b+5)=0$ ...... ㉡

(ⅰ) $0<a<1$일 때

$\lim_{x\to-\infty}a^x=\infty$이므로 ㉡은 성립하지 않는다.

(ⅱ) $a=1$일 때

㉡에서 $\lim_{x\to-\infty}(a^x+b+5)=1+b+5=0$

$\therefore b=-6$

그런데 $a=1$, $b=-6$은 ㉠을 만족시키지 않는다.

(ⅲ) $a>1$일 때

$\lim_{x\to-\infty}a^x=0$이므로 ㉡에서

$\lim_{x\to-\infty}(a^x+b+5)=0+b+5=0$

$\therefore b=-5$

$b=-5$를 ㉠에 대입하면

$a^3-5=22$, $a^3=27$ $\therefore a=3$ $(\because a>1)$

(ⅰ), (ⅱ), (ⅲ)에서 $a=3$, $b=-5$

따라서 $f(x)=3^x-5$이므로

$f(4)=3^4-5=76$

답 ②

034

함수 $f(x)$는 $x\neq1$인 모든 실수에서 연속이고, 함수 $g(x)$는 실수 전체의 집합에서 연속이므로 합성함수 $(g\circ f)(x)=g(f(x))$가 실수 전체의 집합에서 연속이려면 $x=1$에서 연속이어야 한다.

즉, $\lim_{x\to1+}g(f(x))=\lim_{x\to1-}g(f(x))=g(f(1))$이어야 한다.

$\lim_{x\to1+}(5^{-2x+3}+5^{2x-3})=\lim_{x\to1-}(5^{ax}+5^{-ax})$

$$=5+5^{-1}=\frac{26}{5}$$

$5^a+5^{-a}=\frac{26}{5}$에서 $5^a=t$로 놓으면

$t+\frac{1}{t}=\frac{26}{5}$, $5t^2-26t+5=0$

$(5t-1)(t-5)=0$ $\therefore t=\frac{1}{5}$ 또는 $t=5$

$5^a=\frac{1}{5}=5^{-1}$ 또는 $5^a=5$

$\therefore a=-1$ 또는 $a=1$

따라서 구하는 a의 값의 곱은

$(-1)\times1=-1$

답 -1

035

$g(n)=\lim_{x\to0}f(x)$

$$=\lim_{x\to0}\frac{x}{e^x+e^{2x}+e^{3x}+\cdots+e^{nx}-n}$$

$$=\lim_{x\to0}\frac{1}{\dfrac{e^x+e^{2x}+e^{3x}+\cdots+e^{nx}-n}{x}}$$

$$=\lim_{x\to0}\frac{1}{\dfrac{e^x-1}{x}+\dfrac{e^{2x}-1}{x}+\dfrac{e^{3x}-1}{x}+\cdots+\dfrac{e^{nx}-1}{x}}$$

$$=\lim_{x\to0}\frac{1}{\dfrac{e^x-1}{x}+\dfrac{e^{2x}-1}{2x}\times2+\dfrac{e^{3x}-1}{3x}\times3+\cdots+\dfrac{e^{nx}-1}{nx}\times n}$$

$$=\frac{1}{1+2+3+\cdots+n}$$

$$=\frac{1}{\dfrac{n(n+1)}{2}}=\frac{2}{n(n+1)}$$

$$\therefore \sum_{n=1}^{\infty}g(n)=\sum_{n=1}^{\infty}\frac{2}{n(n+1)}$$

$$=2\sum_{n=1}^{\infty}\left(\frac{1}{n}-\frac{1}{n+1}\right)$$

$$=2\lim_{n\to\infty}\sum_{k=1}^{n}\left(\frac{1}{k}-\frac{1}{k+1}\right)$$

$$=2\lim_{n\to\infty}\left\{\left(1-\frac{1}{2}\right)+\left(\frac{1}{2}-\frac{1}{3}\right)+\left(\frac{1}{3}-\frac{1}{4}\right)\right.$$
$$\left.+\cdots+\left(\frac{1}{n}-\frac{1}{n+1}\right)\right\}$$

$$=2\lim_{n\to\infty}\left(1-\frac{1}{n+1}\right)$$

$$=2\times1=2$$

답 ②

참고

부분분수

$\dfrac{1}{AB}=\dfrac{1}{B-A}\left(\dfrac{1}{A}-\dfrac{1}{B}\right)$ (단, $A\neq B$)

036

$f(x)\ln(ax+1)+1=3^x$에서

$x\neq0$일 때 $f(x)=\dfrac{3^x-1}{\ln(ax+1)}$

함수 $f(x)$가 $x>-1$에서 연속이려면 $x=0$에서 연속이어야 하므로 $\lim_{x\to0}f(x)=f(0)=\ln3$이어야 한다.

$\lim_{x\to0}f(x)=\lim_{x\to0}\frac{3^x-1}{\ln(ax+1)}$

$$=\lim_{x\to0}\left\{\frac{3^x-1}{x}\times\frac{ax}{\ln(ax+1)}\times\frac{1}{a}\right\}$$

$$=\ln3\times1\times\frac{1}{a}$$

$$=\frac{\ln3}{a}=\ln3$$

$\therefore a=1$

따라서 $f(x)=\dfrac{3^x-1}{\ln(x+1)}$이므로

$f(a)=f(1)=\dfrac{3-1}{\ln2}=\dfrac{2}{\ln2}$

답 ②

037

ㄱ은 옳다.

$$\lim_{x \to 0} \frac{e^{f(x)}-1}{x} = \lim_{x \to 0} \frac{e^{x^3}-1}{x} = \lim_{x \to 0} \left(\frac{e^{x^3}-1}{x^3} \times x^2 \right) = 1 \times 0 = 0$$

ㄴ은 옳지 않다.

$$\lim_{x \to 0} \frac{e^x-1}{f(x)} = \lim_{x \to 0} \left\{ \frac{e^x-1}{x} \times \frac{x}{f(x)} \right\} = \lim_{x \to 0} \frac{x}{f(x)} = 2$$ 이므로

$$\lim_{x \to 0} \frac{e^{2x}-1}{\{f(x)\}^2} = \lim_{x \to 0} \frac{(e^x-1)(e^x+1)}{\{f(x)\}^2}$$

$$= \lim_{x \to 0} \left\{ \frac{e^x-1}{f(x)} \times \frac{x}{f(x)} \times \frac{e^x+1}{x} \right\}$$

$$= 2 \times 2 \times \lim_{x \to 0} \frac{e^x+1}{x}$$

이때 $\lim_{x \to 0+} \frac{e^x+1}{x} = \infty$, $\lim_{x \to 0-} \frac{e^x+1}{x} = -\infty$이므로 극한값이 존재하지 않는다.

ㄷ도 옳지 않다.

(반례) $f(x) = |x|$라고 하면

$$\lim_{x \to 0+} \frac{e^{|x|}-1}{x} = \lim_{x \to 0+} \left(\frac{e^{|x|}-1}{|x|} \times \frac{|x|}{x} \right) \quad \left[\lim_{x \to 0+} \frac{|x|}{x} = \lim_{x \to 0+} \frac{x}{x} \right.$$

$$= \lim_{x \to 0+} \left(\frac{e^x-1}{x} \times 1 \right) \qquad\qquad \left. = \lim_{x \to 0+} 1 = 1 \right]$$

$$= 1$$

$$\lim_{x \to 0-} \frac{e^{|x|}-1}{x} = \lim_{x \to 0-} \left(\frac{e^{|x|}-1}{|x|} \times \frac{|x|}{x} \right) \quad \left[\lim_{x \to 0-} \frac{|x|}{x} \right.$$

$$= \lim_{x \to 0-} \left\{ \frac{e^{-x}-1}{-x} \times (-1) \right\} \quad \left. = \lim_{x \to 0-} \frac{-x}{x} \right.$$

$$= -1 \qquad\qquad\qquad\qquad \left. = \lim_{x \to 0-} (-1) = -1 \right]$$

즉, $\lim_{x \to 0+} \frac{e^{|x|}-1}{x} \neq \lim_{x \to 0-} \frac{e^{|x|}-1}{x}$이므로 $\lim_{x \to 0} \frac{e^{f(x)}-1}{x}$의 값이 존재하지 않는다.

따라서 옳은 것은 ㄱ이다.

답 ①

038

▶ 접근

두 함수 $y = \ln(1+x)$, $y = e^x - 1$과 두 함수 $f(x)$, $g(x)$는 서로 역함수 관계임을 이용하여 역함수에 대한 부등식을 파악한다.

두 함수 $y = \ln(1+x)$, $y = e^x - 1$과 두 함수 $f(x)$, $g(x)$는 서로 역함수 관계이다. └ $y = \ln(1+x)$와 $y = e^x - 1$, $y = f(x)$와 $y = g(x)$의 그래프는 각각 직선 $y = x$에 대하여 대칭이다.

또, $\ln(1+x) \leq f(x) \leq e^x - 1$이므로 네 함수 $y = \ln(1+x)$, $y = e^x - 1$, $y = f(x)$, $y = g(x)$의 그래프는 오른쪽 그림과 같이 나타낼 수 있다.

따라서 $\ln(1+x) \leq g(x) \leq e^x - 1$이고 $x \geq 0$에서

$$\frac{\ln(1+x)}{x} \leq \frac{g(x)}{x} \leq \frac{e^x-1}{x}$$

이때 $\lim_{x \to 0+} \frac{\ln(1+x)}{x} = 1$, $\lim_{x \to 0+} \frac{e^x-1}{x} = 1$이므로 $\lim_{x \to 0+} \frac{g(x)}{x} = 1$

$4x = t$로 놓으면 $x \to 0+$일 때 $t \to 0+$이므로

$$\lim_{x \to 0+} \frac{g(4x)}{x} = \lim_{t \to 0+} \frac{g(t)}{\frac{t}{4}} = 4 \lim_{t \to 0+} \frac{g(t)}{t} = 4 \times 1 = 4$$

답 ③

039

$A(t, 2^t)$, $B\left(t, \left(\frac{1}{2}\right)^t\right)$, $H(0, 2^t)$이므로

$$\overline{AB} = 2^t - \left(\frac{1}{2}\right)^t, \quad \overline{AH} = t$$

$$\therefore \lim_{t \to 0+} \frac{\overline{AB}}{\overline{AH}} = \lim_{t \to 0+} \frac{2^t - \left(\frac{1}{2}\right)^t}{t}$$

$$= \lim_{t \to 0+} \left\{ \frac{2^t - 1}{t} - \frac{\left(\frac{1}{2}\right)^t - 1}{t} \right\}$$

$$= \lim_{t \to 0+} \frac{2^t - 1}{t} - \lim_{t \to 0+} \frac{\left(\frac{1}{2}\right)^t - 1}{t}$$

$$= \ln 2 - \ln \frac{1}{2}$$

$$= \ln 2 - (-\ln 2) = 2 \ln 2$$

답 ①

040

▶ 접근

곡선 $y = e^{2(x-e)} - 1$은 곡선 $y = e^{2x}$을 평행이동한 곡선임을 이용하여 사각형 ABQP가 어떤 사각형인지 파악한다.

곡선 $y = e^{2(x-e)} - 1$은 곡선 $y = e^{2x}$을 x축의 방향으로 e만큼, y축의 방향으로 -1만큼 평행이동한 것이다.

점 A를 x축의 방향으로 e만큼, y축의 방향으로 -1만큼 평행이동한 점이 B이므로 직선 l_1과 평행한 직선 l_2 위의 두 점 P, Q에 대하여 점 Q는 점 P를 x축의 방향으로 e만큼, y축의 방향으로 -1만큼 평행이동한 것이다.

따라서 사각형 ABQP는 평행사변형이다. └ $\overline{AB} /\!/ \overline{PQ}$, $\overline{AP} = \overline{BQ}$이므로 사각형 ABQP는 평행사변형이다.

직선 l_1의 방정식은 $y = -\frac{1}{e}x + 1$, 즉 $x + ey - e = 0$이므로

$P(t, e^{2t})$이라고 하면 점 P와 직선 $x + ey - e = 0$ 사이의 거리는

$$\frac{|t + e^{2t+1} - e|}{\sqrt{1+e^2}} = \frac{t + e(e^{2t}-1)}{\sqrt{1+e^2}}$$

$\overline{AB} = \sqrt{e^2+1}$이므로

$$S_1(t) = \frac{t + e(e^{2t}-1)}{\sqrt{1+e^2}} \times \sqrt{e^2+1} = t + e(e^{2t}-1)$$

$H(0, e^{2t})$이고 $\overline{AH} = e^{2t} - 1$, $\overline{PH} = t$이므로

$$S_2(t) = \frac{t(e^{2t}-1)}{2}$$

$$\therefore \lim_{t \to 0+} \frac{tS_1(t)}{S_2(t)} = \lim_{t \to 0+} \frac{t\{t + e(e^{2t}-1)\}}{\frac{t(e^{2t}-1)}{2}}$$

$$= \lim_{t \to 0+} \frac{2\{t + e(e^{2t}-1)\}}{e^{2t}-1}$$

$$= \lim_{t \to 0+} \frac{2 + 2e \times \frac{e^{2t}-1}{t}}{\frac{e^{2t}-1}{t}}$$

$$= \lim_{t \to 0+} \frac{1 + 2e \times \frac{e^{2t}-1}{2t}}{\frac{e^{2t}-1}{2t}}$$

$$= 1 + 2e$$

답 $1 + 2e$

점과 직선 사이의 거리

점 $P(x_1, y_1)$과 직선 $ax+by+c=0$ 사이의 거리 d는

$$d=\frac{|ax_1+by_1+c|}{\sqrt{a^2+b^2}}$$

이차함수 $y=f(x)$의 그래프와 x축의 교점의 개수는 이차방정식 $f(x)=0$의 실근의 개수와 같다.

즉, 이차함수 $f(x)$에서 모든 실수 x에 대하여 $f(x)>0$이면 이차방정식 $f(x)=0$의 실근이 존재하지 않으므로 이차방정식 $f(x)=0$의 판별식을 D라고 할 때, $D<0$이어야 한다.

041

$f(x)=ax^2+bx+c\,(a,\,b,\,c$는 상수, $a\neq0)$라고 하면

$f(1)=3$이므로 $a+b+c=3$ ······ ㉠

$f'(1)=\displaystyle\lim_{x\to0}\frac{\ln f(x)}{x}+2$에서 $\displaystyle\lim_{x\to0}\frac{\ln f(x)}{x}$의 값이 존재하고

└ 이차함수 $f(x)$는 모든 실수에서 미분가능하므로 $f'(1)$의 값이 존재한다.

$x\to0$일 때 (분모)$\to0$이므로 (분자)$\to0$이어야 한다.

즉, $\displaystyle\lim_{x\to0}\{\ln f(x)\}=0$이므로

$\displaystyle\lim_{x\to0}\ln(ax^2+bx+c)=0$, $\ln c=0$ $\therefore c=1$

$f(x)=ax^2+bx+1$에서 $f'(x)=2ax+b$이므로

$f'(1)=2a+b$ ······ ㉡

$f'(1)=\displaystyle\lim_{x\to0}\frac{\ln f(x)}{x}+2$

$=\displaystyle\lim_{x\to0}\frac{\ln(ax^2+bx+1)}{x}+2$

$=\displaystyle\lim_{x\to0}\left\{\frac{\ln(1+ax^2+bx)}{ax^2+bx}\times(ax+b)\right\}+2$

$=1\times b+2=b+2$ ······ ㉢

㉡, ㉢에서

$2a+b=b+2$, $2a=2$ $\therefore a=1$

$a=1$, $c=1$을 ㉠에 대입하면

$1+b+1=3$ $\therefore b=1$

따라서 $f(x)=x^2+x+1$이므로

$f(-1)=1-1+1=1$

답 ④

042

$f(x)=(x^2-ax+3)e^x$에서

$f'(x)=(2x-a)e^x+(x^2-ax+3)e^x$

$\quad\ \ =\{x^2+(2-a)x+3-a\}e^x$

곡선 $y=f(x)$ 위의 점 $A(t,\,f(t))$에서의 접선의 기울기는

$f'(t)=\{t^2+(2-a)t+3-a\}e^t$

이때 $e^t>0$이므로 기울기가 항상 양수이려면

$t^2+(2-a)t+3-a>0$이어야 한다.

t에 대한 이차방정식 $t^2+(2-a)t+3-a=0$의 판별식을 D라고 하면

$D=(2-a)^2-4(3-a)<0$

이어야 한다.

$a^2-8<0$, $(a+2\sqrt{2})(a-2\sqrt{2})<0$

$\therefore -2\sqrt{2}<a<2\sqrt{2}$

따라서 정수 a는 $-2,\,-1,\,0,\,1,\,2$의 5개이다.

답 ⑤

043

$\displaystyle\lim_{h\to0}\frac{f(h)}{h}=3$에서 $h\to0$일 때 극한값이 존재하고 (분모)$\to0$이므로 (분자)$\to0$이어야 한다.

즉, $\displaystyle\lim_{h\to0}f(h)=0$이므로

$\displaystyle\lim_{h\to0}(ae^h+b)=0$ $\therefore a+b=0$ ······ ㉠

$\displaystyle\lim_{h\to0}\frac{f(h)}{h}=\lim_{h\to0}\frac{f(h)-f(0)}{h}=f'(0)$이므로

$f'(0)=3$

$f'(x)=ae^x$이므로

$f'(0)=a=3$

$a=3$을 ㉠에 대입하면

$3+b=0$ $\therefore b=-3$

$\therefore ab=3\times(-3)=-9$

답 ①

044

$\dfrac{g'(x)}{f'(x)}+\dfrac{f'(x)}{g'(x)}=2$의 양변에 $f'(x)g'(x)$를 곱하여 정리하면

$\{f'(x)\}^2-2f'(x)g'(x)+\{g'(x)\}^2=0$

$\{f'(x)-g'(x)\}^2=0$

$\therefore f'(x)-g'(x)=0$ ······ ㉠

$f(x)-g(x)=e^{2x}-6e^x-8x$의 양변을 x에 대하여 미분하면

$f'(x)-g'(x)=2e^{2x}-6e^x-8$ ······ ㉡

㉠, ㉡에 의하여 $2e^{2x}-6e^x-8=0$

$e^{2x}-3e^x-4=0$, $(e^x-4)(e^x+1)=0$

$\begin{aligned}(e^{2x})'&=(e^x\times e^x)'\\&=e^xe^x+e^xe^x\\&=2e^{2x}\end{aligned}$

이때 $e^x>0$이므로 $e^x=4$

$\therefore x=\ln4=2\ln2$

답 ③

045

$k(x)=f(x)g(x)$로 놓으면

$\displaystyle\lim_{h\to0}\frac{1}{h}\{f(1+h)g(1+h)-f(1)g(1)\}$

$=\displaystyle\lim_{h\to0}\frac{k(1+h)-k(1)}{h}$

$=k'(1)$

$k(x)=f(x)g(x)=(5-\ln x)e^{x-5}=\dfrac{(5-\ln x)e^x}{e^5}$이므로

$k'(x)=-\dfrac{1}{x}\times\dfrac{e^x}{e^5}+\dfrac{(5-\ln x)e^x}{e^5}$

$\therefore k'(1)=-1\times\dfrac{e}{e^5}+\dfrac{5e}{e^5}=\dfrac{4}{e^4}$

답 ④

046

→ 접근

평균값 정리를 이용하여 $\dfrac{f_n(2x)-f_n(x)}{2x-x}=f_n'(c)$인 상수 c가 x와 $2x$ 사이에 적어도 하나 존재함을 안다.

함수 $f_n(x)$는 모든 실수에서 연속이고 미분가능하므로 평균값 정리에 의하여

$$\frac{f_n(2x)-f_n(x)}{2x-x}=f_n'(c) \qquad \cdots\cdots \text{㉠}$$

인 상수 c가 x와 $2x$ 사이에 적어도 하나 존재한다.

$x \to 0$이면 $c \to 0$이므로

$$\lim_{x\to 0}\frac{f_n(2x)-f_n(x)}{x}=f_n'(0) \ (\because \text{㉠})$$

한편 $f_n(x)=e^x+e^{2x}+\cdots+e^{nx}$에서

$f_n'(x)=e^x+2e^{2x}+\cdots+ne^{nx}$이므로

$$f_n'(0)=1+2+\cdots+n=\frac{n(n+1)}{2}=36$$

$(e^{nx})'=(\overbrace{e^xe^x\cdots e^x}^{n\text{개}})'$
$=e^xe^x\cdots e^x$
$\quad +\cdots+e^xe^x\cdots e^x$
$=ne^{nx}$

$n^2+n-72=0,\ (n+9)(n-8)=0$

$\therefore n=8\ (\because n>0)$

답 8

참고

평균값 정리

함수 $f(x)$가 닫힌구간 $[a, b]$에서 연속이고 열린구간 (a, b)에서 미분가능할 때,

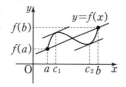

$$\frac{f(b)-f(a)}{b-a}=f'(c)$$

인 c가 열린구간 (a, b)에 적어도 하나 존재한다.

047

함수 $f(x)$가 $x=0$에서 미분가능하므로 $x=0$에서 연속이다.

조건 ㈎에서

$$f(0)=\lim_{x\to 0+}f(x)=\lim_{x\to 0+}(axe^{2x}+bx^2)=0$$

조건 ㈏에서 임의의 실수 $x_1 (x_1<0)$에 대하여

$$f'(x_1)=\lim_{x\to x_1}\frac{f(x)-f(x_1)}{x-x_1}=\lim_{x\to x_1}\frac{3x-3x_1}{x-x_1}$$
$$=\lim_{x\to x_1}3=3$$

함수 $f(x)$는 모든 실수에 대하여 미분가능하므로 $x=x_1$에서도 미분가능하다.

이므로 $x<0$일 때 $f'(x)=3$

$\therefore f(x)=\displaystyle\int 3dx=3x+C$ (단, C는 적분상수)

$f(0)=0$이고 함수 $f(x)$가 $x=0$에서 연속이므로

$$\lim_{x\to 0-}f(x)=f(0)$$
$$\lim_{x\to 0-}(3x+C)=0$$

$\therefore C=0$

따라서 $x<0$일 때 $f(x)=3x$

함수 $f(x)$가 $x=0$에서 미분가능하므로

$$\lim_{x\to 0+}\frac{f(x)-f(0)}{x-0}=\lim_{x\to 0-}\frac{f(x)-f(0)}{x-0}$$

$$\lim_{x\to 0+}\frac{axe^{2x}+bx^2}{x}=\lim_{x\to 0-}\frac{3x}{x}$$

$f'(0)=\lim_{x\to 0}\dfrac{f(x)-f(0)}{x-0}$이므로

$$\lim_{x\to 0+}\frac{f(x)-f(0)}{x-0}=\lim_{x\to 0-}\frac{f(x)-f(0)}{x-0}$$

$$\lim_{x\to 0+}(ae^{2x}+bx)=3 \qquad \therefore a=3$$

즉, $x>0$일 때, $f(x)=3xe^{2x}+bx^2$

이때 $f\left(\dfrac{1}{2}\right)=2e$이므로

$$\frac{3e}{2}+\frac{b}{4}=2e \qquad \therefore b=2e$$

따라서 $x>0$일 때 $f(x)=3xe^{2x}+2ex^2$

$$f'(x)=\begin{cases} 3 & (x<0) \\ 3e^{2x}+6xe^{2x}+4ex & (x>0) \end{cases}$$

$(3xe^{2x})'=(3xe^xe^x)'$
$=3e^xe^x+3xe^xe^x+3xe^xe^x$
$=3e^{2x}+6xe^{2x}$

$\therefore f'\left(\dfrac{1}{2}\right)=3e+3e+2e=8e$

답 ④

048

함수 $f_n(x)g(x)$가 구간 $(-1, \infty)$에서 연속이면 $x=0$에서 연속이므로

$$\lim_{x\to 0}f_n(x)g(x)=f_n(0)g(0)$$

이때 $f_n(0)g(0)=0\times 6=0$이고

$$\lim_{x\to 0}f_n(x)g(x)=\lim_{x\to 0}\frac{x^n+kx^2}{(e^x-1)\ln(x+1)}$$
$$=\lim_{x\to 0}\left\{(x^{n-2}+k)\times\frac{x}{e^x-1}\times\frac{x}{\ln(x+1)}\right\}$$
$$=k\times 1\times 1=k$$

이므로 $k=0$

$\therefore f_n(x)=x^n$

$h_n(x)=f_n(x)\ln x=x^n\ln x$이므로

$$h_n'(x)=nx^{n-1}\ln x+x^n\times\frac{1}{x}=x^{n-1}(n\ln x+1)$$

$x>0$이므로 $h_n'(x)=0$에서 $n\ln x+1=0$

$$\ln x=-\frac{1}{n} \qquad \therefore x=e^{-\frac{1}{n}}$$

즉, $a_n=e^{-\frac{1}{n}}$이므로

$$h_n(a_n)=h_n(e^{-\frac{1}{n}})=(e^{-\frac{1}{n}})^n\ln e^{-\frac{1}{n}}$$
$$=e^{-1}\times\left(-\frac{1}{n}\right)=-\frac{1}{en}$$

같은 방법으로 하면

$h_{n+1}(x)=x^{n+1}\ln x,\ a_{n+1}=e^{-\frac{1}{n+1}}$이므로

$$h_{n+1}(a_{n+1})=h_{n+1}(e^{-\frac{1}{n+1}})=(e^{-\frac{1}{n+1}})^{n+1}\ln e^{-\frac{1}{n+1}}$$
$$=e^{-1}\times\left(-\frac{1}{n+1}\right)=-\frac{1}{e(n+1)}$$

$\therefore \displaystyle\sum_{n=3}^{\infty}h_n(a_n)h_{n+1}(a_{n+1})$
$$=\sum_{n=3}^{\infty}\left[\left(-\frac{1}{en}\right)\times\left\{-\frac{1}{e(n+1)}\right\}\right]$$
$$=\frac{1}{e^2}\sum_{n=3}^{\infty}\frac{1}{n(n+1)}$$
$$=\frac{1}{e^2}\sum_{n=3}^{\infty}\left(\frac{1}{n}-\frac{1}{n+1}\right)$$
$$=\frac{1}{e^2}\lim_{n\to\infty}\sum_{k=3}^{n}\left(\frac{1}{k}-\frac{1}{k+1}\right)$$
$$=\frac{1}{e^2}\lim_{n\to\infty}\left\{\left(\frac{1}{3}-\frac{1}{4}\right)+\left(\frac{1}{4}-\frac{1}{5}\right)+\cdots+\left(\frac{1}{n}-\frac{1}{n+1}\right)\right\}$$
$$=\frac{1}{e^2}\lim_{n\to\infty}\left(\frac{1}{3}-\frac{1}{n+1}\right)$$

$$=\frac{1}{e^2}\times\frac{1}{3}=\frac{1}{3e^2}$$

답 $\dfrac{1}{3e^2}$

참고

$x\neq a$인 모든 실수에서 연속인 함수 $g(x)$에 대하여 함수

$f(x)=\begin{cases}g(x) & (x\neq a)\\ b & (x=a)\end{cases}$가 모든 실수 x에서 연속이면

$\lim\limits_{x\to a}g(x)=b$

049

$g\left(\dfrac{2}{3}\right)=\alpha,\ g\left(\dfrac{1}{5}\right)=\beta$라고 하면

$f(\alpha)=\dfrac{2}{3},\ f(\beta)=\dfrac{1}{5}$이므로

$\tan\alpha=\dfrac{2}{3},\ \tan\beta=\dfrac{1}{5}$

$\tan(\alpha+\beta)=\dfrac{\tan\alpha+\tan\beta}{1-\tan\alpha\tan\beta}=\dfrac{\dfrac{2}{3}+\dfrac{1}{5}}{1-\dfrac{2}{3}\times\dfrac{1}{5}}=1$

$0<\alpha<\dfrac{\pi}{2},\ 0<\beta<\dfrac{\pi}{2}$에서 $0<\alpha+\beta<\pi$이고

$\tan(\alpha+\beta)=1$이므로

$\alpha+\beta=\dfrac{\pi}{4}$

$\therefore g\left(\dfrac{2}{3}\right)+g\left(\dfrac{1}{5}\right)=\alpha+\beta=\dfrac{\pi}{4}$

답 ②

050

$\dfrac{1}{1+\sin\theta}+\dfrac{1}{1+\cos\theta}+\dfrac{1}{1-\sin\theta}+\dfrac{1}{1-\cos\theta}$

$=\left(\dfrac{1}{1+\sin\theta}+\dfrac{1}{1-\sin\theta}\right)+\left(\dfrac{1}{1+\cos\theta}+\dfrac{1}{1-\cos\theta}\right)$

$=\dfrac{2}{1-\sin^2\theta}+\dfrac{2}{1-\cos^2\theta}$

$=\dfrac{2}{\cos^2\theta}+\dfrac{2}{\sin^2\theta}$

$=2\sec^2\theta+2\csc^2\theta$

$=2(\tan^2\theta+1)+2(\cot^2\theta+1)$

$\tan^2\theta+1=(\sqrt{3}-1)^2+1$

$\qquad\qquad=4-2\sqrt{3}+1$

$\qquad\qquad=5-2\sqrt{3}$

$\cot\theta=\dfrac{1}{\sqrt{3}-1}=\dfrac{\sqrt{3}+1}{2}$이므로

$\cot^2\theta+1=\left(\dfrac{\sqrt{3}+1}{2}\right)^2+1$

$\qquad\qquad=\dfrac{4+2\sqrt{3}}{4}+1$

$\qquad\qquad=\dfrac{\sqrt{3}}{2}+2$

$\therefore 2(\tan^2\theta+1)+2(\cot^2\theta+1)$

$\quad=2(5-2\sqrt{3})+2\left(\dfrac{\sqrt{3}}{2}+2\right)$

$\quad=10-4\sqrt{3}+\sqrt{3}+4=14-3\sqrt{3}$

답 $14-3\sqrt{3}$

051

$f(x)=\sin\left(\dfrac{\pi}{6}-x\right)\sin\left(\dfrac{\pi}{6}+x\right)+\sin(\pi+x)$

$=\left(\sin\dfrac{\pi}{6}\cos x-\cos\dfrac{\pi}{6}\sin x\right)$

$\qquad\qquad\times\left(\sin\dfrac{\pi}{6}\cos x+\cos\dfrac{\pi}{6}\sin x\right)-\sin x$

$=\left(\dfrac{1}{2}\cos x-\dfrac{\sqrt{3}}{2}\sin x\right)\left(\dfrac{1}{2}\cos x+\dfrac{\sqrt{3}}{2}\sin x\right)-\sin x$

$=\dfrac{1}{4}\cos^2 x-\dfrac{3}{4}\sin^2 x-\sin x$

$=\dfrac{1}{4}(1-\sin^2 x)-\dfrac{3}{4}\sin^2 x-\sin x$

$=-\sin^2 x-\sin x+\dfrac{1}{4}$

이때 $\sin x=t$로 놓으면 $-1\leq t\leq 1$

주어진 함수 $f(x)$를 $g(t)$라고 하면

$g(t)=-t^2-t+\dfrac{1}{4}=-\left(t+\dfrac{1}{2}\right)^2+\dfrac{1}{2}$

$-1\leq t\leq 1$에서 함수 $y=g(t)$의 그

래프가 오른쪽 그림과 같으므로

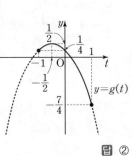

$t=-\dfrac{1}{2}$일 때 최댓값은 $M=\dfrac{1}{2}$,

$t=1$일 때 최솟값은 $m=-\dfrac{7}{4}$

$\therefore M+m=\dfrac{1}{2}+\left(-\dfrac{7}{4}\right)=-\dfrac{5}{4}$

답 ②

052

x에 대한 이차방정식 $x^2+x\sin\theta+\cos\theta=0$의 판별식을 D라고 하면 이 방정식이 두 실근을 가지므로

$D=\sin^2\theta-4\cos\theta\geq 0,\ (1-\cos^2\theta)-4\cos\theta\geq 0$

$\therefore \cos^2\theta+4\cos\theta-1\leq 0$ $\qquad\qquad$ ...... ㉠

이차방정식의 근과 계수의 관계에 의하여

$\tan\alpha+\tan\beta=-\sin\theta,\ \tan\alpha\tan\beta=\cos\theta$

$\tan(\alpha+\beta)=\dfrac{\tan\alpha+\tan\beta}{1-\tan\alpha\tan\beta}=\dfrac{-\sin\theta}{1-\cos\theta}=\dfrac{2}{3}$

$2-2\cos\theta=-3\sin\theta$

위의 식의 양변을 제곱하면

$(2-2\cos\theta)^2=(-3\sin\theta)^2$

$4\cos^2\theta-8\cos\theta+4=9\sin^2\theta$

$4\cos^2\theta-8\cos\theta+4=9(1-\cos^2\theta)$

$13\cos^2\theta-8\cos\theta-5=0$

$(13\cos\theta+5)(\cos\theta-1)=0$

$\therefore \cos\theta=-\dfrac{5}{13}$ 또는 $\cos\theta=1$

이때 $\cos\theta=1$이면 ㉠을 만족시키지 않으므로

$\cos\theta=-\dfrac{5}{13}$

답 ①

참고

이차방정식의 근과 계수의 관계

이차방정식 $ax^2+bx+c=0$의 두 근을 $\alpha,\ \beta$라고 할 때

$\alpha+\beta=-\dfrac{b}{a},\ \alpha\beta=\dfrac{c}{a}$

053

점 D에서 선분 AB에 내린 수선의 발을 E
라 하고 $\overline{OA}=2a$라고 하면 $\triangle AED$와
$\triangle DEO$는 직각이등변삼각형이므로

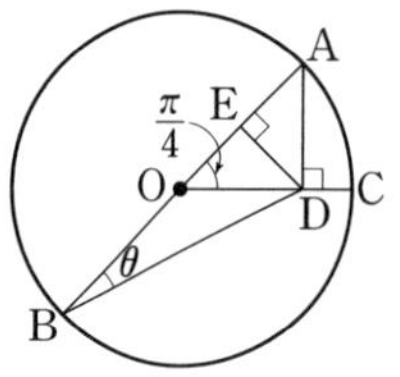

$\overline{AE}=\overline{OE}=\overline{DE}=a$

직각삼각형 BDE에서 $\overline{BE}=3a$이므로

$\overline{BD}=\sqrt{(3a)^2+a^2}=\sqrt{10}\,a\ (\because a>0)$

$\sin\theta=\dfrac{a}{\sqrt{10}\,a}=\dfrac{\sqrt{10}}{10}$

$\cos\theta=\dfrac{3a}{\sqrt{10}\,a}=\dfrac{3\sqrt{10}}{10}$

$\therefore \sin2\theta=2\sin\theta\cos\theta=2\times\dfrac{\sqrt{10}}{10}\times\dfrac{3\sqrt{10}}{10}=\dfrac{3}{5}$

답 $\dfrac{3}{5}$

참고

$\sin2\theta=\sin(\theta+\theta)$
$\quad=\sin\theta\cos\theta+\cos\theta\sin\theta$
$\quad=2\sin\theta\cos\theta$

054

정육각형의 한 변의 길이를 $6a$라 하고 꼭짓
점 B에서 $\overline{AC}$에 내린 수선의 발을 H라고
하면

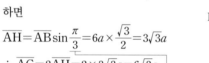

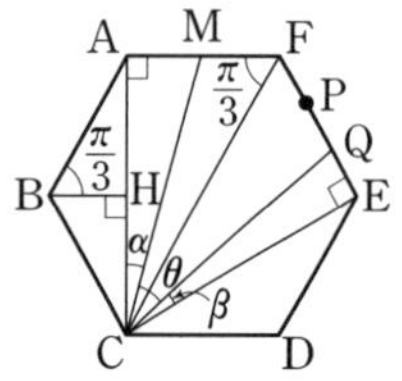

$\overline{AH}=\overline{AB}\sin\dfrac{\pi}{3}=6a\times\dfrac{\sqrt{3}}{2}=3\sqrt{3}\,a$

$\therefore \overline{AC}=2\overline{AH}=2\times3\sqrt{3}\,a=6\sqrt{3}\,a$

정육각형의 한 내각의 크기는
120°이므로 $\angle ABH=\dfrac{\pi}{3}$

$\angle ACF=\angle FCE=\dfrac{\pi}{6}$이므로

$\angle ACE=\dfrac{\pi}{3}$

한편 $\angle ACM=\alpha$, $\angle QCE=\beta$라고 하면 $\theta=\dfrac{\pi}{3}-(\alpha+\beta)$

$\triangle ACM$에서 $\tan\alpha=\dfrac{\overline{AM}}{\overline{AC}}=\dfrac{3a}{6\sqrt{3}\,a}=\dfrac{\sqrt{3}}{6}$

$\triangle CEQ$에서 $\tan\beta=\dfrac{\overline{EQ}}{\overline{CE}}=\dfrac{2a}{6\sqrt{3}\,a}=\dfrac{\sqrt{3}}{9}$

$\tan(\alpha+\beta)=\dfrac{\tan\alpha+\tan\beta}{1-\tan\alpha\tan\beta}=\dfrac{\dfrac{\sqrt{3}}{6}+\dfrac{\sqrt{3}}{9}}{1-\dfrac{\sqrt{3}}{6}\times\dfrac{\sqrt{3}}{9}}=\dfrac{5\sqrt{3}}{17}$

$\therefore \tan\theta=\tan\left\{\dfrac{\pi}{3}-(\alpha+\beta)\right\}=\dfrac{\tan\dfrac{\pi}{3}-\tan(\alpha+\beta)}{1+\tan\dfrac{\pi}{3}\tan(\alpha+\beta)}$

$\qquad=\dfrac{\sqrt{3}-\dfrac{5\sqrt{3}}{17}}{1+\sqrt{3}\times\dfrac{5\sqrt{3}}{17}}=\dfrac{3\sqrt{3}}{8}$

답 ③

055

두 직선 AB, AC가 x축의 양의 방향과 이루는 각의 크기를 각각 α,
β라고 하면

$\tan\alpha=\dfrac{x_2{}^2-x_1{}^2}{x_2-x_1}=\dfrac{(x_2+x_1)(x_2-x_1)}{x_2-x_1}=x_2+x_1$

$\qquad=x_2+\left(x_2-\dfrac{3}{2}\right)=2x_2-\dfrac{3}{2}$ ┌ $x_2-x_1=\dfrac{3}{2}$에서 $x_1=x_2-\dfrac{3}{2}$

$\tan\beta=\dfrac{x_3{}^2-x_1{}^2}{x_3-x_1}=\dfrac{(x_3+x_1)(x_3-x_1)}{x_3-x_1}=x_3+x_1$

$\qquad=\left(x_2+\dfrac{3}{2}\right)+\left(x_2-\dfrac{3}{2}\right)=2x_2$

한편 $\angle BAC=\theta$에서 $\theta=\beta-\alpha$이므로 $x_3-x_2=\dfrac{3}{2}$에서 $x_3=x_2+\dfrac{3}{2}$

$\tan\theta=\tan(\beta-\alpha)$ $x_2-x_1=\dfrac{3}{2}$에서 $x_1=x_2-\dfrac{3}{2}$

$\qquad=\dfrac{\tan\beta-\tan\alpha}{1+\tan\alpha\tan\beta}$

$\qquad=\dfrac{2x_2-\left(2x_2-\dfrac{3}{2}\right)}{1+\left(2x_2-\dfrac{3}{2}\right)\times2x_2}$

$\qquad=\dfrac{\dfrac{3}{2}}{4x_2{}^2-3x_2+1}$

$\qquad=\dfrac{\dfrac{3}{2}}{4\left(x_2-\dfrac{3}{8}\right)^2+\dfrac{7}{16}}$

이때 $\tan\theta>0$, 즉 $0<\theta<\dfrac{\pi}{2}$이므로 $\tan\theta$의 값이 최대일 때 θ의 값
도 최대이다.   ┌ $x_2=\dfrac{3}{8}$일 때 분모가 최소이므로 $\tan\theta$의 값은 최대이다.

따라서 $x_2=\dfrac{3}{8}$일 때 $\tan\theta$의 값이 최대이므로 θ의 값도 최대이다.

$\therefore x_1+x_2+x_3=\left(x_2-\dfrac{3}{2}\right)+x_2+\left(x_2+\dfrac{3}{2}\right)=3x_2=3\times\dfrac{3}{8}=\dfrac{9}{8}$

답 ④

056

▶ **접근**

$\overline{AP}$, $\overline{BP}$의 길이를 삼각함수로 나타낸 후 삼각함수의 합성을 이용한다.

오른쪽 그림과 같이 $\overline{AB}$를 지름으로 하
는 원을 그리면 $\overline{CA}=\overline{CP}=\overline{CB}$이므로
$\triangle PAB$가 이 원에 내접한다.

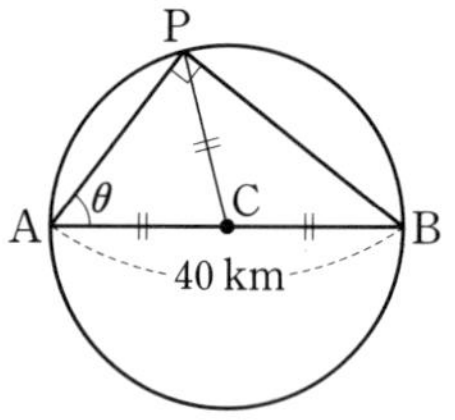

$\therefore \angle APB=\dfrac{\pi}{2}$

$\angle PAB=\theta\left(0<\theta<\dfrac{\pi}{2}\right)$라고 하면

$\overline{AP}=\overline{AB}\cos\theta=40\cos\theta$ (km)

$\overline{BP}=\overline{AB}\sin\theta=40\sin\theta$ (km)

총공사 비용을 $f(\theta)$(억 원)라고 하면

$f(\theta)=3\times40\cos\theta+4\times40\sin\theta$

$\qquad=160\sin\theta+120\cos\theta$

$\qquad=40(4\sin\theta+3\cos\theta)$

$\qquad=40\times5\left(\dfrac{4}{5}\sin\theta+\dfrac{3}{5}\cos\theta\right)$

$\qquad=200\sin(\theta+\alpha)\left(단,\ \sin\alpha=\dfrac{3}{5},\ \cos\alpha=\dfrac{4}{5}\right)$

따라서 $f(\theta)$는 $\theta+\alpha=\dfrac{\pi}{2}$일 때 최대이므로 구하는 값은

$\tan(\angle PAB)=\tan\theta=\tan\left(\dfrac{\pi}{2}-\alpha\right)$

$\qquad=\dfrac{1}{\tan\alpha}=\dfrac{\cos\alpha}{\sin\alpha}=\dfrac{\dfrac{4}{5}}{\dfrac{3}{5}}=\dfrac{4}{3}$

답 $\dfrac{4}{3}$

삼각함수의 합성

$y = a\sin\theta + b\cos\theta = \sqrt{a^2+b^2}\sin(\theta+\alpha)$

$$\left(단, \sin\alpha = \frac{b}{\sqrt{a^2+b^2}}, \cos\alpha = \frac{a}{\sqrt{a^2+b^2}}\right)$$

➡ y의 최댓값은 $\sqrt{a^2+b^2}$, 최솟값은 $-\sqrt{a^2+b^2}$이다.

057

$$\lim_{x\to 0}\frac{\tan 2x + \tan 4x + \cdots + \tan 20x}{\sin x + \sin 2x + \cdots + \sin 10x}$$

$$=\lim_{x\to 0}\frac{\dfrac{\tan 2x}{x} + \dfrac{\tan 4x}{x} + \cdots + \dfrac{\tan 20x}{x}}{\dfrac{\sin x}{x} + \dfrac{\sin 2x}{x} + \cdots + \dfrac{\sin 10x}{x}}$$

$$=\lim_{x\to 0}\frac{\dfrac{\tan 2x}{2x}\times 2 + \dfrac{\tan 4x}{4x}\times 4 + \cdots + \dfrac{\tan 20x}{20x}\times 20}{\dfrac{\sin x}{x} + \dfrac{\sin 2x}{2x}\times 2 + \cdots + \dfrac{\sin 10x}{10x}\times 10}$$

$$=\frac{2 + 4 + \cdots + 20}{1 + 2 + \cdots + 10}$$

$$=\frac{2(1 + 2 + \cdots + 10)}{1 + 2 + \cdots + 10} = 2$$

답 ②

058

$$\sqrt{3}\sin x + \cos x = 2\left(\frac{\sqrt{3}}{2}\sin x + \frac{1}{2}\cos x\right)$$

$$=2\left(\cos\frac{\pi}{6}\sin x + \sin\frac{\pi}{6}\cos x\right)$$

$$=2\sin\left(x+\frac{\pi}{6}\right)$$

$x + \dfrac{\pi}{6} = t$로 놓으면 $x \to -\dfrac{\pi}{6}$일 때 $t \to 0$이므로

$$\lim_{x\to -\frac{\pi}{6}}\frac{\sqrt{3}\sin x + \cos x}{x + \dfrac{\pi}{6}} = \lim_{x\to -\frac{\pi}{6}}\frac{2\sin\left(x+\dfrac{\pi}{6}\right)}{x+\dfrac{\pi}{6}}$$

$$=2\lim_{t\to 0}\frac{\sin t}{t} = 2\times 1 = 2$$

답 ⑤

059

$f(x) = ax + b \, (a \neq 0)$로 놓으면 $f'(x) = a$이므로 직선 $y = f(x)$의 기울기는 a이다.

$$\lim_{x\to\infty}\frac{f(x)}{x} = \lim_{x\to\infty}\frac{ax+b}{x} = \lim_{x\to\infty}\left(a+\frac{b}{x}\right) = a$$

이므로

$$\lim_{x\to\infty}f(x)\ln\left(1+\tan\frac{3}{x}\right)$$

$$=\lim_{x\to\infty}\left\{\frac{f(x)}{x}\times x\ln\left(1+\tan\frac{3}{x}\right)\right\}$$

$$=a\lim_{x\to\infty}\frac{\ln\left(1+\tan\dfrac{3}{x}\right)}{\dfrac{1}{x}}$$

$$=a\lim_{x\to\infty}\left\{\frac{\ln\left(1+\tan\dfrac{3}{x}\right)}{\tan\dfrac{3}{x}}\times\frac{\tan\dfrac{3}{x}}{\dfrac{3}{x}}\times 3\right\}$$

$$=a\times 1\times 1\times 3$$

$=3a=12$

$\therefore a=4$

따라서 직선 $y=f(x)$의 기울기는 4이다.

답 4

060

$$\lim_{x\to 0}\frac{\tan x - \sin x}{x^n}$$

$$=\lim_{x\to 0}\frac{\dfrac{\sin x}{\cos x} - \sin x}{x^n}$$

$$=\lim_{x\to 0}\frac{\sin x(1-\cos x)}{x^n\cos x}$$

$$=\lim_{x\to 0}\frac{\sin x(1-\cos x)(1+\cos x)}{x^n\cos x(1+\cos x)}$$

$$=\lim_{x\to 0}\frac{\sin x(1-\cos^2 x)}{x^n\cos x(1+\cos x)}$$

$$=\lim_{x\to 0}\frac{\sin^3 x}{x^n\cos x(1+\cos x)}$$

$$=\lim_{x\to 0}\left\{\left(\frac{\sin x}{x}\right)^3\times\frac{1}{x^{n-3}}\times\frac{1}{\cos x(1+\cos x)}\right\} \quad \cdots\cdots ㉠$$

이때 $\lim\limits_{x\to 0}\left(\dfrac{\sin x}{x}\right)^3 = 1$, $\lim\limits_{x\to 0}\dfrac{1}{\cos x(1+\cos x)} = \dfrac{1}{2}$이고 ㉠이 0이 아닌 값 α에 수렴하므로

$n-3=0 \quad \therefore n=3$

$$\therefore \alpha = \lim_{x\to 0}\frac{\tan x - \sin x}{x^3}$$

$$=\lim_{x\to 0}\left\{\left(\frac{\sin x}{x}\right)^3\times\frac{1}{\cos x(1+\cos x)}\right\}$$

$$=1\times\frac{1}{2} = \frac{1}{2}$$

$\therefore \alpha + n = \dfrac{1}{2} + 3 = \dfrac{7}{2}$

답 ⑤

061

함수 $f(x)$가 $x=0$에서 연속이므로

$\lim\limits_{x\to 0}f(x) = f(0)$

$$\lim_{x\to 0}\frac{a-\cos x}{\sin^2 3x} = b \quad \cdots\cdots ㉠$$

㉠에서 $x \to 0$일 때 극한값이 존재하고 (분모)$\to 0$이므로 (분자)$\to 0$이어야 한다.

즉, $\lim\limits_{x\to 0}(a-\cos x) = 0$이므로

$a-1=0 \quad \therefore a=1$

$a=1$을 ㉠에 대입하면

$$b = \lim_{x\to 0}\frac{1-\cos x}{\sin^2 3x}$$

$$=\lim_{x\to 0}\frac{(1-\cos x)(1+\cos x)}{\sin^2 3x(1+\cos x)}$$

$$=\lim_{x\to 0}\frac{1-\cos^2 x}{\sin^2 3x(1+\cos x)}$$

$$=\lim_{x\to 0}\frac{\sin^2 x}{\sin^2 3x(1+\cos x)}$$

$$=\lim_{x\to 0}\frac{\left(\dfrac{\sin x}{x}\right)^2}{\left(\dfrac{\sin 3x}{3x}\right)^2\times 9\times(1+\cos x)}$$

$$=\frac{1^2}{1^2\times 9\times 2} = \frac{1}{18}$$

$$\therefore a+18b=1+18\times\frac{1}{18}=2$$

답 2

062

$\lim\limits_{x\to\frac{\pi}{2}}\dfrac{\sin^2(2x-\pi)}{f(x)}=4$에서 $x\to\dfrac{\pi}{2}$일 때 0이 아닌 극한값이 존재하

고 (분자)$\to0$이므로 (분모)$\to0$이어야 한다.

즉, $\lim\limits_{x\to\frac{\pi}{2}}f(x)=0$이므로 $f\left(\dfrac{\pi}{2}\right)=0$

따라서 $f(x)=\left(x-\dfrac{\pi}{2}\right)(x-k)$ (k는 상수)로 놓을 수 있다.

$x-\dfrac{\pi}{2}=t$로 놓으면 $x\to\dfrac{\pi}{2}$일 때 $t\to0$이므로

$$\lim_{x\to\frac{\pi}{2}}\frac{\sin^2(2x-\pi)}{f(x)}=\lim_{t\to0}\frac{\sin^2 2t}{f\left(t+\frac{\pi}{2}\right)}$$
$$=\lim_{t\to0}\left\{\left(\frac{\sin 2t}{2t}\right)^2\times\frac{4t^2}{f\left(t+\frac{\pi}{2}\right)}\right\}$$
$$=\lim_{t\to0}\frac{4t^2}{f\left(t+\frac{\pi}{2}\right)}$$
$$=\lim_{t\to0}\frac{4t^2}{t\left(t+\frac{\pi}{2}-k\right)}$$
$$=\lim_{t\to0}\frac{4t}{t+\frac{\pi}{2}-k}=4$$

$t\to0$일 때 0이 아닌 극한값이 존재하고 (분자)$\to0$이므로

(분모)$\to0$이어야 한다.

즉, $\lim\limits_{t\to0}\left(t+\dfrac{\pi}{2}-k\right)=0$이므로

$\dfrac{\pi}{2}-k=0$ $\therefore k=\dfrac{\pi}{2}$

따라서 $f(x)=\left(x-\dfrac{\pi}{2}\right)^2$이므로

$$f\left(\frac{\pi}{4}\right)=\left(\frac{\pi}{4}-\frac{\pi}{2}\right)^2=\frac{\pi^2}{16}$$

답 ④

063

$P(k,\ln k)$, $Q\left(k,\cos\dfrac{\pi}{2}k\right)$,

$R(k,0)$, $\angle PAR=\alpha$, $\angle QAR=\beta$라

고 하면

$\triangle PAR$에서

$\tan\alpha=\dfrac{\overline{PR}}{\overline{AR}}=\dfrac{\ln k}{k-1}$

$\triangle RAQ$에서

$\tan\beta=\dfrac{\overline{QR}}{\overline{AR}}=\dfrac{-\cos\frac{\pi}{2}k}{k-1}$

$k-1=t$로 놓으면 $k\to1+$일 때 $t\to0+$이므로

$\lim\limits_{k\to1+}\tan\alpha=\lim\limits_{k\to1+}\dfrac{\ln k}{k-1}=\lim\limits_{t\to0+}\dfrac{\ln(1+t)}{t}=1$

$\lim\limits_{k\to1+}\tan\beta=\lim\limits_{k\to1+}\dfrac{-\cos\frac{\pi}{2}k}{k-1}$

$$=\lim_{t\to0+}\frac{-\cos\left\{\frac{\pi}{2}(1+t)\right\}}{t}$$
$$=\lim_{t\to0+}\frac{-\cos\left(\frac{\pi}{2}+\frac{\pi}{2}t\right)}{t}$$
$$=\lim_{t\to0+}\frac{\sin\frac{\pi}{2}t}{t}$$
$$=\lim_{t\to0+}\frac{\sin\frac{\pi}{2}t}{\frac{\pi}{2}t}\times\frac{\pi}{2}$$
$$=1\times\frac{\pi}{2}=\frac{\pi}{2}$$

이때 $\theta=\alpha+\beta$이므로

$$\lim_{k\to1+}\tan\theta=\lim_{k\to1+}\tan(\alpha+\beta)$$
$$=\lim_{k\to1+}\frac{\tan\alpha+\tan\beta}{1-\tan\alpha\tan\beta}$$
$$=\frac{1+\frac{\pi}{2}}{1-1\times\frac{\pi}{2}}=\frac{2+\pi}{2-\pi}$$

답 ⑤

064

$\triangle POH$에서 $\overline{OP}=1$이므로

$\overline{OH}=\overline{OP}\cos\theta=\cos\theta$, $\overline{PH}=\overline{OP}\sin\theta=\sin\theta$

$\therefore f(\theta)=\dfrac{1}{2}\sin\theta\cos\theta$ _{원의 접선 PQ와 반지름 OP가 이루는 각의 크기는 $\frac{\pi}{2}$이다.}

$\angle OPQ=\dfrac{\pi}{2}$이므로

$\overline{OQ}=\dfrac{\overline{OP}}{\cos\theta}=\dfrac{1}{\cos\theta}=\sec\theta$

$\therefore \overline{AQ}=\overline{OQ}-\overline{OA}=\sec\theta-1$

이때 $\angle AQR=\dfrac{\pi}{2}-\theta$이므로

$g(\theta)=\dfrac{1}{2}(\sec\theta-1)^2\left(\dfrac{\pi}{2}-\theta\right)$

$$\lim_{\theta\to0+}\frac{\sqrt{g(\theta)}}{\theta\times f(\theta)}=\lim_{\theta\to0+}\frac{\sqrt{\frac{1}{2}(\sec\theta-1)^2\left(\frac{\pi}{2}-\theta\right)}}{\theta\times\frac{1}{2}\sin\theta\cos\theta}$$

_{$0<\theta<\frac{\pi}{2}$이므로}
_{$0<\cos\theta<1$}
_{$\sec\theta>1$}
_{$\therefore\sec\theta-1>0$}
$$=\lim_{\theta\to0+}\frac{(\sec\theta-1)\sqrt{\frac{\pi}{4}-\frac{\theta}{2}}}{\frac{1}{2}\theta\sin\theta\cos\theta}$$
$$=\lim_{\theta\to0+}\frac{(1-\cos\theta)\sqrt{\frac{\pi}{4}-\frac{\theta}{2}}}{\frac{1}{2}\theta\sin\theta\cos^2\theta}$$
$$=\lim_{\theta\to0+}\left(\frac{1-\cos\theta}{\theta^2}\times\frac{\theta}{\sin\theta}\times\frac{\sqrt{\frac{\pi}{4}-\frac{\theta}{2}}}{\frac{1}{2}\cos^2\theta}\right)$$
$$=\frac{1}{2}\times1\times\frac{\sqrt{\frac{\pi}{4}}}{\frac{1}{2}}$$

_{$\lim\limits_{\theta\to0+}\dfrac{1-\cos\theta}{\theta^2}$}
$$=\lim_{\theta\to0+}\frac{1-\cos^2\theta}{\theta^2(1+\cos\theta)}$$
$$=\frac{\sqrt{\pi}}{2}$$
$$=\lim_{\theta\to0+}\left\{\left(\frac{\sin\theta}{\theta}\right)^2\times\frac{1}{1+\cos\theta}\right\}=\frac{1}{2}$$

답 ④

065

$$\begin{aligned}
f(x)&=\lim_{t\to x}\frac{t\sin x-x\sin t}{t-x}\\
&=\lim_{t\to x}\frac{t\sin x-x\sin x+x\sin x-x\sin t}{t-x}\\
&=\lim_{t\to x}\frac{(t-x)\sin x-x(\sin t-\sin x)}{t-x}\\
&=\lim_{t\to x}\left(\sin x-x\times\frac{\sin t-\sin x}{t-x}\right)\\
&=\sin x-x\times(\sin x)'\\
&=\sin x-x\cos x
\end{aligned}$$

이므로

$$\begin{aligned}
f'(x)&=\cos x-\{\cos x+x\times(-\sin x)\}\\
&=x\sin x
\end{aligned}$$

$$\therefore f'\left(\frac{\pi}{3}\right)=\frac{\pi}{3}\sin\frac{\pi}{3}=\frac{\pi}{3}\times\frac{\sqrt{3}}{2}=\frac{\sqrt{3}}{6}\pi$$

답 $\dfrac{\sqrt{3}}{6}\pi$

066

$f(x)=\sin x(1+\cos x)$에서
$$\begin{aligned}
f'(x)&=\cos x(1+\cos x)+\sin x\times(-\sin x)\\
&=\cos x+\cos^2 x-\sin^2 x\\
&=\cos x+\cos^2 x-(1-\cos^2 x)\\
&=2\cos^2 x+\cos x-1\\
&=(2\cos x-1)(\cos x+1)
\end{aligned}$$

$f'(x)=0$에서
$(2\cos x-1)(\cos x+1)=0$
$$\therefore \cos x=\frac{1}{2} \text{ 또는 } \cos x=-1$$

$0\le x<2\pi$이므로

$\cos x=\dfrac{1}{2}$에서 $x=\dfrac{\pi}{3}$ 또는 $x=\dfrac{5}{3}\pi$

$\cos x=-1$에서 $x=\pi$

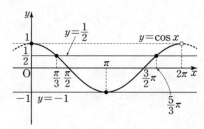

따라서 $f'(x)=0$을 만족시키는 모든 실수 x의 값의 합은
$$\frac{\pi}{3}+\frac{5}{3}\pi+\pi=3\pi$$

답 ③

067

$$\begin{aligned}
&\lim_{x\to 0}\frac{f\left(\dfrac{\pi}{2}-\sin x\right)-f\left(\dfrac{\pi}{2}\right)}{x}\\
&=\lim_{x\to 0}\left\{\frac{f\left(\dfrac{\pi}{2}-\sin x\right)-f\left(\dfrac{\pi}{2}\right)}{\left(\dfrac{\pi}{2}-\sin x\right)-\dfrac{\pi}{2}}\times\frac{-\sin x}{x}\right\}\\
&=-\lim_{x\to 0}\frac{f\left(\dfrac{\pi}{2}-\sin x\right)-f\left(\dfrac{\pi}{2}\right)}{\left(\dfrac{\pi}{2}-\sin x\right)-\dfrac{\pi}{2}}
\end{aligned}$$

$\dfrac{\pi}{2}-\sin x=t$로 놓으면 $x\to 0$일 때 $t\to\dfrac{\pi}{2}$이므로

$$-\lim_{x\to 0}\frac{f\left(\dfrac{\pi}{2}-\sin x\right)-f\left(\dfrac{\pi}{2}\right)}{\left(\dfrac{\pi}{2}-\sin x\right)-\dfrac{\pi}{2}}=-\lim_{t\to\frac{\pi}{2}}\frac{f(t)-f\left(\dfrac{\pi}{2}\right)}{t-\dfrac{\pi}{2}}$$
$$=-f'\left(\frac{\pi}{2}\right)$$

$f(x)=\sin x\cos x$에서
$$\begin{aligned}
f'(x)&=\cos x\cos x+\sin x\times(-\sin x)\\
&=\cos^2 x-\sin^2 x
\end{aligned}$$
$$\begin{aligned}
\therefore -f'\left(\frac{\pi}{2}\right)&=-\left(\cos^2\frac{\pi}{2}-\sin^2\frac{\pi}{2}\right)\\
&=-(0-1)=1
\end{aligned}$$

답 ④

068

$$\begin{aligned}
g(x)&=\lim_{h\to 0}\frac{f(x+3h)-f(x)}{h}\\
&=\lim_{h\to 0}\frac{f(x+3h)-f(x)}{3h}\times 3\\
&=3f'(x)
\end{aligned}$$

한편 $f(x)=\sin x\cos x-\sin x$에서
$$\begin{aligned}
f'(x)&=\cos x\cos x+\sin x\times(-\sin x)-\cos x\\
&=\cos^2 x-\sin^2 x-\cos x\\
&=\cos^2 x-(1-\cos^2 x)-\cos x\\
&=2\cos^2 x-\cos x-1
\end{aligned}$$

이므로
$$g(x)=3f'(x)=6\cos^2 x-3\cos x-3$$

이때 $\cos x=t$로 놓으면
$$-1\le t\le 1$$

주어진 함수 $g(x)$를 $h(t)$라고 하면
$$h(t)=6t^2-3t-3=6\left(t-\frac{1}{4}\right)^2-\frac{27}{8}$$

$-1 \leq t \leq 1$에서 함수 $y=h(t)$의 그래프
가 오른쪽 그림과 같으므로
$t=-1$일 때 최댓값은 $M=6$,
$t=\dfrac{1}{4}$일 때 최솟값은 $m=-\dfrac{27}{8}$

$\therefore M+m=6+\left(-\dfrac{27}{8}\right)=\dfrac{21}{8}$

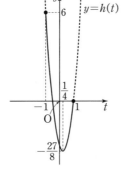

답 ③

069

→ 접근

x의 값의 범위를 $0 \leq x \leq \pi$, $-\pi \leq x \leq 0$으로 나누어 함수 $f(x)$의 식
을 정리한다.

$f(x)=a|x|+|2\sin x|$에서

$f(x)=\begin{cases} ax+2\sin x & (0 \leq x \leq \pi) \\ -ax-2\sin x & (-\pi \leq x \leq 0) \end{cases}$ 이므로

$f'(x)=\begin{cases} a+2\cos x & (0 < x < \pi) \\ -a-2\cos x & (-\pi < x < 0) \end{cases}$

함수 $f(x)$가 $x=0$에서 미분가능하므로

$\lim\limits_{x \to 0+}(a+2\cos x)=\lim\limits_{x \to 0-}(-a-2\cos x)$

$a+2=-a-2$　$\therefore a=-2$

답 ①

04　여러 가지 미분법

070

$f(x)=\csc x \cot x$에서

$f'(x)=-\csc x \cot x \times \cot x+\csc x \times (-\csc^2 x)$
$\quad\quad =-\csc x(\cot^2 x+\csc^2 x)$

$\therefore f'\left(\dfrac{\pi}{4}\right)=-\sqrt{2}(1+2)=-3\sqrt{2}$

답 $-3\sqrt{2}$

071

$f(x)=\dfrac{x^2}{x+3}$에서

$f'(x)=\dfrac{2x(x+3)-x^2 \times 1}{(x+3)^2}=\dfrac{2x^2+6x-x^2}{(x+3)^2}=\dfrac{x^2+6x}{(x+3)^2}$

$\therefore \lim\limits_{h \to 0}\dfrac{f(1+h)-f(1)}{h}=f'(1)=\dfrac{1+6}{4^2}=\dfrac{7}{16}$

답 $\dfrac{7}{16}$

072

$f(x)=\dfrac{e^{x+2}-1}{x}$에서 $f(-2)=0$이므로

$\lim\limits_{x \to -2}\dfrac{f(x)}{x+2}=\lim\limits_{x \to -2}\dfrac{f(x)-f(-2)}{x-(-2)}=f'(-2)$

$f(x)=\dfrac{e^{x+2}-1}{x}=\dfrac{e^2 \times e^x-1}{x}$에서

$f'(x)=\dfrac{e^2 \times e^x \times x-(e^2 \times e^x-1) \times 1}{x^2}$
$\quad\quad =\dfrac{e^{x+2}(x-1)+1}{x^2}$

$\therefore f'(-2)=\dfrac{-2}{4}=-\dfrac{1}{2}$

답 ②

▌다른 풀이◁

$\lim\limits_{x \to -2}\dfrac{f(x)}{x+2}=\lim\limits_{x \to -2}\dfrac{e^{x+2}-1}{x(x+2)}=\lim\limits_{t \to 0}\left(\dfrac{e^t-1}{t} \times \dfrac{1}{t-2}\right)=-\dfrac{1}{2}$

073

$f(x)=\dfrac{1}{x}+\dfrac{2}{x^2}+\dfrac{3}{x^3}+\cdots+\dfrac{10}{x^{10}}$
$\quad\quad =x^{-1}+2x^{-2}+3x^{-3}+\cdots+10x^{-10}$

이므로

$f'(x)=-x^{-2}-2^2 x^{-3}-3^2 x^{-4}-\cdots-10^2 x^{-11}$

$\therefore f'(1)=-1^2-2^2-3^2-\cdots-10^2$
$\quad\quad\quad =-(1^2+2^2+3^2+\cdots+10^2)$
$\quad\quad\quad =-\sum\limits_{k=1}^{10} k^2$
$\quad\quad\quad =-\dfrac{10 \times 11 \times 21}{6}$
$\quad\quad\quad =-385$

답 -385

$$f(x) = \sum_{n=1}^{10} \frac{n}{x^n} = \sum_{n=1}^{10} n x^{-n}$$

$$f'(x) = \sum_{n=1}^{10} \{n \times (-n) \times x^{-n-1}\}$$

$$= -\sum_{n=1}^{10} n^2 x^{-n-1}$$

$$\therefore f'(1) = -\sum_{n=1}^{10} n^2 = -\frac{10 \times 11 \times 21}{6} = -385$$

참고

자연수의 거듭제곱의 합

(1) $\sum\limits_{k=1}^{n} k = \dfrac{n(n+1)}{2}$

(2) $\sum\limits_{k=1}^{n} k^2 = \dfrac{n(n+1)(2n+1)}{6}$

(3) $\sum\limits_{k=1}^{n} k^3 = \left\{\dfrac{n(n+1)}{2}\right\}^2$

074

오른쪽 그림과 같이 삼각형 ABC에 내접하는 원의 중심을 O라 하고, $\overline{OH} \perp \overline{BC}$ 이 원과 변 BC의 접점을 H라고 하자. 점 O는 삼각형 ABC의 내심이므로 $\leftarrow$ 점 O는 $\angle ABC$, $\angle ACB$의 내각의 이등분선의 교점이다.

$$\angle OBH = \frac{\pi}{6}, \ \angle OCH = \theta$$

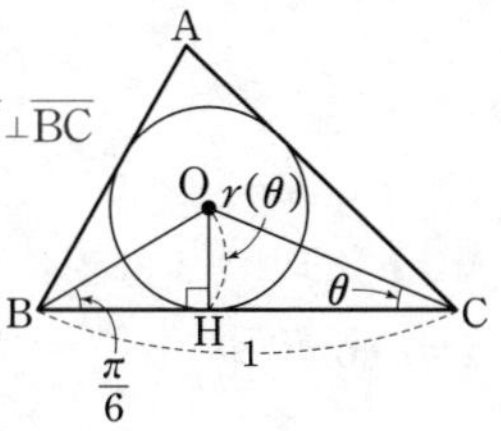

△OBH에서

$\dfrac{\overline{OH}}{\overline{BH}} = \tan\dfrac{\pi}{6}$이므로 $\dfrac{r(\theta)}{\overline{BH}} = \dfrac{1}{\sqrt{3}}$

$\therefore \overline{BH} = \sqrt{3}\,r(\theta)$

△OCH에서

$\dfrac{\overline{OH}}{\overline{CH}} = \tan\theta$이므로 $\dfrac{r(\theta)}{\overline{CH}} = \tan\theta$

$\therefore \overline{CH} = \dfrac{r(\theta)}{\tan\theta}$

$\overline{BH} + \overline{CH} = \overline{BC} = 1$이므로

$$\sqrt{3}\,r(\theta) + \frac{r(\theta)}{\tan\theta} = 1$$

$$r(\theta)\left(\frac{1 + \sqrt{3}\tan\theta}{\tan\theta}\right) = 1$$

$$\therefore r(\theta) = \frac{\tan\theta}{1 + \sqrt{3}\tan\theta}$$

$$h(\theta) = \frac{r(\theta)}{\tan\theta} = \frac{\dfrac{\tan\theta}{1+\sqrt{3}\tan\theta}}{\tan\theta} = \frac{1}{1+\sqrt{3}\tan\theta}$$이므로

$$h'(\theta) = -\frac{\sqrt{3}\sec^2\theta}{(1+\sqrt{3}\tan\theta)^2}$$

$$\therefore h'\left(\frac{\pi}{6}\right) = -\frac{\sqrt{3} \times \left(\dfrac{2}{\sqrt{3}}\right)^2}{\left(1 + \sqrt{3} \times \dfrac{\sqrt{3}}{3}\right)^2} = -\frac{\sqrt{3}}{3}$$

답 ②

075

$f(2x-3) = x^2 - 4x + 11$의 양변을 x에 대하여 미분하면
$2f'(2x-3) = 2x - 4$

$$\therefore f'(2x-3) = x - 2 \qquad\qquad \cdots\cdots ㉠$$

$2x - 3 = 6$에서 $x = \dfrac{9}{2}$

$x = \dfrac{9}{2}$를 ㉠에 대입하면

$$f'(6) = \frac{9}{2} - 2 = \frac{5}{2}$$

답 $\dfrac{5}{2}$

풍쌤 비법

미분가능한 함수 $y = f(x)$에 대하여
$y = f(ax+b)$ (a, b는 상수)이면
$y' = af'(ax+b)$

076

$$f(x) = \ln\sqrt{\frac{1+\sin x}{1-\sin x}}$$

$$= \frac{1}{2}\ln\frac{1+\sin x}{1-\sin x}$$

$$= \frac{1}{2}\{\ln(1+\sin x) - \ln(1-\sin x)\}$$

에서

$$f'(x) = \frac{1}{2}\left(\frac{\cos x}{1+\sin x} - \frac{-\cos x}{1-\sin x}\right)$$

$$= \frac{\cos x(1-\sin x) + \cos x(1+\sin x)}{2(1+\sin x)(1-\sin x)}$$

$$= \frac{\cos x}{1-\sin^2 x}$$

$$= \frac{\cos x}{\cos^2 x} = \frac{1}{\cos x}$$

$$\therefore f'\left(\frac{\pi}{3}\right) = \frac{1}{\cos\dfrac{\pi}{3}} = 2$$

답 2

077

$\lim\limits_{x \to 2} \dfrac{f(x)+2}{x-2} = 7$에서 $x \to 2$일 때 극한값이 존재하고

(분모) $\to 0$이므로 (분자) $\to 0$이어야 한다.

즉, $\lim\limits_{x \to 2}\{f(x)+2\} = 0$이므로

$f(2) = -2$

$$\lim_{x \to 2} \frac{f(x)+2}{x-2} = \lim_{x \to 2} \frac{f(x)-f(2)}{x-2} = f'(2) = 7$$

$\lim\limits_{x \to -2} \dfrac{g(x)+2}{x+2} = 9$에서 $x \to -2$일 때 극한값이 존재하고

(분모) $\to 0$이므로 (분자) $\to 0$이어야 한다.

즉, $\lim\limits_{x \to -2}\{g(x)+2\} = 0$이므로

$g(-2) = -2$

$$\lim_{x \to -2} \frac{g(x)+2}{x+2} = \lim_{x \to -2} \frac{g(x)-g(-2)}{x-(-2)} = g'(-2) = 9$$

$y = (g \circ f)(x) = g(f(x))$에서 $y' = g'(f(x))f'(x)$이므로 $x = 2$일 때의 미분계수는

$g'(f(2))f'(2) = g'(-2)f'(2) = 9 \times 7 = 63$

답 63

078

$h(x)=g(f(x))$로 놓으면

$h(x)=e^{\sin\frac{x}{3}}$

$\therefore h\left(\dfrac{\pi}{2}\right)=e^{\sin\frac{\pi}{6}}=e^{\frac{1}{2}}=\sqrt{e}$

$\displaystyle\lim_{x\to\frac{\pi}{2}}\dfrac{g(f(x))-\sqrt{e}}{x-\dfrac{\pi}{2}}=\lim_{x\to\frac{\pi}{2}}\dfrac{h(x)-h\left(\dfrac{\pi}{2}\right)}{x-\dfrac{\pi}{2}}=h'\left(\dfrac{\pi}{2}\right)$

$h'(x)=e^{\sin\frac{x}{3}}\times\cos\dfrac{x}{3}\times\dfrac{1}{3}$이므로

$h'\left(\dfrac{\pi}{2}\right)=e^{\sin\frac{\pi}{6}}\times\cos\dfrac{\pi}{6}\times\dfrac{1}{3}$

$\qquad\quad =\sqrt{e}\times\dfrac{\sqrt{3}}{2}\times\dfrac{1}{3}=\dfrac{\sqrt{3e}}{6}$

답 ③

풍쌤 비법

(1) $y=e^{f(x)}$이면 $y'=e^{f(x)}f'(x)$

(2) $y=\sin f(x)$이면 $y'=\cos f(x)\times f'(x)$

$y=\cos f(x)$이면 $y'=-\sin f(x)\times f'(x)$

(3) $y=\sin^{n}f(x)$이면

$y'=n\sin^{n-1}f(x)\times\cos f(x)\times f'(x)$

$y=\cos^{n}f(x)$이면

$y'=n\cos^{n-1}f(x)\times\{-\sin f(x)\}\times f'(x)$

079

$f(x)=\dfrac{1}{\sqrt{\tan x+2}}=(\tan x+2)^{-\frac{1}{2}}$에서

$f'(x)=-\dfrac{1}{2}(\tan x+2)^{-\frac{3}{2}}\times\sec^2 x$

$\qquad =-\dfrac{\sec^2 x}{2(\tan x+2)\sqrt{\tan x+2}}$

$\qquad =\underbrace{\dfrac{1}{\sqrt{\tan x+2}}}_{f(x)}\times\underbrace{\left\{-\dfrac{\sec^2 x}{2(\tan x+2)}\right\}}_{g(x)}$

이때 $f'(x)=f(x)g(x)$이므로

$g(x)=-\dfrac{\sec^2 x}{2(\tan x+2)}$

$\therefore g\left(\dfrac{\pi}{4}\right)=-\dfrac{\sec^2\dfrac{\pi}{4}}{2\left(\tan\dfrac{\pi}{4}+2\right)}=-\dfrac{2}{2(1+2)}=-\dfrac{1}{3}$

답 $-\dfrac{1}{3}$

다른 풀이

$f'(x)=f(x)g(x)$에서 $f(x)\neq0$이면

$g(x)=\dfrac{f'(x)}{f(x)}$

$f(x)=\dfrac{1}{\sqrt{\tan x+2}}=(\tan x+2)^{-\frac{1}{2}}$에서 양변의 절댓값에 자연로

그를 취하면

$\ln|f(x)|=-\dfrac{1}{2}\ln|\tan x+2|$

위의 식의 양변을 x에 대하여 미분하면

$\dfrac{f'(x)}{f(x)}=-\dfrac{\sec^2 x}{2(\tan x+2)}$

따라서 $g(x)=-\dfrac{\sec^2 x}{2(\tan x+2)}$이므로

$g\left(\dfrac{\pi}{4}\right)=-\dfrac{1}{3}$

080

$x=t^3-\dfrac{1}{6}t^2+4$에서 $\dfrac{dx}{dt}=3t^2-\dfrac{1}{3}t$

$y=t^3+3t^2$에서 $\dfrac{dy}{dt}=3t^2+6t$

$\therefore \dfrac{dy}{dx}=\dfrac{\dfrac{dy}{dt}}{\dfrac{dx}{dt}}=\dfrac{3t^2+6t}{3t^2-\dfrac{1}{3}t}\left(\text{단, }3t^2-\dfrac{1}{3}t\neq0\right)$

따라서 $t=1$일 때

$\dfrac{dy}{dx}=\dfrac{3\times1^2+6\times1}{3\times1^2-\dfrac{1}{3}\times1}=\dfrac{9}{\dfrac{8}{3}}=\dfrac{27}{8}$

답 $\dfrac{27}{8}$

081

$x=a\cos^4\theta$에서

$\dfrac{dx}{d\theta}=4a\cos^3\theta\times(-\sin\theta)=-4a\cos^3\theta\sin\theta$

$y=a\sin^4\theta$에서 $\dfrac{dy}{d\theta}=4a\sin^3\theta\cos\theta$

$\therefore \dfrac{dy}{dx}=\dfrac{\dfrac{dy}{d\theta}}{\dfrac{dx}{d\theta}}=\dfrac{4a\sin^3\theta\cos\theta}{-4a\cos^3\theta\sin\theta}$

$\qquad\quad =-\dfrac{\sin^2\theta}{\cos^2\theta}=-\tan^2\theta\ (\text{단, }\sin\theta\cos\theta\neq0)$

따라서 $\theta=\dfrac{\pi}{3}$일 때

$\dfrac{dy}{dx}=-\tan^2\dfrac{\pi}{3}=-(\sqrt{3})^2=-3$

답 -3

082

$x=\ln t$에서 $\dfrac{dx}{dt}=\dfrac{1}{t}$

$y=\ln(t^2+1)$에서 $\dfrac{dy}{dt}=\dfrac{2t}{t^2+1}$

$\therefore \dfrac{dy}{dx}=\dfrac{\dfrac{dy}{dt}}{\dfrac{dx}{dt}}=\dfrac{\dfrac{2t}{t^2+1}}{\dfrac{1}{t}}=\dfrac{2t^2}{t^2+1}$

$\therefore \displaystyle\lim_{t\to\infty}\dfrac{dy}{dx}=\lim_{t\to\infty}\dfrac{2t^2}{t^2+1}$

$\qquad\qquad\ =\lim_{t\to\infty}\dfrac{2}{1+\dfrac{1}{t^2}}$ ⎯ 분모, 분자를 분모의 최고차항인 t^2으로 각각 나눈다.

$\qquad\qquad\ =\dfrac{2}{1+0}=2$

답 2

083

$x=4\tan\theta$에서 $\dfrac{dx}{d\theta}=4\sec^2\theta$

$y=12\sec\theta$에서 $\dfrac{dy}{d\theta}=12\sec\theta\tan\theta$

$\therefore \dfrac{dy}{dx}=\dfrac{\dfrac{dy}{d\theta}}{\dfrac{dx}{d\theta}}=\dfrac{12\sec\theta\tan\theta}{4\sec^2\theta}=\dfrac{3\tan\theta}{\sec\theta}=3\sin\theta$

$3\sin\theta=\dfrac{3}{2}$에서 $\sin\theta=\dfrac{1}{2}$

$0\le\theta<2\pi$이므로 $\theta=\dfrac{\pi}{6}$ 또는 $\theta=\dfrac{5}{6}\pi$

$\theta=\dfrac{5}{6}\pi$일 때 $x<0$이므로 $\theta=\dfrac{\pi}{6}$

$a=4\tan\dfrac{\pi}{6}=4\times\dfrac{\sqrt{3}}{3}=\dfrac{4\sqrt{3}}{3}$

$b=12\sec\dfrac{\pi}{6}=12\times\dfrac{2}{\sqrt{3}}=8\sqrt{3}$

$\therefore ab=\dfrac{4\sqrt{3}}{3}\times8\sqrt{3}=32$

답 ③

084

$x=t^2+\dfrac{a}{t^2}$에서 $\dfrac{dx}{dt}=2t-\dfrac{2a}{t^3}$

$y=t^2-\dfrac{a}{t^2}$에서 $\dfrac{dy}{dt}=2t+\dfrac{2a}{t^3}$

$\therefore \dfrac{dy}{dx}=\dfrac{\dfrac{dy}{dt}}{\dfrac{dx}{dt}}=\dfrac{2t+\dfrac{2a}{t^3}}{2t-\dfrac{2a}{t^3}}=\dfrac{t^4+a}{t^4-a}$ (단, $t^4-a\ne0$)

$t=3$일 때의 $\dfrac{dy}{dx}$의 값이 2이므로

$\dfrac{3^4+a}{3^4-a}=2,\ 81+a=162-2a$

$3a=81$ $\therefore a=27$

답 ③

085

$y^3=\ln|2-x^2|+4xy-3$의 양변을 x에 대하여 미분하면

$3y^2\dfrac{dy}{dx}=\dfrac{-2x}{2-x^2}+4y+4x\dfrac{dy}{dx}$

$(3y^2-4x)\dfrac{dy}{dx}=\dfrac{-2x}{2-x^2}+4y$

$\therefore \dfrac{dy}{dx}=\dfrac{1}{3y^2-4x}\Big(\dfrac{-2x}{2-x^2}+4y\Big)$ (단, $3y^2-4x\ne0$, $2-x^2\ne0$)

따라서 곡선 위의 점 $(1,1)$에서의 $\dfrac{dy}{dx}$의 값은

$\dfrac{1}{3-4}\Big(\dfrac{-2}{2-1}+4\Big)=-2$

답 ①

086

점 (a,b)가 곡선 $2\sqrt{x}+\sqrt{y}=6$ 위의 점이므로

$2\sqrt{a}+\sqrt{b}=6$ ...... ㉠

$2\sqrt{x}+\sqrt{y}=6$에서 $2x^{\frac{1}{2}}+y^{\frac{1}{2}}=6$

양변을 x에 대하여 미분하면

$x^{-\frac{1}{2}}+\dfrac{1}{2}y^{-\frac{1}{2}}\dfrac{dy}{dx}=0$

$\dfrac{1}{2}y^{-\frac{1}{2}}\dfrac{dy}{dx}=-x^{-\frac{1}{2}}$

$\therefore \dfrac{dy}{dx}=-\dfrac{2x^{-\frac{1}{2}}}{y^{-\frac{1}{2}}}=-\dfrac{2\sqrt{y}}{\sqrt{x}}$ (단, $x\ne0$)

곡선 $2\sqrt{x}+\sqrt{y}=6$ 위의 점 (a,b)에서의 $\dfrac{dy}{dx}$의 값은 -2이므로

$-\dfrac{2\sqrt{b}}{\sqrt{a}}=-2,\ \sqrt{a}=\sqrt{b}$ $\therefore a=b$ ...... ㉡

㉡을 ㉠에 대입하면

$2\sqrt{a}+\sqrt{a}=6,\ 3\sqrt{a}=6,\ \sqrt{a}=2$ $\therefore a=4$

$a=4$를 ㉡에 대입하면 $b=4$

$\therefore a+b=4+4=8$

답 8

087

점 $(1,0)$이 곡선 $2x^3-2y^3+axy+b=0$ 위의 점이므로

$2+b=0$ $\therefore b=-2$

$2x^3-2y^3+axy+b=0$의 양변을 x에 대하여 미분하면

$6x^2-6y^2\dfrac{dy}{dx}+ay+ax\dfrac{dy}{dx}=0$

$(6y^2-ax)\dfrac{dy}{dx}=6x^2+ay$

$\therefore \dfrac{dy}{dx}=\dfrac{6x^2+ay}{6y^2-ax}$ (단, $6y^2-ax\ne0$)

곡선 $2x^3-2y^3+axy+b=0$ 위의 점 $(1,0)$에서의 접선의 기울기가 3이므로

$\dfrac{6}{-a}=3$ $\therefore a=-2$

$\therefore ab=-2\times(-2)=4$ $\dfrac{dy}{dx}$에 $x=1,y=0$을 대입한다.

답 ④

088

점 (a,b)가 곡선 $e^x-e^y=2y$ 위의 점이므로

$e^a-e^b=2b$ ...... ㉠

$e^x-e^y=2y$의 양변을 x에 대하여 미분하면

$e^x-e^y\dfrac{dy}{dx}=2\dfrac{dy}{dx}$

$(e^y+2)\dfrac{dy}{dx}=e^x$

$\therefore \dfrac{dy}{dx}=\dfrac{e^x}{e^y+2}$

곡선 $e^x-e^y=2y$ 위의 점 (a,b)에서의 접선의 기울기가 1이므로

$\dfrac{e^a}{e^b+2}=1$ $\therefore e^a=e^b+2$ ...... ㉡

㉡을 ㉠에 대입하면

$e^b+2-e^b=2b$ $\therefore b=1$

$b=1$을 ㉡에 대입하면

$e^a=e+2$ $\therefore a=\ln(e+2)$

$\therefore a+b=\ln(e+2)+1$

답 ①

089

→ 접근

먼저 점 P의 좌표를 구하고 $\dfrac{dy}{dx}$의 식에 점 P의 x좌표와 y좌표를 대입한다.

곡선 $x^2+3xy+y^2=20$과 직선 $y=x$의 교점의 x좌표는

$x^2+3x^2+x^2=20$, $5x^2=20$, $x^2=4$ ——— $y=x$를 $x^2+3xy+y^2=20$에 대입한다.

$x>0$이므로 $x=2$ ——— 점 P가 제1사분면의 점이므로 $x>0$이다.

$\therefore \text{P}(2, 2)$

$x^2+3xy+y^2=20$의 양변을 x에 대하여 미분하면

$2x+3y+3x\dfrac{dy}{dx}+2y\dfrac{dy}{dx}=0$

$(3x+2y)\dfrac{dy}{dx}=-2x-3y$

$\therefore \dfrac{dy}{dx}=\dfrac{-2x-3y}{3x+2y}$ (단, $3x+2y\neq 0$)

따라서 곡선 $x^2+3xy+y^2=20$ 위의 점 $\text{P}(2, 2)$에서의 접선의 기울기는

$\dfrac{-2\times 2-3\times 2}{3\times 2+2\times 2}=-1$

답 -1

090

$x=\sin y$의 양변을 y에 대하여 미분하면

$\dfrac{dx}{dy}=\cos y$ $\therefore \dfrac{dy}{dx}=\dfrac{1}{\frac{dx}{dy}}=\dfrac{1}{\cos y}$

$x=\sin y$에서 $x=\dfrac{1}{2}$일 때

$\dfrac{1}{2}=\sin y$ $\therefore y=\dfrac{\pi}{6}$ $\left(\because 0<y<\dfrac{\pi}{2}\right)$

따라서 $x=\dfrac{1}{2}$, 즉 $y=\dfrac{\pi}{6}$일 때의 $\dfrac{dy}{dx}$의 값은

$\dfrac{dy}{dx}=\dfrac{1}{\cos\frac{\pi}{6}}=\dfrac{1}{\frac{\sqrt{3}}{2}}=\dfrac{2\sqrt{3}}{3}$

답 ⑤

풍쌤 비법

y를 x에 대하여 직접 미분하기 어려운 경우에는 x를 y에 대하여 미분한 후 역함수의 미분법을 이용한다. 미분가능한 함수 $y=f(x)$의 역함수가 존재할 때

$\dfrac{dy}{dx}=\dfrac{1}{\frac{dx}{dy}}$ $\left(\text{단, } \dfrac{dx}{dy}\neq 0\right)$

091

$g(3)=a$라고 하면 $f(a)=3$이므로

$a^2+3a+5=3$, $a^2+3a+2=0$

$(a+1)(a+2)=0$ $\therefore a=-1$ $(\because x>-2)$

따라서 $g(3)=-1$이고 $f'(x)=2x+3$이므로

$g'(3)=\dfrac{1}{f'(g(3))}=\dfrac{1}{f'(-1)}=\dfrac{1}{2\times(-1)+3}=1$

답 1

092

$g(a)=b$라고 하면 $f(b)=a$이므로

$\ln(e^b+2)=a$ $\therefore e^b+2=e^a$ ······ ㉠

$f(x)=\ln(e^x+2)$에서

$f'(x)=\dfrac{e^x}{e^x+2}$ $\therefore \dfrac{1}{f'(x)}=\dfrac{e^x+2}{e^x}$

$g'(a)=\dfrac{1}{f'(g(a))}=\dfrac{1}{f'(b)}=\dfrac{e^b+2}{e^b}=\dfrac{e^a}{e^a-2}$ $(\because ㉠)$

$\therefore \dfrac{1}{f'(a)}+\dfrac{1}{g'(a)}=\dfrac{e^a+2}{e^a}+\dfrac{e^a-2}{e^a}=2$

답 2

093

$\displaystyle\lim_{x\to 1}\dfrac{g(x)-3}{x-1}=4$에서 $x\to 1$일 때 극한값이 존재하고

(분모)$\to 0$이므로 (분자)$\to 0$이어야 한다.

즉, $\displaystyle\lim_{x\to 1}\{g(x)-3\}=0$이므로

$g(1)=3$ $\therefore f(3)=1$

$\displaystyle\lim_{x\to 1}\dfrac{g(x)-3}{x-1}=\lim_{x\to 1}\dfrac{g(x)-g(1)}{x-1}=g'(1)=4$

$\therefore f'(3)=\dfrac{1}{g'(f(3))}=\dfrac{1}{g'(1)}=\dfrac{1}{4}$

답 ①

094

$\displaystyle\lim_{x\to 2}\dfrac{\{g(x)\}^2-\{g(2)\}^2}{x-2}$

$=\displaystyle\lim_{x\to 2}\dfrac{\{g(x)-g(2)\}\{g(x)+g(2)\}}{x-2}$

$=\displaystyle\lim_{x\to 2}\dfrac{g(x)-g(2)}{x-2}\times\lim_{x\to 2}\{g(x)+g(2)\}$

$=2g(2)g'(2)$

이때 $f(1)=2$에서 $g(2)=1$이므로

$g'(2)=\dfrac{1}{f'(g(2))}=\dfrac{1}{f'(1)}=\dfrac{1}{\frac{1}{3}}=3$

$\therefore \displaystyle\lim_{x\to 2}\dfrac{\{g(x)\}^2-\{g(2)\}^2}{x-2}=2g(2)g'(2)=2\times 1\times 3=6$

답 6

095

$f(x)=(x+a)e^{bx}$에서

$f'(x)=1\times e^{bx}+(x+a)be^{bx}=(bx+ab+1)e^{bx}$

$f''(x)=b\times e^{bx}+(bx+ab+1)\times be^{bx}$

$\qquad =(bx+ab+2)be^{bx}$

$f'(0)=4$에서 $ab+1=4$ $\therefore ab=3$ ······ ㉠

$f''(0)=10$에서 $(ab+2)b=10$ ······ ㉡

㉠, ㉡을 연립하여 풀면

$a=\dfrac{3}{2}$, $b=2$

$\therefore 2a+b=2\times\dfrac{3}{2}+2=5$

답 ⑤

096

$f(x)=\sqrt{x^2+7}=(x^2+7)^{\frac{1}{2}}$에서

$f'(x)=\dfrac{2x}{2\sqrt{x^2+7}}=\dfrac{x}{\sqrt{x^2+7}}$

$f'(0)=0$이므로

$\displaystyle\lim_{x\to0}\dfrac{f'(x)}{x}=\lim_{x\to0}\dfrac{f'(x)-f'(0)}{x-0}=f''(0)$

이때

$f''(x)=\dfrac{1\times\sqrt{x^2+7}-x\times\dfrac{x}{\sqrt{x^2+7}}}{(\sqrt{x^2+7})^2}$

$\quad\quad=\dfrac{(x^2+7)-x^2}{(x^2+7)\sqrt{x^2+7}}$

$\quad\quad=\dfrac{7}{(x^2+7)\sqrt{x^2+7}}$

이므로 $f''(0)=\dfrac{\sqrt{7}}{7}$

답 ③

097

$f(x)=e^{3x}\cos x$에서

$f'(x)=3e^{3x}\cos x-e^{3x}\sin x=e^{3x}(3\cos x-\sin x)$

$f''(x)=3e^{3x}(3\cos x-\sin x)+e^{3x}(-3\sin x-\cos x)$

$\quad\quad=e^{3x}(-6\sin x+8\cos x)$

이때 $x=a$가 방정식 $f''(x)=0$의 해이므로

$e^{3a}(-6\sin a+8\cos a)=0$

$e^{3a}>0$이므로 $-6\sin a+8\cos a=0$

$0<a<\dfrac{\pi}{2}$이므로 $\dfrac{\sin a}{\cos a}=\dfrac{4}{3}$

$\therefore\tan a=\dfrac{4}{3}$

답 $\dfrac{4}{3}$

098

$\displaystyle\lim_{h\to0}\dfrac{f'(a+h)-f'(a)}{h}=f''(a)=2$

$f(x)=\dfrac{1}{x+3}$에서

$f'(x)=-\dfrac{1}{(x+3)^2}$

$f''(x)=\dfrac{2(x+3)}{(x+3)^4}=\dfrac{2}{(x+3)^3}$

$f''(a)=\dfrac{2}{(a+3)^3}=2$이므로

$(a+3)^3=1,\ a+3=1$ $\therefore a=-2$

답 ①

099

접근

$f'(x), f''(x)$를 각각 구하여 주어진 식에 대입하여 x의 값을 구한다. 이때 로그의 진수 조건에 주의한다.

$f(x)=x^2\ln x$에서

$f'(x)=2x\ln x+x^2\times\dfrac{1}{x}=2x\ln x+x$

$f''(x)=2\ln x+2x\times\dfrac{1}{x}+1=2\ln x+3$

$f(x)-f'(x)-f''(x)=\ln x-x-3$에서

$x^2\ln x-(2x\ln x+x)-(2\ln x+3)=\ln x-x-3$

$(x^2-2x-3)\ln x=0$

$(x+1)(x-3)\ln x=0$

$\therefore x=-1$ 또는 $x=3$ 또는 $x=1$ $\underset{\ }{\underbrace{\ }}\ln x=0$에서 $x=1$

$f(x)=x^2\ln x$에서 진수 조건에 의하여 $x>0$이므로

$x=1$ 또는 $x=3$

따라서 주어진 조건을 만족시키는 x의 값의 합은

$1+3=4$

답 ①

참고

$\log_a N$이 정의되려면 $a>0,\ a\neq1,\ N>0$이어야 한다.

100

$f(x)=\dfrac{x+3}{x^2+7}$에서

$f'(x)=\dfrac{1\times(x^2+7)-(x+3)\times2x}{(x^2+7)^2}$

$\quad\quad=\dfrac{-x^2-6x+7}{(x^2+7)^2}$

$f'(x)\geq0$이고 $(x^2+7)^2>0$이므로

$-x^2-6x+7\geq0,\ x^2+6x-7\leq0$

$(x+7)(x-1)\leq0$ $\therefore -7\leq x\leq1$

따라서 $f'(x)\geq0$을 만족시키는 정수 x의 개수는 $-7, -6, -5, \cdots,$ 1의 9이다.

답 ③

101

접근

$\displaystyle\sum_{k=1}^{n}f_k(x)$가 등비수열의 합임을 파악하고 $\displaystyle\lim_{n\to\infty}\sum_{k=1}^{n}f_k(x)$의 값을 구할 때 등비급수의 합 공식을 이용한다.

$\displaystyle\sum_{k=1}^{n}f_k(x)=x+x^2+x^3+\cdots+x^n$

이때 $0<x<1$이므로

$g(x)=\displaystyle\lim_{n\to\infty}\sum_{k=1}^{n}f_k(x)=x+x^2+x^3+\cdots=\dfrac{x}{1-x}$

$g'(x)=\dfrac{1\times(1-x)-x\times(-1)}{(1-x)^2}=\dfrac{1}{(1-x)^2}$

이므로

$g'\left(\dfrac{5}{6}\right)=\dfrac{1}{\left(1-\dfrac{5}{6}\right)^2}=36$

답 36

참고

등비급수의 합

$-1<r<1$일 때, 등비급수 $\displaystyle\sum_{n=1}^{\infty}ar^{n-1}$의 합은 $\dfrac{a}{1-r}$이다.

102

$f(x)=\dfrac{ax+b}{x^2+2}$에서

$f'(x)=\dfrac{a(x^2+2)-(ax+b)\times 2x}{(x^2+2)^2}$

$\quad\;=\dfrac{-ax^2-2bx+2a}{(x^2+2)^2}$

$\displaystyle\lim_{x\to 2}\dfrac{f(x)-f(2)}{x-2}=-3$에서 $f'(2)=-3$

즉, $f'(2)=\dfrac{-2a-4b}{(4+2)^2}=-3$이므로

$a+2b=54$ $\qquad\qquad\cdots\cdots\;\text{㉠}$

$\displaystyle\lim_{x\to 1}\dfrac{f(x)-f(1)}{x^2-1}=0$에서

$\displaystyle\lim_{x\to 1}\left\{\dfrac{f(x)-f(1)}{x-1}\times\dfrac{1}{x+1}\right\}=0$

$\dfrac{1}{2}f'(1)=0$ $\quad\therefore f'(1)=0$

즉, $f'(1)=\dfrac{a-2b}{(1+2)^2}=0$이므로

$a-2b=0$ $\qquad\qquad\cdots\cdots\;\text{㉡}$

㉠, ㉡을 연립하여 풀면

$a=27,\ b=\dfrac{27}{2}$

$\therefore a-4b=27-4\times\dfrac{27}{2}=-27$

답 ②

103

$f(x)=\dfrac{2\sin x}{\sin x+\cos x}$에서

$f'(x)=\dfrac{2\cos x(\sin x+\cos x)-2\sin x(\cos x-\sin x)}{(\sin x+\cos x)^2}$

$\quad\;=\dfrac{2\cos^2 x+2\sin^2 x}{\sin^2 x+2\sin x\cos x+\cos^2 x}$ ⟵ $\sin^2 x+\cos^2 x=1$

$\quad\;=\dfrac{2}{1+2\sin x\cos x}$

$\quad\;=\dfrac{2}{1+\sin 2x}$

$f'(a)=\dfrac{4}{3}$에서 $\dfrac{2}{1+\sin 2a}=\dfrac{4}{3}$

$1+\sin 2a=\dfrac{3}{2}$ $\quad\therefore \sin 2a=\dfrac{1}{2}$

이때 $0\leq x\leq\dfrac{\pi}{2}$에서 $0\leq 2a\leq\pi$이므로

$2a=\dfrac{\pi}{6}$ 또는 $2a=\dfrac{5}{6}\pi$ $\quad\therefore a=\dfrac{\pi}{12}$ 또는 $a=\dfrac{5}{12}\pi$

따라서 모든 a의 값의 합은

$\dfrac{\pi}{12}+\dfrac{5}{12}\pi=\dfrac{\pi}{2}$

답 ④

104

$g(x)=6e^{-\ln(x^2+3)}=6e^{\ln(x^2+3)^{-1}}$

$\quad\;=6(x^2+3)^{-1}=\dfrac{6}{x^2+3}$

$(x-2)f(x)=g(x)-g(2)$에서

$x\neq 2$일 때, $f(x)=\dfrac{g(x)-g(2)}{x-2}$

함수 $f(x)$가 $x=2$에서 연속이므로

$f(2)=\displaystyle\lim_{x\to 2}f(x)=\lim_{x\to 2}\dfrac{g(x)-g(2)}{x-2}=g'(2)$

이때 $g'(x)=-\dfrac{6\times 2x}{(x^2+3)^2}=-\dfrac{12x}{(x^2+3)^2}$이므로

$f(2)=g'(2)=-\dfrac{12\times 2}{(4+3)^2}=-\dfrac{24}{49}$

답 ③

105

$f(x)=\ln(e^x+e^{2x}+e^{3x}+\cdots+e^{nx})$으로 놓으면

$f(0)=\ln n$이므로

$\displaystyle\lim_{x\to 0}\dfrac{1}{x}\ln\dfrac{e^x+e^{2x}+e^{3x}+\cdots+e^{nx}}{n}$

$=\displaystyle\lim_{x\to 0}\dfrac{\ln(e^x+e^{2x}+e^{3x}+\cdots+e^{nx})-\ln n}{x}$

$=\displaystyle\lim_{x\to 0}\dfrac{f(x)-f(0)}{x}$

$=f'(0)=15$

이때 $f'(x)=\dfrac{e^x+2e^{2x}+3e^{3x}+\cdots+ne^{nx}}{e^x+e^{2x}+e^{3x}+\cdots+e^{nx}}$이므로

$f'(0)=\dfrac{1+2+3+\cdots+n}{n}=\dfrac{1}{n}\times\dfrac{n(n+1)}{2}$

$\quad\quad=\dfrac{n+1}{2}=15$

$n+1=30$ $\quad\therefore n=29$

답 29

106

$f(\sqrt{3x})=3x^2-12x$의 양변을 x에 대하여 미분하면

$f'(\sqrt{3x})\times\dfrac{3}{2\sqrt{3x}}=6x-12$

$\therefore f'(\sqrt{3x})=\sqrt{3x}(4x-8)$ $\qquad\cdots\cdots\;\text{㉠}$

$\displaystyle\lim_{x\to 2}\dfrac{f(x)-f(2)}{x^2-4}=\lim_{x\to 2}\left\{\dfrac{f(x)-f(2)}{x-2}\times\dfrac{1}{x+2}\right\}=\dfrac{1}{4}f'(2)$

$\sqrt{3x}=2$에서 $x=\dfrac{4}{3}$이므로 $x=\dfrac{4}{3}$를 ㉠의 양변에 대입하면

$f'(2)=2\left(\dfrac{16}{3}-8\right)=-\dfrac{16}{3}$

$\therefore \displaystyle\lim_{x\to 2}\dfrac{f(x)-f(2)}{x^2-4}=\dfrac{1}{4}f'(2)=\dfrac{1}{4}\times\left(-\dfrac{16}{3}\right)=-\dfrac{4}{3}$

답 ③

┃다른 풀이┃

$\displaystyle\lim_{x\to 2}\dfrac{f(x)-f(2)}{x^2-4}=\dfrac{1}{4}f'(2)$이고

$f(\sqrt{3x})=3x^2-12x$에서 $\sqrt{3x}=t\,(t\geq 0)$로 놓으면

$f(t)=\dfrac{1}{3}t^4-4t^2$

$f'(t)=\dfrac{4}{3}t^3-8t$이므로 $f'(2)=-\dfrac{16}{3}$

$\therefore \displaystyle\lim_{x\to 2}\dfrac{f(x)-f(2)}{x^2-4}=\dfrac{1}{4}f'(2)=-\dfrac{4}{3}$

107

함수 $f(x)$가 $x=1$에서 미분가능하려면 $x=1$에서 연속이어야 한다.

즉, $\lim\limits_{x \to 1+} f(x) = \lim\limits_{x \to 1-} f(x) = f(1)$이어야 한다.

$\lim\limits_{x \to 1+} (\ln x + 3) = \lim\limits_{x \to 1-} (a \tan \pi x + b) = 3$

$a \tan \pi + b = 3$에서 $b = 3$

또, $f'(1)$이 존재해야 하므로

$f(x) = \begin{cases} \ln x + 3 & (x \geq 1) \\ a \tan \pi x + 3 & (x < 1) \end{cases}$에서

$f'(x) = \begin{cases} \dfrac{1}{x} & (x > 1) \\ a \pi \sec^2 \pi x & (x < 1) \end{cases}$

$\lim\limits_{x \to 1+} f'(x) = \lim\limits_{x \to 1-} f'(x)$에서

$\lim\limits_{x \to 1+} \dfrac{1}{x} = \lim\limits_{x \to 1-} a \pi \sec^2 \pi x$

$1 = a \pi \sec^2 \pi = a \pi$ ∴ $a = \dfrac{1}{\pi}$

∴ $a \pi + b = \dfrac{1}{\pi} \times \pi + 3 = 4$

답 4

108

$\lim\limits_{x \to 1} \dfrac{f(x)+1}{x-1} = 2$에서 $x \to 1$일 때 극한값이 존재하고

(분모)$\to 0$이므로 (분자)$\to 0$이어야 한다.

즉, $\lim\limits_{x \to 1} \{f(x)+1\} = 0$이므로

$f(1) = -1$

$\lim\limits_{x \to 1} \dfrac{f(x)+1}{x-1} = \lim\limits_{x \to 1} \dfrac{f(x)-f(1)}{x-1} = f'(1) = 2$

$g(x) = \dfrac{5 \sec \pi x}{f(x)}$에서

$g(1) = \dfrac{5 \sec \pi}{f(1)} = \dfrac{-5}{-1} = 5$이므로

$\lim\limits_{x \to 1} \dfrac{g(x)-5}{x-1} = \lim\limits_{x \to 1} \dfrac{g(x)-g(1)}{x-1} = g'(1)$

이때

$g'(x) = \dfrac{5\pi \sec \pi x \tan \pi x \times f(x) - 5 \sec \pi x f'(x)}{\{f(x)\}^2}$

이므로

$g'(1) = \dfrac{5\pi \sec \pi \tan \pi \times f(1) - 5 \sec \pi f'(1)}{\{f(1)\}^2}$

$= \dfrac{0 - 5 \times (-1) \times 2}{(-1)^2} = 10$

답 ③

109

$g\left(\dfrac{x+8}{10}\right) = f^{-1}(x)$에서

$\underline{f\left(g\left(\dfrac{x+8}{10}\right)\right) = x}$ ← 역함수의 정의를 이용하여 간단히 나타낸다.

위의 식의 양변을 x에 대하여 미분하면

$f'\left(g\left(\dfrac{x+8}{10}\right)\right) g'\left(\dfrac{x+8}{10}\right) \times \dfrac{1}{10} = 1$

∴ $f'\left(g\left(\dfrac{x+8}{10}\right)\right) g'\left(\dfrac{x+8}{10}\right) = 10$ ...... ㉠

$\dfrac{x+8}{10} = 1$에서 $x = 2$이고

$x = 2$를 ㉠에 대입하면

$f'(g(1)) g'(1) = 10$

∴ $f'(0) g'(1) = 10$ ...... ㉡

이때 $f(x) = (x^2+2)e^{-x}$에서

$f'(x) = 2xe^{-x} + (x^2+2)e^{-x} \times (-1)$

$= (2x - x^2 - 2)e^{-x}$

∴ $f'(0) = -2$

$f'(0) = -2$를 ㉡에 대입하면

$(-2) \times g'(1) = 10$ ∴ $g'(1) = -5$

∴ $|g'(1)| = 5$

답 5

110

다항식 $f(x) = x^{12} + ax^2 + bx$를 $(x^3-1)^4$으로 나누었을 때의 몫을 $Q(x)$라고 하면

$x^{12} + ax^2 + bx = (x^3-1)^4 Q(x)$ ...... ㉠

㉠의 양변에 $x=1$을 대입하면

$1 + a + b = 0$ ∴ $a + b = -1$ ...... ㉡

㉠의 양변을 x에 대하여 미분하면

$12x^{11} + 2ax + b = 4(x^3-1)^3 \times 3x^2 Q(x) + (x^3-1)^4 Q'(x)$

위의 식의 양변에 $x=1$을 대입하면

$12 + 2a + b = 0$ ∴ $2a + b = -12$ ...... ㉢

㉡, ㉢을 연립하여 풀면

$a = -11$, $b = 10$

∴ $a^2 + b^2 = (-11)^2 + 10^2 = 221$

답 ⑤

111

$\log\{1+f(x)\} + xf(x) = \log 3$ ...... ㉠

㉠의 양변에 $x=0$을 대입하면

$\log\{1+f(0)\} = \log 3$

$1 + f(0) = 3$ ∴ $f(0) = 2$

㉠의 양변을 x에 대하여 미분하면

$\dfrac{f'(x)}{\{1+f(x)\}\ln 10} + f(x) + xf'(x) = 0$

위의 식의 양변에 $x=0$을 대입하면

$\dfrac{f'(0)}{\{1+f(0)\}\ln 10} + f(0) = 0$

$\dfrac{f'(0)}{(1+2)\ln 10} + 2 = 0$ ∴ $f'(0) = -6 \ln 10$

답 ①

112

→ 접근

주어진 조건을 이용하여 $g'(x)$, 즉 $f_{20}{}'(x)$를 구한 후 $x=1$을 대입한다.

$f_{n+1}(x) = f(f_n(x))$에서

$f_{n+1}{}'(x) = f'(f_n(x)) f_n{}'(x)$

$g(x)=f_{20}(x)$에서

$$g'(x)=f_{20}'(x)$$
$$=f'(f_{19}(x))f_{19}'(x)$$
$$=f'(f_{19}(x))f'(f_{18}(x))f_{18}'(x)$$
$$\vdots$$
$$=f'(f_{19}(x))f'(f_{18}(x))\cdots f'(f_2(x))f'(f_1(x))f_1'(x)$$

$f(1)=1$이므로

$$f_1(1)=f(1)=1$$
$$f_2(1)=f(f_1(1))=f(1)=1$$
$$f_3(1)=f(f_2(1))=f(1)=1$$
$$\vdots$$
$$f_{19}(1)=f(f_{18}(1))=f(1)=1$$

$$\therefore g'(1)=f'(f_{19}(1))f'(f_{18}(1))\cdots f'(f_2(1))f'(f_1(1))f_1'(1)$$
$$=\underbrace{f'(1)f'(1)\cdots f'(1)f'(1)f'(1)}_{20\text{개}}$$
$$=3^{20}$$

답 ④

113

$f(x)=x^{\sin x}$에서 $f(\pi)=\pi^{\sin\pi}=1$이므로

$$\lim_{x\to\pi}\frac{f(x)-1}{x-\pi}=\lim_{x\to\pi}\frac{f(x)-f(\pi)}{x-\pi}=f'(\pi)$$

$f(x)=x^{\sin x}$의 양변에 자연로그를 취하면

$$\ln f(x)=\ln x^{\sin x}=\sin x\ln x$$

위의 식의 양변을 x에 대하여 미분하면

$$\frac{f'(x)}{f(x)}=\cos x\ln x+\sin x\times\frac{1}{x}$$

$$\therefore f'(x)=f(x)\left(\cos x\ln x+\sin x\times\frac{1}{x}\right)$$

$$\therefore f'(\pi)=f(\pi)\left(\cos\pi\ln\pi+\sin\pi\times\frac{1}{\pi}\right)$$
$$=1\times(-\ln\pi+0)$$
$$=-\ln\pi=\ln\frac{1}{\pi}$$

답 ①

> **풍쌤 비법**
>
> $y=\{f(x)\}^{g(x)}\ (f(x)>0)$ 꼴의 함수의 도함수는 다음과 같은 순서로 구한다.
> (i) $y=\{f(x)\}^{g(x)}$의 양변에 자연로그를 취한다.
> ➡ $\ln y=g(x)\ln f(x)$
> (ii) (i)의 양변을 x에 대하여 미분한다.
> ➡ $\dfrac{y'}{y}=g'(x)\ln f(x)+g(x)\times\dfrac{f'(x)}{f(x)}$
> (iii) (ii)를 y'에 대하여 정리한다.

114

$g(x)=\dfrac{f(x)\cos x}{e^x}$의 양변의 절댓값에 자연로그를 취하면

$$\ln|g(x)|=\ln\left|\frac{f(x)\cos x}{e^x}\right|$$
$$=\ln|f(x)|+\ln|\cos x|-\ln e^x$$
$$=\ln|f(x)|+\ln|\cos x|-x$$

위의 식의 양변을 x에 대하여 미분하면

$$\frac{g'(x)}{g(x)}=\frac{f'(x)}{f(x)}+\frac{-\sin x}{\cos x}-1 \qquad\cdots\cdots\ \ominus$$

$\ominus$에 $x=\pi$를 대입하면 $\boxed{(\ln|\cos x|)'=\dfrac{(\cos x)'}{\cos x}=\dfrac{-\sin x}{\cos x}}$

$$\frac{g'(\pi)}{g(\pi)}=\frac{f'(\pi)}{f(\pi)}+\frac{-\sin\pi}{\cos\pi}-1 \quad\boxed{\begin{array}{l}\sin\pi=0,\ \cos\pi=-1\text{이므로}\\[4pt]\dfrac{-\sin\pi}{\cos\pi}=0\end{array}}$$

이고, $g'(\pi)=e^\pi g(\pi)$에서 $\dfrac{g'(\pi)}{g(\pi)}=e^\pi$이므로

$$e^\pi=\frac{f'(\pi)}{f(\pi)}+0-1$$

$$\therefore \frac{f'(\pi)}{f(\pi)}=e^\pi+1$$

답 ④

> **|다른 풀이‹**
>
> $g(x)=\dfrac{f(x)\cos x}{e^x}$의 양변에 e^x을 곱하면
>
> $$e^x g(x)=f(x)\cos x \qquad\cdots\cdots\ \ominus$$
>
> $\ominus$의 양변에 $x=\pi$를 대입하면
>
> $$e^\pi g(\pi)=f(\pi)\cos\pi=-f(\pi)$$
>
> 즉, $f(\pi)=-e^\pi g(\pi)=-g'(\pi)$
>
> $\ominus$의 양변을 x에 대하여 미분하면
>
> $$e^x g(x)+e^x g'(x)=f'(x)\cos x-f(x)\sin x \qquad\cdots\cdots\ \ominus\!\ominus$$
>
> $\ominus\!\ominus$의 양변에 $x=\pi$를 대입하면
>
> $$e^\pi g(\pi)+e^\pi g'(\pi)=f'(\pi)\cos\pi-f(\pi)\sin\pi$$
> $$g'(\pi)+e^\pi g'(\pi)=-f'(\pi)$$
> $$(e^\pi+1)g'(\pi)=-f'(\pi)$$
> $$\therefore f'(\pi)=-(e^\pi+1)g'(\pi)$$
>
> $$\therefore \frac{f'(\pi)}{f(\pi)}=\frac{-(e^\pi+1)g'(\pi)}{-g'(\pi)}=e^\pi+1$$

> **풍쌤 비법**
>
> $y=\dfrac{f(x)}{g(x)}$ 꼴의 도함수는 다음과 같은 순서로 구한다.
>
> (i) $y=\dfrac{f(x)}{g(x)}$의 양변의 절댓값에 자연로그를 취한다.
>
> ➡ $\ln|y|=\ln\left|\dfrac{f(x)}{g(x)}\right|=\ln|f(x)|-\ln|g(x)|$
>
> (ii) (i)의 양변을 x에 대하여 미분한다.
>
> ➡ $\dfrac{y'}{y}=\dfrac{f'(x)}{f(x)}-\dfrac{g'(x)}{g(x)}$
>
> (iii) (ii)를 y'에 대하여 정리한다.

115

> **➜ 접근**
>
> $\triangle OBC$에서 이등변삼각형의 성질과 삼각비를 이용하여 선분의 길이를 구한다.

점 O에서 $\overline{BC}$에 내린 수선의 발을 H라고 하면 $\triangle OHC$에서

$$\angle COH=\frac{\theta}{4},\ \overline{OC}=2$$이므로

$$\overline{CH}=2\sin\frac{\theta}{4},\ \overline{OH}=2\cos\frac{\theta}{4}$$

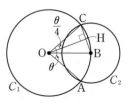

원 C_2의 반지름의 길이가 $\overline{BC}=2\overline{CH}=2\times2\sin\dfrac{\theta}{4}=4\sin\dfrac{\theta}{4}$이므로
원 C_2의 넓이는

$\underset{\underset{\overline{OH}\perp\overline{BC}\text{일 때}\quad\overline{BH}=\overline{CH}}{\overline{\triangle OBC\text{가 이등변삼각형이므로}}}}{}$

$S(\theta)=\pi\times\left(4\sin\dfrac{\theta}{4}\right)^2=16\pi\sin^2\dfrac{\theta}{4}$ ……㉠

또, $\triangle OBC$의 넓이는

$T(\theta)=\dfrac{1}{2}\times\overline{BC}\times\overline{OH}$

$\quad=\dfrac{1}{2}\times4\sin\dfrac{\theta}{4}\times2\cos\dfrac{\theta}{4}$

$\quad=4\sin\dfrac{\theta}{4}\cos\dfrac{\theta}{4}$

$\quad=2\sin\dfrac{\theta}{2}$

이때 $T(a)=\dfrac{2}{3}$이므로

$2\sin\dfrac{a}{2}=\dfrac{2}{3}\qquad\therefore\sin\dfrac{a}{2}=\dfrac{1}{3}$ ……㉡

㉠의 양변을 θ에 대하여 미분하면

$S'(\theta)=16\pi\times2\sin\dfrac{\theta}{4}\cos\dfrac{\theta}{4}\times\dfrac{1}{4}$

$\quad=8\pi\sin\dfrac{\theta}{4}\cos\dfrac{\theta}{4}=4\pi\sin\dfrac{\theta}{2}$

$\therefore 6S'(a)=6\times4\pi\sin\dfrac{a}{2}=6\times4\pi\times\dfrac{1}{3}=8\pi\ (\because㉡)$

답 8π

다른 풀이

원 C_2의 반지름의 길이를 r라고 하면 $\triangle OBC$에서
코사인법칙에 의하여

$r^2=2^2+2^2-2\times2\times2\times\cos\dfrac{\theta}{2}=8-8\cos\dfrac{\theta}{2}$

원 C_2의 넓이는

$S(\theta)=\pi\left(8-8\cos\dfrac{\theta}{2}\right)$ ……㉠

또, $\triangle OBC$의 넓이는

$T(\theta)=\dfrac{1}{2}\times2\times2\times\sin\dfrac{\theta}{2}=2\sin\dfrac{\theta}{2}$

이때 $T(a)=\dfrac{2}{3}$이므로

$2\sin\dfrac{a}{2}=\dfrac{2}{3}\qquad\therefore\sin\dfrac{a}{2}=\dfrac{1}{3}$ ……㉡

㉠의 양변을 θ에 대하여 미분하면

$S'(\theta)=8\pi\sin\dfrac{\theta}{2}\times\dfrac{1}{2}=4\pi\sin\dfrac{\theta}{2}$

$\therefore 6S'(a)=6\times4\pi\sin\dfrac{a}{2}=6\times4\pi\times\dfrac{1}{3}=8\pi\ (\because㉡)$

116

$\displaystyle\lim_{h\to0}\dfrac{f(\pi+4h)-f(\pi)}{h}=\lim_{h\to0}\dfrac{f(\pi+4h)-f(\pi)}{4h}\times4$

$\qquad\qquad\qquad\qquad\qquad=4f'(\pi)$

$x=t-\sin t$에서 $\dfrac{dx}{dt}=1-\cos t$

$y=t+\cos t$에서 $\dfrac{dy}{dt}=1-\sin t$

$f'(x)=\dfrac{dy}{dx}=\dfrac{\dfrac{dy}{dt}}{\dfrac{dx}{dt}}=\dfrac{1-\sin t}{1-\cos t}$ (단, $\cos t\neq1$)

$t-\sin t=\pi$에서 $t=\pi$

$\therefore 4f'(\pi)=4\times\dfrac{1-\sin\pi}{1-\cos\pi}=4\times\dfrac{1}{1-(-1)}=2$

답 ②

117

$x=\dfrac{2-t}{2+t}$에서

$\dfrac{dx}{dt}=\dfrac{-1\times(2+t)-(2-t)\times1}{(2+t)^2}=\dfrac{-4}{(2+t)^2}$

$y=\dfrac{3t}{2+t}$에서

$\dfrac{dy}{dt}=\dfrac{3\times(2+t)-3t\times1}{(2+t)^2}=\dfrac{6}{(2+t)^2}$

$\therefore f(t)=\dfrac{dy}{dx}=\dfrac{\dfrac{dy}{dt}}{\dfrac{dx}{dt}}=\dfrac{\dfrac{6}{(2+t)^2}}{\dfrac{-4}{(2+t)^2}}=-\dfrac{3}{2}$

$\therefore\displaystyle\sum_{t=1}^{100}|f(t)|=\sum_{t=1}^{100}\left|-\dfrac{3}{2}\right|=100\times\dfrac{3}{2}=150$

답 ③

118

$\displaystyle\lim_{t\to1}\dfrac{f(t)+2}{t-1}=\dfrac{2}{3}$에서 $t\to1$일 때 극한값이 존재하고 (분모)$\to0$
이므로 (분자)$\to0$이어야 한다.

즉, $\displaystyle\lim_{t\to1}\{f(t)+2\}=0$이므로

$f(1)=-2$

$\displaystyle\lim_{t\to1}\dfrac{f(t)+2}{t-1}=\lim_{t\to1}\dfrac{f(t)-f(1)}{t-1}=f'(1)=\dfrac{2}{3}$

$\displaystyle\lim_{h\to0}\dfrac{g(1+3h)}{h}=15$에서 $h\to0$일 때 극한값이 존재하고
(분모)$\to0$이므로 (분자)$\to0$이어야 한다.

즉, $\displaystyle\lim_{h\to0}g(1+3h)=0$이므로 $g(1)=0$

$\displaystyle\lim_{h\to0}\dfrac{g(1+3h)}{h}=\lim_{h\to0}\dfrac{g(1+3h)-g(1)}{h}$

$\qquad\qquad\qquad\quad=\lim_{h\to0}\dfrac{g(1+3h)-g(1)}{3h}\times3$

$\qquad\qquad\qquad\quad=3g'(1)=15$

$\therefore g'(1)=5$

따라서 구하는 접선의 기울기는

$\dfrac{g'(1)}{f'(1)}=\dfrac{5}{\dfrac{2}{3}}=\dfrac{15}{2}$

답 $\dfrac{15}{2}$

119

$x=e^t+e^{2t}+e^{3t}+\cdots+e^{nt}$에서

$\dfrac{dx}{dt}=e^t+2e^{2t}+3e^{3t}+\cdots+ne^{nt}$

$y=e^t+e^{3t}+e^{5t}+\cdots+e^{(2n-1)t}$에서

$\dfrac{dy}{dt}=e^t+3e^{3t}+5e^{5t}+\cdots+(2n-1)e^{(2n-1)t}$

$\therefore\dfrac{dy}{dx}=\dfrac{\dfrac{dy}{dt}}{\dfrac{dx}{dt}}=\dfrac{e^t+3e^{3t}+5e^{5t}+\cdots+(2n-1)e^{(2n-1)t}}{e^t+2e^{2t}+3e^{3t}+\cdots+ne^{nt}}$

$t=0$에 대응하는 점에서의 접선의 기울기는

$$g(n)=\dfrac{1+3+5+\cdots+(2n-1)}{1+2+3+\cdots+n}$$

$$=\dfrac{n^2}{\dfrac{n(n+1)}{2}}$$

$$\sum_{k=1}^{n}(2k-1)=2\times\dfrac{n(n+1)}{2}-n$$

$$=n^2$$

$$=\dfrac{2n}{n+1}$$

$g(n)=\dfrac{7}{4}$에서 $\dfrac{2n}{n+1}=\dfrac{7}{4}$

$8n=7(n+1),\ 8n=7n+7$ $\therefore\ n=7$

답 7

120

$x=5\cos^3\theta$에서

$\dfrac{dx}{d\theta}=15\cos^2\theta\times(-\sin\theta)=-15\cos^2\theta\sin\theta$

$y=5\sin^3\theta$에서

$\dfrac{dy}{d\theta}=15\sin^2\theta\cos\theta$

$$\therefore\ \dfrac{dy}{dx}=\dfrac{\dfrac{dy}{d\theta}}{\dfrac{dx}{d\theta}}=\dfrac{15\sin^2\theta\cos\theta}{-15\cos^2\theta\sin\theta}$$

$$=-\dfrac{\sin\theta}{\cos\theta}=-\tan\theta\ (\text{단, }\sin\theta\cos\theta\neq0)$$

따라서 주어진 그래프 중 함수 $f(\theta)=-\tan\theta$의 그래프의 개형을 나타내는 것은 ⑤이다.

답 ⑤

121

$x=\dfrac{4-t}{1+t}$에서

$\dfrac{dx}{dt}=\dfrac{-1\times(1+t)-(4-t)\times1}{(1+t)^2}=\dfrac{-5}{(1+t)^2}$

$y=\dfrac{2t^2}{1+t}$에서

$\dfrac{dy}{dt}=\dfrac{4t(1+t)-2t^2\times1}{(1+t)^2}=\dfrac{2t^2+4t}{(1+t)^2}$

$f(t)=\dfrac{dy}{dx}=\dfrac{\dfrac{dy}{dt}}{\dfrac{dx}{dt}}=\dfrac{\dfrac{2t^2+4t}{(1+t)^2}}{\dfrac{-5}{(1+t)^2}}=-\dfrac{2}{5}t(t+2)\ (t\neq-1)$이므로

$$\sum_{n=1}^{\infty}\dfrac{1}{f(n)}$$

$$=-\dfrac{5}{2}\sum_{n=1}^{\infty}\dfrac{1}{n(n+2)}$$

$$=-\dfrac{5}{2}\lim_{n\to\infty}\sum_{k=1}^{n}\dfrac{1}{k(k+2)}$$

$$=-\dfrac{5}{4}\lim_{n\to\infty}\sum_{k=1}^{n}\left(\dfrac{1}{k}-\dfrac{1}{k+2}\right)$$

$$=-\dfrac{5}{4}\lim_{n\to\infty}\left\{\left(\dfrac{1}{1}-\dfrac{1}{3}\right)+\left(\dfrac{1}{2}-\dfrac{1}{4}\right)+\left(\dfrac{1}{3}-\dfrac{1}{5}\right)\right.$$

$$\left.+\cdots+\left(\dfrac{1}{n-1}-\dfrac{1}{n+1}\right)+\left(\dfrac{1}{n}-\dfrac{1}{n+2}\right)\right\}$$

$$=-\dfrac{5}{4}\lim_{n\to\infty}\left(1+\dfrac{1}{2}-\dfrac{1}{n+1}-\dfrac{1}{n+2}\right)$$

$$=-\dfrac{5}{4}\times\dfrac{3}{2}=-\dfrac{15}{8}$$

답 ②

122

→ 접근 ────────────

$x+y$, xy를 이용하여 $\dfrac{dy}{dx}$를 x, y에 대한 식으로 나타낸다.

$x=2^{at}+2^{3at}$에서

$\dfrac{dx}{dt}=2^{at}\times a\ln2+2^{3at}\times3a\ln2=a\ln2(2^{at}+3\times2^{3at})$

$y=2^{at}-2^{3at}$에서

$\dfrac{dy}{dt}=2^{at}\times a\ln2-2^{3at}\times3a\ln2=a\ln2(2^{at}-3\times2^{3at})$

$$\therefore\ \dfrac{dy}{dx}=\dfrac{\dfrac{dy}{dt}}{\dfrac{dx}{dt}}=\dfrac{a\ln2(2^{at}-3\times2^{3at})}{a\ln2(2^{at}+3\times2^{3at})}=\dfrac{2^{at}-3\times2^{3at}}{2^{at}+3\times2^{3at}}$$

이때

$x+y=(2^{at}+2^{3at})+(2^{at}-2^{3at})=2\times2^{at}$,

$x-y=(2^{at}+2^{3at})-(2^{at}-2^{3at})=2\times2^{3at}$

이므로

$$\dfrac{dy}{dx}=\dfrac{\dfrac{1}{2}(x+y)-\dfrac{3}{2}(x-y)}{\dfrac{1}{2}(x+y)+\dfrac{3}{2}(x-y)}$$

$$=\dfrac{(x+y)-3(x-y)}{(x+y)+3(x-y)}$$

$$=\dfrac{-2x+4y}{4x-2y}$$

$$=\dfrac{-x+2y}{2x-y}$$

따라서 $b=2$, $c=2$이므로

$b-2c=2-2\times2=-2$

답 ②

123

$x^2+3xy-y^2=3$ ······ ㉠

㉠의 양변을 x에 대하여 미분하면

$2x+3y+3x\dfrac{dy}{dx}-2y\dfrac{dy}{dx}=0$

$(2y-3x)\dfrac{dy}{dx}=2x+3y$

$\therefore\ \dfrac{dy}{dx}=\dfrac{2x+3y}{2y-3x}\ (\text{단, }2y-3x\neq0)$

곡선 $x^2+3xy-y^2=3$ 위의 서로 다른 두 점 A, B에서의 접선의 기울기가 모두 -5이므로

$\dfrac{2x+3y}{2y-3x}=-5,\ 2x+3y=-10y+15x$

$-13x=-13y$ $\therefore\ x=y$

$x=y$를 ㉠에 대입하면

$x^2+3x^2-x^2=3,\ x^2=1$

$\therefore\ x=1$ 또는 $x=-1$

즉, $x=1$일 때 $y=1$, $x=-1$일 때 $y=-1$이므로

A$(1,1)$, B$(-1,-1)$ 또는 A$(-1,-1)$, B$(1,1)$

따라서 두 점 A, B 사이의 거리는

$\overline{\text{AB}}=\sqrt{(-1-1)^2+(-1-1)^2}=2\sqrt{2}$

답 $2\sqrt{2}$

124

점 $(27, b)$가 곡선 $\sqrt[3]{x}+a\sqrt[3]{y}=15$ 위의 점이므로

$3+a\sqrt[3]{b}=15$ $\quad\therefore a\sqrt[3]{b}=12$ $\quad\quad\cdots\cdots\;\text{㉠}$

$\sqrt[3]{x}+a\sqrt[3]{y}=15$에서 $x^{\frac{1}{3}}+ay^{\frac{1}{3}}=15$

위의 식의 양변을 x에 대하여 미분하면

$$\dfrac{1}{3\sqrt[3]{x^2}}+\dfrac{a}{3\sqrt[3]{y^2}}\dfrac{dy}{dx}=0$$

$$\therefore \dfrac{dy}{dx}=-\dfrac{1}{3\sqrt[3]{x^2}}\times\dfrac{3\sqrt[3]{y^2}}{a}=-\dfrac{\sqrt[3]{y^2}}{a\sqrt[3]{x^2}}\ (\text{단},\ x\neq0)$$

곡선 $\sqrt[3]{x}+a\sqrt[3]{y}=15$ 위의 점 $(27, b)$에서의 접선의 기울기가 $\dfrac{2}{27}$

이므로

$$-\dfrac{\sqrt[3]{b^2}}{9a}=\dfrac{2}{27}\quad\therefore \sqrt[3]{b^2}=-\dfrac{2}{3}a\quad\quad\cdots\cdots\;\text{㉡}$$

㉠, ㉡을 연립하여 풀면

$a=-6,\ b=-8$

$\therefore a+b=-6+(-8)=-14$

답 ②

125

> **접근**
>
> 사인함수의 덧셈정리를 이용하여 식을 간단히 한 후 x에 대하여 미분
> 한다.

$\sin(x+y)+\sin(x-y)=2$에서

$(\sin x\cos y+\cos x\sin y)+(\sin x\cos y-\cos x\sin y)=2$

$\therefore \sin x\cos y=1$

위의 식의 양변을 x에 대하여 미분하면

$$\cos x\cos y+\sin x\times(-\sin y)\dfrac{dy}{dx}=0$$

$$\dfrac{dy}{dx}=\dfrac{\cos x\cos y}{\sin x\sin y}=\cot x\cot y\ (\text{단},\ \sin x\sin y\neq0)$$

$\dfrac{dy}{dx}=f(y)\cot x$에서 $\cot x\cot y=f(y)\cot x$

$\therefore f(y)=\cot y$

$\therefore f\left(\dfrac{\pi}{6}\right)=\cot\dfrac{\pi}{6}=\sqrt{3}$

답 $\sqrt{3}$

126

점 $(2, -1)$이 곡선 $y^3+2yf(x)+f(5x-8)=4$ 위의 점이므로

$-1-2f(2)+f(2)=4$ $\quad\therefore f(2)=-5$

$y^3+2yf(x)+f(5x-8)=4$의 양변을 x에 대하여 미분하면

$$3y^2\dfrac{dy}{dx}+2yf'(x)+2f(x)\dfrac{dy}{dx}+f'(5x-8)\times5=0\quad\cdots\cdots\;\text{㉠}$$

곡선 $y^3+2yf(x)+f(5x-8)=4$ 위의 점 $(2, -1)$에서의 접선의

기울기는 -2이므로

㉠에 $x=2,\ y=-1,\ \dfrac{dy}{dx}=-2$를 대입하면

$$3\times(-1)^2\times(-2)+2\times(-1)\times f'(2)+2\times(-5)\times(-2)$$
$$+f'(2)\times5=0$$

$3f'(2)=-14$ $\quad\therefore f'(2)=-\dfrac{14}{3}$

답 ①

127

$g(2)=a$라고 하면 $f(a)=2$

즉, $\sqrt[3]{a^3+6a+8}=2$의 양변을 세제곱하면

$a^3+6a+8=8,\ a(a^2+6)=0$

$\therefore a=0\ (\because a^2+6>0)$

$\therefore g(2)=0$

$f(x)=\sqrt[3]{x^3+6x+8}=(x^3+6x+8)^{\frac{1}{3}}$에서

$$f'(x)=\dfrac{3x^2+6}{3(\sqrt[3]{x^3+6x+8})^2}$$

$$\therefore f'(0)=\dfrac{6}{3\times2^2}=\dfrac{1}{2}$$

$$\therefore g'(2)=\dfrac{1}{f'(g(2))}=\dfrac{1}{f'(0)}=\dfrac{1}{\frac{1}{2}}=2$$

답 ⑤

다른 풀이

$f(0)=\sqrt[3]{8}=2$이므로 $g(2)=0$

한편 $f(x)=\sqrt[3]{x^3+6x+8}$에서 양변을 세제곱하면

$\{f(x)\}^3=x^3+6x+8$

양변을 x에 대하여 미분하면

$3\{f(x)\}^2f'(x)=3x^2+6$

$\{f(x)\}^2f'(x)=x^2+2$

$x=0$을 대입하면

$\{f(0)\}^2f'(0)=2$ $\quad\therefore f'(0)=\dfrac{1}{2}$

$$\therefore g'(2)=\dfrac{1}{f'(g(2))}=\dfrac{1}{f'(0)}=\dfrac{1}{\frac{1}{2}}=2$$

128

$x^2-9x+4=0$의 두 근이 $g'(b),\ g'(c)$이므로 이차방정식의 근과

계수의 관계에 의하여

$g'(b)+g'(c)=9,\ g'(b)g'(c)=4$

오른쪽 그림에서

$f(a)=b,\ f(b)=c$

이므로

$$f'(a)=\dfrac{1}{g'(f(a))}=\dfrac{1}{g'(b)}$$

$$f'(b)=\dfrac{1}{g'(f(b))}=\dfrac{1}{g'(c)}$$

$$\therefore f'(a)g'(c)+f'(b)g'(b)$$

$$=\dfrac{g'(c)}{g'(b)}+\dfrac{g'(b)}{g'(c)}$$

$$=\dfrac{\{g'(b)\}^2+\{g'(c)\}^2}{g'(b)g'(c)}$$

$$=\dfrac{\{g'(b)+g'(c)\}^2-2g'(b)g'(c)}{g'(b)g'(c)}$$

$$=\dfrac{9^2-2\times4}{4}=\dfrac{73}{4}$$

답 ②

129

함수 $y=f(x)$의 그래프 위의 점 $(3, 5)$에서의 접선의 기울기가 1이

므로

$f(3)=5,\ f'(3)=1$

함수 $y=f(3x)$의 역함수가 $g(x)$이므로
$$g(f(3x))=x$$
위의 식의 양변을 x에 대하여 미분하면
$$g'(f(3x))f'(3x)\times 3=1 \qquad \cdots\cdots \ \text{㉠}$$
$f(3x)=5$를 만족시키는 x의 값을 구하면 $f(3)=5$이므로
$$x=1$$
$x=1$을 ㉠에 대입하면
$$g'(f(3))f'(3)\times 3=1$$
$$g'(5)\times 1\times 3=1$$
$$\therefore g'(5)=\frac{1}{3}$$

답 $\dfrac{1}{3}$

풍쌤 비법

합성함수를 이용한 역함수의 미분법

미분가능한 함수 $f(x)$의 역함수를 $g(x)$라고 하면
$$f(g(x))=x$$
이 식의 양변을 x에 대하여 미분하면
$f'(g(x))g'(x)=1$이므로
$$g'(x)=\frac{1}{f'(g(x))}\ (\text{단},\ f'(g(x))\neq 0)$$

참고

함수 $f(x)$가 실수 전체의 집합에서 증가하므로 $f'(x)>0$
즉, $f(x)$는 일대일대응이므로 $f(3x)=5$를 만족시키는 x의 값은 오직 하나만 존재한다.

130

조건 ㈎의 $\displaystyle\lim_{x\to 1}\frac{f(x)+1}{x-1}=e$에서 $x\to 1$일 때 극한값이 존재하고 (분모)$\to 0$이므로 (분자)$\to 0$이어야 한다.

즉, $\displaystyle\lim_{x\to 1}\{f(x)+1\}=0$이므로 $f(1)=-1$ $\qquad\cdots\cdots\ \text{㉠}$
$$\lim_{x\to 1}\frac{f(x)+1}{x-1}=\lim_{x\to 1}\frac{f(x)-f(1)}{x-1}=f'(1)=e$$
조건 ㈏에서 $g'(1)=e^2$
$f(x)=(g\circ h)(x)=g(h(x))$에서
$$f'(x)=g'(h(x))h'(x)$$
$$\therefore f'(-1)=g'(h(-1))h'(-1)$$
$h(x)$는 함수 $f(x)$의 역함수이므로 ㉠에서 $\quad h(-1)=1$
$$g'(h(-1))=g'(1)=e^2$$
$$h'(-1)=\frac{1}{f'(h(-1))}=\frac{1}{f'(1)}=\frac{1}{e}$$
$$\therefore f'(-1)=g'(h(-1))h'(-1)$$
$$\qquad\quad =e^2\times\frac{1}{e}=e$$

답 e

다른 풀이

조건 ㈏에서 $g'(1)=e^2$ ┌ 함수 $f(x)$의 역함수가 $h(x)$이므로 $h(x)=f^{-1}(x)$
$f(x)=(g\circ h)(x)$에서 $\underline{f(x)=(g\circ f^{-1})(x)}$
$$\therefore g(x)=(f\circ f)(x)=f(f(x))$$
위의 식의 양변을 x에 대하여 미분하면
$$g'(x)=f'(f(x))f'(x)$$

위의 식의 양변에 $x=1$을 대입하면
$$g'(1)=f'(f(1))f'(1)$$
$$e^2=f'(-1)\times e \qquad \therefore f'(-1)=e$$

131

$h(x)=\dfrac{g(x)}{f(x)}$에서
$$h'(x)=\frac{g'(x)f(x)-g(x)f'(x)}{\{f(x)\}^2}$$
$$\therefore h'(1)=\frac{g'(1)f(1)-g(1)f'(1)}{\{f(1)\}^2} \qquad \cdots\cdots\ \text{㉠}$$
$f(x)=x^3+4x+1$에서 $f'(x)=3x^2+4$이므로
$$f(1)=6,\ f'(1)=7$$
$g(1)=a$라고 하면 $f(a)=1$이므로
$$a^3+4a+1=1,\ a^3+4a=0$$
$$a(a^2+4)=0 \qquad \therefore a=0\ (\because a^2+4>0)$$
$$\therefore g(1)=0$$
$$g'(1)=\frac{1}{f'(g(1))}=\frac{1}{f'(0)}=\frac{1}{4}$$
이때 ㉠에서
$$h'(1)=\frac{\dfrac{1}{4}\times 6-0\times 7}{6^2}=\frac{1}{24}$$
따라서 $p=1$, $q=24$이므로
$$p+q=1+24=25$$

답 ⑤

132

$f(3g(x)+x^3-2x)=x$에서
$$g(x)=3g(x)+x^3-2x$$
$$\therefore g(x)=-\frac{1}{2}x^3+x$$
$f(2)=a$라고 하면 $g(a)=2$이므로
$$-\frac{1}{2}a^3+a=2,\ a^3-2a+4=0$$
$$(a+2)(a^2-2a+2)=0$$
$$\therefore a=-2\ (\because a^2-2a+2=(a-1)^2+1>0)$$
$$\therefore f(2)=-2$$
$g'(x)=-\dfrac{3}{2}x^2+1$이므로
$$f'(2)=\frac{1}{g'(f(2))}=\frac{1}{g'(-2)}$$
$$\qquad =\frac{1}{-\dfrac{3}{2}\times(-2)^2+1}=-\frac{1}{5}$$

답 $-\dfrac{1}{5}$

133

▶접근

점 A에서의 접선과 원의 중심과 점 A를 지나는 직선은 수직임을 이용한다.

$h(x)=g(x^2-x-1)$이라고 하면
$$h'(x)=g'(x^2-x-1)(2x-1)$$

$\therefore h'(3)=5g'(5)$ —— 함수 $y=f(x)$의 그래프가 점 A$(3, 5)$를 지난다.

이때 $f(3)=5$에서 $g(5)=3$이므로

$$g'(5)=\frac{1}{f'(g(5))}=\frac{1}{f'(3)}$$

원 $(x-6)^2+(y-4)^2=10$의 중심을 C$(6, 4)$라고 하면 직선 AC의 기울기는

$$\frac{4-5}{6-3}=-\frac{1}{3}$$

—— 직선 AC와 수직이다.

원 $(x-6)^2+(y-4)^2=10$ 위의 점 A$(3, 5)$에서의 접선의 기울기는

$$f'(3)=3$$

따라서 함수 $y=g(x^2-x-1)$의 $x=3$에서의 미분계수는

$$h'(3)=5g'(5)=\frac{5}{f'(3)}=\frac{5}{3}$$

답 ⑤

[참고]

접선과 수직인 직선

곡선 $y=f(x)$ 위의 점 $(a, f(a))$를 지나는 접선의 기울기는 $f'(a)$이고 이 접선과 수직인 직선의 기울기는 $-\dfrac{1}{f'(a)}$이다.

134

$f(x)$는 최고차항의 계수가 1인 삼차함수이므로 $f'(x)$는 최고차항의 계수가 3인 이차함수이다. 즉,

$$f'(x)=3x^2+ax+b\,(a, b\text{는 상수})$$

로 놓을 수 있다.

$$\begin{aligned}g'(x)&=\frac{1}{f'(g(x))}\\&=\frac{1}{3\{g(x)\}^2+ag(x)+b}\\&=\frac{1}{3\left\{g(x)+\dfrac{a}{6}\right\}^2-\dfrac{a^2}{12}+b}\end{aligned}$$

에서 $g'(x)$는 $g(x)=-\dfrac{a}{6}$를 만족시키는 x에서 최댓값

$$\frac{1}{-\dfrac{a^2}{12}+b}$$

을 갖는다.

조건 (나)에서 $g'(x)$는 $x=3$에서 최댓값 $\dfrac{1}{6}$을 가지므로

$$g(3)=-\frac{a}{6}=1\,(\because \text{(가)}) \qquad \therefore a=-6$$

$$\frac{1}{-\dfrac{a^2}{12}+b}=\frac{1}{6},\ \frac{1}{-\dfrac{36}{12}+b}=\frac{1}{6}$$

$$\frac{1}{-3+b}=\frac{1}{6} \qquad \therefore b=9$$

따라서 $f'(x)=3x^2-6x+9$이므로

$$f'(1)=3-6+9=6$$

답 ⑤

135

$f(x)=(2x^2-2x+a)e^x$에서

$$\begin{aligned}f'(x)&=(4x-2)e^x+(2x^2-2x+a)e^x\\&=(2x^2+2x-2+a)e^x\end{aligned}$$

$$\begin{aligned}f''(x)&=(4x+2)e^x+(2x^2+2x-2+a)e^x\\&=(2x^2+6x+a)e^x\end{aligned}$$

이때 $e^x>0$이므로 함수 $f(x)$가 모든 실수 x에 대하여 $f''(x)\geq0$이려면 $2x^2+6x+a\geq0$이어야 한다.

이차방정식 $2x^2+6x+a=0$의 판별식을 D라고 하면

$$\frac{D}{4}=3^2-2a\leq0,\ 9-2a\leq0$$

$$\therefore a\geq\frac{9}{2}$$

따라서 실수 a의 최솟값은 $\dfrac{9}{2}$이다.

답 $\dfrac{9}{2}$

136

$\displaystyle\lim_{x\to2}\frac{f'(f(x))-4}{x-2}=16$에서 $x\to2$일 때 극한값이 존재하고 (분모)$\to0$이므로 (분자)$\to0$이어야 한다.

즉, $\displaystyle\lim_{x\to2}\{f'(f(x))-4\}=0$이므로

$$f'(f(2))=4$$

$$\therefore f'(2)=4\,(\because f(2)=2)$$

$$\begin{aligned}&\lim_{x\to2}\frac{f'(f(x))-4}{x-2}\\&=\lim_{x\to2}\frac{f'(f(x))-f'(f(2))}{x-2}\\&=\lim_{x\to2}\frac{f'(f(x))-f'(f(2))}{f(x)-f(2)}\times\lim_{x\to2}\frac{f(x)-f(2)}{x-2}\\&=f''(2)\times f'(2)\\&=4f''(2)=16\end{aligned}$$

$$\therefore f''(2)=4$$

답 ④

[참고]

$\displaystyle\lim_{x\to2}\frac{f'(f(x))-f'(f(2))}{f(x)-f(2)}=\lim_{x\to2}\frac{f'(f(x))-f'(2)}{f(x)-2}$이고

$f(2)=2$이므로 $x\to2$일 때 $f(x)\to2$이다.

$$\therefore \lim_{x\to2}\frac{f'(f(x))-f'(f(2))}{f(x)-f(2)}=f''(2)$$

137

→ 접근

$f^{<n+1>}(x)=\dfrac{d}{dx}f^{<n>}(x)$에 $n=1, 2, 3, \cdots$을 대입하여 규칙성을 찾는다.

$f(x)=15\sqrt[5]{e^{2x}}=15e^{\frac{2}{5}x}$에서

$$f^{<1>}(x)=f'(x)=15\times\frac{2}{5}e^{\frac{2}{5}x}$$

$$f^{<2>}(x)=\frac{d}{dx}f^{<1>}(x)=15\times\left(\frac{2}{5}\right)^2e^{\frac{2}{5}x}$$

$$f^{<3>}(x)=\frac{d}{dx}f^{<2>}(x)=15\times\left(\frac{2}{5}\right)^3e^{\frac{2}{5}x}$$

$$\vdots$$

$$f^{<n>}(x)=\frac{d}{dx}f^{<n-1>}(x)=15\times\left(\frac{2}{5}\right)^ne^{\frac{2}{5}x}$$

이때 $f^{<n>}(5)=15\times\left(\dfrac{2}{5}\right)^n e^2$이므로

$$\sum_{n=1}^{\infty}f^{<n>}(5)=\sum_{n=1}^{\infty}\left\{15\times\left(\dfrac{2}{5}\right)^n e^2\right\}$$
$$=15e^2\sum_{n=1}^{\infty}\left(\dfrac{2}{5}\right)^n$$
$$=15e^2\times\dfrac{\dfrac{2}{5}}{1-\dfrac{2}{5}}$$
$$=15e^2\times\dfrac{2}{3}=10e^2$$

답 ③

138

조건 ㈎에서 $f(1)=e$이므로

$f(1)=(1+a+b)e=e$

$1+a+b=1$ $\therefore a+b=0$ ...... ㉠

$f(x)=(x^2+ax+b)e^x$의 양변을 x에 대하여 미분하면

$f'(x)=(2x+a)e^x+(x^2+ax+b)e^x$
$=\{x^2+(a+2)x+a+b\}e^x$

조건 ㈎에서 $f'(1)=e$이므로

$f'(1)=\{1+(a+2)+a+b\}e=e$

$2a+b+3=1$

$\therefore 2a+b=-2$ ...... ㉡

㉠, ㉡을 연립하여 풀면

$a=-2$, $b=2$

$f(x)=(x^2-2x+2)e^x$

$\underline{f'(x)=x^2e^x}$ ┌ $f'(x)=\{x^2+(a+2)x+a+b\}e^x$에
 $a=-2$, $b=2$를 대입한다.

$f''(x)=2xe^x+x^2e^x=(x^2+2x)e^x$

$f(1)=e$에서 $f^{-1}(e)=1$이므로

$(f^{-1})'(e)=\dfrac{1}{f'(f^{-1}(e))}=\dfrac{1}{f'(1)}=\dfrac{1}{e}$

한편 조건 ㈏에서 $g(f(1))=f'(1)$이므로

$g(e)=e$

$g(f(x))=f'(x)$의 양변을 x에 대하여 미분하면

$g'(f(x))f'(x)=f''(x)$ ...... ㉢

㉢의 양변에 $x=1$을 대입하면

$g'(f(1))f'(1)=f''(1)$

$g'(e)\times e=3e$ $\therefore g'(e)=3$

$h(x)=f^{-1}(x)g(x)$에서

$h'(x)=(f^{-1})'(x)g(x)+f^{-1}(x)g'(x)$

$\therefore h'(e)=(f^{-1})'(e)g(e)+f^{-1}(e)g'(e)$
$=\dfrac{1}{e}\times e+1\times 3=4$

답 ④

139

$f(x)=xe^{\frac{x}{3}}$에서

$f'(x)=e^{\frac{x}{3}}+\dfrac{1}{3}xe^{\frac{x}{3}}=\dfrac{1}{3}e^{\frac{x}{3}}(x+3)$

$f''(x)=\dfrac{1}{9}e^{\frac{x}{3}}(x+3)+\dfrac{1}{3}e^{\frac{x}{3}}=\dfrac{1}{9}e^{\frac{x}{3}}(x+6)$

$\therefore f'(3)=2e$, $f''(3)=e$

$g(f(x))=x$의 양변을 x에 대하여 미분하면

$g'(f(x))f'(x)=1$

즉, $g'(f(x))=\dfrac{1}{f'(x)}$의 양변을 x에 대하여 다시 미분하면

$g''(f(x))f'(x)=-\dfrac{f''(x)}{\{f'(x)\}^2}$

$x=3$을 대입하면

$g''(f(3))f'(3)=-\dfrac{f''(3)}{\{f'(3)\}^2}$

$g''(3e)\times 2e=-\dfrac{e}{(2e)^2}$

$\therefore g''(3e)=-\dfrac{1}{8e^2}$

$\therefore \lim_{h\to 0}\dfrac{g'(3e+h)-g'(3e)}{h}=g''(3e)=-\dfrac{1}{8e^2}$

답 ②

140

$f(x)=\sqrt{3x^2-2}$라고 하면

$f'(x)=\dfrac{6x}{2\sqrt{3x^2-2}}=\dfrac{3x}{\sqrt{3x^2-2}}$

곡선 위의 점 $(-1,\,1)$에서의 접선의 기울기는

$f'(-1)=\dfrac{-3}{\sqrt{3-2}}=-3$

이므로 접선의 방정식은

$y-1=-3(x+1)$　$\therefore y=-3x-2$

따라서 $a=-3,\ b=-2$이므로

$2a+b=2\times(-3)+(-2)=-8$

답 -8

참고

곡선 위의 한 점에서의 접선의 방정식

곡선 $y=f(x)$ 위의 점 $(a,\,f(a))$에서의 접선의 방정식은 다음과 같은 순서로 구한다.

(ⅰ) 접선의 기울기 $f'(a)$를 구한다.

(ⅱ) $y-f(a)=f'(a)(x-a)$를 이용하여 접선의 방정식을 구한다.

141

$f(x)=4x+\sin x$라고 하면

$f'(x)=4+\cos x$

곡선 위의 점 $(2\pi,\,8\pi)$에서의 접선의 기울기는

$f'(2\pi)=4+\cos 2\pi=5$

이 접선에 수직인 직선의 기울기는 $-\dfrac{1}{5}$이므로 수직인 직선의 방정식은

$y-8\pi=-\dfrac{1}{5}(x-2\pi)$　$\therefore y=-\dfrac{1}{5}x+\dfrac{42}{5}\pi$

따라서 구하는 y절편은 $\dfrac{42}{5}\pi$이다.

답 $\dfrac{42}{5}\pi$

참고

접선에 수직인 직선의 방정식

곡선 $y=f(x)$ 위의 점 $(a,\,f(a))$를 지나고 이 점에서의 접선에 수직인 직선의 방정식은

$$y-f(a)=-\dfrac{1}{f'(a)}(x-a)\ (단,\ f'(a)\neq 0)$$

142

접근

직선을 평행이동하여도 기울기는 변하지 않음을 이용한다.

$f(x)=\ln\left(x+\dfrac{2}{e}\right)$라고 하면

$f'(x)=\dfrac{1}{x+\dfrac{2}{e}}=\dfrac{e}{ex+2}$

직선 $y=\dfrac{e}{2}x$를 y축의 방향으로 k만큼 평행이동한 직선의 방정식은

$y=\dfrac{e}{2}x+k$이므로 접선의 기울기는 $\dfrac{e}{2}$이다.

접점의 좌표를 $\left(t,\ \ln\left(t+\dfrac{2}{e}\right)\right)$라고 하면

$f'(t)=\dfrac{e}{et+2}=\dfrac{e}{2}$

$et+2=2$　$\therefore t=0$

즉, 접점의 좌표는 $(0,\ \ln 2-1)$이므로 접선의 방정식은

$y=\dfrac{e}{2}x+\ln 2-1$

$\therefore k=\ln 2-1$

답 ②

참고

기울기가 주어진 접선의 방정식

곡선 $y=f(x)$에 접하고 기울기가 m인 접선의 방정식은 다음과 같은 순서로 구한다.

(ⅰ) 접점의 좌표를 $(t,\,f(t))$로 놓는다.

(ⅱ) t에 대한 방정식 $f'(t)=m$을 만족시키는 실수 t의 값을 구한다.

(ⅲ) (ⅱ)에서 구한 t의 값을 이용하여 접선의 방정식 $y-f(t)=m(x-t)$를 구한다.

143

$f(x)=\dfrac{x}{x-1}$라고 하면

$f'(x)=\dfrac{1\times(x-1)-x\times 1}{(x-1)^2}=-\dfrac{1}{(x-1)^2}$

접점의 좌표를 $\left(t,\ \dfrac{t}{t-1}\right)$라고 하면 접선의 기울기는

$f'(t)=-\dfrac{1}{(t-1)^2}$이므로 접선의 방정식은

$y-\dfrac{t}{t-1}=-\dfrac{1}{(t-1)^2}(x-t)$ 　　……㉠

이 직선이 점 $(3,\,-3)$을 지나므로

$-3-\dfrac{t}{t-1}=-\dfrac{1}{(t-1)^2}(3-t)$

$3(t-1)^2+t(t-1)=3-t$

$4t^2-6t=0,\ 2t(2t-3)=0$

$\therefore t=0$ 또는 $t=\dfrac{3}{2}$

$t=0$을 ㉠에 대입하면

$y=-x$ 　　……㉡

$t=\dfrac{3}{2}$을 ㉠에 대입하면

$y-3=-4\left(x-\dfrac{3}{2}\right)$　$\therefore y=-4x+9$ 　　……㉢

㉡의 x절편은 0, ㉢의 x절편은 $\dfrac{9}{4}$이고 두 직선 ㉡, ㉢의 교점의 좌표가 $(3,\,-3)$이므로 구하는 넓이는

$\dfrac{1}{2}\times\dfrac{9}{4}\times 3=\dfrac{27}{8}$

답 $\dfrac{27}{8}$

다른 풀이

접선의 기울기를 m이라고 하면 접선의 방정식은

$y-(-3)=m(x-3)$　$\therefore y=mx-3m-3$ 　　……㉠

$mx-3m-3=\dfrac{x}{x-1}$에서

$mx(x-1)-3m(x-1)-3(x-1)=x$

$mx^2-4(m+1)x+3m+3=0$

이 이차방정식의 판별식을 D라고 하면

$\dfrac{D}{4}=\{-2(m+1)\}^2-m(3m+3)=0$

$m^2+5m+4=0$, $(m+1)(m+4)=0$

$\therefore m=-1$ 또는 $m=-4$

$m=-1$을 ㉠에 대입하면

$y=-x$ ...... ㉡

$m=-4$를 ㉠에 대입하면

$y=-4x+9$ ...... ㉢

㉡의 x절편은 0, ㉢의 x절편은 $\dfrac{9}{4}$이고 두 직선 ㉡, ㉢의 교점의 좌표가 $(3,\ -3)$이므로 구하는 넓이는

$\dfrac{1}{2}\times\dfrac{9}{4}\times3=\dfrac{27}{8}$

참고

곡선 위에 있지 않은 한 점에서 곡선에 그은 접선의 방정식

곡선 $y=f(x)$ 위에 있지 않은 한 점 $(x_1,\ y_1)$에서 곡선 $y=f(x)$에 그은 접선의 방정식은 다음과 같은 순서로 구한다.

(i) 접점의 좌표를 $(t,\ f(t))$로 놓는다.

(ii) 곡선 위의 점 $(t,\ f(t))$에서의 접선의 방정식
$y-f(t)=f'(t)(x-t)$를 구한다.

(iii) 점 $(x_1,\ y_1)$은 접선 위의 점이므로 (ii)에서 구한 접선의 방정식에 $x=x_1$, $y=y_1$을 대입하여 실수 t의 값을 구한다.

(iv) (iii)에서 구한 t의 값을 이용하여 접선의 방정식
$y-f(t)=f'(t)(x-t)$를 구한다.

144

$f(x)=\sin^2 x$, $g(x)=a-2\cos x$라고 하면

$f'(x)=2\sin x\cos x$, $g'(x)=2\sin x$

두 곡선이 $x=t$인 점에서 공통인 접선을 가지므로

$f(t)=g(t)$에서 $\sin^2 t=a-2\cos t$

$\therefore a=\sin^2 t+2\cos t$ ...... ㉠

$f'(t)=g'(t)$에서 $2\sin t\cos t=2\sin t$

$2\sin t(1-\cos t)=0$ $\therefore \sin t=0$ 또는 $\cos t=1$

$\therefore t=0 \left(\because -\dfrac{\pi}{2}<t<\dfrac{\pi}{2}\right)$

$t=0$을 ㉠에 대입하면

$a=0+2\times1=2$

답 ②

참고

두 곡선의 공통인 접선

두 곡선 $y=f(x)$, $y=g(x)$가 $x=a$인 점에서 공통인 접선을 가지면

(1) $x=a$인 점에서 두 곡선이 만난다.
   ➡ $f(a)=g(a)$

(2) $x=a$인 점에서 두 곡선의 접선의 기울기가 같다.
   ➡ $f'(a)=g'(a)$

145

$g(1)=k$라고 하면 $f(k)=1$이므로

$e^{3k+1}=1$, $3k+1=0$ $\therefore k=-\dfrac{1}{3}$

$g'(1)=\dfrac{1}{f'(g(1))}=\dfrac{1}{f'\left(-\dfrac{1}{3}\right)}$ ...... ㉠

이때 $f'(x)=3e^{3x+1}$이므로

$f'\left(-\dfrac{1}{3}\right)=3$ $\therefore g'(1)=\dfrac{1}{3}$ ($\because$ ㉠)

따라서 곡선 $y=g(x)$ 위의 점 $\left(1,\ -\dfrac{1}{3}\right)$에서의 접선의 방정식은

$y-\left(-\dfrac{1}{3}\right)=\dfrac{1}{3}(x-1)$ $\therefore y=\dfrac{1}{3}x-\dfrac{2}{3}$

답 ③

다른 풀이

$y=e^{3x+1}$의 양변에 자연로그를 취하면 $\ln y=3x+1$

$\therefore x=\dfrac{1}{3}(\ln y-1)$

x와 y를 서로 바꾸면 $y=\dfrac{1}{3}(\ln x-1)$

즉, $g(x)=\dfrac{1}{3}(\ln x-1)$이므로

$g'(x)=\dfrac{1}{3x}$

곡선 $y=g(x)$ 위의 점 $\left(1,\ -\dfrac{1}{3}\right)$에서의 접선의 기울기가 $g'(1)=\dfrac{1}{3}$

이므로 접선의 방정식은

$y-\left(-\dfrac{1}{3}\right)=\dfrac{1}{3}(x-1)$ $\therefore y=\dfrac{1}{3}x-\dfrac{2}{3}$

풍쌤 비법

역함수의 그래프의 접선의 방정식

함수 $f(x)$의 역함수를 $g(x)$라고 할 때, 곡선 $y=g(x)$ 위의 $x=a$인 점에서의 접선의 방정식은 다음과 같은 순서로 구한다.

(i) $g(a)=b$라고 하면 $f(b)=a$임을 이용하여 b의 값을 구한다.

(ii) $g'(a)=\dfrac{1}{f'(g(a))}=\dfrac{1}{f'(b)}$임을 이용하여 접선의 기울기를 구한다.

(iii) (ii)에서 구한 $g'(a)$의 값을 이용하여 접선의 방정식
$y-b=g'(a)(x-a)$를 구한다.

146

$x=e^t+e^{-t}$에서 $\dfrac{dx}{dt}=e^t-e^{-t}$

$y=e^t-e^{-t}$에서 $\dfrac{dy}{dt}=e^t+e^{-t}$

$\therefore \dfrac{dy}{dx}=\dfrac{\dfrac{dy}{dt}}{\dfrac{dx}{dt}}=\dfrac{e^t+e^{-t}}{e^t-e^{-t}}$ (단, $t\neq0$)

$t=\ln3$일 때

$x=e^{\ln3}+e^{-\ln3}=3+\dfrac{1}{3}=\dfrac{10}{3}$

$y=e^{\ln3}-e^{-\ln3}=3-\dfrac{1}{3}=\dfrac{8}{3}$

$$\frac{dy}{dx}=\frac{e^{\ln 3}+e^{-\ln 3}}{e^{\ln 3}-e^{-\ln 3}}=\frac{\frac{10}{3}}{\frac{8}{3}}=\frac{5}{4}$$

이므로 접선의 방정식은

$$y-\frac{8}{3}=\frac{5}{4}\left(x-\frac{10}{3}\right)\quad\therefore y=\frac{5}{4}x-\frac{3}{2}$$

이 직선이 점 $\left(a,\ \frac{9}{4}\right)$를 지나므로

$$\frac{9}{4}=\frac{5}{4}a-\frac{3}{2},\ \frac{5}{4}a=\frac{15}{4}\quad\therefore a=3$$

답 3

풍쌤 비법

매개변수로 나타낸 곡선의 접선의 방정식

매개변수 t로 나타낸 두 곡선 $x=f(t)$, $y=g(t)$에서 $t=a$인 점에서의 접선의 방정식은 다음과 같은 순서로 구한다.

(i) $\dfrac{g'(t)}{f'(t)}$를 구한다.

(ii) $f(a)$, $g(a)$, $\dfrac{g'(a)}{f'(a)}$의 값을 구한다.

(iii) (ii)에서 구한 값을 이용하여 접선의 방정식

$y-g(a)=\dfrac{g'(a)}{f'(a)}\{x-f(a)\}$를 구한다.

147

조건 (가)에서 직선 l이 제2사분면을 지나지 않고, 조건 (나)에서 직선 l과 x축 및 y축으로 둘러싸인 도형인 직각이등변삼각형의 넓이가 2이므로 오른쪽 그림과 같이 직선 l의 x절편과 y절편은 각각 2, -2이다.

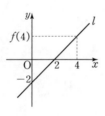

따라서 직선 l의 방정식은

$\underline{y=x-2}$ ┌ 기울기는 1이고 y절편은 -2이다.

이때 점 $(4, f(4))$는 직선 $y=x-2$ 위의 점이므로 $f(4)=2$

또한, 곡선 $y=f(x)$ 위의 점 $(4, f(4))$에서의 접선 l의 기울기가 1이므로 $f'(4)=1$

$g(x)=xf(2x)$에서

$g'(x)=f(2x)+2xf'(2x)$

$\therefore g'(2)=f(4)+4f'(4)$

$g'(x)=(x)'f(2x)+x\{f'(2x)\times(2x)'\}$
$=f(2x)+x\{f'(2x)\times 2\}$
$=f(2x)+2xf'(2x)$

$=2+4\times 1=6$

답 ④

148

$f(x)=\dfrac{x-3}{x^2+7}$에서

$$f'(x)=\frac{1\times(x^2+7)-(x-3)\times 2x}{(x^2+7)^2}$$
$$=\frac{-x^2+6x+7}{(x^2+7)^2}$$
$$=\frac{-(x-7)(x+1)}{(x^2+7)^2}$$

$f'(x)>0$에서

$-(x-7)(x+1)>0\ (\because x^2+7>0)$

$(x+1)(x-7)<0$

$\therefore -1<x<7$

따라서 구하는 모든 정수 x는 $0, 1, 2, \cdots, 6$의 7개이다.

답 ④

149

$f(x)=(1+\sin x)\cos x$에서

$f'(x)=\cos x\times\cos x+(1+\sin x)\times(-\sin x)$
$=\cos^2 x-\sin^2 x-\sin x$
$=(1-\sin^2 x)-\sin^2 x-\sin x$
$=-2\sin^2 x-\sin x+1$
$=-(\sin x+1)(2\sin x-1)$

$f'(x)=0$에서 $\sin x=-1$ 또는 $\sin x=\dfrac{1}{2}$
└ $0<x<\pi$에서 $\sin x=-1$을 만족시키는 x의 값이 존재하지 않는다.

$\therefore x=\dfrac{\pi}{6}$ 또는 $x=\dfrac{5}{6}\pi\ (\because 0<x<\pi)$

$0<x<\pi$에서 함수 $f(x)$의 증가와 감소를 표로 나타내면 다음과 같다.

x	(0)	$\cdots$	$\dfrac{\pi}{6}$	$\cdots$	$\dfrac{5}{6}\pi$	$\cdots$	(π)
$f'(x)$		$+$	0	$-$	0	$+$	
$f(x)$		↗		↘		↗	

즉, 함수 $f(x)$가 감소하는 x의 값의 범위는 $\dfrac{\pi}{6}<x<\dfrac{5}{6}\pi$이므로

$a=\dfrac{\pi}{6}, b=\dfrac{5}{6}\pi$

$\therefore a+2b=\dfrac{\pi}{6}+2\times\dfrac{5}{6}\pi=\dfrac{11}{6}\pi$

답 $\dfrac{11}{6}\pi$

150

$f(x)=e^{-x}(x^2+ax+3)$에서

$f'(x)=-e^{-x}(x^2+ax+3)+e^{-x}(2x+a)$
$=e^{-x}\{-x^2+(2-a)x+a-3\}$

$e^{-x}>0$이므로 모든 실수 x에 대하여 $f'(x)\le 0$이 성립하려면 $-x^2+(2-a)x+a-3\le 0$이어야 한다.

이차방정식 $-x^2+(2-a)x+a-3=0$의 판별식을 D라고 하면

$D=(2-a)^2-4\times(-1)\times(a-3)\le 0$

$a^2-8\le 0,\ (a+2\sqrt{2})(a-2\sqrt{2})\le 0$

$\therefore -2\sqrt{2}\le a\le 2\sqrt{2}$

따라서 구하는 a의 최댓값은 $2\sqrt{2}$이다.

답 $2\sqrt{2}$

참고

이차부등식이 항상 성립할 조건

모든 실수 x에 대하여 이차부등식이 항상 성립할 조건은 다음과 같다. (단, $D=b^2-4ac$)

(1) $ax^2+bx+c>0 \Rightarrow a>0, D<0$

(2) $ax^2+bx+c\ge 0 \Rightarrow a>0, D\le 0$

(3) $ax^2+bx+c<0 \Rightarrow a<0, D<0$

(4) $ax^2+bx+c\le 0 \Rightarrow a<0, D\le 0$

151

$f(x)=x+\sqrt{12-x^2}$에서 $0<x\leq2\sqrt{3}$이고

$f'(x)=1+\dfrac{-2x}{2\sqrt{12-x^2}}=\dfrac{\sqrt{12-x^2}-x}{\sqrt{12-x^2}}$

$\;\;12-x^2\geq0$에서
$\;\;x^2-12\leq0$
$\;\;(x+2\sqrt{3})(x-2\sqrt{3})\leq0$
$\;\;-2\sqrt{3}\leq x\leq2\sqrt{3}$
$\;\;$이때 $x>0$이므로
$\;\;0<x\leq2\sqrt{3}$

$f'(x)=0$에서

$\sqrt{12-x^2}-x=0,\;\sqrt{12-x^2}=x$

양변을 제곱하면

$12-x^2=x^2,\;x^2=6$

$\therefore x=\sqrt{6}\;(\because\;0<x\leq2\sqrt{3})$

$0<x\leq2\sqrt{3}$에서 함수 $f(x)$의 증가와 감소를 표로 나타내면 다음과 같다.

x	(0)	$\cdots$	$\sqrt{6}$	$\cdots$	$2\sqrt{3}$
$f'(x)$		$+$	0	$-$	
$f(x)$		$\nearrow$	0	$\searrow$	

따라서 함수 $f(x)$가 증가하는 구간은 $(0,\sqrt{6})$이므로 이 구간에 속하는 정수 x는 1, 2이고 그 합은

$1+2=3$

답 ①

참고

함수의 정의역

(1) 유리함수: (분모)$\neq0$

(2) 무리함수: (근호 안의 수)≥0

(3) 로그함수: (밑)>0, (밑)$\neq1$, (진수)>0

152

$f(x)=ax-\ln x$에서 $f'(x)=a-\dfrac{1}{x}$

함수 $f(x)$가 구간 $(3,4)$에서 증가하려면 $3<x<4$일 때 $f'(x)\geq0$이어야 하므로 오른쪽 그림에서

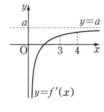

$f'(3)=a-\dfrac{1}{3}\geq0$ $\therefore a\geq\dfrac{1}{3}$

따라서 실수 a의 최솟값은 $\dfrac{1}{3}$이다.

답 ②

153

$f(x)=\sqrt{x}+\sqrt{16-x}$에서 $0\leq x\leq16$이고

$f'(x)=\dfrac{1}{2\sqrt{x}}-\dfrac{1}{2\sqrt{16-x}}=\dfrac{\sqrt{16-x}-\sqrt{x}}{2\sqrt{x}\sqrt{16-x}}$

$f'(x)=0$에서 $\sqrt{16-x}-\sqrt{x}=0$

$\sqrt{16-x}=\sqrt{x}$

양변을 제곱하면

$16-x=x,\;2x=16$ $\therefore x=8$

$0\leq x\leq16$에서 함수 $f(x)$의 증가와 감소를 표로 나타내면 다음과 같다.

x	0	$\cdots$	8	$\cdots$	16
$f'(x)$		$+$	0	$-$	
$f(x)$	4	$\nearrow$	$4\sqrt{2}$	$\searrow$	4

즉, 함수 $f(x)$는 $x=8$에서 극댓값 $4\sqrt{2}$를 가지므로

$a=8,\;b=4\sqrt{2}$

$\therefore ab=8\times4\sqrt{2}=32\sqrt{2}$

답 $32\sqrt{2}$

154

$f(x)=3x(\ln x)^2$에서 $x>0$이고 $\;\;$로그의 진수 조건

$f'(x)=3(\ln x)^2+3x\times2\ln x\times\dfrac{1}{x}$

$\;\;\;\;\;\;=3\ln x(\ln x+2)$

$f'(x)=0$에서 $\ln x=-2$ 또는 $\ln x=0$

$\therefore x=e^{-2}=\dfrac{1}{e^2}$ 또는 $x=1$

$x>0$에서 함수 $f(x)$의 증가와 감소를 표로 나타내면 다음과 같다.

x	(0)	$\cdots$	$\dfrac{1}{e^2}$	$\cdots$	1	$\cdots$
$f'(x)$		$+$	0	$-$	0	$+$
$f(x)$		$\nearrow$	$\dfrac{12}{e^2}$	$\searrow$	0	$\nearrow$

따라서 함수 $f(x)$의 극댓값은 $f\left(\dfrac{1}{e^2}\right)=\dfrac{12}{e^2}$, 극솟값은 $f(1)=0$이므로 극댓값과 극솟값의 합은 $\dfrac{12}{e^2}$이다.

답 ⑤

155

함수 $f(x)$가 $x=-4$에서 극댓값 $\dfrac{8}{e^5}$을 가지므로

$f(-4)=\dfrac{8}{e^5}$

$(16+k)e^{-5}=\dfrac{16+k}{e^5}=\dfrac{8}{e^5}$에서

$16+k=8$ $\therefore k=-8$

$f(x)=(x^2-8)e^{x-1}$에서

$f'(x)=2xe^{x-1}+(x^2-8)e^{x-1}=(x^2+2x-8)e^{x-1}$

$f'(x)=0$에서 $x^2+2x-8=0\;(\because\;e^{x-1}>0)$

$(x+4)(x-2)=0$ $\therefore x=-4$ 또는 $x=2$

함수 $f(x)$의 증가와 감소를 표로 나타내면 다음과 같다.

x	$\cdots$	-4	$\cdots$	2	$\cdots$
$f'(x)$	$+$	0	$-$	0	$+$
$f(x)$	$\nearrow$	$\dfrac{8}{e^5}$	$\searrow$	$-4e$	$\nearrow$

따라서 함수 $f(x)$의 극솟값은 $f(2)=-4e$이다.

답 ②

156

$x=2\theta-\sin\theta$에서 $\dfrac{dx}{d\theta}=2-\cos\theta$

$y=6-\cos\theta$에서 $\dfrac{dy}{d\theta}=\sin\theta$

$\therefore \dfrac{dy}{dx}=\dfrac{\dfrac{dy}{d\theta}}{\dfrac{dx}{d\theta}}=\dfrac{\sin\theta}{2-\cos\theta}$

$\dfrac{dy}{dx}=0$에서 $\sin\theta=0$ $\therefore \theta=\pi$ $(\because 0<\theta<2\pi)$

$0<\theta<\pi$일 때 $\dfrac{dy}{dx}>0$, $\pi<\theta<2\pi$일 때 $\dfrac{dy}{dx}<0$이므로 주어진 함수는 $\theta=\pi$에서 극댓값을 갖는다.

따라서 구하는 극댓값은

$y=6-\cos\pi=6-(-1)=7$

답 ⑤

참고

$-1\le\cos\theta\le1$이므로 $2-\cos\theta>0$

따라서 $\dfrac{dy}{dx}=\dfrac{\sin\theta}{2-\cos\theta}$의 부호는 $\sin\theta$의 부호와 같다.

157

$f(x)=e^x+ae^{-x}+b$에서

$f'(x)=e^x-ae^{-x}$

함수 $f(x)$가 $x=\ln2$에서 극솟값 5를 가지므로

$f'(\ln2)=0$에서 $2-\dfrac{a}{2}=0$ $\therefore a=4$

$f(x)=e^x+4e^{-x}+b$이므로

$f(\ln2)=5$에서 $2+2+b=5$ $\therefore b=1$

$\therefore a-b=4-1=3$

답 ③

참고

미분가능한 함수 $f(x)$가

(1) $x=a$에서 극값을 가지면

$f'(a)=0$

(2) $x=a$에서 극값 b를 가지면

$f(a)=b$, $f'(a)=0$

158

$f(x)=\cos^3 2x$에서

$f'(x)=3\cos^2 2x\times(-\sin2x)\times2=-6\sin2x\cos^2 2x$

$f'(x)=0$에서 $\sin2x=0$ 또는 $\cos2x=0$

$-\dfrac{\pi}{8}<x<\dfrac{5}{8}\pi$에서 $-\dfrac{\pi}{4}<2x<\dfrac{5}{4}\pi$이므로

$\sin2x=0$일 때, $2x=0$ 또는 $2x=\pi$

$\therefore x=0$ 또는 $x=\dfrac{\pi}{2}$

$\cos2x=0$일 때, $2x=\dfrac{\pi}{2}$ $\therefore x=\dfrac{\pi}{4}$

$-\dfrac{\pi}{8}<x<\dfrac{5}{8}\pi$에서 함수 $f(x)$의 증가와 감소를 표로 나타내면 다음과 같다.

x	$\left(-\dfrac{\pi}{8}\right)$	$\cdots$	0	$\cdots$	$\dfrac{\pi}{4}$	$\cdots$	$\dfrac{\pi}{2}$	$\cdots$	$\left(\dfrac{5}{8}\pi\right)$
$f'(x)$		$+$	0	$-$	0	$-$	0	$+$	
$f(x)$		↗	1	↘		↘	-1	↗	

따라서 $-\dfrac{\pi}{8}<x<\dfrac{5}{8}\pi$에서 함수 $f(x)$는 극댓값 $f(0)=1$, 극솟값

$f\left(\dfrac{\pi}{2}\right)=-1$을 가지므로 2개의 극값을 갖는다.

답 ②

159

함수 $f(x)$가 극댓값과 극솟값을 모두 가질 때 $f'(x)=0$이 서로 다른 두 실근을 가짐을 이용한다.

$f(x)=\dfrac{5x+k}{x^2-1}$에서

$f'(x)=\dfrac{5(x^2-1)-(5x+k)\times2x}{(x^2-1)^2}$

$=\dfrac{-5x^2-2kx-5}{(x^2-1)^2}$

함수 $f(x)$가 극댓값과 극솟값을 모두 가지려면 이차방정식

$-5x^2-2kx-5=0$이 $x\ne\pm1$인 서로 다른 두 실근을 가져야 하므

로 $k\ne\pm5$

$\underbrace{\qquad}_{f'(x)에서\ x^2-1\ne0\ \therefore x\ne\pm1}$

이차방정식 $-5x^2-2kx-5=0$의 판별식을 D라고 하면

$\dfrac{D}{4}=(-k)^2-(-5)\times(-5)>0$

$k^2-25>0$, $(k+5)(k-5)>0$

$\therefore k<-5$ 또는 $k>5$

답 ⑤

풍쌤 비법

극값을 가질 조건 - 판별식 이용

$f'(x)=\dfrac{h(x)}{g(x)}$에서 $h(x)$가 이차식이고 모든 실수 x에 대하여

$g(x)>0$일 때

(1) $f(x)$가 극값을 갖는다.

➡ $h(x)=0$이 서로 다른 두 실근을 갖는다.

(2) $f(x)$가 극값을 갖지 않는다.

➡ $h(x)=0$이 중근 또는 허근을 갖는다.

160

$f(x)=x^2+4\sin x$라고 하면

$f'(x)=2x+4\cos x$, $f''(x)=2-4\sin x$

곡선 $y=f(x)$가 위로 볼록하려면 $f''(x)<0$이어야 하므로

$2-4\sin x<0$ $\therefore \sin x>\dfrac{1}{2}$

$\therefore \dfrac{\pi}{6}<x<\dfrac{5}{6}\pi$ $(\because 0<x<2\pi)$

따라서 $\alpha=\dfrac{\pi}{6}$, $\beta=\dfrac{5}{6}\pi$이므로

$\beta-\alpha=\dfrac{5}{6}\pi-\dfrac{\pi}{6}=\dfrac{2}{3}\pi$

답 $\dfrac{2}{3}\pi$

161

$f(x)=(2+ax^2)e^{-x}$이라고 하면

$f'(x)=2axe^{-x}-(2+ax^2)e^{-x}$

$=(-ax^2+2ax-2)e^{-x}$

$f''(x)=(-2ax+2a)e^{-x}-(-ax^2+2ax-2)e^{-x}$

$=(ax^2-4ax+2a+2)e^{-x}$

곡선 $y=f(x)$가 실수 전체의 구간에서 아래로 볼록하려면 모든 실수 x에 대하여 $f''(x)\ge0$이어야 하므로

$ax^2-4ax+2a+2\geq0\ (\because e^{-x}>0)$ ...... ㉠

이 항상 성립해야 한다.

(ⅰ) $a=0$일 때, $2>0$이므로 부등식 ㉠이 성립한다.

(ⅱ) $a\neq0$일 때, 부등식 ㉠이 성립해야 하므로 $a>0$

이차방정식 $ax^2-4ax+2a+2=0$의 판별식을 D라고 하면

$\dfrac{D}{4}=(-2a)^2-a(2a+2)\leq0$

$2a^2-2a\leq0,\ 2a(a-1)\leq0$

$\therefore 0\leq a\leq1$

그런데 $a>0$이므로 $0<a\leq1$

(ⅰ), (ⅱ)에서 $0\leq a\leq1$이므로 a의 최댓값은 1이다.

답 1

162

$f(x)=\ln(x^2+k)$라고 하면

$f'(x)=\dfrac{2x}{x^2+k}$

$f''(x)=\dfrac{2(x^2+k)-2x\times2x}{(x^2+k)^2}$

$\qquad=\dfrac{-2(x+\sqrt{k})(x-\sqrt{k})}{(x^2+k)^2}$

$f''(x)=0$에서 $-2(x+\sqrt{k})(x-\sqrt{k})=0\ (\because (x^2+k)^2>0)$

$\therefore x=-\sqrt{k}$ 또는 $x=\sqrt{k}$

이때 $x=-\sqrt{k}$ 또는 $x=\sqrt{k}$의 좌우에서 $f''(x)$의 부호가 바뀌므로 변곡점은 $(-\sqrt{k},\ \ln2k),\ (\sqrt{k},\ \ln2k)$이다.

선분 PQ의 길이가 $2\sqrt{2}$이므로

$\sqrt{k}-(-\sqrt{k})=2\sqrt{2},\ 2\sqrt{k}=2\sqrt{2}$

$\therefore k=2$

답 ②

풍쌤 비법

변곡점의 판정

함수 $f(x)$에서

(ⅰ) $f''(a)=0$

(ⅱ) $x=a$의 좌우에서 $f''(x)$의 부호가 바뀐다.

➡ 점 $(a,\ f(a))$는 곡선 $y=f(x)$의 변곡점이다.

163

$f(x)=-2x^2+ax+b\ln x$에서 $\underline{x>0}$이고

└ 로그의 진수 조건

$f'(x)=-4x+a+\dfrac{b}{x},\ f''(x)=-4-\dfrac{b}{x^2}$

$x=1$에서 극댓값을 가지므로

$f'(1)=0$에서 $-4+a+b=0$ ...... ㉠

곡선 $y=f(x)$의 변곡점의 x좌표가 $\dfrac{1}{2}$이므로

$f''\!\left(\dfrac{1}{2}\right)=0$에서 $-4-4b=0$ $\therefore b=-1$

$b=-1$을 ㉠에 대입하면 $a=5$

$\therefore f(x)=-2x^2+5x-\ln x$

$f'(x)=-4x+5-\dfrac{1}{x}$

$\qquad=\dfrac{-4x^2+5x-1}{x}$

$\qquad=\dfrac{-(4x-1)(x-1)}{x}$

$f'(x)=0$에서 $x=\dfrac{1}{4}$ 또는 $x=1$

$x>0$에서 함수 $f(x)$의 증가와 감소를 표로 나타내면 다음과 같다.

x	(0)	$\cdots$	$\dfrac{1}{4}$	$\cdots$	1	$\cdots$
$f'(x)$		$-$	0	$+$	0	$-$
$f(x)$		$\searrow$	$\dfrac{9}{8}+2\ln2$	$\nearrow$	3	$\searrow$

따라서 함수 $f(x)$는 $x=\dfrac{1}{4}$일 때 극솟값

$f\!\left(\dfrac{1}{4}\right)=\dfrac{9}{8}+2\ln2$를 갖는다.

답 $\dfrac{9}{8}+2\ln2$

풍쌤 비법

변곡점을 이용한 미정계수 구하기

함수 $f(x)$에 대하여

(1) $x=a$에서 극값 b를 갖는다.

➡ $f(a)=b,\ f'(a)=0$

(2) 점 $(a,\ b)$는 곡선 $y=f(x)$의 변곡점이다.

➡ $f(a)=b,\ f''(a)=0$

164

$f(x)=3\sin kx+4x^3$에서

$f'(x)=3k\cos kx+12x^2$

$f''(x)=-3k^2\sin kx+24x$

함수 $f(x)=3\sin kx+4x^3$의 그래프가 오직 하나의 변곡점을 가지려면 $f''(x)=0$의 근이 오직 하나이어야 한다.

$-3k^2\sin kx+24x=0$에서 $k^2\sin kx=8x$

두 함수 $y=k^2\sin kx,\ y=8x$의 그래프는 다음 그림과 같다.

└ 방정식 $f(x)=g(x)$
의 해는 두 곡선
$y=f(x),\ y=g(x)$
의 교점의 x좌표이므로
주어진 방정식
$k^2\sin kx=8x$의
해를 구하기 위해
오른쪽과 같이 두 곡선을
그려 본다.

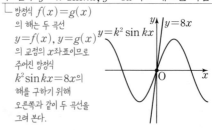

두 함수의 그래프의 교점의 x좌표가 1개이려면 곡선 $y=k^2\sin kx$ 위의 점 $(0,\ 0)$에서의 접선의 기울기가 8보다 작거나 같으면 된다.

$h(x)=k^2\sin kx$라고 하면 $h'(x)=k^3\cos kx$이므로 점 $(0,\ 0)$에서의 접선의 기울기는 $h'(0)=k^3$이다.

즉, $k^3\leq8$에서 $k^3-8\leq0$

$(k-2)(k^2+2k+4)\leq0$

$\therefore k\leq2\ (\because k^2+2k+4>0)$

따라서 k의 최댓값은 2이다.

답 2

165

$f(x)=x\sqrt{1-x^2}$에서 $-1\le x\le1$이고

$f'(x)=\sqrt{1-x^2}-\dfrac{x^2}{\sqrt{1-x^2}}=\dfrac{1-2x^2}{\sqrt{1-x^2}}$ $\begin{array}{l}1-x^2\ge0\text{에서}\\(x+1)(x-1)\le0\\ \therefore\ -1\le x\le1\end{array}$

$f'(x)=0$에서 $1-2x^2=0,\ (1+\sqrt{2}x)(1-\sqrt{2}x)=0$

$\therefore x=-\dfrac{\sqrt{2}}{2}$ 또는 $x=\dfrac{\sqrt{2}}{2}$

$-1\le x\le1$에서 함수 $f(x)$의 증가와 감소를 표로 나타내면 다음과 같다.

x	-1	$\cdots$	$-\dfrac{\sqrt{2}}{2}$	$\cdots$	$\dfrac{\sqrt{2}}{2}$	$\cdots$	1
$f'(x)$		$-$	0	$+$	0	$-$	
$f(x)$	0	$\searrow$	$-\dfrac{1}{2}$	$\nearrow$	$\dfrac{1}{2}$	$\searrow$	0

즉, 함수 $f(x)$의 최댓값은 $f\left(\dfrac{\sqrt{2}}{2}\right)=\dfrac{1}{2}$, 최솟값은

$f\left(-\dfrac{\sqrt{2}}{2}\right)=-\dfrac{1}{2}$이므로

$M=\dfrac{1}{2},\ m=-\dfrac{1}{2}$

$\therefore Mm=\dfrac{1}{2}\times\left(-\dfrac{1}{2}\right)=-\dfrac{1}{4}$

답 $-\dfrac{1}{4}$

166

$f(x)=x\ln x-10x+e^a$에서 $x>0$이고 ┗━ 로그의 진수 조건

$f'(x)=\ln x+x\times\dfrac{1}{x}-10=\ln x-9$

$f'(x)=0$에서 $\ln x-9=0$ $\therefore x=e^9$

$x>0$에서 함수 $f(x)$의 증가와 감소를 표로 나타내면 다음과 같다.

x	(0)	$\cdots$	e^9	$\cdots$
$f'(x)$		$-$	0	$+$
$f(x)$		$\searrow$	$-e^9+e^a$	$\nearrow$

따라서 함수 $f(x)$의 최솟값은 $f(e^9)=-e^9+e^a$이므로

$-e^9+e^a=0$ $\therefore a=9$

$f(x)=x\ln x-10x+e^9$이므로

$f(1)=-10+e^9$

답 $-10+e^9$

167

$f(x)=\sin^3 x-2\cos^2 x+6$
$\quad=\sin^3 x-2(1-\sin^2 x)+6$
$\quad=\sin^3 x+2\sin^2 x+4$

이때 $\sin x=t$로 놓으면 $-1\le t\le1$

주어진 함수 $f(x)$를 $g(t)$라고 하면

$g(t)=t^3+2t^2+4$

$g'(t)=3t^2+4t=t(3t+4)$

$g'(t)=0$에서 $t=0\ (\because\ -1\le t\le1)$

$-1\le t\le1$에서 함수 $g(t)$의 증가와 감소를 표로 나타내면 다음과 같다.

t	-1	$\cdots$	0	$\cdots$	1
$g'(t)$		$-$	0	$+$	
$g(t)$	5	$\searrow$	4	$\nearrow$	7

따라서 함수 $g(t)$의 최댓값은 $g(1)=7$, 최솟값은 $g(0)=4$이므로 구하는 합은

$7+4=11$

답 11

> **풍쌤 비법**
>
> 치환을 이용한 함수의 최대, 최소
>
> 함수 $f(x)$에 공통부분이 있을 때에는 다음과 같은 순서로 최대, 최소를 구한다.
>
> (ⅰ) 공통부분을 t로 치환하여 함수 $f(x)$를 t에 대한 함수 $g(t)$로 나타낸다.
>
> (ⅱ) t의 값의 범위를 구한다.
>
> (ⅲ) 함수 $g(t)$의 최댓값, 최솟값을 구한다.

168

> **접근**
>
> 함수 $y=f'(x)$의 그래프를 이용하여 함수 $y=f(x)$의 그래프의 개형을 파악한다.

주어진 함수 $y=f'(x)$의 그래프의 변화에 따른 함수 $y=f(x)$의 그래프의 개형은 다음 그림과 같다.

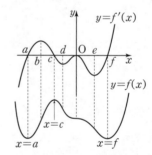

ㄱ은 옳다.

함수 $f(x)$가 극값을 갖는 점은 $y=f'(x)$의 그래프에서 $f(x)$의 부호가 바뀌는 점이다.

따라서 함수 $f'(x)$는 $x=c$에서 극대, $x=a,\ x=f$에서 극소이므로 극값을 갖는 점은 3개이다.

ㄴ도 옳다.

곡선 $y=f(x)$의 변곡점은 $y=f'(x)$의 그래프에서 증가와 감소가 바뀌는 점이다.

따라서 곡선 $y=f(x)$의 변곡점은 $x=b,\ d,\ 0,\ e$일 때의 4개이다.

ㄷ도 옳다.

구간 $[a,\ f]$에서 함수 $y=f(x)$는 $x=c$에서 유일한 극대이므로 최대가 됨을 알 수 있다. 따라서 구간 $[a,\ f]$에서 함수 $f(x)$의 최댓값은 $f(c)$이다.

그러므로 옳은 것은 ㄱ, ㄴ, ㄷ이다.

답 ⑤

169

$f(x)=2e^{-x}$이라고 하면

$f'(x)=-2e^{-x}$

곡선 $y=2e^{-x}$ 위의 점 $\mathrm{P}(t,\ 2e^{-t})$에서의 접선의 기울기는

$f'(t)=-2e^{-t}$이므로 접선의 방정식은

$y-2e^{-t}=-2e^{-t}(x-t)$

$\therefore y=-2e^{-t}x+2te^{-t}+2e^{-t}$

$\mathrm{A}(0,\ 2e^{-t})$, $\mathrm{B}(0,\ 2te^{-t}+2e^{-t})$이므로 삼각형 APB의 넓이를
　　└─ 점 P의 y좌표　　└─ 접선의 y절편

$S(t)$라고 하면

$S(t)=\dfrac{1}{2}\times\overline{\mathrm{PA}}\times\overline{\mathrm{AB}}$

$\qquad =\dfrac{1}{2}\times t\times(2te^{-t}+2e^{-t}-2e^{-t})$

$\qquad =t^2e^{-t}$

$S'(t)=2te^{-t}-t^2e^{-t}=te^{-t}(2-t)$

$S'(t)=0$에서　$t=2\ (\because t>0)$

$t>0$에서 함수 $S(t)$의 증가와 감소를 표로 나타내면 다음과 같다.

t	(0)	$\cdots$	2	$\cdots$
$S'(t)$		$+$	0	$-$
$S(t)$		↗	극대	↘

따라서 함수 $S(t)$는 $t=2$일 때 극대이면서 최대이다.

답 ④

170

$\ln x-x+9-a=0$에서

$\ln x-x+9=a$

주어진 방정식의 해가 존재하려면 곡선 $y=\ln x-x+9$와 직선 $y=a$가 서로 만나야 한다.

$f(x)=\ln x-x+9$로 놓으면

$f'(x)=\dfrac{1}{x}-1=\dfrac{1-x}{x}$
　　　　　　　　　└─ 로그의 진수 조건

$f'(x)=0$에서　$x=1\ (\because \underline{x>0})$

$x>0$에서 함수 $f(x)$의 증가와 감소를 표로 나타내면 다음과 같다.

x	(0)	$\cdots$	1	$\cdots$
$f'(x)$		$+$	0	$-$
$f(x)$		↗	8	↘

이때

$\displaystyle\lim_{x\to 0+}f(x)=-\infty,\ \lim_{x\to\infty}f(x)=-\infty$

이므로 함수 $y=f(x)$의 그래프는 오른쪽 그림과 같다.

따라서 곡선 $y=f(x)$와 직선 $y=a$가 만나기 위한 a의 값의 범위는 $a\leq 8$이므로 자연수 a는 1, 2, $\cdots$, 8의 8개이다.

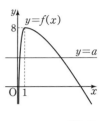

답 ④

171

방정식 $e^x+e^{-x}=k$가 오직 한 개의 실근을 가지려면 곡선 $y=e^x+e^{-x}$과 직선 $y=k$가 한 점에서 만나야 한다.

$f(x)=e^x+e^{-x}$이라고 하면

$f'(x)=e^x-e^{-x}$

$f'(x)=0$에서　$e^x-e^{-x}=0$

$\therefore x=0$

함수 $f(x)$의 증가와 감소를 표로 나타내면 오른쪽과 같다.

x	$\cdots$	0	$\cdots$
$f'(x)$	$-$	0	$+$
$f(x)$	↘	2	↗

이때

$\displaystyle\lim_{x\to-\infty}f(x)=\infty,\ \lim_{x\to\infty}f(x)=\infty$

이므로 함수 $y=f(x)$의 그래프는 오른쪽 그림과 같다.

따라서 곡선 $y=f(x)$와 직선 $y=k$가 한 점에서 만나기 위한 k의 값은 2이다.

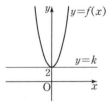

답 ④

172

$k(x^3+1)=x$에서 $x\neq -1$이므로
　　　　　　　　　└─ $x=-1$이면 (좌변)$=0$, (우변)$=-1$
　　　　　　　　　　　이므로　(좌변)$\neq$(우변)

$\dfrac{x}{x^3+1}=k$ $\qquad\qquad\qquad\cdots\cdots$ ㉠

방정식 ㉠이 서로 다른 두 실근을 가지려면 곡선 $y=\dfrac{x}{x^3+1}$와 직선 $y=k$가 서로 다른 두 점에서 만나야 한다.

$f(x)=\dfrac{x}{x^3+1}$라고 하면

$f'(x)=\dfrac{1\times(x^3+1)-x\times 3x^2}{(x^3+1)^2}=\dfrac{-2x^3+1}{(x^3+1)^2}$

$f'(x)=0$에서　$-2x^3+1=0\ (\because x\neq -1)$

$x^3=\dfrac{1}{2}$　$\therefore x=\dfrac{1}{\sqrt[3]{2}}$

함수 $f(x)$의 증가와 감소를 표로 나타내면 다음과 같다.

x	$\cdots$	(-1)	$\cdots$	$\dfrac{1}{\sqrt[3]{2}}$	$\cdots$
$f'(x)$	$+$		$+$	0	$-$
$f(x)$	↗		↗	$\dfrac{\sqrt[3]{4}}{3}$	↘

이때
$$\lim_{x \to -\infty} f(x)=0, \lim_{x \to \infty} f(x)=0,$$
$$\lim_{x \to -1-} f(x)=\infty, \lim_{x \to -1+} f(x)=-\infty$$
이므로 함수 $y=f(x)$의 그래프는 오른쪽 그림과 같다.

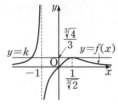

따라서 곡선 $y=f(x)$와 직선 $y=k$가 서로 다른 두 점에서 만나기 위한 k의 값은 $\dfrac{\sqrt[3]{4}}{3}$이다.

답 ①

173

$f(x)=3x-e^x$이라고 하면
$f'(x)=3-e^x$
$f'(x)=0$에서 $e^x=3$ $\therefore x=\ln 3$
함수 $f(x)$의 증가와 감소를 표로 나타내면 오른쪽과 같다.

x	$\cdots$	$\ln 3$	$\cdots$
$f'(x)$	$+$	0	$-$
$f(x)$	↗	$3\ln 3 - 3$	↘

즉, 함수 $f(x)$의 최댓값은 $f(\ln 3)=3\ln 3-3$이므로 부등식 $f(x) \le k$가 성립하려면 $k \ge 3\ln 3-3$이어야 한다.
따라서 실수 k의 최솟값은 $3\ln 3-3$이다.

답 ⑤

174

$0<x<\dfrac{\pi}{2}$일 때, 부등식 $\tan x>ax$가 성립하려면 오른쪽 그림과 같이 곡선 $y=\tan x$가 직선 $y=ax$보다 위쪽에 있어야 한다.

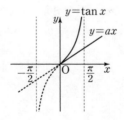

$f(x)=\tan x$라고 하면
$f'(x)=\sec^2 x$
$y=\tan x$의 그래프 위의 점 $(0, 0)$에서의 접선의 기울기는 $f'(0)=1$이므로 접선의 방정식은
$y=x$
따라서 $0<x<\dfrac{\pi}{2}$일 때, 주어진 부등식이 성립하려면 $a \le 1$이다.

답 $a \le 1$

참고

구간 (a, b)에서 부등식 $f(x)>g(x)$가 성립하려면 구간 (a, b)에서 $y=f(x)$의 그래프가 $y=g(x)$의 그래프보다 항상 위쪽에 있어야 한다.

175

점 P의 시각 t에서의 속도를 $v(t)$, 가속도를 $a(t)$라고 하면
$v(t)=x'(t)=\pi+2\pi\sin \pi t$
$a(t)=v'(t)=2\pi^2 \cos \pi t$
$v(1)=\pi+2\pi\sin \pi=\pi$,
$a(1)=2\pi^2\cos \pi=-2\pi^2$
이므로 $t=1$에서의 속도와 가속도의 곱은
$\pi \times (-2\pi^2)=-2\pi^3$
따라서 $p=-2, q=3$이므로
$p^2 q=(-2)^2 \times 3=12$

답 12

176

점 P의 시각 t에서의 속도를 $v(t)$, 가속도를 $a(t)$라고 하면
$$v(t)=x'(t)=at+\frac{b}{t}$$
$$a(t)=v'(t)=a-\frac{b}{t^2}$$
$t=2$에서의 속도가 $\dfrac{7}{2}$이므로
$v(2)=2a+\dfrac{b}{2}=\dfrac{7}{2}$ $\therefore 4a+b=7$ $\cdots\cdots$ ㉠
$t=2$에서의 가속도가 $\dfrac{9}{4}$이므로
$a(2)=a-\dfrac{b}{4}=\dfrac{9}{4}$ $\therefore 4a-b=9$ $\cdots\cdots$ ㉡
㉠, ㉡을 연립하여 풀면
$a=2, b=-1$
$\therefore a+b=2+(-1)=1$

답 1

177

$x=\dfrac{1}{4}e^{2(t-3)}-at, y=be^{t-3}$에서
$\dfrac{dx}{dt}=\dfrac{1}{2}e^{2(t-3)}-a, \dfrac{dy}{dt}=be^{t-3}$
이므로 점 P의 속도는 $\left(\dfrac{1}{2}e^{2(t-3)}-a, be^{t-3} \right)$
시각 $t=3$에서의 점 P의 속도는 $\left(\dfrac{1}{2}-a, b \right)$이므로
$\dfrac{1}{2}-a=\dfrac{3}{2}, b=2$ $\therefore a=-1, b=2$
$\therefore a+b=-1+2=1$

답 1

178

$x=t^2-4t+3, y=-t^2+5t+1$에서
$\dfrac{dx}{dt}=2t-4, \dfrac{dy}{dt}=-2t+5$
이므로 점 P의 속도는 $(2t-4, -2t+5)$
점 P의 속력은
$$\sqrt{(2t-4)^2+(-2t+5)^2}=\sqrt{8t^2-36t+41}=\sqrt{8\left(t-\frac{9}{4}\right)^2+\frac{1}{2}}$$

따라서 점 P의 속력은 $t=\dfrac{9}{4}$일 때 최소이고 최솟값은 $\sqrt{\dfrac{1}{2}}=\dfrac{\sqrt{2}}{2}$ 이다.

답 ③

179

$x=at^2-a\sin t,\ y=t-a\cos t$에서

$\dfrac{dx}{dt}=2at-a\cos t,\ \dfrac{dy}{dt}=1+a\sin t$

$\dfrac{d^2x}{dt^2}=2a+a\sin t,\ \dfrac{d^2y}{dt^2}=a\cos t$

이므로 점 P의 가속도는 $(2a+a\sin t,\ a\cos t)$

$t=\pi$에서의 점 P의 가속도는 $(2a,\ -a)$이고 가속도의 크기는 $\sqrt{10}$ 이므로

$\sqrt{(2a)^2+(-a)^2}=\sqrt{5}a=\sqrt{10}\ (\because a>0)$

$\therefore a=\sqrt{2}$

답 $\sqrt{2}$

180

$f(x)=5xe^x$이라고 하면

$f'(x)=5e^x+5xe^x=5e^x(1+x)$

접점의 좌표를 $(t,\ 5te^t)$이라고 하면 이 점에서의 접선의 기울기는 $f'(t)=5e^t(1+t)$이므로 접선의 방정식은

$y-5te^t=5e^t(1+t)(x-t)$

이 직선이 점 $(1,\ 0)$을 지나므로

$-5te^t=5e^t(1+t)(1-t),\ 5e^t(t^2-t-1)=0$

$\therefore t^2-t-1=0\ (\because e^t>0)$

이 이차방정식의 두 근을 $\alpha,\ \beta$라고 하면 근과 계수의 관계에 의하여

$\alpha+\beta=1,\ \alpha\beta=-1$

두 접선의 기울기는 각각 $5e^\alpha(1+\alpha),\ 5e^\beta(1+\beta)$이므로 두 접선의 기울기의 곱은

$5e^\alpha(1+\alpha)\times5e^\beta(1+\beta)=25e^{\alpha+\beta}(\alpha\beta+\alpha+\beta+1)$

$\qquad\qquad\qquad\qquad\qquad=25e^1(-1+1+1)=25e$

답 ③

181

$f(x)=(2x+k)e^{-x}$이라고 하면

$f'(x)=2e^{-x}+(2x+k)\times(-e^{-x})=-e^{-x}(2x+k-2)$

접점의 좌표를 $(t,\ (2t+k)e^{-t})$이라고 하면 이 점에서의 접선의 기울기는 $f'(t)=-e^{-t}(2t+k-2)$이므로 접선의 방정식은

$y-(2t+k)e^{-t}=-e^{-t}(2t+k-2)(x-t)$

이 직선이 원점을 지나므로

$-(2t+k)e^{-t}=-e^{-t}(2t+k-2)\times(-t)$

$e^{-t}(2t^2+kt+k)=0$

$\therefore 2t^2+kt+k=0\ (\because e^{-t}>0)$ ...... ㉠

원점에서 곡선 $y=(2x+k)e^{-x}$에 적어도 한 개의 접선을 그으려면 방정식 ㉠이 실근을 가져야 하므로 ㉠의 판별식을 D라고 하면

$D=k^2-4\times2\times k\geq0$

$k^2-8k\geq0,\ k(k-8)\geq0$

$\therefore k\leq0$ 또는 $k\geq8$

따라서 구하는 자연수 k의 최솟값은 8이다.

답 ③

182

$f(x)=\sin x+\cos x$에서

$f'(x)=\cos x-\sin x$

$\qquad=\sqrt{2}\left(-\dfrac{\sqrt{2}}{2}\sin x+\dfrac{\sqrt{2}}{2}\cos x\right)$

$\qquad=\sqrt{2}\left(\cos\dfrac{3}{4}\pi\sin x+\sin\dfrac{3}{4}\pi\cos x\right)$

$\qquad=\sqrt{2}\sin\left(x+\dfrac{3}{4}\pi\right)$

접점의 좌표를 $(t,\ \sin t+\cos t)$라고 하면 접선의 기울기가 $\tan\dfrac{\pi}{4}=1$이므로

$f'(t)=\sqrt{2}\sin\left(t+\dfrac{3}{4}\pi\right)=1$

$\sin\left(t+\dfrac{3}{4}\pi\right)=\dfrac{\sqrt{2}}{2}$

이때 $0<t<2\pi$에서 $\dfrac{3}{4}\pi<t+\dfrac{3}{4}\pi<\dfrac{11}{4}\pi$이므로

$t+\dfrac{3}{4}\pi=\dfrac{9}{4}\pi$ $\quad\therefore t=\dfrac{3}{2}\pi$

따라서 접점의 좌표가 $\left(\dfrac{3}{2}\pi,\ \sin\dfrac{3}{2}\pi+\cos\dfrac{3}{2}\pi\right)$, 즉

$\left(\dfrac{3}{2}\pi,\ -1\right)$이므로 접선의 방정식은

$y-(-1)=x-\dfrac{3}{2}\pi$ $\quad\therefore y=x-\dfrac{3}{2}\pi-1$

즉, x절편은 $\dfrac{3}{2}\pi+1$이다.

답 ④

183

점 $A_n(x_n,\ y_n)$이 곡선 $xy=7$ 위의 점이므로

$x_ny_n=7$ $\qquad\therefore y_n=\dfrac{7}{x_n}$

$xy=7$의 양변을 x에 대하여 미분하면

$y+x\dfrac{dy}{dx}=0$ $\quad\therefore \dfrac{dy}{dx}=-\dfrac{y}{x}$ (단, $x\neq0$)

점 $A_n\left(x_n,\ \dfrac{7}{x_n}\right)$에서의 접선의 기울기는

$\dfrac{dy}{dx}=-\dfrac{\dfrac{7}{x_n}}{x_n}=-\dfrac{7}{x_n^2}$

이므로 접선의 방정식은

$y-\dfrac{7}{x_n}=-\dfrac{7}{x_n^2}(x-x_n)$ $\quad\therefore y=-\dfrac{7}{x_n^2}x+\dfrac{14}{x_n}$

이 직선의 x절편은 $2x_n$이므로 $B_{n+1}(2x_n,\ 0)$

즉, $x_{n+1}=2x_n$이므로 $y_{n+1}=\dfrac{7}{x_{n+1}}=\dfrac{7}{2x_n}=\dfrac{1}{2}y_n$

따라서 수열 $\{y_n\}$은 첫째항이 7이고 공비가 $\dfrac{1}{2}$인 등비수열이므로

$\displaystyle\sum_{n=1}^{\infty}y_n=\dfrac{7}{1-\dfrac{1}{2}}=14$

답 ④

$$y=f'(f(0))f'(0)x+f(f(0))$$

$$=f'(1)\times\left(-\frac{1}{4}\right)\times x+f(1)$$

$$=-2\times\left(-\frac{1}{4}\right)\times x+\frac{1}{4}$$

$$=\frac{1}{2}x+\frac{1}{4}$$

따라서 $a=\frac{1}{2}$, $b=\frac{1}{4}$이므로

$$2a+4b=2\times\frac{1}{2}+4\times\frac{1}{4}=2$$

답 2

184

$g(x)=f(x^2-3x)$에 $x=4$를 대입하면

$g(4)=f(4)=4$

$g(x)=f(x^2-3x)$의 양변을 x에 대하여 미분하면

$g'(x)=f'(x^2-3x)\times(2x-3)$

위의 식에 $x=4$를 대입하면

$g'(4)=5f'(4)=5\times4=20$

곡선 $y=g(x)$가 직선 $y=h(x)$와 점 $(4, g(4))$에서 접하므로 직선 $y=h(x)$는 곡선 $y=g(x)$ 위의 점 $(4, g(4))$에서의 접선이다.

곡선 $y=g(x)$ 위의 점 $(4, g(4))$에서의 접선의 방정식은

$y-g(4)=g'(4)(x-4)$

$y-4=20(x-4)$

$\therefore y=20x-76$

따라서 $h(x)=20x-76$이므로

$h(5)=20\times5-76=24$

답 ②

185

$x=t+2$에서 $\dfrac{dx}{dt}=1$

$y=-t^{-2}+\dfrac{5}{4}$에서 $\dfrac{dy}{dt}=2t^{-3}=\dfrac{2}{t^3}$

$\therefore \dfrac{dy}{dx}=\dfrac{\frac{dy}{dt}}{\frac{dx}{dt}}=\dfrac{2}{t^3}$ (단, $t\ne0$)

$g(x)=(f\circ f)(x)=f(f(x))$에서

$g'(x)=f'(f(x))f'(x)$

함수 $y=g(x)$의 그래프 위의 $x=0$인 점에서의 접선의 기울기는

$g'(0)=f'(f(0))f'(0)$이므로 접선의 방정식은

$y=g'(0)x+g(0)=f'(f(0))f'(0)x+f(f(0))$ ...... ㉠

$x=0$일 때 $t=-2$이므로

$f(0)=[y]_{t=-2}=-(-2)^{-2}+\dfrac{5}{4}=1$

$f'(0)=\left[\dfrac{dy}{dx}\right]_{t=-2}=\dfrac{2}{(-2)^3}=-\dfrac{1}{4}$

$x=1$일 때, $t=-1$이므로

$f(1)=[y]_{t=-1}=-(-1)^{-2}+\dfrac{5}{4}=\dfrac{1}{4}$

$f'(1)=\left[\dfrac{dy}{dx}\right]_{t=-1}=\dfrac{2}{(-1)^3}=-2$

186

$f(x)=x^3+16$이라고 하면

$f'(x)=3x^2$

원점에서 곡선 $y=x^3+16$에 그은 접선의 접점의 좌표를 (a, a^3+16)이라고 하면 접선의 기울기는 $f'(a)=3a^2$이므로 접선의 방정식은

$y-(a^3+16)=3a^2(x-a)$

이 직선이 원점을 지나므로

$-(a^3+16)=3a^2\times(-a)$, $a^3=8$

$\therefore a=2$

접점의 좌표는 $(2, 24)$이므로 접선과 x축의 양의 방향이 이루는 예각의 크기를 α라고 하면

$\tan\alpha=12$

한편 $g(x)=\ln x$라고 하면

$g'(x)=\dfrac{1}{x}$

원점에서 곡선 $y=\ln x$에 그은 접선의 접점을 $(b, \ln b)$라고 하면 접선의 기울기는 $g'(b)=\dfrac{1}{b}$이므로 접선의 방정식은

$y-\ln b=\dfrac{1}{b}(x-b)$

이 직선이 원점을 지나므로

$-\ln b=\dfrac{1}{b}\times(-b)$, $\ln b=1$

$\therefore b=e$

접점의 좌표는 $(e, 1)$이므로 접선과 x축의 양의 방향이 이루는 예각의 크기를 β라고 하면

$\tan\beta=\dfrac{1}{e}$

$\therefore \tan\theta=\tan(\alpha-\beta)$

$$=\dfrac{\tan\alpha-\tan\beta}{1+\tan\alpha\tan\beta}$$

$$=\dfrac{12-\dfrac{1}{e}}{1+12\times\dfrac{1}{e}}=\dfrac{12e-1}{e+12}$$

답 ④

187

$x = -2\sin\theta$에서 $\dfrac{dx}{d\theta} = -2\cos\theta$

$y = 4\cos\theta$에서 $\dfrac{dy}{d\theta} = -4\sin\theta$

$\therefore \dfrac{dy}{dx} = \dfrac{\dfrac{dy}{d\theta}}{\dfrac{dx}{d\theta}} = \dfrac{-4\sin\theta}{-2\cos\theta} = 2\tan\theta$ (단, $\cos\theta \neq 0$)

점 $P(-2\sin\theta, 4\cos\theta)$에서의 접선의 방정식은

$y - 4\cos\theta = 2\tan\theta\{x - (-2\sin\theta)\}$

$\therefore y = 2\tan\theta x + 4\tan\theta\sin\theta + 4\cos\theta$

$\quad = 2\tan\theta x + 4 \times \dfrac{\sin^2\theta + \cos^2\theta}{\cos\theta}$

$\quad = 2\tan\theta x + \dfrac{4}{\cos\theta}$

$\quad = 2\tan\theta x + 4\sec\theta$

$A(-2\csc\theta, 0)$, $B(0, 4\sec\theta)$ $(\sin\theta \neq 0)$이므로

$\triangle OAB = \dfrac{1}{2} \times |2\csc\theta| \times |4\sec\theta|$

$\quad = \dfrac{4}{|\sin\theta\cos\theta|}$ $\begin{matrix} 0 < |\sin 2\theta| \leq 1 \text{이므로} \\ \dfrac{1}{|\sin 2\theta|} \geq 1 \\ \therefore \dfrac{8}{|\sin 2\theta|} \geq 8 \end{matrix}$

$\quad = \dfrac{8}{|\sin 2\theta|} \geq 8$

따라서 삼각형 OAB의 넓이의 최솟값은 8이다.

답 ②

188

▶ 접근

점 $P(a, b)$에서의 접선과 직선 AP가 수직임을 이용하여 직선 AP의 방정식을 구하고 직선 AP의 y절편을 구한다.

곡선 $y = \cos 6x$ 위의 점 $P(a, b)$에서의 접선과 직선 AP는 서로 수직이다.

$f(x) = \cos 6x$라고 하면

$f'(x) = -6\sin 6x$

곡선 $y = \cos 6x$ 위의 점 $P(a, \cos 6a)$에서의 접선의 기울기가

$-6\sin 6a$이므로 직선 AP의 기울기는 $\dfrac{1}{6\sin 6a}$이다.

직선 AP의 방정식은

$y - \cos 6a = \dfrac{1}{6\sin 6a}(x - a)$

$\therefore y = \dfrac{1}{6\sin 6a}x - \dfrac{a}{6\sin 6a} + \cos 6a$

따라서 $f(a) = -\dfrac{a}{6\sin 6a} + \cos 6a$이므로

$\displaystyle\lim_{a \to 0+} f(a) = \lim_{a \to 0+}\left(-\dfrac{a}{6\sin 6a} + \cos 6a\right)$

$\quad = \displaystyle\lim_{a \to 0+}\left(-\dfrac{1}{36} \times \dfrac{6a}{\sin 6a} + \cos 6a\right)$

$\quad = -\dfrac{1}{36} \times 1 + 1 = \dfrac{35}{36}$

답 ⑤

189

$f(x) = a\ln x + x^2 - 8x$에서

$f'(x) = \dfrac{a}{x} + 2x - 8 = \dfrac{2x^2 - 8x + a}{x}$

구간 $(0, \infty)$에서 증가하려면 $f'(x) \geq 0$이어야 하므로

$x > 0$에서 $2x^2 - 8x + a \geq 0$이어야 한다.

$g(x) = 2x^2 - 8x + a$로 놓으면

$g(x) = 2(x-2)^2 - 8 + a$

함수 $g(x)$는 $x = 2$일 때 최솟값 $-8 + a$를 갖는다.

$x > 0$에서 $g(x) \geq 0$이 성립하려면

$g(2) = -8 + a \geq 0$ $\therefore a \geq 8$

따라서 실수 a의 최솟값은 8이다.

답 ④

190

$f(x) = e^{-x}(a + \cos x)$에서

$f'(x) = -e^{-x}(a + \cos x) + e^{-x} \times (-\sin x)$

$\quad = -e^{-x}(a + \cos x + \sin x)$

$e^{-x} > 0$이므로 모든 실수 x에 대하여 $f'(x) \leq 0$이 성립하려면

$a + \cos x + \sin x \geq 0$이어야 한다.

즉, $-\sin x - \cos x \leq a$

$-\sin x - \cos x = -(\sin x + \cos x) = -\sqrt{2}\sin\left(x + \dfrac{\pi}{4}\right)$

이고 $-1 \leq \sin\left(x + \dfrac{\pi}{4}\right) \leq 1$이므로

$-\sqrt{2} \leq -\sqrt{2}\sin\left(x + \dfrac{\pi}{4}\right) \leq \sqrt{2}$

$\therefore -\sqrt{2} \leq -\sin x - \cos x \leq \sqrt{2}$

$\therefore a \geq \sqrt{2}$

답 ④

191

$f(x) = ax - 9 + \ln(x^2 + 4)$에서

$f'(x) = a + \dfrac{2x}{x^2 + 4} = a + \dfrac{2}{x + \dfrac{4}{x}}$

이때 $x > 0$이므로 산술평균과 기하평균의 관계에 의하여

$x + \dfrac{4}{x} \geq 2\sqrt{x \times \dfrac{4}{x}} = 4$

$\left(\text{단, 등호는 } x = \dfrac{4}{x}, \text{ 즉 } x = 2 \text{일 때 성립한다.}\right)$

즉, $f'(x) = a + \dfrac{2}{x + \dfrac{4}{x}} \leq a + \dfrac{2}{4} = a + \dfrac{1}{2}$

함수 $f(x)$가 양의 실수 전체에서 감소하기 위해서는 $f'(x) \leq 0$이어야 하므로 $(f'(x)\text{의 최댓값}) \leq 0$

$a + \dfrac{1}{2} \leq 0$ $\therefore a \leq -\dfrac{1}{2}$

따라서 실수 a의 최댓값은 $-\dfrac{1}{2}$이다.

답 ②

192

$f(x)=\dfrac{x+1}{x^2+3}$에서

$$f'(x)=\dfrac{1\times(x^2+3)-(x+1)\times 2x}{(x^2+3)^2}$$
$$=\dfrac{-x^2-2x+3}{(x^2+3)^2}$$
$$=\dfrac{-(x+3)(x-1)}{(x^2+3)^2}$$

$f'(x)=0$에서 $x=-3$ 또는 $x=1$ $(\because x^2+3>0)$
함수 $f(x)$의 증가와 감소를 표로 나타내면 다음과 같다.

x	$\cdots$	-3	$\cdots$	1	$\cdots$
$f'(x)$	$-$	0	$+$	0	$-$
$f(x)$	$\searrow$	$-\dfrac{1}{6}$	$\nearrow$	$\dfrac{1}{2}$	$\searrow$

즉, $-3<x<1$일 때 $f'(x)>0$이고 $-\dfrac{1}{6}<f(x)<\dfrac{1}{2}$이므로
$f'(f(x))>0$이다.
$g(x)=(f\circ f)(x)=f(f(x))$에서
$g'(x)=f'(f(x))f'(x)$
이때 $f'(x)$와 $g'(x)$의 부호는 동일하므로 함수 $g(x)$가 증가하는
구간은 $-3<x<1$이다.
따라서 $\alpha=-3$, $\beta=1$이므로
$\alpha\beta=-3\times 1=-3$

답 -3

193

$f(x)=\dfrac{e^{ax}}{x+2}$에서

$$f'(x)=\dfrac{ae^{ax}(x+2)-e^{ax}\times 1}{(x+2)^2}$$
$$=\dfrac{e^{ax}(ax+2a-1)}{(x+2)^2}$$

구간 $(2,\infty)$에 증가하려면 $f'(x)\geq 0$이어야 하고 $e^{ax}>0$이므로
$ax+2a-1\geq 0$이어야 한다.
$g(x)=ax+2a-1$로 놓으면
$y=ax+2a-1$에서 $a(x+2)-(y+1)=0$
$\therefore x=-2$, $y=-1$
직선 $y=g(x)$는 a의 값에 관계없이
점 $(-2,-1)$을 지나므로 $x>2$일 때
$g(x)\geq 0$이려면 $a>0$, $g(2)\geq 0$이어
야 한다.

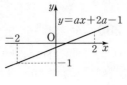

$g(2)\geq 0$에서 $4a-1\geq 0$ $\therefore a\geq \dfrac{1}{4}$
따라서 실수 a의 최솟값은 $\dfrac{1}{4}$이다.

답 ②

참고

정점을 지나는 직선의 방정식
직선 $m(x-a)+(y-b)=0$은 m의 값에 관계없이 항상 점 (a,b)
를 지난다.

194

ㄱ, ㄴ, ㄷ의 함수는 모두 닫힌구간 $\left[0,\dfrac{\pi}{2}\right]$에서 연속이고 열린구간
$\left(0,\dfrac{\pi}{2}\right)$에서 미분가능하므로 평균값 정리에 의하여
$\dfrac{f(b)-f(a)}{b-a}=f'(x_1)$인 x_1이 구간 (a,b)에 존재하고,
$\dfrac{f(c)-f(b)}{c-b}=f'(x_2)$인 x_2가 구간 (b,c)에 존재한다.
따라서 주어진 조건으로부터 $0<x_1<x_2<\dfrac{\pi}{2}$인 x_1, x_2에 대하여
$f'(x_1)<f'(x_2)$가 성립하므로 $0<x<\dfrac{\pi}{2}$에서 $f'(x)$는 증가하는 함
수이어야 한다.
ㄱ은 옳다.
$\quad f(x)=e^x-2x$에서
$\quad f'(x)=e^x-2$, $f''(x)=e^x$
$\quad 0<x<\dfrac{\pi}{2}$에서 $f''(x)>0$이므로 $f'(x)$는 증가하는 함수이다.
ㄴ도 옳다.
$\quad f(x)=\ln\dfrac{1}{x+1}$에서
$\quad f'(x)=-\dfrac{1}{x+1}$, $f''(x)=\dfrac{1}{(x+1)^2}$
$\quad 0<x<\dfrac{\pi}{2}$에서 $f''(x)>0$이므로 $f'(x)$는 증가하는 함수이다.
ㄷ은 옳지 않다.
$\quad f(x)=x+\cos x$에서
$\quad f'(x)=1-\sin x$, $f''(x)=-\cos x$
$\quad 0<x<\dfrac{\pi}{2}$에서 $f''(x)<0$이므로 $f'(x)$는 감소하는 함수이다.
따라서 옳은 것은 ㄱ, ㄴ이다.

답 ③

195

접근

함수 $f(x)$의 역함수가 존재하려면 $f(x)$는 실수 전체의 집합에서 증
가함을 이용한다.

$\displaystyle\lim_{x\to\infty}f(x)=\infty$이므로 함수 $f(x)$의 역함수가 존재하려면 $f(x)$는
실수 전체의 집합에서 증가해야 한다.
$f(x)=(x^2+ax+b)e^x$에서
$f'(x)=(2x+a)e^x+(x^2+ax+b)e^x$
$\quad\quad=\{x^2+(2+a)x+a+b\}e^x$
$f'(x)\geq 0$이어야 하므로
$x^2+(2+a)x+a+b\geq 0$ $(\because e^x>0)$
이차방정식 $x^2+(2+a)x+a+b=0$의 판별식을 D라고 하면
$D=(2+a)^2-4(a+b)=a^2-4b+4\leq 0$
$\therefore b\geq \dfrac{1}{4}a^2+1$

$a=1$일 때 $b\geq\dfrac{5}{4}$이므로 $b=2,3,4,5$

$a=2$일 때 $b\geq 2$이므로 $b=2,3,4,5$

$a=3$일 때 $b\geq\dfrac{13}{4}$이므로 $b=4,5$

$a=4$일 때 $b\geq 5$이므로 $b=5$

$a=5$일 때 $b\geq\dfrac{29}{4}$이므로 조건을 만족시키는 b는 없다.

따라서 순서쌍 (a,b)의 개수는

$4+4+2+1=11$

답 ④

참고

역함수가 존재할 조건

함수 $f(x)$의 역함수가 존재하려면 $f(x)$는 일대일대응이므로 실수 전체의 집합에서 증가하거나 감소해야 한다.

196

$f(x)=4e^x+ae^{-x}$에서

$f'(x)=4e^x-ae^{-x}=(4e^{2x}-a)e^{-x}$

$f'(x)=0$에서 $4e^{2x}-a=0\ (\because e^{-x}>0)$

$e^{2x}=\dfrac{a}{4},\ e^x=\dfrac{\sqrt{a}}{2}$ $\therefore x=\ln\dfrac{\sqrt{a}}{2}$

함수 $f(x)$의 증가와 감소를 표로 나타내면 오른쪽과 같다.

x	$\cdots$	$\ln\dfrac{\sqrt{a}}{2}$	$\cdots$
$f'(x)$	$-$	0	$+$
$f(x)$	$\searrow$	$4\sqrt{a}$	$\nearrow$

ㄱ은 옳지 않다.

함수 $f(x)$는 극솟값만 갖는다.

ㄴ은 옳다.

함수 $f(x)$의 극솟값은 $f\left(\ln\dfrac{\sqrt{a}}{2}\right)=4\sqrt{a}$이다.

ㄷ도 옳다.

$\ln\dfrac{\sqrt{a}}{2}=1$에서

$\dfrac{\sqrt{a}}{2}=e,\ \sqrt{a}=2e$ $\therefore a=4e^2$

따라서 옳은 것은 ㄴ, ㄷ이다.

답 ⑤

197

$y=x^x$의 양변에 자연로그를 취하면

$\ln y=x\ln x$

이 식의 양변을 x에 대하여 미분하면

$\dfrac{y'}{y}=\ln x+x\times\dfrac{1}{x}=\ln x+1$

$y'=y(\ln x+1)=x^x(\ln x+1)$

$y'=0$에서 $\ln x+1=0\ (\because x>0)$

$\ln x=-1$ $\therefore x=\dfrac{1}{e}$

$x>0$에서 함수 $f(x)$의 증가와 감소를 표로 나타내면 다음과 같다.

x	(0)	$\cdots$	$\dfrac{1}{e}$	$\cdots$
y'		$-$	0	$+$
y		$\searrow$	$\left(\dfrac{1}{e}\right)^{\frac{1}{e}}$	$\nearrow$

즉, 함수 $y=x^x$은 $x=\dfrac{1}{e}$에서 극솟값 $\left(\dfrac{1}{e}\right)^{\frac{1}{e}}$을 가지므로

$a=\dfrac{1}{e},\ b=\left(\dfrac{1}{e}\right)^{\frac{1}{e}}$

$\therefore ab=\dfrac{1}{e}\times\left(\dfrac{1}{e}\right)^{\frac{1}{e}}=\left(\dfrac{1}{e}\right)^{\frac{1}{e}+1}=e^{-\frac{1}{e}-1}$

답 ①

198

$f(x)=\dfrac{a}{x}-\ln x^3+x$에서 $x>0$이고

$f'(x)=-\dfrac{a}{x^2}-\dfrac{3}{x}+1=\dfrac{x^2-3x-a}{x^2}$

함수 $f(x)$가 극댓값과 극솟값을 모두 가지려면 이차방정식 $x^2-3x-a=0$이 $x>0$에서 서로 다른 두 실근을 가져야 한다.

(i) 이차방정식 $x^2-3x-a=0$의 판별식을 D라고 하면

$D=(-3)^2-4\times(-a)=9+4a>0$

$\therefore a>-\dfrac{9}{4}$

(ii) (두 근의 합) $=3>0$

(iii) (두 근의 곱) $=-a>0$ $\therefore a<0$

└─ $x>0$이므로 두 근의 곱은 양수이다.

(i), (ii), (iii)에서 $-\dfrac{9}{4}<a<0$

따라서 정수 a는 $-2,\ -1$이므로 구하는 합은

$-2+(-1)=-3$

답 -3

199

$f(x)=ax+4\sin x$에서

$f'(x)=a+4\cos x$

함수 $f(x)$가 극값을 갖지 않으려면 모든 실수 x에 대하여

$f'(x)\leq 0$ 또는 $f'(x)\geq 0$이어야 한다.

이때 $-1\leq\cos x\leq 1$이므로 $-4\leq 4\cos x\leq 4$

$a-4\leq a+4\cos x\leq a+4$ $\therefore a-4\leq f'(x)\leq a+4$

이때 $a+4\leq 0$ 또는 $a-4\geq 0$이어야 하므로

$a\leq -4$ 또는 $a\geq 4$

따라서 자연수 a의 최솟값은 4이다.

답 ④

200

$f(x)=2\sin(\pi\sin x)$에서

$f'(x)=2\cos(\pi\sin x)\times\pi\cos x$

$f'(x)=0$에서

$\cos(\pi\sin x)=0$ 또는 $\cos x=0$

(i) $\cos(\pi\sin x)=0$일 때

$\pi\sin x=-\dfrac{\pi}{2}$ 또는 $\pi\sin x=\dfrac{\pi}{2}\ (\because -\pi\leq\pi\sin x\leq\pi)$

└─ $0<x<2\pi$이므로
$-1\leq\sin x\leq 1$
$\therefore -\pi\leq\pi\sin x\leq\pi$

$\sin x=-\dfrac{1}{2}$ 또는 $\sin x=\dfrac{1}{2}$

$\therefore x=\dfrac{\pi}{6}$ 또는 $x=\dfrac{5}{6}\pi$ 또는 $\dfrac{7}{6}\pi$ 또는 $\dfrac{11}{6}\pi$

(ii) $\cos x=0$일 때, $x=\dfrac{\pi}{2}$ 또는 $x=\dfrac{3}{2}\pi$

(i), (ii)에서 극값을 갖는 점의 좌표는

$\left(\dfrac{\pi}{6},\,2\right)$, $\left(\dfrac{\pi}{2},\,0\right)$, $\left(\dfrac{5}{6}\pi,\,2\right)$, $\left(\dfrac{7}{6}\pi,\,-2\right)$, $\left(\dfrac{3}{2}\pi,\,0\right)$, $\left(\dfrac{11}{6}\pi,\,-2\right)$

이때 직선이 두 점 $\left(\dfrac{\pi}{2},\,0\right)$, $\left(\dfrac{5}{6}\pi,\,2\right)$ 또는 두 점 $\left(\dfrac{7}{6}\pi,\,-2\right)$,

$\left(\dfrac{3}{2}\pi,\,0\right)$을 지날 때 기울기가 최대이므로

$M=\dfrac{2}{\dfrac{\pi}{3}}=\dfrac{6}{\pi}$

직선이 두 점 $\left(\dfrac{5}{6}\pi,\,2\right)$, $\left(\dfrac{7}{6}\pi,\,-2\right)$를 지날 때 기울기가 최소이므로

$m=\dfrac{-4}{\dfrac{\pi}{3}}=-\dfrac{12}{\pi}$

$\therefore M+m=\dfrac{6}{\pi}+\left(-\dfrac{12}{\pi}\right)=-\dfrac{6}{\pi}$

답 $-\dfrac{6}{\pi}$

201

▶ 접근

함수 $f(x)$가 극솟값을 가질 때의 x의 값의 규칙을 찾는다.

$f(x)=e^{-x}(\sin x+\cos x)$에서

$f'(x)=-e^{-x}(\sin x+\cos x)+e^{-x}(\cos x-\sin x)$
$\quad\quad=-2e^{-x}\sin x$

$f''(x)=2e^{-x}\sin x-2e^{-x}\cos x$
$\quad\quad=2e^{-x}(\sin x-\cos x)$

$f'(x)=0$에서

$\sin x=0\ (\because e^{-x}>0)$

$\therefore x=n\pi\ (n=1,\,2,\,3,\,\cdots)$

$x>0$에서 함수 $f(x)$의 증가와 감소를 표로 나타내면 다음과 같다.

x	(0)	$\cdots$	π	$\cdots$	2π	$\cdots$	3π	$\cdots$	4π	$\cdots$
$f'(x)$		$-$	0	$+$	0	$-$	0	$+$	0	$-$
$f(x)$		$\searrow$	$-e^{-\pi}$	$\nearrow$	$e^{-2\pi}$	$\searrow$	$-e^{-3\pi}$	$\nearrow$	$e^{-4\pi}$	$\searrow$

(i) $x=(2m-1)\pi\,(m$은 자연수$)$일 때

$\sin(2m-1)\pi=0,\ \cos(2m-1)\pi=-1$이므로

$f''(x)>0$

따라서 함수 $f(x)$는 극솟값을 갖는다.

(ii) $x=2m\pi\,(m$은 자연수$)$일 때

$\sin 2m\pi=0,\ \cos 2m\pi=1$이므로

$f''(x)<0$

따라서 함수 $f(x)$는 극댓값을 갖는다.

(i), (ii)에서 함수 $f(x)$가 극소일 때의 x의 값은

$\pi,\,3\pi,\,5\pi,\,\cdots$, 즉 $x_1=\pi,\ x_2=3\pi,\,\cdots$이므로

$x_{10}=19\pi,\ x_{20}=39\pi$

따라서 $x_{20}-x_{10}=39\pi-19\pi=20\pi$이므로

$a=20$

답 ④

202

$f'(x)=-\dfrac{4}{3}e^{2x}\sin 2x+2f(x)$에서

$f''(x)=-\dfrac{8}{3}e^{2x}\sin 2x-\dfrac{8}{3}e^{2x}\cos 2x+2f'(x)$

$\quad\quad=-\dfrac{8}{3}e^{2x}\sin 2x-\dfrac{8}{3}e^{2x}\cos 2x+2\left\{-\dfrac{4}{3}e^{2x}\sin 2x+2f(x)\right\}$

$\quad\quad=-\dfrac{16}{3}e^{2x}\sin 2x-\dfrac{8}{3}e^{2x}\cos 2x+4f(x)$

이고 $f''(x)=-\dfrac{16}{3}e^{2x}\sin 2x+\dfrac{8}{3}e^{2x}$이므로

$-\dfrac{8}{3}e^{2x}\cos 2x+4f(x)=\dfrac{8}{3}e^{2x}$

$\therefore f(x)=\dfrac{2}{3}e^{2x}\cos 2x+\dfrac{2}{3}e^{2x}$

$f'(x)=\dfrac{4}{3}e^{2x}\cos 2x-\dfrac{4}{3}e^{2x}\sin 2x+\dfrac{4}{3}e^{2x}$

$\quad\quad=\dfrac{4}{3}e^{2x}(\cos 2x-\sin 2x+1)$

$f'(x)=0$에서 $\cos 2x-\sin 2x+1=0\ (\because e^{2x}>0)$

$\sin 2x-\cos 2x=1,\ \sqrt{2}\sin\left(2x-\dfrac{\pi}{4}\right)=1$

$\therefore \sin\left(2x-\dfrac{\pi}{4}\right)=\dfrac{\sqrt{2}}{2}$

$0<x<\pi$에서 $-\dfrac{\pi}{4}<2x-\dfrac{\pi}{4}<\dfrac{7}{4}\pi$이므로

$2x-\dfrac{\pi}{4}=\dfrac{\pi}{4}$ 또는 $2x-\dfrac{\pi}{4}=\dfrac{3}{4}\pi$

$\therefore x=\dfrac{\pi}{4}$ 또는 $x=\dfrac{\pi}{2}$

$f''\left(\dfrac{\pi}{4}\right)=-\dfrac{8}{3}e^{\frac{\pi}{2}}<0,\ f''\left(\dfrac{\pi}{2}\right)=\dfrac{8}{3}e^{\pi}>0$이므로 구하는 극댓값은

$f\left(\dfrac{\pi}{4}\right)=\dfrac{2}{3}e^{\frac{\pi}{2}}$

답 ④

203

$f(x)=2x^2+a\ln(x+1)$에서 ┌ 진수 조건에서 $x+1>0$ $\therefore x>-1$

$f'(x)=4x+\dfrac{a}{x+1}=\dfrac{4x^2+4x+a}{x+1}$

ㄱ은 옳지 않다.

$g(x)=4x^2+4x+a$라고 하면

$g(x)=4\left(x+\dfrac{1}{2}\right)^2-1+a$

$a=\dfrac{1}{5}$일 때 $x>-1$에서 함수

$g(x)=4\left(x+\dfrac{1}{2}\right)^2-\dfrac{4}{5}$의 그래프는

오른쪽 그림과 같다.

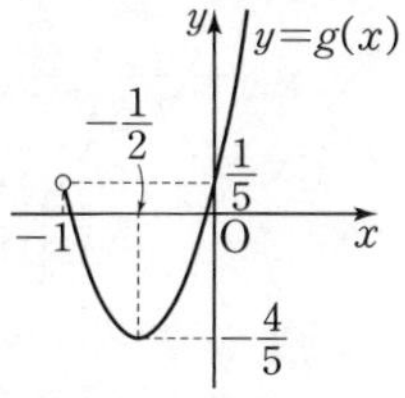

이때

$-\dfrac{1}{2}-\dfrac{\sqrt{5}}{5}<x<-\dfrac{1}{2}+\dfrac{\sqrt{5}}{5}$에서 ┌ $g(x)=0$에서

$g(x)<0$이므로 $\quad 4\left(x+\dfrac{1}{2}\right)^2-\dfrac{4}{5}=0$

$f'(x)=\dfrac{g(x)}{x+1}<0\ (\because x>-1)$ $\quad \left(x+\dfrac{1}{2}\right)^2=\dfrac{1}{5}$

ㄴ은 옳다.

ㄱ에서 $g(x)=4x^2+4x+a$이므로 $\quad x+\dfrac{1}{2}=\pm\dfrac{\sqrt{5}}{5}$

$g(-1)=g(0)=a<0$ $\quad\therefore x=-\dfrac{1}{2}\pm\dfrac{\sqrt{5}}{5}$

$x>-1$에서 함수

$g(x)=4\left(x+\dfrac{1}{2}\right)^2-1+a$의 그래프는

오른쪽 그림과 같다.

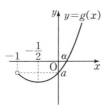

함수 $y=g(x)$의 그래프가 x축과 한 점에서 만나므로 교점의 x좌표를 α라고 하면 $x=\alpha$의 좌우에서 $g(x)$의 부호가 음에서 양으로 바뀐다.

$f'(x)=\dfrac{g(x)}{x+1}$이므로 $f'(\alpha)=\dfrac{g(\alpha)}{\alpha+1}=0$이고 $x=\alpha$의 좌우에서 $f'(x)$의 부호가 음에서 양으로 바뀌므로 함수 $f(x)$는 $x=\alpha$에서 오직 하나의 극솟값을 갖는다.

ㄷ도 옳다.

함수 $f(x)$의 극값의 개수가 2이려면 방정식 $f'(x)=0$, 즉 $g(x)=0$이 $x>-1$에서 서로 다른 두 실근을 갖고 이 값의 좌우에서 $f'(x)$, 즉 $g(x)$의 부호가 바뀌어야 한다.

$g\left(-\dfrac{1}{2}\right)<0$, $g(-1)>0$이어야 하므로

$g\left(-\dfrac{1}{2}\right)<0$에서 $-1+a<0$ $\therefore a<1$

$g(-1)>0$에서 $a>0$

$\therefore 0<a<1$

따라서 함수 $f(x)$의 극값의 개수가 2가 되도록 하는 a의 값의 범위는 $0<a<1$이다.

따라서 옳은 것은 ㄴ, ㄷ이다.

답 ④

204

$a=-1$이면 $f(x)=\dfrac{(x+1)^2}{x+1}=x+1$

구간 $[0, 2)$에서 함수 $f(x)$는 증가하므로 $x=0$에서 극댓값을 갖지 않는다. 즉, 주어진 조건을 만족시키지 않으므로 $a\neq-1$

$f(x)=\dfrac{(x-a)^2}{x+1}$에서

$f'(x)=\dfrac{2(x-a)(x+1)-(x-a)^2\times1}{(x+1)^2}$

$=\dfrac{(x-a)(x+2+a)}{(x+1)^2}$

$f'(x)=0$에서 $x=a$ 또는 $x=-a-2$

$a\neq-1$이므로 $a\neq-a-2$

(i) $a<-a-2$, 즉 $a<-1$일 때

$x=-a-2$의 좌우에서 $f'(x)$의 부호가 음에서 양으로 바뀌므로 $x=-a-2$에서 $f(x)$는 극솟값을 갖는다.

구간 $[0, 2)$에서 함수 $f(x)$가 극솟값을 가지려면 함수 $f(x)$는 $x=0$에서 극댓값을 가지므로 구간 $(0, 2)$에서 극솟값을 가져야 한다.

즉, $0<-a-2<2$이어야 하므로 $-4<a<-2$

a는 정수이므로 $a=-3$

(ii) $a>-a-2$, 즉 $a>-1$일 때

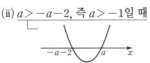

$x=a$의 좌우에서 $f'(x)$의 부호가 음에서 양으로 바뀌므로 $x=a$에서 $f(x)$는 극솟값을 갖는다.

구간 $[0, 2)$에서 함수 $f(x)$가 극솟값을 가지려면 함수 $f(x)$는 $x=0$에서 극댓값을 가지므로 구간 $(0, 2)$에서 극솟값을 가져야 한다.

즉, $0<a<2$이어야 하고 a는 정수이므로 $a=1$

(i), (ii)에서 $a=-3$ 또는 $a=1$

따라서 구하는 정수 a의 값의 곱은

$-3\times1=-3$

답 ①

참고

$a=-3$일 때, 함수 $y=f(x)$의 그래프가 오른쪽 그림과 같이 $x=0$에서 극댓값을 갖는다.

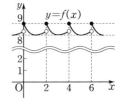

$a=1$일 때, 함수 $y=f(x)$의 그래프가 오른쪽 그림과 같이 $x=0$에서 극댓값을 갖는다.

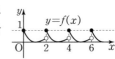

205

점 $(t, 4t^3)$과 직선 $y=x+3$, 즉 $x-y+3=0$ 사이의 거리 $g(t)$는

$g(t)=\dfrac{|t-4t^3+3|}{\sqrt{1^2+(-1)^2}}=\dfrac{|4t^3-t-3|}{\sqrt{2}}$

이때 $4t^3-t-3=(t-1)(4t^2+4t+3)$이고 $4t^2+4t+3>0$이므로

$g(t)=\begin{cases}\dfrac{4t^3-t-3}{\sqrt{2}} & (t\geq1)\\[2mm]\dfrac{-4t^3+t+3}{\sqrt{2}} & (t<1)\end{cases}$에서

$g'(t)=\begin{cases}\dfrac{12t^2-1}{\sqrt{2}} & (t>1)\\[2mm]\dfrac{-12t^2+1}{\sqrt{2}} & (t<1)\end{cases}$

(i) $t>1$일 때 $\dfrac{12t^2-1}{\sqrt{2}}>0$

(ii) $t<1$일 때 $\dfrac{-12t^2+1}{\sqrt{2}}=0$에서

$-12t^2+1=0$, $t^2=\dfrac{1}{12}$

$\therefore t=-\dfrac{\sqrt{3}}{6}$ 또는 $t=\dfrac{\sqrt{3}}{6}$

또, $\lim\limits_{t\to1-}g(t)=\lim\limits_{t\to1+}g(t)=g(1)$이므로 함수 $g(t)$는 실수 전체의 집합에서 연속이다.

함수 $g(t)$의 증가와 감소를 표로 나타내면 다음과 같다.

t	$\cdots$	$-\dfrac{\sqrt{3}}{6}$	$\cdots$	$\dfrac{\sqrt{3}}{6}$	$\cdots$	1	$\cdots$
$g'(t)$	$-$	0	$+$	0	$-$		$+$
$g(t)$	↘	극소	↗	극대	↘	극소	↗

즉, 함수 $g(t)$는 $t=-\dfrac{\sqrt{3}}{6}$, $t=1$에서 극솟값, $t=\dfrac{\sqrt{3}}{6}$에서 극댓값을 갖는다.

따라서 함수 $g(t)$가 극값을 갖게 되는 모든 t의 값의 합은

$$-\frac{\sqrt{3}}{6}+1+\frac{\sqrt{3}}{6}=1$$

답 1

206

$f(x)=\left(\ln\dfrac{k}{x}\right)^2$이라고 하면

$f(x)=\left(\ln\dfrac{k}{x}\right)^2=(\ln k-\ln x)^2$

$f'(x)=2(\ln k-\ln x)\times\left(-\dfrac{1}{x}\right)$

$\qquad=\dfrac{2(\ln x-\ln k)}{x}$

$f''(x)=\dfrac{\dfrac{2}{x}\times x-2(\ln x-\ln k)\times 1}{x^2}$

$\qquad=\dfrac{-2(\ln x-\ln k-1)}{x^2}$

$f''(x)=0$에서 $\ln x-\ln k-1=0$ ($\because x^2>0$)

$\ln x=\ln k+1=\ln ke$ $\quad\therefore x=ke$

즉, 변곡점의 좌표는 $(ke, 1)$이므로 변곡점에서의 접선의 기울기는

$f'(ke)=\dfrac{2}{ke}$이고 접선의 방정식은

$y-1=\dfrac{2}{ke}(x-ke)$ $\quad\therefore y=\dfrac{2}{ke}x-1$

이 접선이 점 $(4, 3)$을 지나므로

$3=\dfrac{8}{ke}-1$ $\quad\therefore k=\dfrac{2}{e}$

답 ③

207

$f(x)=\dfrac{2}{x^2+1}$에서

$f'(x)=-\dfrac{4x}{(x^2+1)^2}$

$f''(x)=-\dfrac{4(x^2+1)^2-4x\times 2(x^2+1)\times 2x}{(x^2+1)^4}$

$\qquad=\dfrac{4(3x^2-1)}{(x^2+1)^3}$

$f'(x)=0$에서 $x=0$이고, $x=0$의 좌우에서 $f'(x)$의 부호가 바뀌므로 $f(x)$는 $x=0$에서 극값을 갖는다.

이때 $f(0)=2$이므로 $A(0, 2)$

$f''(x)=0$에서 $3x^2-1=0$, $x^2=\dfrac{1}{3}$

$\therefore x=-\dfrac{\sqrt{3}}{3}$ 또는 $x=\dfrac{\sqrt{3}}{3}$

$x=-\dfrac{\sqrt{3}}{3}$, $x=\dfrac{\sqrt{3}}{3}$의 좌우에서 $f''(x)$의 부호가 바뀌므로 변곡점

B, C의 좌표는 $\left(-\dfrac{\sqrt{3}}{3}, \dfrac{3}{2}\right), \left(\dfrac{\sqrt{3}}{3}, \dfrac{3}{2}\right)$

따라서 오른쪽 그림에서

$\triangle ABC=\dfrac{1}{2}\times\dfrac{2\sqrt{3}}{3}\times\dfrac{1}{2}=\dfrac{\sqrt{3}}{6}$

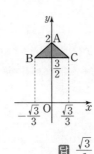

답 $\dfrac{\sqrt{3}}{6}$

208

$\dfrac{f(a+h)-f(a)}{h}<f'(a)$에서 $\dfrac{f(a+h)-f(a)}{h}$의 값은

함수 $f(x)$에서 x의 값이 a에서 $a+h$까지 변할 때의 평균변화율이고, $f'(a)$의 값은 곡선 $y=f(x)$ 위의 점 $(a, f(a))$에서의 접선의 기울기이다.

따라서 주어진 부등식을 만족시키는 함수 $y=f(x)$의 그래프는 오른쪽 그림과 같이 $x>0$에서 위로 볼록해야 한다.

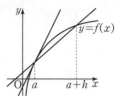

① $f(x)=\dfrac{4}{x}$에서

$\qquad f'(x)=-\dfrac{4}{x^2}, f''(x)=\dfrac{8}{x^3}$

$\qquad x>0$에서 $f''(x)>0$이므로 곡선 $y=f(x)$는 $x>0$에서 아래로 볼록하다.

② $f(x)=2x^2$에서 $f'(x)=4x, f''(x)=4$

$\qquad x>0$에서 $f''(x)>0$이므로 곡선 $y=f(x)$는 $x>0$에서 아래로 볼록하다.

③ $f(x)=3x^3$에서 $f'(x)=9x^2, f''(x)=18x$

$\qquad x>0$에서 $f''(x)>0$이므로 곡선 $y=f(x)$는 $x>0$에서 아래로 볼록하다.

④ $f(x)=2^x$에서 $f'(x)=2^x\ln x, f''(x)=2^x(\ln x)^2+\dfrac{2^x}{x}$

$\qquad x>0$에서 $f''(x)>0$이므로 곡선 $y=f(x)$는 $x>0$에서 아래로 볼록하다.

⑤ $f(x)=\ln x$에서 $f'(x)=\dfrac{1}{x}, f''(x)=-\dfrac{1}{x^2}$

$\qquad x>0$에서 $f''(x)<0$이므로 곡선 $y=f(x)$는 $x>0$에서 위로 볼록하다.

따라서 주어진 부등식을 만족시키는 함수는 ⑤이다.

답 ⑤

209

$f(x)=ax^2+5\sin x+x$에서

$f'(x)=2ax+5\cos x+1$

$f''(x)=2a-5\sin x$

함수 $y=f(x)$의 그래프가 변곡점을 가지려면 방정식 $f''(x)=0$이 실근을 갖고 그 근의 좌우에서 $f''(x)$의 부호가 바뀌어야 한다.

$f''(x)=0$에서 $2a-5\sin x=0$

$\therefore 5\sin x=2a$

이때 $-1\leq\sin x\leq 1$이므로

$-5\leq 5\sin x\leq 5$

$-5\leq 2a\leq 5$ $\quad\therefore -\dfrac{5}{2}\leq a\leq\dfrac{5}{2}$

(i) $a=-\dfrac{5}{2}$이면 $f''(x)=2a-5\sin x\leq 0$

(ii) $a=\dfrac{5}{2}$이면 $f''(x)=2a-5\sin x\geq 0$

즉, $a=-\dfrac{5}{2}$, $a=\dfrac{5}{2}$이면 $f''(x)=0$을 만족시키는 x의 값의 좌우에서 $f''(x)$의 부호가 바뀌지 않으므로 변곡점이 될 수 없다.

$\therefore -\dfrac{5}{2}<a<\dfrac{5}{2}$

답 ④

210

$f(x)=3x^n\left(\ln x-\dfrac{1}{n}\right)$이라고 하면

$f'(x)=3nx^{n-1}\left(\ln x-\dfrac{1}{n}\right)+3x^n\times\dfrac{1}{x}$

$\qquad=3nx^{n-1}\ln x$

$f''(x)=3n(n-1)x^{n-2}\ln x+3nx^{n-1}\times\dfrac{1}{x}$

$\qquad=3nx^{n-2}\{(n-1)\ln x+1\}$

$f''(x)=0$에서 $(n-1)\ln x+1=0$ ($\because x>0$)
$\qquad\qquad\qquad\qquad\qquad$└─ 로그의 진수 조건

$\ln x=\dfrac{1}{1-n}$ $\therefore x=e^{\frac{1}{1-n}}$

$x>e^{\frac{1}{1-n}}$일 때, $f''(x)>0$

$x<e^{\frac{1}{1-n}}$일 때, $f''(x)<0$

즉, $x=e^{\frac{1}{1-n}}$의 좌우에서 $f''(x)$의 부호가 바뀌므로

$a_n=e^{\frac{1}{1-n}},\ b_n=3e^{\frac{n}{1-n}}\left(\dfrac{1}{1-n}-\dfrac{1}{n}\right)$─$f(e^{\frac{1}{1-n}})$

$\therefore \displaystyle\lim_{n\to\infty}(a_n+b_n)$ $\qquad=3(e^{\frac{1}{1-n}})^n\left(\ln e^{\frac{1}{1-n}}-\dfrac{1}{n}\right)$

$\quad=\displaystyle\lim_{n\to\infty}a_n+\lim_{n\to\infty}b_n$ $\qquad=3e^{\frac{n}{1-n}}\left(\dfrac{1}{1-n}-\dfrac{1}{n}\right)$

$\quad=\displaystyle\lim_{n\to\infty}e^{\frac{1}{1-n}}+3\lim_{n\to\infty}e^{\frac{n}{1-n}}\left(\dfrac{1}{1-n}-\dfrac{1}{n}\right)$

$\quad=1+0=1$

답 1

211

$g(x)=\sin(x^2+ax+b)$이므로

$g'(x)=(2x+a)\cos(x^2+ax+b)$

조건 (가)에서 모든 실수 x에 대하여 $g'(-x)=-g'(x)$이므로

$x=0$을 대입하면 $g'(0)=-g'(0)$ $\therefore g'(0)=0$

$\therefore a\cos b=0$

$0<b<\dfrac{\pi}{2}$에서 $\cos b\neq 0$이므로 $a=0$

즉, $g(x)=\sin(x^2+b)$이고

$g'(x)=2x\cos(x^2+b)$이므로

$g''(x)=2\cos(x^2+b)-4x^2\sin(x^2+b)$

조건 (나)에서 점 $(k,g(k))$는 곡선 $y=g(x)$의 변곡점이므로

$g''(k)=0$

$2\cos(k^2+b)-4k^2\sin(k^2+b)=0$ $\qquad$ ······ ㉠

$k=0$이면 $0<b<\dfrac{\pi}{2}$에서 $\cos b\neq 0$이므로 ㉠이 성립하지 않고,

$\cos(k^2+b)=0$이면 ㉠에서 $\sin(k^2+b)=0$이므로

$\sin^2(k^2+b)+\cos^2(k^2+b)=1$이 성립하지 않는다.

$\therefore k\neq 0,\ \cos(k^2+b)\neq 0$

㉠에서 $\tan(k^2+b)=\dfrac{1}{2k^2}$ $\qquad$ ······ ㉡

조건 (나)에서 $2kg(k)=\sqrt{3}\,g'(k)$이므로

$2k\sin(k^2+b)=2\sqrt{3}k\cos(k^2+b)$

$\therefore \tan(k^2+b)=\sqrt{3}$ $\qquad$ ······ ㉢

㉡, ㉢에서 $\dfrac{1}{2k^2}=\sqrt{3}$

$\therefore k^2=\dfrac{\sqrt{3}}{6}$

$k^2=\dfrac{\sqrt{3}}{6}$을 ㉢에 대입하면 $\tan\left(\dfrac{\sqrt{3}}{6}+b\right)=\sqrt{3}$이고 $0<b<\dfrac{\pi}{2}$이므로

$\dfrac{\sqrt{3}}{6}+b=\dfrac{\pi}{3}$ $\qquad\dfrac{\sqrt{3}}{6}<\dfrac{\sqrt{3}}{6}+b<\dfrac{\sqrt{3}}{6}+\dfrac{\pi}{2}$┐

$\qquad\qquad\qquad$└$\dfrac{\sqrt{3}}{6}<\dfrac{\pi}{3}<\dfrac{\sqrt{3}}{6}+\dfrac{\pi}{2}$

$\therefore b=\dfrac{\pi}{3}-\dfrac{\sqrt{3}}{6}$

$\therefore a+b=0+\left(\dfrac{\pi}{3}-\dfrac{\sqrt{3}}{6}\right)=\dfrac{\pi}{3}-\dfrac{\sqrt{3}}{6}$

답 ③

212

$x<y$인 임의의 두 실수 x,y에 대하여

$\dfrac{f(x)+f(y)}{2}>f\left(\dfrac{x+y}{2}\right)$를 만족시키려면 함수 $y=f(x)$의 그래프는 아래로 볼록해야 하므로 $f''(x)\geq 0$이어야 한다.

$f(x)=e^{\frac{1}{x-4}}$에서

$f'(x)=-\dfrac{1}{(x-4)^2}e^{\frac{1}{x-4}}$

$f''(x)=\dfrac{2}{(x-4)^3}e^{\frac{1}{x-4}}+\dfrac{1}{(x-4)^4}e^{\frac{1}{x-4}}$

$\qquad=\dfrac{2x-7}{(x-4)^4}e^{\frac{1}{x-4}}$

$\dfrac{2x-7}{(x-4)^4}e^{\frac{1}{x-4}}\geq 0$이어야 하므로

$2x-7\geq 0\left(\because (x-4)^4>0,\ e^{\frac{1}{x-4}}>0\right)$

$\therefore x\geq\dfrac{7}{2}$

이때 $x<4$이므로 $\dfrac{7}{2}\leq x<4$

즉, 함수 $y=f(x)$의 그래프는 $\dfrac{7}{2}\leq x<4$에서 아래로 볼록하므로

$\alpha=\dfrac{7}{2},\ \beta=4$일 때 $\beta-\alpha$는 최댓값을 갖는다.

따라서 $\beta-\alpha$의 최댓값은

$4-\dfrac{7}{2}=\dfrac{1}{2}$

답 $\dfrac{1}{2}$

213

$g(x)=\sqrt{3}\sin x+\cos x$

$\qquad=2\left(\dfrac{\sqrt{3}}{2}\sin x+\dfrac{1}{2}\cos x\right)$

$\qquad=2\sin\left(x+\dfrac{\pi}{6}\right)$

$g(x)=t$로 놓으면 $-2\leq t\leq 2$이고

$(f\circ g)(x)=f(g(x))=f(t)=t^3-6t^2+7$

$f'(t)=3t^2-12t=3t(t-4)$

$f'(t)=0$에서 $t=0$ 또는 $t=4$

$-2\leq t\leq 2$에서 함수 $f(t)$의 증가와 감소를 표로 나타내면 다음과 같다.

t	-2	$\cdots$	0	$\cdots$	2
$f'(t)$		$+$	0	$-$	
$f(t)$	-25	↗	7	↘	-9

따라서 함수 $f(t)$의 최댓값은 $f(0)=7$, 최솟값은 $f(-2)=-25$
이므로 구하는 합은
$$7+(-25)=-18$$

답 -18

214

$f(1)=e>0$이므로 최솟값은 양수이다.

즉, $h(x)=|f(x)-g(x)|\neq0$이어야 하므로 두 곡선 $y=f(x)$,
$y=g(x)$는 만나지 않는다.

이때 $f(x)>0$이고 $g(x)$는 최고차항이 -2인 이차함수이므로
$$h(x)=|f(x)-g(x)|=f(x)-g(x)$$
이고 $x=1$에서 최솟값 $f(1)$을 가지므로
$$h(1)=f(1)-g(1)=f(1)$$
$$\therefore g(1)=0$$
함수 $g(x)$는 최고차항의 계수가 -2인 이차함수이므로
$g(x)=-2(x-1)(x-a)$ (a는 상수)라고 하면
$$h(x)=e^x+2(x-1)(x-a)$$
$$\qquad =e^x+2x^2-2(a+1)x+2a$$
$$h'(x)=e^x+4x-2(a+1)$$
$h'(x)=0$에서
$$e^x+4x-2(a+1)=0$$
$$\therefore e^x=-4x+2(a+1) \qquad \cdots\cdots \ \text{㉠}$$
방정식 ㉠의 근을 $x=a$라
하고 함수 $h(x)$의 증가
와 감소를 표로 나타내면
다음과 같다.

x	$\cdots$	a	$\cdots$
$h'(x)$	$-$	0	$+$
$h(x)$	$\searrow$	극소	$\nearrow$

함수 $h(x)$는 $x=a$에서 극소이면서 최소이므로 $a=1$

즉, 방정식 ㉠의 근이 $x=1$이므로 이것을 ㉠에 대입하면
$$e=-4+2(a+1) \qquad \therefore a=\frac{e}{2}+1$$
따라서 $g(x)=-2(x-1)\left(x-\frac{e}{2}-1\right)$이므로
$$g\left(\frac{e}{2}\right)=-2\left(\frac{e}{2}-1\right)\left(\frac{e}{2}-\frac{e}{2}-1\right)=e-2$$

답 ①

215

$f(x)=k(x^2+x)e^{-x}$에서
$$f'(x)=k(2x+1)e^{-x}-k(x^2+x)e^{-x}$$
$$\qquad =k(-x^2+x+1)e^{-x}$$
접점의 좌표를 $(t,\ k(t^2+t)e^{-t})$이라고 하면 접선의 기울기는
$f'(t)=k(-t^2+t+1)e^{-t}$이므로 접선의 방정식은
$$y-k(t^2+t)e^{-t}=k(-t^2+t+1)e^{-t}(x-t)$$
$$\therefore y=k(-t^2+t+1)e^{-t}x+kt^3e^{-t}$$
이 직선의 y절편을 $g(t)$라고 하면
$$g(t)=kt^3e^{-t}$$
$$g'(t)=k\times3t^2e^{-t}-kt^3e^{-t}=ke^{-t}t^2(3-t)$$
$g'(t)=0$에서 $t=0$ 또는 $t=3$

함수 $g(t)$의 증가와 감소를 표로 나타내면 다음과 같다.

t	$\cdots$	0	$\cdots$	3	$\cdots$
$g'(t)$	$+$	0	$+$	0	$-$
$g(t)$	$\nearrow$		$\nearrow$	극대	$\searrow$

함수 $g(t)$는 $t=3$에서 극대이면서 최대이므로 최댓값은
$$g(3)=\frac{27k}{e^3}$$
이때 함수 $g(t)$의 최댓값이 81이므로
$$\frac{27k}{e^3}=81 \qquad \therefore k=3e^3$$
따라서 $f(x)=3(x^2+x)e^{3-x}$이므로
$$f(1)f(5)=6e^2\times90e^{-2}=540$$

답 ③

216

$f(x)=\dfrac{3x}{x^2+2}$에서
$$f'(x)=\frac{3\times(x^2+2)-3x\times2x}{(x^2+2)^2}$$
$$\qquad =\frac{3(2-x^2)}{(x^2+2)^2}$$
$$f''(x)=\frac{-6x(x^2+2)^2-3(2-x^2)\times2(x^2+2)\times2x}{(x^2+2)^4}$$
$$\qquad =\frac{6x^3-36x}{(x^2+2)^3}=\frac{6x(x^2-6)}{(x^2+2)^3}$$
$f'(x)=0$에서 $2-x^2=0$ ($\because x^2+2>0$)
$$\therefore x=-\sqrt{2}\ \text{또는}\ x=\sqrt{2}$$
$f''(x)=0$에서 $6x(x^2-6)=0$
$$\therefore x=-\sqrt{6}\ \text{또는}\ x=0\ \text{또는}\ x=\sqrt{6}$$
함수 $f(x)$의 증가와 감소를 표로 나타내면 다음과 같다.

x	$\cdots$	$-\sqrt{6}$	$\cdots$	$-\sqrt{2}$	$\cdots$	0	$\cdots$	$\sqrt{2}$	$\cdots$	$\sqrt{6}$	$\cdots$
$f'(x)$	$-$		$-$	0	$+$	$+$	$+$	0	$-$		$-$
$f''(x)$	$-$	0	$+$	$+$	$+$	0	$-$	$-$	$-$	0	$+$
$f(x)$	$\searrow$	$-\dfrac{3\sqrt{6}}{8}$	$\searrow$	$-\dfrac{3\sqrt{2}}{4}$	$\nearrow$	0	$\nearrow$	$\dfrac{3\sqrt{2}}{4}$	$\searrow$	$\dfrac{3\sqrt{6}}{8}$	$\searrow$

이때 $\lim\limits_{x\to-\infty}f(x)=0$, $\lim\limits_{x\to\infty}f(x)=0$
이므로 함수 $y=f(x)$의 그래프는
오른쪽 그림과 같다.

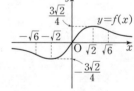

ㄱ은 옳다.

모든 실수 x에 대하여
$$f(-x)=\frac{-3x}{(-x)^2+2}=\frac{-3x}{x^2+2}=-f(x)$$
이므로 함수 $y=f(x)$의 그래프는 원점에 대하여 대칭이다.

ㄴ도 옳다.

함수 $f(x)$의 최댓값은 $f(\sqrt{2})=\dfrac{3\sqrt{2}}{4}$, 최솟값은
$f(-\sqrt{2})=-\dfrac{3\sqrt{2}}{4}$이다.

ㄷ도 옳다.

구간 $(\sqrt{6},\ \infty)$에서 함수 $y=f(x)$의 그래프는 아래로 볼록하므
로 구간 $(e,\ e^2)$에서도 아래로 볼록하다.

따라서 옳은 것은 ㄱ, ㄴ, ㄷ이다.

답 ⑤

217

→ 접근
합성함수의 미분법과 함수 $y=f(x)$의 그래프의 특징을 이용한다.

ㄱ은 옳지 않다.
$$(f\circ f)(5)=f(f(5))=f(3)=5$$
ㄴ은 옳다.
$$(f\circ f)'(x)=f'(f(x))f'(x)$$이므로
$$(f\circ f)'(4)=f'(f(4))f'(4)$$
이때 $f(4)<0$이고 열린구간 $(3,5)$에서 $f'(x)\le0$,
$3<f(4)<5$이므로 $f'(f(4))\le0$
$$\therefore (f\circ f)'(4)\ge0$$
ㄷ은 옳지 않다.
$5<x<6$에서 $3<f(x)<6$
이때 $5<x<6$에서 $f(x)=5$인 x의 값을 t라고 하면
$5<x<t$에서 $3<f(x)<5$이므로
$$(f\circ f)'(x)=f'(f(x))f'(x)<0$$
$t<x<6$에서 $5<f(x)<6$이므로
$$(f\circ f)'(x)=f'(f(x))f'(x)>0$$
즉, 함수 $(f\circ f)(x)$는 열린구간 $(5,6)$에서 감소하다가 증가한다.
따라서 옳은 것은 ㄴ이다.

답 ②

218

삼차함수 $y=x^2(4-x)$의 그래프와 직선 $y=mx$의 교점 P, Q의 x좌표는 방정식

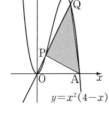

$x^2(4-x)=mx$에서
$x(x^2-4x+m)=0$
$x\ne0$이므로
$$x^2-4x+m=0 \quad\cdots\cdots\text{㉠}$$
의 두 실근이다.
이차방정식 ㉠의 서로 다른 두 근을 α,β $(\alpha<\beta)$라고 하면
$\alpha+\beta=4$, $\alpha\beta=m$
$$\therefore \beta-\alpha=\sqrt{(\alpha+\beta)^2-4\alpha\beta}=\sqrt{16-4m}=2\sqrt{4-m}$$
이차방정식 ㉠의 판별식을 D라고 하면 이차방정식 ㉠이 서로 다른 두 실근을 가지므로
$$\frac{D}{4}=(-2)^2-m>0 \qquad \therefore m<4$$
이때 m은 양수이므로 $0<m<4$
$$\triangle APQ=\triangle OAQ-\triangle OAP$$
$$=\frac{1}{2}\times4\times m\beta-\frac{1}{2}\times4\times m\alpha \;\big[\,P(\alpha,m\alpha),\,Q(\beta,m\beta)$$
$$=2m(\beta-\alpha)$$
$$=2m\times2\sqrt{4-m}$$
$$=4\sqrt{-m^3+4m^2}$$
$f(m)=-m^3+4m^2$ $(0<m<4)$으로 놓으면
$$f'(m)=-3m^2+8m=-m(3m-8)$$
$f'(m)=0$에서 $m=\dfrac{8}{3}$ $(\because 0<m<4)$
$0<m<4$에서 함수 $f(m)$의 증가와 감소를 표로 나타내면 다음과 같다.

m	(0)	$\cdots$	$\dfrac{8}{3}$	$\cdots$	(4)
$f'(m)$		$+$	0	$-$	
$f(m)$		↗	극대	↘	

즉, $m=\dfrac{8}{3}$일 때 함수 $f(m)$은 극대이면서 최대이므로
$m=\dfrac{8}{3}$일 때 $\triangle APQ$의 넓이는 최대가 된다.
$$\therefore 15m=15\times\frac{8}{3}=40$$

답 40

219

오른쪽 그림과 같이 새 직선 도로와 기존 직선 도로 PA, PB가 만나는 점을 각각 C, D라고 하면

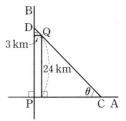

$$\overline{CD}=\overline{QC}+\overline{QD}=\frac{24}{\sin\theta}+\frac{3}{\cos\theta}$$
$$\left(\text{단, } 0<\theta<\frac{\pi}{2}\right)$$
$f(\theta)=\dfrac{24}{\sin\theta}+\dfrac{3}{\cos\theta}$으로 놓으면
$$f'(\theta)=-\frac{24\cos\theta}{\sin^2\theta}+\frac{3\sin\theta}{\cos^2\theta}=\frac{-24\cos^3\theta+3\sin^3\theta}{\sin^2\theta\cos^2\theta}$$
$f'(\theta)=0$에서 $-24\cos^3\theta+3\sin^3\theta=0$
$\tan^3\theta=8$ $\therefore \tan\theta=2$
이때 $\tan\theta<2$, 즉 $\sin\theta<2\cos\theta$이면
$$-24\cos^3\theta+3\sin^3\theta<-24\cos^3\theta+3\times(2\cos\theta)^3=0$$이므로
$f'(\theta)<0$
$\tan\theta>2$, 즉 $\sin\theta>2\cos\theta$이면
$$-24\cos^3\theta+3\sin^3\theta>-24\cos^3\theta+3\times(2\cos\theta)^3=0$$이므로
$f'(\theta)>0$
따라서 함수 $f(\theta)$는 $\tan\theta=2$일 때 극소이면서 최소이므로 새 직선 도로의 길이가 최소가 되기 위한 $\tan\theta$의 값은 2이다.

답 ②

220

선분 AB의 중점을 원점 O, 직선 AB를 x축, 직선 AB에 수직인 직선을 y축으로 하는 좌표평면에 놓으면 오른쪽 그림과 같다.

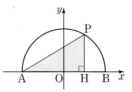

선분 AB를 지름으로 하는 반원은 원 $x^2+y^2=1$의 일부이므로
점 P의 좌표를 $(x,\sqrt{1-x^2})$ $(-1<x<1)$이라고 하면
$\overline{AH}=1+x$, $\overline{PH}=\sqrt{1-x^2}$
삼각형 AHP의 넓이를 $S(x)$라고 하면
$$S(x)=\frac{1}{2}\times(1+x)\times\sqrt{1-x^2}$$
$$S'(x)=\frac{1}{2}\times1\times\sqrt{1-x^2}+\frac{1}{2}\times(1+x)\times\frac{-2x}{2\sqrt{1-x^2}}$$
$$=\frac{1-x^2-x(1+x)}{2\sqrt{1-x^2}}=\frac{-2x^2-x+1}{2\sqrt{1-x^2}}$$
$$=\frac{-(2x-1)(x+1)}{2\sqrt{1-x^2}}$$

$S'(x)=0$에서 $x=\dfrac{1}{2}$

$-1<x<1$에서 함수 $S(x)$의 증가와 감소를 표로 나타내면 다음과 같다.

x	(-1)	$\cdots$	$\dfrac{1}{2}$	$\cdots$	(1)
$S'(x)$		$+$	0	$-$	
$S(x)$		$\nearrow$	$\dfrac{3\sqrt{3}}{8}$	$\searrow$	

따라서 함수 $S(x)$는 $x=\dfrac{1}{2}$일 때 최댓값 $\dfrac{3\sqrt{3}}{8}$을 가지므로 삼각형 AHP의 넓이의 최댓값은 $\dfrac{3\sqrt{3}}{8}$이다.

답 $\dfrac{3\sqrt{3}}{8}$

다른 풀이

$\angle POH=\theta \left(0<\theta<\dfrac{\pi}{2}\right)$라고 하면

$\overline{PH}=\sin\theta$, $\overline{OH}=\cos\theta$, $\overline{AH}=1+\cos\theta$

삼각형 AHP의 넓이를 $S(\theta)$라고 하면

$S(\theta)=\dfrac{1}{2}\times(1+\cos\theta)\times\sin\theta$

$S'(\theta)=\dfrac{1}{2}\times(-\sin\theta)\times\sin\theta+\dfrac{1}{2}\times(1+\cos\theta)\times\cos\theta$

$=\dfrac{1}{2}\times(-\sin^2\theta+\cos^2\theta+\cos\theta)$

$=\dfrac{1}{2}\times\{-(1-\cos^2\theta)+\cos^2\theta+\cos\theta\}$

$=\dfrac{1}{2}(2\cos^2\theta+\cos\theta-1)$

$=\dfrac{1}{2}(\cos\theta+1)(2\cos\theta-1)$

$S'(\theta)=0$에서 $\cos\theta=\dfrac{1}{2}$ $\left(\because 0<\theta<\dfrac{\pi}{2}\right)$
$\underset{\llcorner\cos\theta+1\neq0}{}$

$\therefore \theta=\dfrac{\pi}{3}$

$0<\theta<\dfrac{\pi}{2}$에서 함수 $S(\theta)$의 증가와 감소를 표로 나타내면 다음과 같다.

θ	(0)	$\cdots$	$\dfrac{\pi}{3}$	$\cdots$	$\left(\dfrac{\pi}{2}\right)$
$S'(\theta)$		$+$	0	$-$	
$S(\theta)$		$\nearrow$	$\dfrac{3\sqrt{3}}{8}$	$\searrow$	

따라서 함수 $S(\theta)$는 $\theta=\dfrac{\pi}{3}$일 때 최댓값 $\dfrac{3\sqrt{3}}{8}$을 가지므로 삼각형 AHP의 넓이의 최댓값은 $\dfrac{3\sqrt{3}}{8}$이다.

221

방정식 $\ln 2x=ax^2$의 실근의 개수는 두 곡선 $y=\ln 2x$, $y=ax^2$의 교점의 개수와 같다.

$f(x)=\ln 2x$, $g(x)=ax^2$이라고 하면

$f'(x)=\dfrac{2}{2x}=\dfrac{1}{x}$, $g'(x)=2ax$

두 곡선 $y=f(x)$, $y=g(x)$가 접할 때의 접점의 x좌표를 t라고 하면

$f(t)=g(t)$에서 $\ln 2t=at^2$ $\quad\cdots\cdots\ \text{㉠}$

$f'(t)=g'(t)$에서 $\dfrac{1}{t}=2at$ $\quad\therefore a=\dfrac{1}{2t^2}$

$a=\dfrac{1}{2t^2}$을 ㉠에 대입하면

$\ln 2t=\dfrac{1}{2}$, $2t=\sqrt{e}$ $\quad\therefore t=\dfrac{\sqrt{e}}{2}$

$\therefore a=\dfrac{2}{e}$

방정식 $\ln 2x=ax^2$의 실근은

$0<a<\dfrac{2}{e}$일 때 2개,

$a=\dfrac{2}{e}$일 때 1개,

$a>\dfrac{2}{e}$일 때 0개이다.

따라서 옳은 것은 ㄱ, ㄷ이다.

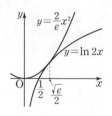

답 ③

222

$4x=\tan x+k$에서 $4x-\tan x=k$

방정식 $4x-\tan x=k$가 서로 다른 세 실근을 가지려면 곡선 $y=4x-\tan x$와 직선 $y=k$가 서로 다른 세 점에서 만나야 한다.

$f(x)=4x-\tan x$라고 하면

$f'(x)=4-\sec^2 x$

$f'(x)=0$에서 $\sec^2 x=4$, $\cos^2 x=\dfrac{1}{4}$

$\cos x=\pm\dfrac{1}{2}$ $\quad\therefore x=-\dfrac{\pi}{3}$ 또는 $x=\dfrac{\pi}{3}$

$-\dfrac{\pi}{2}<x<\dfrac{\pi}{2}$에서 함수 $f(x)$의 증가와 감소를 표로 나타내면 다음과 같다.

x	$\left(-\dfrac{\pi}{2}\right)$	$\cdots$	$-\dfrac{\pi}{3}$	$\cdots$	$\dfrac{\pi}{3}$	$\cdots$	$\left(\dfrac{\pi}{2}\right)$
$f'(x)$		$-$	0	$+$	0	$-$	
$f(x)$		$\searrow$	$-\dfrac{4}{3}\pi+\sqrt{3}$	$\nearrow$	$\dfrac{4}{3}\pi-\sqrt{3}$	$\searrow$	

이때 $\lim\limits_{x\to-\frac{\pi}{2}+}f(x)=\infty$,

$\lim\limits_{x\to\frac{\pi}{2}-}f(x)=-\infty$이므로 함수 $y=f(x)$의 그래프는 오른쪽 그림과 같다.

곡선 $y=f(x)$와 직선 $y=k$가 서로 다른 세 점에서 만나려면

$-\dfrac{4}{3}\pi+\sqrt{3}<k<\dfrac{4}{3}\pi-\sqrt{3}$

따라서 $a=-\dfrac{4}{3}\pi+\sqrt{3}$, $\beta=\dfrac{4}{3}\pi-\sqrt{3}$이므로

$\beta-a=\left(\dfrac{4}{3}\pi-\sqrt{3}\right)-\left(-\dfrac{4}{3}\pi+\sqrt{3}\right)=\dfrac{8}{3}\pi-2\sqrt{3}$

답 ②

223

접근

곡선 $y=x^2 e^{-x}$과 두 직선 $y=k+\dfrac{1}{6}$, $y=k-\dfrac{1}{6}$의 교점의 개수가 6인 경우를 생각한다.

$|x^2 e^{-x}-k|=\dfrac{1}{6}$에서 $x^2 e^{-x}-k=\pm\dfrac{1}{6}$

$\therefore x^2 e^{-x^2} = k + \dfrac{1}{6}$ 또는 $x^2 e^{-x^2} = k - \dfrac{1}{6}$ ...... ㉠

즉, ㉠의 서로 다른 실근이 6개이어야 한다.

$f(x) = x^2 e^{-x^2}$이라고 하면

$f'(x) = 2x e^{-x^2} + x^2 \times (-2x) \times e^{-x^2}$

$\qquad = 2e^{-x^2} x(1-x)(1+x)$

$f'(x) = 0$에서 $x = -1$ 또는 $x = 0$ 또는 $x = 1$

함수 $f(x)$의 증가와 감소를 표로 나타내면 다음과 같다.

x	$\cdots$	-1	$\cdots$	0	$\cdots$	1	$\cdots$
$f'(x)$	$+$	0	$-$	0	$+$	0	$-$
$f(x)$	$\nearrow$	$\dfrac{1}{e}$	$\searrow$	0	$\nearrow$	$\dfrac{1}{e}$	$\searrow$

이때 $\lim\limits_{x \to \infty} f(x) = 0$, $\lim\limits_{x \to -\infty} f(x) = 0$이
므로 함수 $y = f(x)$의 그래프는 오른
쪽 그림과 같다.

㉠의 실근이 6개가 되기 위해서는

$k - \dfrac{1}{6} < k + \dfrac{1}{6}$

이므로 $k + \dfrac{1}{6}$의 값이 극댓값과 같아야 한다.

$k + \dfrac{1}{6} = \dfrac{1}{e}$ $\therefore k = \dfrac{1}{e} - \dfrac{1}{6}$

답 ③

참고

$k - \dfrac{1}{6} = \left(\dfrac{1}{e} - \dfrac{1}{6} \right) - \dfrac{1}{6} = \dfrac{1}{e} - \dfrac{1}{3} > 0$

이므로 방정식 $x^2 e^{-x^2} = k - \dfrac{1}{6}$은 서로 다른 4개의 실근, 방정식

$x^2 e^{-x^2} = k + \dfrac{1}{6}$은 서로 다른 2개의 실근을 갖는다.

224

$1 \le x \le 4$이므로 $ax \le e^x \le bx$에서

$a \le \dfrac{e^x}{x} \le b$

$f(x) = \dfrac{e^x}{x}$이라고 하면

$f'(x) = \dfrac{e^x \times x - e^x \times 1}{x^2} = \dfrac{e^x(x-1)}{x^2}$

$f'(x) = 0$에서 $x = 1$ ($\because e^x > 0$)

$1 \le x \le 4$에서 함수 $f(x)$
의 증가와 감소를 표로 나
타내면 오른쪽과 같다.
함수 $f(x)$는 $1 \le x \le 4$에
서 증가하므로

x	1	$\cdots$	4
$f'(x)$	0	$+$	
$f(x)$	e	$\nearrow$	$\dfrac{e^4}{4}$

$e \le \dfrac{e^x}{x} \le \dfrac{e^4}{4}$

$\therefore a \le e, \; b \ge \dfrac{e^4}{4}$

따라서 $b - a$의 최솟값은 $\dfrac{e^4}{4} - e$이다.

답 $\dfrac{e^4}{4} - e$

225

$x > 0$인 모든 실수 x에 대하여 부등식
$\sqrt{x} \ge k \ln x$가 성립하려면 오른쪽 그림과 같
이 곡선 $y = \sqrt{x}$가 곡선 $y = k \ln x$보다 위쪽
에 있거나 두 곡선이 접해야 한다.

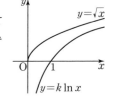

$f(x) = \sqrt{x}$, $g(x) = k \ln x$라고 하면

$f'(x) = \dfrac{1}{2\sqrt{x}}$, $g'(x) = \dfrac{k}{x}$

두 곡선 $y = f(x)$, $y = g(x)$가 접할 때의 접점의 x좌표를 t ($t > 0$)
라고 하면

$f(t) = g(t)$에서 $\sqrt{t} = k \ln t$ ...... ㉠

$f'(t) = g'(t)$에서 $\dfrac{1}{2\sqrt{t}} = \dfrac{k}{t}$ $\therefore k = \dfrac{\sqrt{t}}{2}$

$k = \dfrac{\sqrt{t}}{2}$를 ㉠에 대입하면

$\sqrt{t} = \dfrac{\sqrt{t}}{2} \ln t$, $\ln t = 2$ $\therefore t = e^2$

$\therefore k = \dfrac{e}{2}$

따라서 $0 < k \le \dfrac{e}{2}$이므로 k의 최댓값은 $\dfrac{e}{2}$이다.

답 ②

226

접근

함수 $f(x)$의 최솟값과 함수 $g(x)$의 최댓값의 대소를 비교한다.

임의의 실수 x_1, x_2에 대하여 부등식 $f(x_1) \ge g(x_2)$가 성립하려면
($f(x)$의 최솟값) $\ge$ ($g(x)$의 최댓값)
이어야 한다.

$f(x) = 5x e^x$에서

$f'(x) = 5e^x + 5x e^x = 5(1+x)e^x$

$f'(x) = 0$에서 $x = -1$

함수 $f(x)$의 증가와 감소
를 표로 나타내면 오른쪽
과 같다.
함수 $f(x)$의 최솟값은

x	$\cdots$	-1	$\cdots$
$f'(x)$	$-$	0	$+$
$f(x)$	$\searrow$	$-\dfrac{5}{e}$	$\nearrow$

$f(-1) = -\dfrac{5}{e}$이고 $g(x) = -3x^2 + k$의 최댓값은 $g(0) = k$이므로

$k \le -\dfrac{5}{e}$

따라서 실수 k의 최댓값은 $-\dfrac{5}{e}$이다.

답 $-\dfrac{5}{e}$

227

$\ln(\sin x + 4) = a$에서 $g(x) = \ln(\sin x + 4)$라고 하면

$g'(x) = \dfrac{\cos x}{\sin x + 4}$

$g'(x) = 0$에서 $\cos x = 0$ ($\because \sin x + 4 > 0$)

$\therefore x = \dfrac{\pi}{2}$ 또는 $x = \dfrac{3}{2}\pi$ ($\because 0 \le x \le 2\pi$)

$0 \leq x \leq 2\pi$에서 함수 $g(x)$의 증가와 감소를 표로 나타내면 다음과 같다.

x	0	$\cdots$	$\dfrac{\pi}{2}$	$\cdots$	$\dfrac{3}{2}\pi$	$\cdots$	2π
$g'(x)$		$+$	0	$-$	0	$+$	
$g(x)$	$\ln 4$	↗	$\ln 5$	↘	$\ln 3$	↗	$\ln 4$

함수 $y=g(x)$의 그래프는 다음 그림과 같다.

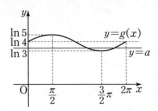

방정식 $\ln(\sin x+4)=a$의 서로 다른 실근의 개수는 곡선 $y=g(x)$와 직선 $y=a$의 교점의 개수와 같으므로

$a<\ln 3$일 때 $f(a)=0$

$a=\ln 3$일 때 $f(a)=1$

$\ln 3<a<\ln 4$일 때 $f(a)=2$

$a=\ln 4$일 때 $f(a)=3$

$\ln 4<a<\ln 5$일 때 $f(a)=2$

$a=\ln 5$일 때 $f(a)=1$

$a>\ln 5$일 때 $f(a)=0$

따라서 함수 $y=f(a)$의 그래프는 오른쪽 그림과 같으므로 함수 $f(a)$가 불연속이 되는 a의 값은 $\ln 3$, $\ln 4$, $\ln 5$의 3개이다.

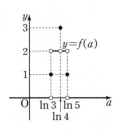

답 3

228

ㄱ은 옳다.

$f(x)=e^{-x}+x^2+1$에서

$f'(x)=-e^{-x}+2x$

이때 $f'(0)=-1<0$, $f'(1)=-\dfrac{1}{e}+2>0$이므로 $f'(t)=0$을 만족시키는 t의 값의 범위는 $0<t<1$이다.

ㄴ은 옳지 않다.

$f''(x)=e^{-x}+2$에서 $f''(x)>0$이므로 곡선 $y=f(x)$는 실수 전체의 집합에서 아래로 볼록하다.

따라서 함수 $f(x)$의 극댓값은 존재하지 않는다.

ㄷ도 옳다.

ㄱ, ㄴ에 의하여 곡선 $y=f(x)$는 $x=t$ $(0<t<1)$에서 극소이자 최소이고 아래로 볼록한 곡선이다.

이때 $f(0)=2$이므로 $f(t)<2$

즉, 방정식 $f(x)=2$는 서로 다른 두 실근을 갖는다.

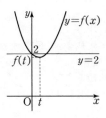

따라서 옳은 것은 ㄱ, ㄷ이다.

답 ③

229

점 P의 시각 t에서의 속도를 $v(t)$, 가속도를 $a(t)$라고 하면

$v(t)=x'(t)=-\dfrac{8t}{(t^2+m)^2}$

$a(t)=v'(t)=-\dfrac{8(t^2+m)^2-8t\times 2(t^2+m)\times 2t}{(t^2+m)^4}$

$\qquad=\dfrac{8(3t^2-m)}{(t^2+m)^3}$

$t=1$에서의 점 P의 가속도는 0이므로

$a(1)=\dfrac{8(3-m)}{(1+m)^3}=0$ $\therefore m=3$

$x(t)=\dfrac{4}{t^2+3}$이므로 $t=1$에서의 점 P의 위치는

$x(1)=\dfrac{4}{1+3}=1$ $\therefore n=1$

$\therefore \dfrac{m}{n}=\dfrac{3}{1}=3$

답 ④

230

$f(t)=e^t-t$에서 $f'(t)=e^t-1$

$g(t)=(t-3)^2 e^t$에서

$g'(t)=2(t-3)e^t+(t-3)^2 e^t=(t-1)(t-3)e^t$

두 점 P, Q의 시각 t에서의 속도는 각각 $f'(t)$, $g'(t)$이고 두 점 P, Q가 서로 반대 방향으로 움직이려면 $f'(t)g'(t)<0$이어야 한다.

그런데 $t>0$에서 $f'(t)>0$이므로 $g'(t)<0$

$(t-1)(t-3)e^t<0$

$\therefore 1<t<3\ (\because e^t>0)$

한편 $1<t<3$에서 점 Q는 방향을 바꾸지 않으므로 점 Q가 움직인 거리는

$|g(3)-g(1)|=4e$

답 ④

231

점 P는 점 A에서 출발하여 호 AB를 따라 점 B를 향하여 매초 1의 일정한 속력으로 움직이므로 t초 후의 호 AP의 길이가 t이고, 선분 OP가 x축의 양의 방향과 이루는 각의 크기도 t이다.

└─ 사분원의 반지름의 길이가 1이므로 선분 OP가 x축의 양의 방향과 이루는 각의 크기를 θ라고 하면 $\overparen{AP}=1\times\theta=t$에서 $\theta=t$

직선 OP의 방정식이 $y=(\tan t)x$, 직선 AB의 방정식이 $y=-x+1$이므로 두 직선이 만나는 점의 x좌표는

$(\tan t)x=-x+1$에서

$(1+\tan t)x=1$ $\therefore x=\dfrac{1}{1+\tan t}$

즉, 시각 t에서의 점 Q의 좌표는 $\left(\dfrac{1}{1+\tan t},\ \dfrac{\tan t}{1+\tan t}\right)$이므로 시각 t에서의 점 Q의 속도는

└─ 점 Q의 좌표를 $(f(t),\ g(t))$라고 하면 점 Q의 속도는 $(f'(t),\ g'(t))$이다.

$\left(-\dfrac{\sec^2 t}{(1+\tan t)^2},\ \dfrac{\sec^2 t}{(1+\tan t)^2}\right)$

└─ $g'(t)=\dfrac{\sec^2 t\times(1+\tan t)-\tan t\times \sec^2 t}{(1+\tan t)^2}$

$\qquad=\dfrac{\sec^2 t}{(1+\tan t)^2}$

점 P는 원 $x^2+y^2=1$ 위의 점이므로 점 P의 x좌표가 $\frac{4}{5}$일 때의 y좌표는 $\left(\frac{4}{5}\right)^2+y^2=1$에서

$y^2=\frac{9}{25}$ $\therefore y=\frac{3}{5}$ $(\because y>0)$

점 P의 x좌표가 $\frac{4}{5}$일 때의 시각을 t_1이라고 하면

$\tan t_1=\dfrac{\dfrac{3}{5}}{\dfrac{4}{5}}=\dfrac{3}{4}$

$\therefore \sec^2 t_1=1+\tan^2 t_1=1+\left(\dfrac{3}{4}\right)^2=\dfrac{25}{16}$

즉, 시각 $t=t_1$에서의 점 Q의 속도는

$\left(-\dfrac{\dfrac{25}{16}}{\left(1+\dfrac{3}{4}\right)^2},\ \dfrac{\dfrac{25}{16}}{\left(1+\dfrac{3}{4}\right)^2}\right)=\left(-\dfrac{25}{49},\ \dfrac{25}{49}\right)$

따라서 $a=-\dfrac{25}{49}$, $b=\dfrac{25}{49}$이므로

$b-a=\dfrac{25}{49}-\left(-\dfrac{25}{49}\right)=\dfrac{50}{49}$

답 ⑤

232

▶ 접근 ─────

시각 t에서의 두 점 P, Q의 속도는 $f'(t)$, $g'(t)$이므로 $y=f'(t)$, $y=g'(t)$의 그래프가 한 점에서 만나는 경우를 생각한다.

$f(t)=e^{2t}+1$에서 $f'(t)=2e^{2t}$

$g(t)=kt^2+2$에서 $g'(t)=2kt$

두 점 P, Q의 속도가 같으려면 $f'(t)=g'(t)$이므로

$2e^{2t}=2kt$

$\therefore e^{2t}=kt$ ...... ㉠

두 점 P, Q의 속도가 같아지는 시각이 한 번 뿐이려면 $t>0$에서 방정식 ㉠이 오직 하나의 실근을 가져야 하므로 두 함수 $y=e^{2t}$, $y=kt$의 그래프가 오른쪽 그림과 같이 접해야 한다.

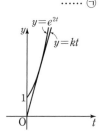

$p(t)=e^{2t}$, $q(t)=kt$라고 하면

$p'(t)=2e^{2t}$, $q'(t)=k$

접점의 t좌표를 a라고 하면

$p(a)=q(a)$에서 $e^{2a}=ka$ ...... ㉡

$p'(a)=q'(a)$에서 $2e^{2a}=k$ ...... ㉢

㉡을 ㉢에 대입하면

$2ka=k$ $\therefore a=\dfrac{1}{2}$ $(\because k\ne 0)$

$a=\dfrac{1}{2}$을 ㉢에 대입하면

$k=2e$

답 ②

233

시각 t에서의 점 P의 위치를 (x, y)라고 하면

$y=4xe^{x-2}$에서

$\dfrac{dy}{dt}=(4e^{x-2}+4xe^{x-2})\dfrac{dx}{dt}=4e^{x-2}(1+x)\dfrac{dx}{dt}$

이므로 점 P의 시각 t에서의 속도는

$\left(\dfrac{dx}{dt},\ 4e^{x-2}(1+x)\dfrac{dx}{dt}\right)$

점 P의 속력이 3이므로

$\sqrt{\left(\dfrac{dx}{dt}\right)^2+\left\{4e^{x-2}(1+x)\dfrac{dx}{dt}\right\}^2}=3$

$\dfrac{dx}{dt}\sqrt{1+16e^{2x-4}(1+x)^2}=3$

$\therefore \dfrac{dx}{dt}=\dfrac{3}{\sqrt{1+16e^{2x-4}(1+x)^2}}$

점 P에서 x축에 내린 수선의 발이 점 Q이므로 점 Q의 위치는 $(x, 0)$이고 속도는 $\left(\dfrac{dx}{dt},\ 0\right)$이다.

점 Q의 속력은

$\sqrt{\left(\dfrac{dx}{dt}\right)^2+\left(\dfrac{dy}{dt}\right)^2}=\sqrt{\left(\dfrac{dx}{dt}\right)^2+0}$

$\qquad =\dfrac{dx}{dt}$

$\qquad =\dfrac{3}{\sqrt{1+16e^{2x-4}(1+x)^2}}$

따라서 $x=2$일 때, 점 P에서 x축에 내린 수선의 발 Q의 속력은

$\dfrac{3}{\sqrt{1+144}}=\dfrac{3}{\sqrt{145}}=\dfrac{3\sqrt{145}}{145}$

답 $\dfrac{3\sqrt{145}}{145}$

234

시각 t에서의 점 P의 위치를 (x, y)라고 하면 속도는 $\left(\dfrac{dx}{dt},\ \dfrac{dy}{dt}\right)$이고 속력은

$\sqrt{\left(\dfrac{dx}{dt}\right)^2+\left(\dfrac{dy}{dt}\right)^2}=\dfrac{dx}{dt}\sqrt{1+\left(\dfrac{dy}{dx}\right)^2}$

이때 기울기가 2이고 원점을 지나는 직선 $y=2x$와 곡선 $y=\sqrt{2x}$의 원점이 아닌 교점의 x좌표는

$2x=\sqrt{2x}$, $4x^2=2x$, $2x(2x-1)=0$

$\therefore x=\dfrac{1}{2}$ $(\because x\ne 0)$

즉, 교점의 좌표는 $\left(\dfrac{1}{2},\ 1\right)$이다.

$y=\sqrt{2x}$에서 $\dfrac{dy}{dx}=\dfrac{1}{\sqrt{2x}}$이므로

$x=\dfrac{1}{2}$일 때 $\dfrac{dy}{dx}=1$

점 P의 x좌표가 매초 $\sqrt{6}$의 속력으로 일정하게 변하므로

$\dfrac{dx}{dt}=\sqrt{6}$

따라서 직선 OP의 기울기가 2가 되는 순간 점 P의 속력은

$\dfrac{dx}{dt}\sqrt{1+\left(\dfrac{dy}{dx}\right)^2}=\sqrt{6}\times\sqrt{1+1^2}=2\sqrt{3}$

답 $2\sqrt{3}$

235

$e^{x+h}f(x+h)-e^x f(x) \leq h^2$ 에서

$g(x)=e^x f(x)$ 라고 하면

$g(x+h)-g(x) \leq h^2$ ...... ㉠

(i) $h<0$ 일 때

부등식 ㉠의 양변을 h로 나누면

$\dfrac{g(x+h)-g(x)}{h} \geq h$

$\displaystyle\lim_{h \to 0^-} \dfrac{g(x+h)-g(x)}{h} \geq \lim_{h \to 0^-} h$

$\therefore \displaystyle\lim_{h \to 0^-} \dfrac{g(x+h)-g(x)}{h} \geq 0$

(ii) $h>0$ 일 때

부등식 ㉠의 양변을 h로 나누면

$\dfrac{g(x+h)-g(x)}{h} \leq h$

$\displaystyle\lim_{h \to 0^+} \dfrac{g(x+h)-g(x)}{h} \leq \lim_{h \to 0^+} h$

$\therefore \displaystyle\lim_{h \to 0^+} \dfrac{g(x+h)-g(x)}{h} \leq 0$

(i), (ii)에 의하여

$\displaystyle\lim_{h \to 0} \dfrac{g(x+h)-g(x)}{h}=0$

즉, $g'(x)=0$이므로 $g(x)=k$ (단, k는 상수)

$g(0)=f(0)=4$이므로 $k=4$

$\therefore g(x)=4$

$4=e^x f(x)$이므로 $f(x)=4e^{-x}$

따라서 $f'(x)=-4e^{-x}$이므로

$f'(-3)=-4e^3$

답 $-4e^3$

236

$\angle PAB = \theta$로 놓으면

$\angle QAB = 2\theta$

$\triangle ABP$에서 $\angle APB = \dfrac{\pi}{2}$이고

$\overline{BP}=\sqrt{10^2-8^2}=6$이므로

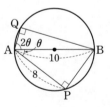

$\sin\theta = \dfrac{6}{10}=\dfrac{3}{5}$, $\cos\theta = \dfrac{8}{10}=\dfrac{4}{5}$

$\sin 2\theta = 2\sin\theta\cos\theta = 2 \times \dfrac{3}{5} \times \dfrac{4}{5} = \dfrac{24}{25}$

$\cos 2\theta = 2\cos^2\theta - 1 = 2 \times \left(\dfrac{4}{5}\right)^2 - 1 = \dfrac{7}{25}$

$\triangle ABQ$에서 $\angle AQB = \dfrac{\pi}{2}$이므로

$\overline{AQ}=\overline{AB}\cos 2\theta = 10 \times \dfrac{7}{25} = \dfrac{14}{5}$

$\overline{BQ}=\overline{AB}\sin 2\theta = 10 \times \dfrac{24}{25} = \dfrac{48}{5}$

$\therefore \overline{AQ}+\overline{BQ}=\dfrac{14}{5}+\dfrac{48}{5}=\dfrac{62}{5}$

따라서 $p=5$, $q=62$이므로

$p+q=5+62=67$

답 67

237

직선 OP의 기울기는 $\dfrac{a^t-1}{t}$이므로 점 $P(t, a^t-1)$을 지나고 직선 OP에 수직인 직선의 방정식은

$y-(a^t-1)=-\dfrac{t}{a^t-1}(x-t)$

$x=0$일 때 $y=a^t-1+\dfrac{t^2}{a^t-1}$

$\therefore f(t)=a^t-1+\dfrac{t^2}{a^t-1}$

$\displaystyle\lim_{t \to 0^+}\dfrac{f(t)}{t}=\lim_{t \to 0^+}\left(\dfrac{a^t-1}{t}+\dfrac{t}{a^t-1}\right)=\ln a + \dfrac{1}{\ln a}$

$a>1$에서 $\ln a > 0$이므로 산술평균과 기하평균의 관계에 의하여

$\ln a + \dfrac{1}{\ln a} \geq 2\sqrt{\ln a \times \dfrac{1}{\ln a}}=2$

이때 등호는 $\ln a = \dfrac{1}{\ln a}$, $\ln a = 1$일 때 성립하므로

$a=e$ $\therefore a=e$

두 곡선 $y=a^x-1$과 $y=\beta^{x-2}-1$의 교점의 x좌표가 k이므로

$a^k-1=\beta^{k-2}-1$, $e^k-1=\beta^{k-2}-1$

$e^k=\beta^{k-2}$

$\therefore \left(\dfrac{\beta}{e}\right)^k=\beta^2$ ...... ㉠

(i) $1<\beta<e$일 때

$\displaystyle\lim_{n \to \infty}\left(\dfrac{\beta}{e}\right)^n=0$이므로

$\displaystyle\lim_{n \to \infty}\dfrac{\beta^{k+n}}{a^k(a^n+\beta^n)}=\lim_{n \to \infty}\dfrac{\beta^{k+n}}{e^k(e^n+\beta^n)}=\lim_{n \to \infty}\dfrac{\beta^k\left(\dfrac{\beta}{e}\right)^n}{e^k\left\{1+\left(\dfrac{\beta}{e}\right)^n\right\}}=0$

따라서 조건을 만족시키지 않는다.

(ii) $\beta=e$일 때

$\displaystyle\lim_{n \to \infty}\dfrac{\beta^{k+n}}{a^k(a^n+\beta^n)}=\lim_{n \to \infty}\dfrac{e^{k+n}}{e^k(e^n+e^n)}=\lim_{n \to \infty}\dfrac{e^{k+n}}{2e^{k+n}}=\dfrac{1}{2}$

따라서 조건을 만족시키지 않는다.

(iii) $\beta>e$일 때

$\displaystyle\lim_{n \to \infty}\left(\dfrac{e}{\beta}\right)^n=0$이므로

$\displaystyle\lim_{n \to \infty}\dfrac{\beta^{k+n}}{a^k(a^n+\beta^n)}=\lim_{n \to \infty}\dfrac{\beta^{k+n}}{e^k(e^n+\beta^n)}=\lim_{n \to \infty}\dfrac{\beta^k}{e^k\left\{\left(\dfrac{e}{\beta}\right)^n+1\right\}}$

$=\left(\dfrac{\beta}{e}\right)^k=\beta^2$ $(\because ㉠)$

즉, $\beta^2=9e^2$이므로 $\beta=3e$ $(\because \beta>e)$

(i), (ii), (iii)에서 $\beta=3e$

$\therefore \dfrac{\beta}{a}=\dfrac{3e}{e}=3$

답 3

238

$h(x)=(g \circ f)(x)=g(f(x))$라고 하자.

ㄱ은 옳다.

실수 전체의 집합에서 미분가능한 함수 $f(x)$가 $f(0)=0$이고 $x \neq 0$에서 $f(x)>0$이므로 $x=0$에서 극솟값을 갖는다.

즉, $f'(0)=0$이므로 함수 $y=f(x)$의 그래프 위의 점 $(0, 0)$에서의 접선의 기울기는 0이다.

$h'(x)=g'(f(x))f'(x)$이므로

$h'(0)=g'(f(0))f'(0)=g'(0)\times 0=0$

즉, 함수 $y=h(x)$의 그래프 위의 점 $(0, 3)$에서의 접선의 기울기는 0이다.

따라서 두 곡선 $y=f(x)$와 $y=h(x)$, 즉 $y=f(x)$와 $y=(g\circ f)(x)$는 $x=0$에서의 접선의 기울기가 같다.

ㄴ도 옳다.

$g(x)=(x^2+2x+3)e^{-x}$에서

$g'(x)=(2x+2)e^{-x}-(x^2+2x+3)e^{-x}=-(x^2+1)e^{-x}$

이므로

$h'(x)=g'(f(x))f'(x)=-[\{f(x)\}^2+1]e^{-f(x)}f'(x)$

이때 $\{f(x)\}^2+1>0$, $e^{-f(x)}>0$이고, 함수 $f(x)$가 감소하는 구간에서 $f'(x)<0$이므로 같은 구간에서 $h'(x)>0$이다.

따라서 함수 $f(x)$가 감소하는 구간에서 함수 $h(x)$, 즉 $(g\circ f)(x)$는 증가한다.

ㄷ도 옳다.

$p(x)=(g\circ f)(x)-f(x)=h(x)-f(x)$라고 하면

$p'(x)=h'(x)-f'(x)$

$\qquad =-[\{f(x)\}^2+1]e^{-f(x)}f'(x)-f'(x)$ …… ㉠

이때 ㉠에서 $f'(0)=h'(0)=0$이므로

$p'(0)=0$

또, ㉠에서 함수 $f(x)$가 $x=0$에서 극솟값을 가지므로 $x=0$의 좌우에서 $f'(x)$의 부호가 음에서 양으로 바뀌고, ㉠에서 $[\{f(x)\}^2+1]e^{-f(x)}>0$이므로 $x=0$의 좌우에서 $p'(x)$의 부호가 양에서 음으로 바뀐다.

즉, 함수 $p(x)$, 즉 $(g\circ f)(x)-f(x)$는 $x=0$에서 극댓값을 갖는다.

따라서 옳은 것은 ㄱ, ㄴ, ㄷ이다.

답 ⑤

239

$\overline{PQ}=\sin\theta$, $\overline{OQ}=\cos\theta$이므로

$S(\theta)=\dfrac{1}{2}\sin\theta\cos\theta+\sin^2\theta-\dfrac{1}{2}\theta$

$S'(\theta)=\dfrac{1}{2}\cos^2\theta-\dfrac{1}{2}\sin^2\theta+2\sin\theta\cos\theta-\dfrac{1}{2}$

$\qquad =\dfrac{1}{2}(\cos^2\theta-1)-\dfrac{1}{2}\sin^2\theta+2\sin\theta\cos\theta$

$\qquad =-\dfrac{1}{2}\sin^2\theta-\dfrac{1}{2}\sin^2\theta+2\sin\theta\cos\theta$

$\qquad =\sin\theta(2\cos\theta-\sin\theta)$ $\left(\text{단, } 0<\theta<\dfrac{\pi}{2}\right)$

$S'(\theta)=0$에서 $\sin\theta\neq 0$이므로 $2\cos\theta-\sin\theta=0$

$\therefore 2\cos\theta=\sin\theta$

$2\cos\theta=\sin\theta$를 만족시키는 θ의 값을 α라고 하면

$\tan\alpha=2$ $\left(\text{단, } 0<\alpha<\dfrac{\pi}{2}\right)$

이때 $\tan\theta<2$이면 $S'(\theta)>0$이고, $\tan\theta>2$이면 $S'(\theta)<0$이므로 $S(\theta)$는 $\theta=\alpha$에서 극대이면서 최대이다.

$\sec^2\alpha=1+\tan^2\alpha=1+2^2=5$이므로

$\cos\alpha=\sqrt{\dfrac{1}{5}}=\dfrac{\sqrt{5}}{5}$

$\tan\alpha=2$에서 $\sin\alpha=2\cos\alpha$이므로 $S(\theta)$가 최대가 되는 선분 PQ의 길이는

$\overline{PQ}=\sin\alpha=2\cos\alpha=\dfrac{2\sqrt{5}}{5}$

답 ⑤

240

$f(x)=x^3\left(\dfrac{1}{3}-\ln x\right)$에서 $x>0$이고

$f'(x)=3x^2\left(\dfrac{1}{3}-\ln x\right)+x^3\times\left(-\dfrac{1}{x}\right)=-3x^2\ln x$

$f'(x)=0$에서 $x=1$ $(\because x>0)$

$x>0$에서 함수 $f(x)$의 증가와 감소를 표로 나타내면 다음과 같다.

x	(0)	$\cdots$	1	$\cdots$
$f'(x)$		$+$	0	$-$
$f(x)$		$\nearrow$	$\dfrac{1}{3}$	$\searrow$

이때 $\displaystyle\lim_{x\to 0+}f(x)=0$, $\displaystyle\lim_{x\to\infty}f(x)=-\infty$이므로 함수 $y=f(x)$의 그래프는 오른쪽 그림과 같다.

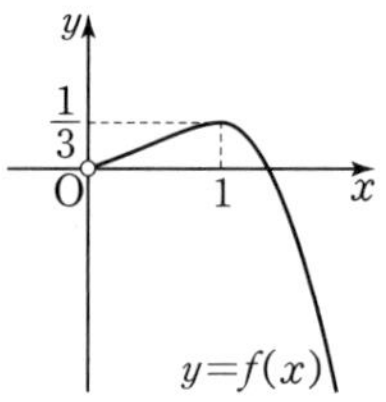

(i) n이 홀수일 때

$(-1)^n=-1$이므로 방정식

$f(x)=-\dfrac{n}{15}$의 실근의 개수는

$a_n=1$

(ii) n이 짝수일 때

$(-1)^n=1$이므로 방정식 $f(x)=\dfrac{n}{15}$의 실근의 개수는

$a_n=\begin{cases}0 & (n=6, 8, \cdots) \\ 2 & (n=2, 4)\end{cases}$

(i), (ii)에서

$\displaystyle\sum_{n=1}^{20}a_n=\sum_{n=1}^{10}a_{2n-1}+\sum_{n=1}^{10}a_{2n}=10\times 1+2\times 2+8\times 0=14$

답 14

01

$$\lim_{x \to 0}(1+5x)^{\frac{2}{x}}+\lim_{x \to 0}(1-2x)^{\frac{5}{x}}$$

$$=\lim_{x \to 0}\{(1+5x)^{\frac{1}{5x}}\}^{10}+\lim_{x \to 0}\{(1-2x)^{-\frac{1}{2x}}\}^{-10}$$

$$=e^{10}+e^{-10}=e^{10}+\frac{1}{e^{10}}$$

$$\therefore k=10$$

답 10

02

$$\frac{2}{1+\sin\theta}+\frac{2}{1-\sin\theta}=\frac{4}{1-\sin^2\theta}=\frac{4}{\cos^2\theta}$$
$$=4\sec^2\theta=5$$

$$\therefore \sec^2\theta=\frac{5}{4}$$

$1+\tan^2\theta=\sec^2\theta$이므로

$$1+\tan^2\theta=\frac{5}{4} \quad \therefore \tan^2\theta=\frac{1}{4}$$

이때 $\pi<\theta<\frac{3}{2}\pi$에서 $\tan\theta>0$이므로 $\tan\theta=\frac{1}{2}$

$$\therefore \tan\theta+\cot\theta=\tan\theta+\frac{1}{\tan\theta}=\frac{1}{2}+2=\frac{5}{2}$$

답 ⑤

03

$f(x)=\dfrac{x^6(x-1)^5(x-2)^2}{(x-3)^3(x-4)}$의 양변의 절댓값에 자연로그를 취하면

$$\ln|f(x)|=6\ln|x|+5\ln|x-1|+2\ln|x-2|$$
$$-3\ln|x-3|-\ln|x-4|$$

위의 식의 양변을 x에 대하여 미분하면

$$\frac{f'(x)}{f(x)}=\frac{6}{x}+\frac{5}{x-1}+\frac{2}{x-2}-\frac{3}{x-3}-\frac{1}{x-4}$$

$$\therefore \frac{f'(6)}{f(6)}=1+1+\frac{1}{2}-1-\frac{1}{2}=1$$

답 ①

04

ㄱ은 옳다.

　　$x=-3$, $x=-1$, $x=1$에서 $f'(x)=0$이고 x의 값의 좌우에서 $f'(x)$의 부호가 바뀌므로 열린구간 $(-4, 2)$에서 함수 $f(x)$가 극값을 갖는 점은 3개이다.

ㄴ은 옳지 않다.

　　$f'(-2)$의 값이 존재하므로 함수 $f(x)$는 $x=-2$에서 미분가능하다.

ㄷ은 옳다.

　　$f''(0)=0$이고, $x=0$의 좌우에서 $f''(x)$의 부호가 바뀌므로 점 $(0, f(0))$은 곡선 $y=f(x)$의 변곡점이다.

따라서 옳은 것은 ㄱ, ㄷ이다.

답 ③

05

$x=t^2+kt+1$, $y=kt^2-6t$에서

$$\frac{dx}{dt}=2t+k, \frac{dy}{dt}=2kt-6$$

$t=1$에서의 점 P의 속력이 $\sqrt{65}$이므로

$$\sqrt{(2+k)^2+(2k-6)^2}=\sqrt{65}$$

$$(2+k)^2+(2k-6)^2=65$$

$$4+4k+k^2+4k^2-24k+36=65$$

$$5k^2-20k-25=0, k^2-4k-5=0$$

$$(k+1)(k-5)=0 \quad \therefore k=5 (\because k>0)$$

$$\frac{d^2x}{dt^2}=2, \frac{d^2y}{dt^2}=2k=10$$

따라서 $t=1$에서 점 P의 가속도는 $(2, 10)$이므로 가속도의 크기는
$\sqrt{2^2+10^2}=2\sqrt{26}$

답 $2\sqrt{26}$

06

$\overline{PA}=\overline{PQ}=6$, $\overline{PB}=\overline{PR}=2$이므로

$A(6\cos\theta, 2+6\sin\theta)$, $B(-2\cos\theta, 2-2\sin\theta)$

$$S(\theta)=\frac{1}{2}\times\{(2+6\sin\theta)+(2-2\sin\theta)\}\times 8\cos\theta$$
$$=16\cos\theta(1+\sin\theta)$$

$$\therefore \lim_{\theta \to \frac{\pi}{2}-}\frac{S(\theta)}{\sqrt{1-\sin\theta}}=\lim_{\theta \to \frac{\pi}{2}-}\frac{16\cos\theta(1+\sin\theta)}{\sqrt{1-\sin\theta}}$$

$$=\lim_{\theta \to \frac{\pi}{2}-}\frac{16\cos\theta(1+\sin\theta)\sqrt{1+\sin\theta}}{\sqrt{1-\sin\theta}\sqrt{1+\sin\theta}}$$

$$=\lim_{\theta \to \frac{\pi}{2}-}\frac{16\cos\theta(1+\sin\theta)\sqrt{1+\sin\theta}}{\sqrt{1-\sin^2\theta}}$$

$$=\lim_{\theta \to \frac{\pi}{2}-}\frac{16\cos\theta(1+\sin\theta)\sqrt{1+\sin\theta}}{\sqrt{\cos^2\theta}}$$

$$=\lim_{\theta \to \frac{\pi}{2}-}\{16(1+\sin\theta)\sqrt{1+\sin\theta}\}$$

$$=16\times 2\times\sqrt{2}=32\sqrt{2}$$

답 $32\sqrt{2}$

07

$x=t+t^2+t^3+\cdots+t^n$에서

$$\frac{dx}{dt}=1+2t+3t^2+\cdots+nt^{n-1}$$

$y=t+\frac{3}{2}t^2+\frac{5}{3}t^3+\cdots+\frac{2n-1}{n}t^n$에서

$$\frac{dy}{dt}=1+3t+5t^2+\cdots+(2n-1)t^{n-1}$$

$$\therefore \frac{dx}{dy}=\frac{\frac{dx}{dt}}{\frac{dy}{dt}}=\frac{1+2t+3t^2+\cdots+nt^{n-1}}{1+3t+5t^2+\cdots+(2n-1)t^{n-1}}$$

$$g(n)=\lim_{t \to 1}\frac{dx}{dy}$$

$$=\lim_{t \to 1}\frac{1+2t+3t^2+\cdots+nt^{n-1}}{1+3t+5t^2+\cdots+(2n-1)t^{n-1}}$$

$$=\frac{1+2+3+\cdots+n}{1+3+5+\cdots+(2n-1)}=\frac{\sum\limits_{k=1}^{n}k}{\sum\limits_{k=1}^{n}(2k-1)}$$

$$= \frac{\frac{n(n+1)}{2}}{2 \times \frac{n(n+1)}{2} - n} = \frac{n+1}{2n}$$

$$\therefore g(2) = \frac{3}{4}$$

답 $\dfrac{3}{4}$

08

$f(x) = e^x + \sin x$라고 하면

$f'(x) = e^x + \cos x$

곡선 위의 점 $(0, 1)$에서의 접선의 기울기는

$f'(0) = 1 + 1 = 2$

이므로 접선의 방정식은

$y = 2x + 1$

직선 $y = 2x + 1$, 즉 $2x - y + 1 = 0$이 원 $(x-2)^2 + y^2 = r^2$과 접하므로 직선 $2x - y + 1 = 0$과 원의 중심 $(2, 0)$ 사이의 거리가 원의 반지름의 길이인 $|r|$와 같다.

$$|r| = \frac{|2 \times 2 - 0 + 1|}{\sqrt{2^2 + (-1)^2}} = \sqrt{5} \qquad \therefore r^2 = (\sqrt{5})^2 = 5$$

답 ①

09

ㄱ은 옳다.

$$\begin{aligned}
\lim_{x \to 0+} g(x) &= \lim_{x \to 0+} \frac{f(x)}{\sin x} \\
&= \lim_{x \to 0+} \left\{ \frac{x}{\sin x} \times \frac{f(x)}{x} \right\} \\
&= \lim_{x \to 0+} \left\{ \frac{x}{\sin x} \times \frac{f(x) - f(0)}{x - 0} \right\} \\
&= 1 \times f'(0) \\
&= f'(0) = 0 \ (\because \text{조건 (나)})
\end{aligned}$$

ㄴ도 옳다.

$h(x) = f'(x) \sin x - f(x) \cos x$로 놓으면

$$\begin{aligned}
h'(x) &= f''(x) \sin x + f'(x) \cos x - f'(x) \cos x + f(x) \sin x \\
&= \{f''(x) + f(x)\} \sin x
\end{aligned}$$

조건 (다)에서 $0 < x < \pi$일 때 $f''(x) + f(x) > 0$이고 $\sin x > 0$이므로 $h'(x) > 0$

즉, $h(x)$는 $0 < x < \pi$에서 증가하고 $h(0) = 0$이므로 $0 < x < \pi$에서 $h(x) > 0$이다.

따라서 $0 < x < \pi$에서 $f'(x) \sin x > f(x) \cos x$이다.

ㄷ도 옳다.

$$g'(x) = \frac{f'(x) \sin x - f(x) \cos x}{\sin^2 x}$$

$0 < x < \pi$에서 $\sin^2 x > 0$이고, ㄴ에서

$h(x) = f'(x) \sin x - f(x) \cos x > 0$이므로

$$g'(x) = \frac{h(x)}{\sin^2 x} > 0$$

즉, $g(x)$는 $0 < x < \pi$에서 증가하므로 $0 < x_1 < x_2 < \pi$인 임의의 x_1, x_2에 대하여 $g(x_1) < g(x_2)$이다.

따라서 옳은 것은 ㄱ, ㄴ, ㄷ이다.

답 ⑤

10

$\dfrac{g(x)}{f(x)} + \dfrac{4f(x)}{g(x)} = 4$에서

$\{g(x)\}^2 + 4\{f(x)\}^2 = 4f(x)g(x)$

$4\{f(x)\}^2 - 4f(x)g(x) + \{g(x)\}^2 = 0$

$\{2f(x) - g(x)\}^2 = 0$

$\therefore 2f(x) = g(x) \qquad \cdots\cdots \ \bigcirc$

방정식 $\bigcirc$의 실근이 존재하기 위해서는 두 함수 $2f(x) = 4kx$, $g(x) = \ln x$의 그래프가 만나야 하고 이때 실수 k가 최대가 되기 위해서는 두 함수의 그래프가 접해야 한다.

접점의 좌표를 $(t, \ln t)$라고 하면 $g'(x) = \dfrac{1}{x}$이므로 접선의 기울기는 $g'(t) = \dfrac{1}{t}$이고 접선의 방정식은

$$y - \ln t = \frac{1}{t}(x - t)$$

이 직선이 원점을 지나야 하므로

$-\ln t = -1, \ \ln t = 1 \qquad \therefore t = e$

접점의 좌표는 $(e, 1)$이므로 $2f(x) = 4kx$에서

$4ke = 1 \qquad \therefore k = \dfrac{1}{4e}$

따라서 실수 k의 최댓값은 $\dfrac{1}{4e}$이다.

답 $\dfrac{1}{4e}$

01

함수 $f(x)$가 실수 전체의 집합에서 연속이면 $x=0$에서 연속이므로

$$\lim_{x \to 0-} f(x) = \lim_{x \to 0+} f(x) = f(0)$$

$$\lim_{x \to 0-} \frac{7x^2+3}{x-3} = \lim_{x \to 0+} \frac{e^{2x}-1}{ax} = -1$$

$$\lim_{x \to 0+} \frac{e^{2x}-1}{ax} = \lim_{x \to 0+} \left(\frac{e^{2x}-1}{2x} \times \frac{2}{a} \right) = \frac{2}{a}$$

따라서 $\dfrac{2}{a} = -1$이므로 $a = -2$

답 ②

02

$\displaystyle\lim_{x \to 1} \dfrac{f(x)}{x-1} = 6$에서 $x \to 1$일 때 극한값이 존재하고

(분모)$\to 0$이므로 (분자)$\to 0$이어야 한다.

즉, $\displaystyle\lim_{x \to 1} f(x) = 0$이므로 $f(1) = 0$

$f(x) = ax^2 \ln x + bx$에서 $f(1) = b = 0$

$$\lim_{x \to 1} \frac{f(x)}{x-1} = \lim_{x \to 1} \frac{f(x)-f(1)}{x-1} = f'(1) = 6$$

$f(x) = ax^2 \ln x$에서

$$f'(x) = 2ax \ln x + ax^2 \times \frac{1}{x} = 2ax \ln x + ax$$

이므로 $f'(1) = a = 6$

$f'(x) = 12x \ln x + 6x$이므로

$f'(3) = 36 \ln 3 + 18$

$\therefore f'(3) - 3a = (36 \ln 3 + 18) - 3 \times 6 = 36 \ln 3$

답 $36 \ln 3$

03

$ax - y + 2 = 0$, $x - 4y + 3 = 0$에서

$y = ax + 2$, $y = \dfrac{1}{4}x + \dfrac{3}{4}$

두 직선이 x축의 양의 방향과 이루는 각의 크기를 각각 α, β라고 하면

$\tan \alpha = a$, $\tan \beta = \dfrac{1}{4}$

두 직선이 이루는 예각의 크기가 $\dfrac{\pi}{4}$이므로

$|\tan(\alpha - \beta)| = \tan \dfrac{\pi}{4}$에서

$$\left| \frac{\tan \alpha - \tan \beta}{1 + \tan \alpha \tan \beta} \right| = 1$$

$$\frac{a - \frac{1}{4}}{1 + a \times \frac{1}{4}} = \pm 1$$

$a - \dfrac{1}{4} = 1 + \dfrac{1}{4}a$ 또는 $a - \dfrac{1}{4} = -1 - \dfrac{1}{4}a$

$\dfrac{3}{4}a = \dfrac{5}{4}$ 또는 $\dfrac{5}{4}a = -\dfrac{3}{4}$

$\therefore a = \dfrac{5}{3}$ 또는 $a = -\dfrac{3}{5}$

따라서 모든 상수 a의 값의 곱은

$$\frac{5}{3} \times \left(-\frac{3}{5} \right) = -1$$

답 -1

04

$(f \circ g)(x) = f(g(x)) = x^2 + 15x$의 양변을 x에 대하여 미분하면

$f'(g(x))g'(x) = 2x + 15$

이때 $g'(x) = \dfrac{3(x^2+2) - 3x \times 2x}{(x^2+2)^2} = \dfrac{-3x^2+6}{(x^2+2)^2}$이므로

$$f'\left(\frac{3x}{x^2+2} \right) \times \frac{-3x^2+6}{(x^2+2)^2} = 2x + 15$$

위의 식의 양변에 $x=0$을 대입하면

$f'(0) \times \dfrac{3}{2} = 15$ $\therefore f'(0) = 10$

답 ②

05

$\sin xy = \sqrt{2}x$의 양변을 x에 대하여 미분하면

$$y \cos xy + x \cos xy \frac{dy}{dx} = \sqrt{2}$$

$$\cos xy \left(y + x \frac{dy}{dx} \right) = \sqrt{2}$$

$$y + x \frac{dy}{dx} = \frac{\sqrt{2}}{\cos xy}, \quad x \frac{dy}{dx} = \frac{\sqrt{2}}{\cos xy} - y$$

$$\therefore \frac{dy}{dx} = \frac{\sqrt{2}}{x \cos xy} - \frac{y}{x}$$

따라서 곡선 위의 점 $\left(\dfrac{1}{2}, \dfrac{\pi}{2} \right)$에서의 $\dfrac{dy}{dx}$의 값은

$$\frac{\sqrt{2}}{\frac{1}{2} \cos \frac{\pi}{4}} - \frac{\frac{\pi}{2}}{\frac{1}{2}} = 4 - \pi$$

답 ④

06

$g(t) = \dfrac{1}{2}t^2$이고 $f(t) + g(t) \leq \dfrac{1}{2}|t(e^t-1)|$이므로

$$f(t) \leq \frac{1}{2}|t(e^t-1)| - g(t)$$

$$0 \leq \frac{f(t)}{g(t)} \leq \frac{\frac{1}{2}|t(e^t-1)|}{g(t)} - 1$$

$$\therefore \lim_{t \to 0+} 0 \leq \lim_{t \to 0+} \frac{f(t)}{g(t)} \leq \lim_{t \to 0+} \left\{ \frac{\frac{1}{2}|t(e^t-1)|}{g(t)} - 1 \right\}$$

$\displaystyle\lim_{t \to 0+} 0 = 0$이고,

$$\lim_{t \to 0+} \left\{ \frac{\frac{1}{2}|t(e^t-1)|}{g(t)} - 1 \right\} = \lim_{t \to 0+} \left\{ \left| \frac{t(e^t-1)}{t^2} \right| - 1 \right\}$$

$$= \lim_{t \to 0+} \left\{ \left| \frac{e^t-1}{t} \right| - 1 \right\}$$

$$= 1 - 1 = 0$$

이므로 함수의 극한의 대소 관계에 의하여

$$\lim_{t \to 0+} \frac{f(t)}{g(t)} = 0$$

답 ①

07

$(f \circ g)(0) = f(g(0)) = f(1) = 5$

$(f \circ g)'(x) = f'(g(x))g'(x)$이고

$g'(x) = e^{\sin x} \cos x$이므로

$(f \circ g)'(0) = f'(g(0))g'(0) = f'(1) \times 1 = f'(1) = 2$

다항식 $f(x)$를 $(x-1)^2$으로 나누었을 때의 몫을 $Q(x)$,

$R(x) = ax + b$ (a, b는 상수)라고 하면

$f(x) = (x-1)^2 Q(x) + ax + b$ ...... ㉠

㉠의 양변에 $x=1$을 대입하면

$f(1) = a + b = 5$ ...... ㉡

㉠의 양변을 x에 대하여 미분하면

$f'(x) = 2(x-1)Q(x) + (x-1)^2 Q'(x) + a$ ...... ㉢

㉢의 양변에 $x=1$을 대입하면

$f'(1) = a = 2$

$a=2$를 ㉡에 대입하면

$2 + b = 5$ $\therefore b = 3$

따라서 $R(x) = 2x + 3$이므로

$R(4) = 11$

답 11

08

$f(x) = \ln\sqrt{\dfrac{3+x}{3-x}} = \dfrac{1}{2}\{\ln(3+x) - \ln(3-x)\}$이므로

$f'(x) = \dfrac{1}{2}\left(\dfrac{1}{3+x} + \dfrac{1}{3-x}\right) = \dfrac{3}{9-x^2}$

$g(0) = a$라고 하면 $f(a) = 0$이므로 $\ln\sqrt{\dfrac{3+a}{3-a}} = 0$

$\sqrt{\dfrac{3+a}{3-a}} = 1$, $\dfrac{3+a}{3-a} = 1$

$3 + a = 3 - a$ $\therefore a = 0$

즉, $g(0) = 0$이므로

$g'(0) = \dfrac{1}{f'(g(0))} = \dfrac{1}{f'(0)} = \dfrac{1}{\dfrac{3}{9}} = 3$

답 ⑤

09

$f(x) = \cos(\ln x)$에서

$f'(x) = -\sin(\ln x) \times \dfrac{1}{x}$

ㄱ은 옳다.

$1 < x < e^{\frac{\pi}{2}}$에서 $0 < \ln x < \dfrac{\pi}{2}$이므로 $-1 < -\sin(\ln x) < 0$

즉, $f'(x) < 0$이므로 함수 $f(x)$는 구간 $(1, e^{\frac{\pi}{2}})$에서 감소한다.

ㄴ도 옳다.

$f''(x) = -\cos(\ln x) \times \dfrac{1}{x} \times \dfrac{1}{x} - \sin(\ln x) \times \left(-\dfrac{1}{x^2}\right)$

$\qquad = -\dfrac{1}{x^2}\{\cos(\ln x) - \sin(\ln x)\}$

$\therefore f''(e^\pi) = -\dfrac{1}{e^{2\pi}}(\cos\pi - \sin\pi) = \dfrac{1}{e^{2\pi}} > 0$

ㄷ도 옳다.

$f'(1) = -\sin 0 \times 1 = 0$,

$f''(1) = -(\cos 0 - \sin 0) = -1 < 0$

이므로 함수 $f(x)$는 $x=1$에서 극댓값을 갖는다.

따라서 옳은 것은 ㄱ, ㄴ, ㄷ이다.

답 ⑤

10

곡선 $y = \sqrt{2}e^x$ 위의 점 $\mathrm{P}(t, \sqrt{2}e^t)$과 점 Q 사이의 거리의 최솟값은 점 P에서 원의 중심 $(2, 0)$까지의 거리에서 반지름의 길이 2를 뺀 것과 같다.

$f(t) = \sqrt{(t-2)^2 + 2e^{2t}} - 2$라고 하면

$f(t)$의 최솟값이 $\overline{\mathrm{PQ}}$의 최솟값이다.

$\sqrt{(t-2)^2 + (\sqrt{2}e^t - 0)^2}$
$= \sqrt{(t-2)^2 + 2e^{2t}}$

$g(t) = (t-2)^2 + 2e^{2t}$이라고 하면

$g'(t) = 2(t-2) + 4e^{2t}$

$g'(t) = 0$에서 $t=0$

함수 $g(t)$의 증가와 감소를 표로 나타내면 오른쪽과 같다.

t	$\cdots$	0	$\cdots$
$g'(t)$	$-$	0	$+$
$g(t)$	↘	6	↗

따라서 $g(t)$의 최솟값은

$g(0) = 6$이므로 $f(t)$의 최솟값은 $\sqrt{6} - 2$이다.

답 ③

III. 적분법

001

$$f(x)=\int \frac{1+x^2}{x}dx=\int\left(\frac{1}{x}+x\right)dx$$

$$=\ln|x|+\frac{1}{2}x^2+C \ (\text{단, } C\text{는 적분상수이다.})$$

$f(e)=\frac{1}{2}e^2$이므로 $1+\frac{1}{2}e^2+C=\frac{1}{2}e^2$

$$\therefore C=-1$$

따라서 $f(x)=\ln|x|+\frac{1}{2}x^2-1$이므로

$$f(1)=\frac{1}{2}-1=-\frac{1}{2}$$

답 ③

풍쌤 비법

유리함수의 적분

(1) (분자의 차수)≥(분모의 차수)인 경우

➡ 분자를 분모로 나누어 몫과 나머지 꼴로 나타내어 적분한다.

(2) (분자의 차수)<(분모의 차수)인 경우

➡ 분모가 인수분해되면 부분분수로 변형하여 적분한다.

002

$$\int_1^4 f(x)dx=\int_1^4 \frac{1}{x\sqrt{x}}dx=\int_1^4 x^{-\frac{3}{2}}dx$$

$$=\left[-2x^{-\frac{1}{2}}\right]_1^4=\left[-\frac{2}{\sqrt{x}}\right]_1^4$$

$$=-1-(-2)=1$$

답 1

참고

지수법칙

$a>0$, $b>0$이고 x, y가 실수일 때

(1) $a^x a^y=a^{x+y}$ (2) $a^x\div a^y=a^{x-y}$

(3) $(a^x)^y=a^{xy}$ (4) $(ab)^x=a^x b^x$

003

$$\int_0^1 \frac{1}{x^2+5x+6}dx=\int_0^1 \frac{1}{(x+2)(x+3)}dx$$

$$=\int_0^1 \left(\frac{1}{x+2}-\frac{1}{x+3}\right)dx$$

$$=\left[\ln|x+2|-\ln|x+3|\right]_0^1$$

$$=(\ln 3-\ln 4)-(\ln 2-\ln 3)$$

$$=\ln 3-2\ln 2-\ln 2+\ln 3$$

$$=2\ln 3-3\ln 2$$

$$=\ln 3^2-\ln 2^3$$

$$=\ln \frac{3^2}{2^3}=\ln \frac{9}{8}$$

따라서 $p=8$, $q=9$이므로

$$p+q=8+9=17$$

답 ④

004

$$f'(x)=\begin{cases}2x-1 & (x<1) \\ 6\sqrt{x} & (x>1)\end{cases}\text{에서}$$

$$f(x)=\begin{cases}x^2-x+C_1 & (x<1) \\ 4x^{\frac{3}{2}}+C_2 & (x>1)\end{cases}\text{(단, }C_1,\ C_2\text{는 적분상수이다.)}$$

이때 $f(4)=30$이므로

$$4\times 4^{\frac{3}{2}}+C_2=30,\ 32+C_2=30$$

$$\therefore C_2=-2$$

그런데 함수 $f(x)$가 실수 전체의 집합에서 연속이므로 $x=1$에서 연속이어야 한다.

즉, $\lim\limits_{x\to 1-}(x^2-x+C_1)=\lim\limits_{x\to 1+}(4x^{\frac{3}{2}}-2)=f(1)$에서

$C_1=2$ $\lim\limits_{x\to 1-}f(x)=\lim\limits_{x\to 1+}f(x)=f(1)$

따라서 $f(x)=\begin{cases}x^2-x+2 & (x<1) \\ 4x^{\frac{3}{2}}-2 & (x\geq 1)\end{cases}$이므로

$$f(-1)=1-(-1)+2=4$$

답 ③

참고

함수의 연속

함수 $f(x)$가 실수 a에 대하여 다음 조건을 모두 만족시킬 때, $f(x)$는 $x=a$에서 연속이라고 한다.

(ⅰ) 함수 $f(x)$가 $x=a$에서 정의되어 있다.

(ⅱ) 극한값 $\lim\limits_{x\to a}f(x)$가 존재한다.

(ⅲ) $\lim\limits_{x\to a}f(x)=f(a)$

005

$$\left|\frac{4}{x}-2\right|=\begin{cases}\dfrac{4}{x}-2 & (1\leq x\leq 2) \\ -\dfrac{4}{x}+2 & (2<x\leq 4)\end{cases}\text{이므로}$$

$$\int_1^4 \left|\frac{4}{x}-2\right|dx$$

$$=\int_1^2 \left(\frac{4}{x}-2\right)dx+\int_2^4 \left(-\frac{4}{x}+2\right)dx$$

$$=\left[4\ln x-2x\right]_1^2+\left[-4\ln x+2x\right]_2^4$$

$$=4\ln 2-4-(-2)+\{-4\ln 4+8-(-4\ln 2+4)\}$$

$$=4\ln 2-2+(-4\ln 4+4\ln 2+4)$$

$$=-4\ln 4+8\ln 2+2$$

$$=-8\ln 2+8\ln 2+2=2$$

답 ⑤

006

$$\int (2^x-1)(4^x+2^x+1)dx$$

$$=\int (2^x-1)(2^{2x}+2^x+1)dx$$

$$=\int (2^{3x}-1)dx=\int (8^x-1)dx$$

$$=\frac{8^x}{\ln 8}-x+C$$

$$=\frac{1}{3\ln 2}\times 2^{3x}-x+C \text{ (단, } C\text{는 적분상수이다.)}$$

따라서 $a=\dfrac{1}{3\ln 2}$, $b=3$, $c=-1$이므로

$$a+b+c=\frac{1}{3\ln 2}+3+(-1)$$

$$=\frac{1}{3\ln 2}+2$$

답 ⑤

007

$a>1$이므로

$$\int_1^a \left(2^x-\frac{1}{x}\right)dx=\left[\frac{2^x}{\ln 2}-\ln x\right]_1^a$$

$$=\frac{2^a}{\ln 2}-\ln a-\frac{2}{\ln 2}$$

$$=\frac{2^a-2}{\ln 2}-\ln a$$

즉, $\dfrac{2^a-2}{\ln 2}-\ln a=\dfrac{2}{\ln 2}-\ln 2$이므로 $a=2$

답 2

008

$\displaystyle\lim_{h\to 0}\dfrac{f(x+h)-f(x)}{h}=f'(x)$이므로

$$f'(x)=\frac{e^{2x}-1}{e^x-1}$$

$$\therefore f(x)=\int f'(x)dx=\int \frac{e^{2x}-1}{e^x-1}dx$$

$$=\int \frac{(e^x-1)(e^x+1)}{e^x-1}dx$$

$$=\int (e^x+1)dx=e^x+x+C \text{ (단, } C\text{는 적분상수이다.)}$$

$f(0)=0$이므로

$$1+C=0 \qquad \therefore C=-1$$

따라서 $f(x)=e^x+x-1$이므로

$$f(1)=e+1-1=e$$

답 e

009

$$\int_{\ln 2}^{\ln 4} f(x)dx+\int_{\ln 4}^{\ln 6} f(x)dx-\int_{\ln 5}^{\ln 6} f(x)dx$$

$$=\int_{\ln 2}^{\ln 4} e^{2x}dx+\int_{\ln 4}^{\ln 6} e^{2x}dx-\int_{\ln 5}^{\ln 6} e^{2x}dx$$

$$=\int_{\ln 2}^{\ln 6} e^{2x}dx-\int_{\ln 5}^{\ln 6} e^{2x}dx$$

$$=\int_{\ln 2}^{\ln 6} e^{2x}dx+\int_{\ln 6}^{\ln 5} e^{2x}dx$$

$$=\int_{\ln 2}^{\ln 5} e^{2x}dx=\left[\frac{1}{2}e^{2x}\right]_{\ln 2}^{\ln 5}$$

$$=\frac{1}{2}e^{2\ln 5}-\frac{1}{2}e^{2\ln 2}=\frac{25}{2}-2=\frac{21}{2}$$

$\quad\quad \frac{1}{2}e^{2\ln 5}=\frac{1}{2}e^{\ln 5^2}=\frac{1}{2}\times 25^{\ln e}=\frac{25}{2}$

$\quad\quad \frac{1}{2}e^{2\ln 2}=\frac{1}{2}e^{\ln 2^2}=\frac{1}{2}\times 4^{\ln e}=2$

답 $\dfrac{21}{2}$

풍쌤 비법

지수함수의 적분 (단, C는 적분상수)

(1) $\displaystyle\int e^{px}dx=\frac{1}{p}e^{px}+C$ (단, $p\neq 0$)

(2) $\displaystyle\int a^{px}dx=\int (a^p)^x dx=\frac{a^{px}}{\ln a^p}+C=\frac{a^{px}}{p\ln a}+C$

$\quad\quad$ (단, $a>0$, $a\neq 1$, $p\neq 0$)

010

접근

함수 $f(x)$가 실수 전체의 집합에서 미분가능함을 이용하여 $x\geq 1$에서의 $f(x)$의 식을 구한다.

$$f'(x)=\begin{cases} e^{x-1} & (x<1) \\ \dfrac{1}{x} & (x>1) \end{cases} \text{에서}$$

$$f(x)=\begin{cases} e^{x-1}+C_1 & (x<1) \\ \ln x+C_2 & (x>1) \end{cases} \text{ (단, } C_1, C_2\text{는 적분상수이다.)}$$

이때 $f(0)=\dfrac{1}{e}-e^2$이므로

$$\frac{1}{e}+C_1=\frac{1}{e}-e^2 \qquad \therefore C_1=-e^2$$

그런데 함수 $f(x)$가 실수 전체의 집합에서 연속이므로 $x=1$에서 연속이어야 한다. $\quad$ 함수 $f(x)$가 실수 전체의 집합에서 미분가능하므로 실수 전체의 집합에서 연속이다.

즉, $\displaystyle\lim_{x\to 1-}(e^{x-1}-e^2)=\lim_{x\to 1+}(\ln x+C_2)=f(1)$에서

$$1-e^2=C_2$$

$$\therefore f(x)=\begin{cases} e^{x-1}-e^2 & (x<1) \\ \ln x+1-e^2 & (x\geq 1) \end{cases}$$

$f(a)=3-e^2$에서 $a\geq 1$이므로

$$\ln a+1-e^2=3-e^2, \ln a=2$$

$$\therefore a=e^2$$

답 ④

참고

$a<1$이면 $f(a)=3-e^2$에서

$$e^{a-1}-e^2=3-e^2, e^{a-1}=3$$

$$a-1=\ln 3 \qquad \therefore a=1+\ln 3$$

$1+\ln 3>1$이므로 $a<1$이라는 조건에 모순이다.

따라서 $a\geq 1$이다.

011

$$f(x)=\int f'(x)dx=\int (2-\sin x)dx$$

$$=2x+\cos x+C \text{ (단, } C\text{는 적분상수이다.)}$$

$f(0)=-1$이므로 $1+C=-1 \qquad \therefore C=-2$

따라서 $f(x)=2x+\cos x-2$이므로

$f\left(\dfrac{\pi}{3}\right)=\dfrac{2}{3}\pi+\dfrac{1}{2}-2=\dfrac{2}{3}\pi-\dfrac{3}{2}$

즉, $a=\dfrac{2}{3}$, $b=-\dfrac{3}{2}$이므로

$ab=\dfrac{2}{3}\times\left(-\dfrac{3}{2}\right)=-1$

답 ②

012

두 함수 $y=\cos x$, $y=k$의 그래프는 y축에 대칭이고, 두 함수 $y=x^3$, $y=\sin x$의 그래프는 원점에 대칭이다.

따라서 두 함수 $y=x^3\cos x$, $y=\sin x\cos x$의 그래프는 원점에 대칭이다. 즉,

$\displaystyle\int_{-\frac{\pi}{4}}^{\frac{\pi}{4}}x^3\cos x\,dx=0$, $\displaystyle\int_{-\frac{\pi}{4}}^{\frac{\pi}{4}}\sin x\cos x\,dx=0$

$\therefore \displaystyle\int_{-\frac{\pi}{4}}^{\frac{\pi}{4}}(x^3+\sin x+k)\cos x\,dx$

$\quad=\displaystyle\int_{-\frac{\pi}{4}}^{\frac{\pi}{4}}(x^3\cos x+\sin x\cos x+k\cos x)dx$

$\quad=\displaystyle\int_{-\frac{\pi}{4}}^{\frac{\pi}{4}}k\cos x\,dx=2\displaystyle\int_{0}^{\frac{\pi}{4}}k\cos x\,dx$

$\quad=2\Big[k\sin x\Big]_{0}^{\frac{\pi}{4}}=2k\times\dfrac{\sqrt{2}}{2}$

$\quad=k\sqrt{2}=2\sqrt{2}$

$\therefore k=2$

답 ④

> **풍쌤 비법**
>
> **우함수, 기함수의 정적분**
>
> 함수 $f(x)$가 닫힌구간 $[-a,\,a]$에서 연속일 때
>
> (1) $f(x)$가 <u>우함수</u>, 즉 $f(-x)=f(x)$이면
> └ 함수의 그래프가 y축에 대하여 대칭
>
> $\blacktriangleright \displaystyle\int_{-a}^{a}f(x)dx=2\displaystyle\int_{0}^{a}f(x)dx$
>
> (2) $f(x)$가 <u>기함수</u>, 즉 $f(-x)=-f(x)$이면
> └ 함수의 그래프가 원점에 대하여 대칭
>
> $\blacktriangleright \displaystyle\int_{-a}^{a}f(x)dx=0$

013

$|\cos x|=\begin{cases}\cos x & \left(0\le x\le\dfrac{\pi}{2}\right)\\ -\cos x & \left(\dfrac{\pi}{2}<x\le\pi\right)\end{cases}$이므로

$\displaystyle\int_{0}^{\pi}|\cos x|\,dx=\displaystyle\int_{0}^{\frac{\pi}{2}}\cos x\,dx+\displaystyle\int_{\frac{\pi}{2}}^{\pi}(-\cos x)dx$

$\quad=\Big[\sin x\Big]_{0}^{\frac{\pi}{2}}-\Big[\sin x\Big]_{\frac{\pi}{2}}^{\pi}$

$\quad=1-(-1)=2$

답 ④

다른 풀이

닫힌구간 $[0,\,\pi]$에서 함수 $y=\cos x$의 그래프는 점 $\left(\dfrac{\pi}{2},\,0\right)$에 대하여 대칭이므로

$\displaystyle\int_{0}^{\frac{\pi}{2}}|\cos x|\,dx=\displaystyle\int_{\frac{\pi}{2}}^{\pi}|\cos x|\,dx$

$\therefore \displaystyle\int_{0}^{\pi}|\cos x|\,dx=\displaystyle\int_{0}^{\frac{\pi}{2}}|\cos x|\,dx+\displaystyle\int_{\frac{\pi}{2}}^{\pi}|\cos x|\,dx$

$\qquad\qquad\qquad=2\displaystyle\int_{0}^{\frac{\pi}{2}}\cos x\,dx$

$\qquad\qquad\qquad=2\Big[\sin x\Big]_{0}^{\frac{\pi}{2}}$

$\qquad\qquad\qquad=2\times1=2$

014

$2x+3=t$로 놓으면 $\dfrac{dt}{dx}=2$이므로

$\displaystyle\int(2x+3)^5dx=\displaystyle\int t^5\times\dfrac{1}{2}dt=\displaystyle\int\dfrac{1}{2}t^5dt$

$\qquad\qquad\qquad=\dfrac{1}{12}t^6+C$

$\qquad\qquad\qquad=\dfrac{1}{12}(2x+3)^6+C$ (단, C는 적분상수이다.)

따라서 $a=12$, $b=6$이므로

$a-b=12-6=6$

답 ②

015

$(x^2+x+3)'=2x+1$이므로

$f(x)=\displaystyle\int f'(x)dx=\displaystyle\int\dfrac{2x+1}{x^2+x+3}dx=\displaystyle\int\dfrac{(x^2+x+3)'}{x^2+x+3}dx$

$\quad=\ln(x^2+x+3)+C$ (단, C는 적분상수이다.) $\quad{}_{\underline{x^2+x+3>0}}$

$f(0)=1+\ln3$이므로 $\quad\ln3+C=1+\ln3$

$\therefore C=1$

따라서 $f(x)=\ln(x^2+x+3)+1$이므로

$f(1)=\ln5+1$

답 ④

016

$f(x)=\displaystyle\int\cos^3x\,dx=\displaystyle\int\underline{\cos^2x}\times\cos x\,dx$

$\qquad\qquad\qquad\qquad\quad {}_{\underline{\sin^2x+\cos^2x=1}}$

$\quad=\displaystyle\int(1-\sin^2x)\cos x\,dx$

$\sin x=t$로 놓으면 $\dfrac{dt}{dx}=\cos x$이므로

$f(x)=\displaystyle\int(1-\sin^2x)\cos x\,dx=\displaystyle\int(1-t^2)dt$

$\quad=t-\dfrac{1}{3}t^3+C$

$\quad=\sin x-\dfrac{1}{3}\sin^3x+C$ (단, C는 적분상수이다.)

$f\left(\dfrac{\pi}{2}\right)=0$이므로 $\quad 1-\dfrac{1}{3}+C=0$ $\quad\therefore C=-\dfrac{2}{3}$

따라서 $f(x)=\sin x-\dfrac{1}{3}\sin^3x-\dfrac{2}{3}$이므로

$f(\pi)=-\dfrac{2}{3}$

답 $-\dfrac{2}{3}$

017

$1+x^2=t$로 놓으면 $\dfrac{dt}{dx}=2x$이므로

$$f(x)=\int \dfrac{x}{\sqrt{1+x^2}}dx=\dfrac{1}{2}\int (1+x^2)^{-\frac{1}{2}}\times 2x\,dx$$

$$=\dfrac{1}{2}\int t^{-\frac{1}{2}}dt=t^{\frac{1}{2}}+C$$

$$=\sqrt{t}+C$$

$$=\sqrt{1+x^2}+C \text{ (단, } C\text{는 적분상수이다.)}$$

$f(0)=1$이므로

$1+C=1 \qquad \therefore C=0$

$\therefore f(x)=\sqrt{1+x^2}$

$f(x)-1=0$에서

$\sqrt{1+x^2}-1=0,\ \sqrt{1+x^2}=1$

$1+x^2=1,\ x^2=0 \qquad \therefore x=0$

따라서 방정식 $f(x)-1=0$의 실근의 개수는 1이다.

답 ②

018

$2+\sin x=t$로 놓으면 $\dfrac{dt}{dx}=\cos x$이므로

$$\int_0^{\frac{\pi}{2}}\dfrac{\cos x}{2+\sin x}dx=\int_0^{\frac{\pi}{2}}\dfrac{(2+\sin x)'}{2+\sin x}dx$$

$$=\Big[\ln(2+\sin x)\Big]_0^{\frac{\pi}{2}}$$

$$=\ln 3-\ln 2=\ln \dfrac{3}{2}$$

$\therefore a=\dfrac{3}{2}$

답 ③

019

$3x-2=t$로 놓으면 $\dfrac{dt}{dx}=3$이고

$x=1$일 때 $t=1$, $x=5$일 때 $t=13$이므로

$$\int_1^5 f(3x-2)dx=\int_1^{13}\dfrac{f(t)}{3}dt=\dfrac{1}{3}\int_1^{13}f(t)dt$$

$$=\dfrac{1}{3}\times 9=3$$

답 ③

020

$x^2=t$로 놓으면 $\dfrac{dt}{dx}=2x$이고

$x=0$일 때 $t=0$, $x=3$일 때 $t=9$이므로

$$\int_0^3 2xf(x^2)dx=\int_0^9 f(t)dt=\int_0^9 f(x)dx$$

$$=\int_0^5 f(x)dx+\int_5^9 f(x)dx$$

$$=24-8=16$$

답 16

021

$u(x)=x,\ v'(x)=e^x$으로 놓으면

$u'(x)=1,\ v(x)=e^x$

$$\therefore \int xe^x dx=xe^x-\int e^x dx$$

$$=xe^x-e^x+C$$

$$=(x-1)e^x+C \text{ (단, } C\text{는 적분상수이다.)}$$

따라서 $a=1,\ b=-1$이므로

$ab=1\times(-1)=-1$

답 ②

022

$u(x)=x,\ v'(x)=\cos 2x$로 놓으면

$u'(x)=1,\ v(x)=\dfrac{1}{2}\sin 2x$

$$\therefore f(x)=\int x\cos 2x\,dx$$

$$=\dfrac{1}{2}x\sin 2x-\int \dfrac{1}{2}\sin 2x\,dx$$

$$=\dfrac{1}{2}x\sin 2x-\dfrac{1}{2}\times\Big(-\dfrac{1}{2}\cos 2x\Big)+C$$

$$=\dfrac{1}{2}x\sin 2x+\dfrac{1}{4}\cos 2x+C \text{ (단, } C\text{는 적분상수이다.)}$$

$f(\pi)=\dfrac{5}{4}$이므로

$\dfrac{1}{4}+C=\dfrac{5}{4} \qquad \therefore C=1$

따라서 $f(x)=\dfrac{1}{2}x\sin 2x+\dfrac{1}{4}\cos 2x+1$이므로

$$f\Big(\dfrac{\pi}{2}\Big)=-\dfrac{1}{4}+1=\dfrac{3}{4}$$

답 $\dfrac{3}{4}$

023

$\sin(\pi+x)=-\sin x$이므로

$$\int_0^\pi x\sin(\pi+x)dx=\int_0^\pi(-x\sin x)dx$$

$u(x)=-x,\ v'(x)=\sin x$로 놓으면

$u'(x)=-1,\ v(x)=-\cos x$

$$\therefore \int_0^\pi x\sin(\pi+x)dx=\int_0^\pi(-x\sin x)dx$$

$$=\Big[x\cos x\Big]_0^\pi-\int_0^\pi \cos x\,dx$$

$$=\pi\cos\pi-\Big[\sin x\Big]_0^\pi$$

$$=-\pi$$

답 ①

참고

$\pi\pm\theta$의 삼각함수

(1) $\sin(\pi\pm\theta)=\mp\sin\theta$ (복부호동순)

(2) $\cos(\pi\pm\theta)=-\cos\theta$

(3) $\tan(\pi\pm\theta)=\pm\tan\theta$ (복부호동순)

024

$f(x)=(\ln x)^2$, $g'(x)=x$로 놓으면

$f'(x)=2\ln x\times\dfrac{1}{x}=\dfrac{2}{x}\ln x$, $g(x)=\dfrac{1}{2}x^2$

$\therefore \displaystyle\int x(\ln x)^2 dx=\dfrac{1}{2}x^2(\ln x)^2-\int\dfrac{2}{x}\ln x\times\dfrac{1}{2}x^2 dx$

$\qquad\qquad\qquad\quad =\dfrac{1}{2}x^2(\ln x)^2-\int x\ln x\,dx$ $\qquad\cdots\cdots$ ㉠

$\displaystyle\int x\ln x\,dx$에서 $u(x)=\ln x$, $v'(x)=x$로 놓으면

$u'(x)=\dfrac{1}{x}$, $v(x)=\dfrac{1}{2}x^2$

$\therefore \displaystyle\int x\ln x\,dx=\dfrac{1}{2}x^2\ln x-\int\dfrac{1}{x}\times\dfrac{1}{2}x^2 dx$

$\qquad\qquad\quad =\dfrac{1}{2}x^2\ln x-\int\dfrac{1}{2}x\,dx$

$\qquad\qquad\quad =\dfrac{1}{2}x^2\ln x-\dfrac{1}{4}x^2+C_1$ (단, C_1은 적분상수이다.)

$\qquad\qquad\qquad\qquad\qquad\qquad\qquad\qquad\cdots\cdots$ ㉡

㉡을 ㉠에 대입하면

$\displaystyle\int x(\ln x)^2 dx=\dfrac{1}{2}x^2(\ln x)^2-\left(\dfrac{1}{2}x^2\ln x-\dfrac{1}{4}x^2+C_1\right)$

$\qquad\qquad\qquad =\dfrac{1}{2}x^2(\ln x)^2-\dfrac{1}{2}x^2\ln x+\dfrac{1}{4}x^2+C$

$\qquad\qquad\qquad\qquad\qquad\qquad$ (단, C는 적분상수이다.)

답 $\dfrac{1}{2}x^2(\ln x)^2-\dfrac{1}{2}x^2\ln x+\dfrac{1}{4}x^2+C$ (단, C는 적분상수이다.)

025

이차함수 $y=g(x)$의 그래프의 꼭짓점의 좌표가 $(1,\,-1)$이므로

$g(x)=a(x-1)^2-1\,(a>0)$로 놓을 수 있다.

함수 $y=g(x)$의 그래프가 원점을 지나므로 $g(0)=0$에서

$a-1=0$ $\quad\therefore a=1$

$\therefore g(x)=(x-1)^2-1$

$\therefore \displaystyle\int_1^e\sqrt{g(\ln x)+1}\,dx=\int_1^e\sqrt{(\ln x-1)^2-1+1}\,dx$

$\qquad\qquad\qquad\qquad =\displaystyle\int_1^e\sqrt{(\ln x-1)^2}\,dx$

$\qquad\qquad\qquad\qquad =\displaystyle\int_1^e|\ln x-1|\,dx$

$\qquad\qquad\qquad\qquad\qquad \underset{1\leq x\leq e\text{에서}\quad \ln x-1\leq 0}{\underline{}}$

$\qquad\qquad\qquad\qquad =\displaystyle\int_1^e(1-\ln x)\,dx$

$\qquad\qquad\qquad\qquad =\Big[\,x\,\Big]_1^e-\displaystyle\int_1^e\underline{\ln x\,dx}$

$\qquad\qquad\qquad\qquad\qquad\qquad \underset{\underset{\text{로 놓고 부분적분법을 이용한다.}}{u(x)=\ln x,\ v'(x)=1}}{\underline{}}$

$\qquad\qquad\qquad\qquad =e-1-\left\{\Big[\,x\ln x\,\Big]_1^e-\displaystyle\int_1^e 1\,dx\right\}$

$\qquad\qquad\qquad\qquad =e-1-\left\{e-\Big[\,x\,\Big]_1^e\right\}=e-1-\{e-(e-1)\}$

$\qquad\qquad\qquad\qquad =e-2$

답 ①

026

$f(x)=e^x+\displaystyle\int_0^1 tf(t)dt$에서 $\displaystyle\int_0^1 tf(t)dt=k\,(k$는 상수)라고 하면

$f(x)=e^x+k$

$\therefore \displaystyle\int_0^1 tf(t)dt=\int_0^1 t(e^t+k)dt=\int_0^1 te^t dt+\int_0^1 kt\,dt$

$\displaystyle\int_0^1 te^{t^2}dt$에서 $t^2=s$로 놓으면 $\dfrac{ds}{dt}=2t$이고

$t=0$일 때 $s=0$, $t=1$일 때 $s=1$이므로

$\displaystyle\int_0^1\dfrac{1}{2}e^s ds=\left[\dfrac{1}{2}e^s\right]_0^1=\dfrac{1}{2}e-\dfrac{1}{2}$

$\displaystyle\int_0^1 kt\,dt=\left[\dfrac{1}{2}kt^2\right]_0^1=\dfrac{1}{2}k$

$\therefore \displaystyle\int_0^1 tf(t)dt=\left(\dfrac{1}{2}e-\dfrac{1}{2}\right)+\dfrac{1}{2}k=k$

$\dfrac{1}{2}k=\dfrac{1}{2}e-\dfrac{1}{2}$ $\quad\therefore k=e-1$

따라서 $f(x)=e^x+e-1$이므로 $\ f(1)=e+e-1=2e-1$

답 ④

풍쌤 비법

정적분을 포함한 등식

(1) 적분 구간이 상수로 주어진 경우: $A=B+\displaystyle\int_a^b f(t)dt$

➡ 정적분은 상수이므로 $\displaystyle\int_a^b f(t)dt=k\,(k$는 상수)로 놓는다.

(2) 적분 구간이 변수로 주어진 경우: $A=B+\displaystyle\int_a^x f(t)dt$

➡ (i) 양변을 x에 대하여 미분한다.

　(ii) 양변에 $x=a$를 대입한다.

027

$\displaystyle\int_0^x f(t)dt=\sin 2x+ax^2+a$의 양변에 $x=0$을 대입하면

$a=0$

$\displaystyle\int_0^x f(t)dt=\sin 2x$의 양변을 x에 대하여 미분하면

$f(x)=2\cos 2x$

$\therefore f\left(\dfrac{\pi}{2}\right)=2\cos\pi=-2$

답 -2

028

$\displaystyle\int_a^x f(t)dt=(x+a-4)e^x$의 양변에 $x=a$를 대입하면

$0=(2a-4)e^a$ $\quad\therefore a=2\,(\because e^a>0)$

즉, $\displaystyle\int_2^x f(t)dt=(x-2)e^x$이므로 양변을 x에 대하여 미분하면

$f(x)=e^x+(x-2)e^x=(x-1)e^x$

$\therefore f(a)=f(2)=e^2$

답 ②

029

$F'(t)=f(t)$로 놓으면

$\displaystyle\lim_{x\to 1}\dfrac{1}{x^3-1}\int_1^x f(t)dt=\lim_{x\to 1}\dfrac{F(x)-F(1)}{x^3-1}$

$\qquad\qquad\qquad\qquad =\displaystyle\lim_{x\to 1}\left\{\dfrac{F(x)-F(1)}{x-1}\times\dfrac{1}{x^2+x+1}\right\}$

$\qquad\qquad\qquad\qquad =\dfrac{1}{3}F'(1)=\dfrac{1}{3}f(1)=\dfrac{e}{3}$

답 ①

030

접근

주어진 등식의 양변을 미분하여 $f'(x)$를 구한 후 함수 $f(x)$의 증가와 감소를 조사한다.

$f(x)=\int_0^x \dfrac{2t+1}{t^2+t+1}dt$의 양변을 x에 대하여 미분하면

$f'(x)=\dfrac{2x+1}{x^2+x+1}$

$f'(x)=0$에서 $2x+1=0$ $\therefore x=-\dfrac{1}{2}$

함수 $f(x)$의 증가와 감소를 표로 나타내면 오른쪽과 같다.

x	$\cdots$	$-\dfrac{1}{2}$	$\cdots$
$f'(x)$	$-$	0	$+$
$f(x)$	$\searrow$	극소	$\nearrow$

따라서 함수 $f(x)$는 $x=-\dfrac{1}{2}$에서 극소이면서 최소이므로 최솟값은

$$f\left(-\dfrac{1}{2}\right)=\int_0^{-\frac{1}{2}}\dfrac{2t+1}{t^2+t+1}dt=-\int_{-\frac{1}{2}}^0\dfrac{(t^2+t+1)'}{t^2+t+1}dt$$

$$=-\left[\ln(t^2+t+1)\right]_{-\frac{1}{2}}^0=\ln\left(\dfrac{1}{4}-\dfrac{1}{2}+1\right)$$

$$=\ln\dfrac{3}{4}$$

답 ③

031

$f'(x)=\dfrac{x\sqrt{x}-\sqrt{x}}{\sqrt{x}+1}=\dfrac{\sqrt{x}(\sqrt{x}+1)(\sqrt{x}-1)}{\sqrt{x}+1}$
$\qquad =x-\sqrt{x}$

이므로

$f(x)=\int f'(x)dx=\int(x-\sqrt{x})dx$
$\qquad =\dfrac{1}{2}x^2-\dfrac{2}{3}x\sqrt{x}+C_1$ (단, C_1은 적분상수이다.)

$g'(x)=\dfrac{1-x}{\sqrt{x}+1}=\dfrac{(1-\sqrt{x})(1+\sqrt{x})}{\sqrt{x}+1}=1-\sqrt{x}$

이므로

$g(x)=\int g'(x)dx=\int(1-\sqrt{x})dx$
$\qquad =x-\dfrac{2}{3}x\sqrt{x}+C_2$ (단, C_2는 적분상수이다.)

$f(1)=g(1)$이므로 $\dfrac{1}{2}-\dfrac{2}{3}+C_1=1-\dfrac{2}{3}+C_2$

$\therefore C_1=C_2+\dfrac{1}{2}$

$\therefore f(2)-g(2)=\left(2-\dfrac{4\sqrt{2}}{3}+C_1\right)-\left(2-\dfrac{4\sqrt{2}}{3}+C_2\right)$

$\qquad\qquad =C_1-C_2=\dfrac{1}{2}$

답 ②

다른 풀이

$h(x)=f(x)-g(x)$라고 하면

$h'(x)=f'(x)-g'(x)=\dfrac{(x\sqrt{x}-\sqrt{x})-(1-x)}{\sqrt{x}+1}$
$\qquad =\dfrac{(x-1)(\sqrt{x}+1)}{\sqrt{x}+1}=x-1$

이므로

$h(x)=\int h'(x)dx=\int(x-1)dx$
$\qquad =\dfrac{1}{2}x^2-x+C$ (단, C는 적분상수이다.)

$h(1)=f(1)-g(1)=0$이므로

$\dfrac{1}{2}-1+C=0$ $\therefore C=\dfrac{1}{2}$

따라서 $f(x)-g(x)=\dfrac{1}{2}x^2-x+\dfrac{1}{2}$이므로

$f(2)-g(2)=2-2+\dfrac{1}{2}=\dfrac{1}{2}$

032

$F(x)=xf(x)+\ln x+\dfrac{3}{x}$의 양변을 x에 대하여 미분하면

$f(x)=f(x)+xf'(x)+\dfrac{1}{x}-\dfrac{3}{x^2}$

$xf'(x)=-\dfrac{1}{x}+\dfrac{3}{x^2}$ $\therefore f'(x)=-\dfrac{1}{x^2}+\dfrac{3}{x^3}$

$f(x)=\int f'(x)dx=\int\left(-\dfrac{1}{x^2}+\dfrac{3}{x^3}\right)dx$

$\qquad =\int(-x^{-2}+3x^{-3})dx=x^{-1}-\dfrac{3}{2}x^{-2}+C$

$\qquad =\dfrac{1}{x}-\dfrac{3}{2x^2}+C$ (단, C는 적분상수이다.)

$f(1)=0$이므로 $1-\dfrac{3}{2}+C=0$ $\therefore C=\dfrac{1}{2}$

즉, $f(x)=\dfrac{1}{x}-\dfrac{3}{2x^2}+\dfrac{1}{2}$이므로 방정식 $f(x)=0$에서

$\dfrac{1}{x}-\dfrac{3}{2x^2}+\dfrac{1}{2}=0$, $\dfrac{2x-3+x^2}{2x^2}=0$

$\therefore x^2+2x-3=0$ $(\because x^2>0)$

따라서 이차방정식의 근과 계수의 관계에 의하여 구하는 모든 실근의 합은 -2이다.

답 -2

033

$f(x)=\int f'(x)dx=\int\left(\dfrac{1}{x}+2x\right)dx$

$\qquad =\ln x+x^2+C$ (단, C는 적분상수이다.)

또, $\lim\limits_{x\to e}\dfrac{f(x)}{x-e}=1$에서 $x\to e$일 때 극한값이 존재하고 (분모)$\to 0$이므로 (분자)$\to 0$이어야 한다.

즉, $\lim\limits_{x\to e}f(x)=0$이므로 $f(e)=0$

$1+e^2+C=0$ $\therefore C=-1-e^2$

따라서 $f(x)=\ln x+x^2-1-e^2$이므로

$f(1)=1-1-e^2=-e^2$

답 ①

참고

미정계수의 결정

두 함수 $f(x)$, $g(x)$에 대하여 $\lim\limits_{x\to a}\dfrac{f(x)}{g(x)}=\alpha$ (α는 상수)일 때

(1) $\lim\limits_{x\to a}g(x)=0$이면 $\lim\limits_{x\to a}f(x)=0$

(2) $\lim\limits_{x\to a}f(x)=0$이고 $\alpha\neq 0$이면 $\lim\limits_{x\to a}g(x)=0$

034

$2f(x) + \dfrac{1}{x^2} f\left(\dfrac{1}{x}\right) = \dfrac{1}{x} + \dfrac{1}{x^2}$ ...... ㉠

㉠에 x 대신 $\dfrac{1}{x}$을 대입하면

$2f\left(\dfrac{1}{x}\right) + x^2 f(x) = x + x^2$

위의 식의 양변을 $2x^2$으로 나누면 ─ $2x^2 \neq 0$이므로 양변을 $2x^2$으로 나눌 수 있다.

$\dfrac{1}{x^2} f\left(\dfrac{1}{x}\right) + \dfrac{1}{2} f(x) = \dfrac{1}{2x} + \dfrac{1}{2}$ ...... ㉡

㉠－㉡을 하면

$\dfrac{3}{2} f(x) = \dfrac{1}{2x} + \dfrac{1}{x^2} - \dfrac{1}{2}$

$\therefore f(x) = \dfrac{1}{3x} + \dfrac{2}{3x^2} - \dfrac{1}{3}$

$\therefore \displaystyle\int_{\frac{1}{2}}^{2} f(x)\,dx = \int_{\frac{1}{2}}^{2}\left(\dfrac{1}{3x} + \dfrac{2}{3x^2} - \dfrac{1}{3}\right)dx$

$\qquad = \left[\dfrac{1}{3}\ln|x| - \dfrac{2}{3x} - \dfrac{1}{3}x\right]_{\frac{1}{2}}^{2}$

$\qquad = \left(\dfrac{1}{3}\ln 2 - \dfrac{1}{3} - \dfrac{2}{3}\right) - \left(\dfrac{1}{3}\ln\dfrac{1}{2} - \dfrac{4}{3} - \dfrac{1}{6}\right)$

$\qquad = \dfrac{2\ln 2}{3} + \dfrac{1}{2}$

답 ②

035

$f'(x) = \dfrac{\sqrt{x}+1}{x^2}$이므로

$f(x) = \displaystyle\int f'(x)\,dx = \int \dfrac{\sqrt{x}+1}{x^2}\,dx$

$\qquad = \displaystyle\int (x^{-\frac{3}{2}} + x^{-2})\,dx$

$\qquad = \displaystyle\int x^{-\frac{3}{2}}\,dx + \int x^{-2}\,dx$

$\qquad = -2x^{-\frac{1}{2}} - x^{-1} + C$

$\qquad = -\dfrac{2}{\sqrt{x}} - \dfrac{1}{x} + C$ (단, C는 적분상수이다.)

곡선 $y = f(x)$가 점 $(1, -3)$을 지나므로 $f(1) = -3$에서

$-2 - 1 + C = -3$ $\therefore C = 0$

$\therefore f(x) = -\dfrac{2}{\sqrt{x}} - \dfrac{1}{x}$

ㄱ은 옳다.

$f(4) = -\dfrac{2}{\sqrt{4}} - \dfrac{1}{4} = -1 - \dfrac{1}{4} = -\dfrac{5}{4}$

ㄴ도 옳다.

임의의 양수 x에 대하여 $-\dfrac{2}{\sqrt{x}} < 0$, $-\dfrac{1}{x} < 0$이므로

$f(x) = -\dfrac{2}{\sqrt{x}} - \dfrac{1}{x} < 0$

ㄷ은 옳지 않다.

ㄴ에 의하여 임의의 양수 x에 대하여 $f(x) < 0$이므로 방정식 $f(x) = 0$을 만족시키는 양수 x는 존재하지 않는다.

즉, 방정식 $f(x) = 0$의 실근은 존재하지 않는다.

따라서 옳은 것은 ㄱ, ㄴ이다.

답 ③

036

곡선 $y = f(x)$ 위의 점 (x, y)에서의 접선의 기울기가 e^x에 정비례하므로 $f'(x) = ke^x (k \neq 0)$으로 놓으면

$f(x) = \displaystyle\int f'(x)\,dx = \int ke^x\,dx = ke^x + C$ (단, C는 적분상수이다.)

곡선 $y = f(x)$는 두 점 $(0, 2)$, $(1, 4e-2)$를 지나므로

$f(0) = k + C = 2$ ...... ㉠

$f(1) = ke + C = 4e - 2$ ...... ㉡

㉠, ㉡을 연립하여 풀면

$k = 4, C = -2$

따라서 $f(x) = 4e^x - 2$이므로 방정식 $f(x) = 0$에서

$4e^x - 2 = 0$, $e^x = \dfrac{1}{2}$

$\therefore x = \ln\dfrac{1}{2} = -\ln 2$

답 ②

037

$|e^x - e^a| = \begin{cases} -e^x + e^a & (x < a) \\ e^x - e^a & (x \geq a) \end{cases}$이므로

$f(a) = \displaystyle\int_0^1 |e^x - e^a|\,dx$

$\qquad = \displaystyle\int_0^a (-e^x + e^a)\,dx + \int_a^1 (e^x - e^a)\,dx$

$\qquad = \left[-e^x + e^a x\right]_0^a + \left[e^x - e^a x\right]_a^1$

$\qquad = (2a - 3)e^a + e + 1$

이 식의 양변을 a에 대하여 미분하면

$f'(a) = 2e^a + (2a - 3)e^a = (2a - 1)e^a$

$f'(a) = 0$에서 $2a - 1 = 0 \; (\because e^a > 0)$ $\therefore a = \dfrac{1}{2}$

함수 $f(a)$의 증가와 감소를 표로 나타내면 오른쪽과 같다.

a	$\cdots$	$\dfrac{1}{2}$	$\cdots$
$f'(a)$	$-$	0	$+$
$f(a)$	$\searrow$	극소	$\nearrow$

따라서 $f(a)$는 $a = \dfrac{1}{2}$에서 극소이면서 최소이므로 구하는 a의 값은 $\dfrac{1}{2}$이다.

답 ④

038

$f''(x) = \displaystyle\lim_{h \to 0} \dfrac{f'(x+h) - f'(x)}{h} = -\sin x$이므로

$f'(x) = \displaystyle\int (-\sin x)\,dx = \cos x + C_1$ (단, C_1은 적분상수이다.)

$f'(0) = 2$이므로

$1 + C_1 = 2$ $\therefore C_1 = 1$

따라서 $f'(x) = \cos x + 1$이므로

$f(x) = \displaystyle\int (\cos x + 1)\,dx$

$\qquad = \sin x + x + C_2$ (단, C_2는 적분상수이다.)

$f(0) = 1$이므로

$C_2 = 1$

따라서 $f(x) = \sin x + x + 1$이므로

$f(\pi) = \pi + 1$

답 ④

039

$f(x) = xf'(x) + (\sin x - x\cos x)$ ...... ㉠

㉠의 양변을 x에 대하여 미분하면

$f'(x) = f'(x) + xf''(x) + (\cos x - \cos x + x\sin x)$

$xf''(x) = -x\sin x$ $\therefore f''(x) = -\sin x \ (\because x > 0)$

$\therefore f'(x) = \int f''(x)dx = \int (-\sin x)dx$

$\qquad = \cos x + C_1$ (단, C_1은 적분상수이다.) ...... ㉡

$f(\pi) = 0$이므로 ㉠의 양변에 $x = \pi$를 대입하면

$f(\pi) = \pi f'(\pi) + (\sin\pi - \pi\cos\pi)$

$0 = \pi f'(\pi) + \pi$ $\therefore f'(\pi) = -1$

㉡의 양변에 $x = \pi$를 대입하면

$f'(\pi) = \cos\pi + C_1$

$-1 = -1 + C_1$ $\therefore C_1 = 0$

즉, $f'(x) = \cos x$이므로

$f(x) = \int f'(x)dx = \int \cos x\, dx$

$\qquad = \sin x + C_2$ (단, C_2는 적분상수이다.)

$f(\pi) = 0$이므로

$\sin\pi + C_2 = 0$ $\therefore C_2 = 0$

따라서 $f(x) = \sin x$이므로

$f(2\pi) = \sin 2\pi = 0$

답 0

040

▶접근

함수 $g(x)$의 식을 구한 후 $n = 1, 2, 3, \cdots, 10$을 대입한다.

$g(x) = e^x f(x)$에서 $g'(x) = e^x f(x) + e^x f'(x)$ ...... ㉠

$f(x) = -f'(x) + e^{-x}\cos x$에서

$f'(x) = -f(x) + e^{-x}\cos x$ ...... ㉡

㉡을 ㉠에 대입하면

$g'(x) = e^x f(x) + e^x\{-f(x) + e^{-x}\cos x\} = \cos x$

$\therefore g(x) = \int g'(x)dx = \int \cos x\, dx$

$\qquad = \sin x + C$ (단, C는 적분상수이다.) ...... ㉢

한편 $f(0) = 1$이므로 $g(x) = e^x f(x)$에 $x = 0$을 대입하면

$g(0) = e^0 \times f(0) = 1$

㉢에서 $g(0) = 0 + C = 1$ $\therefore C = 1$

$\therefore g(x) = \sin x + 1$

$\therefore \sum\limits_{n=1}^{10} g(n\pi) = g(\pi) + g(2\pi) + g(3\pi) + \cdots + g(10\pi)$

$\qquad\qquad = 1 + 1 + 1 + \cdots + 1 = 10$

답 10

041

$\dfrac{f(x)}{x} + f'(x) = \dfrac{\sin^2 x}{x(1-\cos x)}$ 의 양변에 x를 곱하면

$f(x) + xf'(x) = \dfrac{\sin^2 x}{1-\cos x}$

이때 $\{xf(x)\}' = f(x) + xf'(x)$이고,

$\dfrac{\sin^2 x}{1-\cos x} = \dfrac{1-\cos^2 x}{1-\cos x} = \dfrac{(1-\cos x)(1+\cos x)}{1-\cos x}$

$\qquad\qquad = 1 + \cos x$

이므로 $\{xf(x)\}' = 1 + \cos x$

$\therefore xf(x) = \int (1+\cos x)dx = x + \sin x + C$

(단, C는 적분상수이다.)

$f(\pi) = 0$이므로

$\pi + C = 0$ $\therefore C = -\pi$

따라서 $xf(x) = x + \sin x - \pi$이므로 양변에 $x = \dfrac{\pi}{2}$를 대입하면

$\dfrac{\pi}{2}f\left(\dfrac{\pi}{2}\right) = \dfrac{\pi}{2} + \sin\dfrac{\pi}{2} - \pi = 1 - \dfrac{\pi}{2}$

$\therefore f\left(\dfrac{\pi}{2}\right) = \dfrac{2}{\pi} - 1$

답 ③

042

$f'(x) = e^{-2x+1} - \dfrac{1}{2e^x} = e^{-2x+1} - \dfrac{1}{2}e^{-x}$이므로

$f(x) = \int f'(x)dx$

$\qquad = \int\left(e^{-2x+1} - \dfrac{1}{2}e^{-x}\right)dx$

$\qquad = -\dfrac{1}{2}e^{-2x+1} + \dfrac{1}{2}e^{-x} + C$ (단, C는 적분상수이다.)

$f(1) = 0$이므로

$-\dfrac{1}{2}e^{-1} + \dfrac{1}{2}e^{-1} + C = 0$ $\therefore C = 0$

따라서 $f(x) = -\dfrac{1}{2}e^{-2x+1} + \dfrac{1}{2}e^{-x}$이므로

$\sum\limits_{n=1}^{\infty} f(n) = \sum\limits_{n=1}^{\infty}\left(-\dfrac{1}{2}e^{-2n+1} + \dfrac{1}{2}e^{-n}\right)$

$\qquad = -\dfrac{1}{2} \times \dfrac{e^{-1}}{1-e^{-2}} + \dfrac{1}{2} \times \dfrac{e^{-1}}{1-e^{-1}}$

<small>분모, 분자에 각각 e^2를 곱한다.┘ └분모, 분자에 각각 e를 곱한다.</small>

$\qquad = \dfrac{-e}{2(e^2-1)} + \dfrac{1}{2(e-1)}$

$\qquad = \dfrac{-e + (e+1)}{2(e^2-1)}$

$\qquad = \dfrac{1}{2(e^2-1)}$

$\therefore a = \dfrac{1}{2}$

답 ②

[참고]

등비급수의 수렴과 발산

등비급수 $\sum\limits_{n=1}^{\infty} ar^{n-1} \ (a \neq 0)$에 대하여 다음이 성립한다.

(1) $|r| < 1$일 때, 수렴하고 그 합은 $\dfrac{a}{1-r}$이다.

(2) $|r| \geq 1$일 때, 발산한다.

043

▶접근

함수 $f(x)$의 주기를 구하고 이를 이용하여 주어진 정적분을 정적분의 합으로 나타낸다.

$f(x+2) = f(x)$이므로 함수 $f(x)$는 주기가 2인 주기함수이다.

$0\le x\le 1$일 때 $f(x)=\sin\pi x$이고, $1<x<2$일 때 $f'(x)\ge0$이므로 $f(x)=0$이다. 따라서 함수 $y=f(x)$의 그래프는 다음 그림과 같다.

└ $f(1)=f(2)=0$이므로 함수 $f(x)$가 $1<x<2$에서 증가하게 되면 이 구간에서 감소하는 구간이 있어야 한다. 따라서 이 구간에서 $f(x)=0$일 수 밖에 없다.

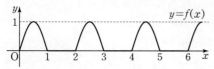

$$\therefore \int_0^8 f(x)dx$$
$$=\int_0^2 f(x)dx+\int_2^4 f(x)dx+\int_4^6 f(x)dx+\int_6^8 f(x)dx$$
$$=4\int_0^2 f(x)dx$$
$$=4\int_0^1 \sin\pi x\,dx$$
$$=4\left[-\frac{1}{\pi}\cos\pi x\right]_0^1$$
$$=4\left(\frac{1}{\pi}+\frac{1}{\pi}\right)$$
$$=\frac{8}{\pi}$$

답 $\dfrac{8}{\pi}$

풍쌤 비법

$a\ne0$이고 C는 적분상수일 때

(1) $\displaystyle\int \sin ax\,dx=-\frac{1}{a}\cos ax+C$

(2) $\displaystyle\int \cos ax\,dx=\frac{1}{a}\sin ax+C$

044

$k\sin x-1=0$에서 $\sin x=\dfrac{1}{k}$

따라서 방정식 $k\sin x-1=0$의 근은 함수 $y=\sin x$의 그래프와 직선 $y=\dfrac{1}{k}$의 교점의 x좌표이다.

$0\le x\le \dfrac{\pi}{2}$에서 함수 $y=\sin x$의 그래프와 직선 $y=\dfrac{1}{k}$이 오른쪽 그림과 같이 한 점에서 만나므로 이 교점의 x좌표를 a라고 하면 방정식 $k\sin x-1=0$의 근도 a이다.

즉, $k\sin a-1=0$이므로 $\sin a=\dfrac{1}{k}$ ······ ㉠

$$\therefore f(k)=\int_0^{\frac{\pi}{2}} |k\sin x-1|\,dx$$
$$=\int_0^a (1-k\sin x)dx+\int_a^{\frac{\pi}{2}} (k\sin x-1)dx$$
$$=\Big[x+k\cos x\Big]_0^a+\Big[-k\cos x-x\Big]_a^{\frac{\pi}{2}}$$
$$=(a+k\cos a-k)+\left(-\frac{\pi}{2}+k\cos a+a\right)$$
$$=2a+2k\cos a-k-\frac{\pi}{2}$$ ······ ㉡

이때 $k>1$이면 $0<\dfrac{1}{k}<1$이므로 $0<\sin a<1$ ($\because$ ㉠)

즉, $0<a<\dfrac{\pi}{2}$이므로 $\cos a>0$

$$\therefore \cos a=\sqrt{1-\sin^2 a}=\sqrt{1-\frac{1}{k^2}}=\frac{\sqrt{k^2-1}}{k}$$

㉠의 양변을 k에 대하여 미분하면

$$\cos a\times\frac{da}{dk}=-\frac{1}{k^2}$$

$$\therefore \frac{da}{dk}=-\frac{1}{k^2\cos a}=-\frac{1}{k\sqrt{k^2-1}}$$

㉡의 양변을 k에 대하여 미분하면

$$f'(k)=2\frac{da}{dk}+2\cos a+2k\times(-\sin a)\frac{da}{dk}-1$$
$$=-\frac{2}{k\sqrt{k^2-1}}+\frac{2\sqrt{k^2-1}}{k}+\frac{2}{k\sqrt{k^2-1}}-1$$
$$=\frac{2\sqrt{k^2-1}}{k}-1$$

$f'(k)=0$에서 $\dfrac{2\sqrt{k^2-1}}{k}-1=0, 2\sqrt{k^2-1}=k$

위의 식의 양변을 제곱하면

$4(k^2-1)=k^2, 3k^2=4$

$k^2=\dfrac{4}{3}$ $\therefore k=\dfrac{2\sqrt3}{3}$ ($\because k>1$)

$k>1$에서 함수 $f(k)$의 증가와 감소를 표로 나타내면 다음과 같다.

k	(1)	$\cdots$	$\dfrac{2\sqrt3}{3}$	$\cdots$
$f'(k)$		$-$	0	$+$
$f(k)$		$\searrow$	극소	$\nearrow$

함수 $f(k)$는 $k=\dfrac{2\sqrt3}{3}$에서 극소이면서 최소이다.

$k=\dfrac{2\sqrt3}{3}$이면 $\sin a=\dfrac{3}{2\sqrt3}=\dfrac{\sqrt3}{2}$

$$\therefore a=\frac{\pi}{3} \left(\because 0<a<\frac{\pi}{2}\right)$$

따라서 함수 $f(k)$의 최솟값은

$$f\left(\frac{2\sqrt3}{3}\right)=2\times\frac{\pi}{3}+2\times\frac{2\sqrt3}{3}\times\cos\frac{\pi}{3}-\frac{2\sqrt3}{3}-\frac{\pi}{2}=\frac{\pi}{6}$$

답 ②

045

ㄱ은 정적분의 값이 항상 0이다.

$f(x)=x\cos x$에서

$f(-x)=(-x)\cos(-x)=-x\cos x=-f(x)$

이므로 함수 $f(x)$는 기함수이다.

$$\therefore \int_{-a}^a f(x)dx=0$$

ㄴ은 정적분의 값이 항상 0인 것은 아니다.

$g(x)=xf(x)=x^2\cos x$로 놓으면

$g(-x)=(-x)^2\cos(-x)=x^2\cos x=g(x)$

이므로 함수 $xf(x)$는 우함수이다.

$$\therefore \int_{-a}^a xf(x)dx=2\int_0^a xf(x)dx$$

이때 정적분 $\displaystyle\int_0^a xf(x)dx$의 값이 0이 아니면 $\displaystyle\int_{-a}^a xf(x)dx$의 값도 0이 아니다.

ㄷ은 정적분의 값이 항상 0이다.

$f(x)=x\cos x$에서 $f'(x)=\cos x-x\sin x$

$$\therefore xf'(x)=x\cos x-x^2\sin x$$

ㄱ에서 $y=x\cos x$는 기함수이고, $h(x)=x^2\sin x$로 놓으면

$$h(-x)=(-x)^2\sin(-x)=-x^2\sin x=-h(x)$$

이므로 함수 $h(x)$도 기함수이다.

$$\therefore \int_{-a}^{a}xf'(x)dx=\int_{-a}^{a}(x\cos x-x^2\sin x)dx=0$$

따라서 정적분의 값이 항상 0인 것은 ㄱ, ㄷ이다.

답 ⑤

046

$$f(x)=\begin{cases} l\sin x+C_1 & \left(0<x<\dfrac{\pi}{2}\right) \\ m\sin x+C_2 & \left(\dfrac{\pi}{2}<x<\pi\right) \\ n\sin x+C_3 & \left(\pi<x<\dfrac{3}{2}\pi\right) \end{cases}$$

(단, C_1, C_2, C_3은 적분상수이다.)

$0\le x\le\dfrac{3}{2}\pi$에서 연속이므로 $x=0$, $x=\dfrac{\pi}{2}$, $x=\pi$, $x=\dfrac{3}{2}\pi$에서 연속이어야 한다.

$\displaystyle\lim_{x\to 0+}f(x)=f(0)$이므로

$\displaystyle\lim_{x\to 0+}(l\sin x+C_1)=0$ $\therefore C_1=0$

$\displaystyle\lim_{x\to\frac{3}{2}\pi-}f(x)=f\left(\dfrac{3}{2}\pi\right)$이므로

$\displaystyle\lim_{x\to\frac{3}{2}\pi-}(n\sin x+C_3)=1$

$-n+C_3=1$ $\therefore C_3=n+1$

$\displaystyle\lim_{x\to\frac{\pi}{2}-}f(x)=\lim_{x\to\frac{\pi}{2}+}f(x)=f\left(\dfrac{\pi}{2}\right)$이므로

$\displaystyle\lim_{x\to\frac{\pi}{2}-}l\sin x=\lim_{x\to\frac{\pi}{2}+}(m\sin x+C_2)$

$l=m+C_2$ $\therefore C_2=l-m$

$\displaystyle\lim_{x\to\pi-}f(x)=\lim_{x\to\pi+}f(x)=f(\pi)$이므로

$\displaystyle\lim_{x\to\pi-}(m\sin x+l-m)=\lim_{x\to\pi+}(n\sin x+n+1)$

$l-m=n+1$ $\therefore l=m+n+1$ ……㉠

따라서

$$f(x)=\begin{cases} l\sin x & \left(0\le x\le\dfrac{\pi}{2}\right) \\ m\sin x+n+1 & \left(\dfrac{\pi}{2}<x\le\pi\right) \\ n\sin x+n+1 & \left(\pi<x\le\dfrac{3}{2}\pi\right) \end{cases}$$

이므로

$\displaystyle\int_0^{\frac{3}{2}\pi}f(x)dx$

$\displaystyle=\int_0^{\frac{\pi}{2}}f(x)dx+\int_{\frac{\pi}{2}}^{\pi}f(x)dx+\int_{\pi}^{\frac{3}{2}\pi}f(x)dx$

$\displaystyle=\int_0^{\frac{\pi}{2}}l\sin x\,dx+\int_{\frac{\pi}{2}}^{\pi}(m\sin x+n+1)dx$

$\displaystyle\qquad\qquad\qquad\qquad+\int_{\pi}^{\frac{3}{2}\pi}(n\sin x+n+1)dx$

$\displaystyle=\Big[-l\cos x\Big]_0^{\frac{\pi}{2}}+\Big[-m\cos x+(n+1)x\Big]_{\frac{\pi}{2}}^{\pi}$

$\displaystyle\qquad\qquad\qquad\qquad+\Big[-n\cos x+(n+1)x\Big]_{\pi}^{\frac{3}{2}\pi}$

$=l+m+(\pi-1)n+\pi$

$=(m+n+1)+m+(\pi-1)n+\pi$ (∵ ㉠)

$=2m+n\pi+\pi+1$

이 값이 최대이어야 하므로 $m>0$, $n>0$이어야 한다.

$|l|+|m|+|n|\le 10$에 ㉠을 대입하면

$|m+n+1|+|m|+|n|\le 10$

$(m+n+1)+m+n\le 10$

$2m+2n+1\le 10$ $\therefore m+n\le\dfrac{9}{2}$

(i) $m=1$, $n=3$일 때, $\displaystyle\int_0^{\frac{3}{2}\pi}f(x)dx=4\pi+3$

(ii) $m=2$, $n=2$일 때, $\displaystyle\int_0^{\frac{3}{2}\pi}f(x)dx=3\pi+5$

(iii) $m=3$, $n=1$일 때, $\displaystyle\int_0^{\frac{3}{2}\pi}f(x)dx=2\pi+7$

(i), (ii), (iii)에서 $\displaystyle\int_0^{\frac{3}{2}\pi}f(x)dx$의 값이 최대인 경우는 $m=1$, $n=3$일 때이므로

$l=1+3+1=5$ (∵ ㉠)

$\therefore l+2m+3n=5+2\times1+3\times3=16$

답 ⑤

047

$\displaystyle\int_0^{\frac{\pi}{2}}(1-\cos x)\sin x\,dx$에서

$1-\cos x=t$로 놓으면 $\dfrac{dt}{dx}=\sin x$이고

$x=0$일 때 $t=0$, $x=\dfrac{\pi}{2}$일 때 $t=1$이므로

$A=\displaystyle\int_0^{\frac{\pi}{2}}(1-\cos x)\sin x\,dx=\int_0^1 t\,dt=\Big[\dfrac{1}{2}t^2\Big]_0^1=\dfrac{1}{2}$

한편 $\displaystyle\int_e^{e^2}\dfrac{a+\ln x}{x}dx$에서

$a+\ln x=s$로 놓으면 $\dfrac{ds}{dx}=\dfrac{1}{x}$이고

$x=e$일 때 $s=a+1$, $x=e^2$일 때 $x=a+2$이므로

$B=\displaystyle\int_e^{e^2}\dfrac{a+\ln x}{x}dx=\int_{a+1}^{a+2}s\,ds=\Big[\dfrac{1}{2}s^2\Big]_{a+1}^{a+2}$

$\displaystyle=\dfrac{1}{2}\{(a+2)^2-(a+1)^2\}=\dfrac{2a+3}{2}$

$A=B$이므로 $\dfrac{2a+3}{2}=\dfrac{1}{2}$, $2a=-2$

$\therefore a=-1$

답 ②

048

$x=2\sin\theta$ $\left(-\dfrac{\pi}{2}\le\theta\le\dfrac{\pi}{2}\right)$로 놓으면 $\dfrac{dx}{d\theta}=2\cos\theta$이고

$x=0$일 때 $\theta=0$, $x=2$일 때 $\theta=\dfrac{\pi}{2}$이다.

이때 $\sqrt{4-x^2}=\sqrt{4-4\sin^2\theta}=2\sqrt{1-\sin^2\theta}=2\cos\theta$이므로

$\displaystyle\int_0^2\sqrt{4-x^2}\,dx=\int_0^{\frac{\pi}{2}}2\cos\theta\times2\cos\theta\,d\theta$

$\displaystyle\qquad=\int_0^{\frac{\pi}{2}}4\cos^2\theta\,d\theta$ ← $\cos2\theta=2\cos^2\theta-1$에서

$\displaystyle\qquad=4\int_0^{\frac{\pi}{2}}\dfrac{1+\cos2\theta}{2}d\theta$ $\cos^2\theta=\dfrac{1+\cos2\theta}{2}$

$$= 2\left[\theta + \frac{1}{2}\sin 2\theta\right]_0^{\frac{\pi}{2}}$$

$$= 2 \times \frac{\pi}{2} = \pi$$

답 ③

049

$x = \sqrt{3}\tan\theta\left(-\frac{\pi}{2} < \theta < \frac{\pi}{2}\right)$로 놓으면 $\frac{dx}{d\theta} = \sqrt{3}\sec^2\theta$이고

$x=1$일 때 $\theta = \frac{\pi}{6}$, $x = \sqrt{3}$일 때 $\theta = \frac{\pi}{4}$이므로

$$\int_1^{\sqrt{3}} \frac{a}{x^2+3}dx = \int_{\frac{\pi}{6}}^{\frac{\pi}{4}} \frac{a}{3\tan^2\theta + 3} \times \sqrt{3}\sec^2\theta\, d\theta$$

$$= \int_{\frac{\pi}{6}}^{\frac{\pi}{4}}\left(\frac{a}{3\sec^2\theta} \times \sqrt{3}\sec^2\theta\right)d\theta \quad \begin{array}{l} 3\tan^2\theta + 3 \\ = 3(\tan^2\theta + 1) \\ = 3\sec^2\theta \end{array}$$

$$= \frac{a}{\sqrt{3}}\int_{\frac{\pi}{6}}^{\frac{\pi}{4}} 1\, d\theta = \frac{a}{\sqrt{3}}\left[\theta\right]_{\frac{\pi}{6}}^{\frac{\pi}{4}}$$

$$= \frac{a}{\sqrt{3}}\left(\frac{\pi}{4} - \frac{\pi}{6}\right) = \frac{a}{12\sqrt{3}}\pi$$

즉, $\frac{a}{12\sqrt{3}} = \frac{1}{4}$이므로 $a = \frac{1}{4} \times 12\sqrt{3} = 3\sqrt{3}$

답 ③

050

$$\int_0^{\ln 3} \frac{9\sqrt{3}}{e^x + 3e^{-x}}dx = \int_0^{\ln 3} \frac{9\sqrt{3}e^x}{e^{2x}+3}dx = 9\sqrt{3}\int_0^{\ln 3} \frac{e^x}{e^{2x}+3}dx$$

$e^x = t$로 놓으면 $\frac{dt}{dx} = e^x$이고

$x=0$일 때 $t=1$, $x=\ln 3$일 때 $t=3$이므로

$$9\sqrt{3}\int_0^{\ln 3} \frac{e^x}{e^{2x}+3}dx = 9\sqrt{3}\int_1^3 \frac{1}{t^2+3}dt$$

이때 $t = \sqrt{3}\tan\theta\left(-\frac{\pi}{2} < \theta < \frac{\pi}{2}\right)$로 놓으면 $\frac{dt}{d\theta} = \sqrt{3}\sec^2\theta$이고

$t=1$일 때 $\theta = \frac{\pi}{6}$, $t=3$일 때 $\frac{\pi}{3}$이므로

$$\int_1^3 \frac{1}{t^2+3}dt = \int_{\frac{\pi}{6}}^{\frac{\pi}{3}} \frac{\sqrt{3}\sec^2\theta}{3\tan^2\theta + 3}d\theta$$

$$= \int_{\frac{\pi}{6}}^{\frac{\pi}{3}} \frac{\sqrt{3}\sec^2\theta}{3(\tan^2\theta + 1)}d\theta$$

$$= \int_{\frac{\pi}{6}}^{\frac{\pi}{3}} \frac{\sqrt{3}\sec^2\theta}{3\sec^2\theta}d\theta = \int_{\frac{\pi}{6}}^{\frac{\pi}{3}} \frac{\sqrt{3}}{3}d\theta$$

$$= \left[\frac{\sqrt{3}}{3}\theta\right]_{\frac{\pi}{6}}^{\frac{\pi}{3}} = \frac{\sqrt{3}}{3}\left(\frac{\pi}{3} - \frac{\pi}{6}\right) = \frac{\sqrt{3}}{18}\pi$$

$$\therefore \int_0^{\ln 3} \frac{9\sqrt{3}}{e^x + 3e^{-x}}dx = 9\sqrt{3}\int_1^3 \frac{1}{t^2+3}dt$$

$$= 9\sqrt{3} \times \frac{\sqrt{3}}{18}\pi = \frac{3}{2}\pi$$

답 $\frac{3}{2}\pi$

051

$$f(x) = \int \cos 4x \cos 2x\, dx$$

$$= \int (1 - 2\sin^2 2x)\cos 2x\, dx$$

$\sin 2x = t$로 놓으면 $\frac{dt}{dx} = 2\cos 2x$이므로

$$f(x) = \int (1 - 2t^2) \times \frac{1}{2}dt$$

$$= \int\left(\frac{1}{2} - t^2\right)dt$$

$$= \frac{1}{2}t - \frac{1}{3}t^3 + C$$

$$= \frac{1}{2}\sin 2x - \frac{1}{3}\sin^3 2x + C \text{ (단, } C\text{는 적분상수이다.)}$$

$f\left(\frac{\pi}{4}\right) = \frac{1}{6}$이므로

$$\frac{1}{2} - \frac{1}{3} + C = \frac{1}{6} \qquad \therefore C = 0$$

따라서 $f(x) = \frac{1}{2}\sin 2x - \frac{1}{3}\sin^3 2x$이므로

$$\lim_{x \to 0} \frac{f(x)}{x} = \lim_{x \to 0} \frac{\frac{1}{2}\sin 2x - \frac{1}{3}\sin^3 2x}{x}$$

$$= \lim_{x \to 0}\left(\frac{1}{2} \times \frac{\sin 2x}{x} - \frac{1}{3} \times \frac{\sin 2x}{x} \times \sin^2 2x\right)$$

$$= \frac{1}{2} \times 2 - 0 = 1$$

답 1

052

$$f(x) = \int f'(x)dx = \int xe^{x^2}dx$$에서

$x^2 = t$로 놓으면 $\frac{dt}{dx} = 2x$이므로

$$f(x) = \int xe^{x^2}dx = \frac{1}{2}\int e^t\, dt$$

$$= \frac{1}{2}e^t + C = \frac{1}{2}e^{x^2} + C \text{ (단, } C\text{는 적분상수이다.)}$$

$f(1) = \frac{e}{2}$이므로 $\frac{e}{2} + C = \frac{e}{2}$ $\therefore C = 0$

$$\therefore f(x) = \frac{1}{2}e^{x^2}$$

$f'(x) = xe^{x^2} = 0$에서 $x = 0$

함수 $f(x)$의 증가와 감소를 표로
나타내면 오른쪽과 같다.
따라서 함수 $f(x)$는 $x=0$에서
최솟값 $\frac{1}{2}$을 갖는다.

x	$\cdots$	0	$\cdots$
$f'(x)$	$-$	0	$+$
$f(x)$	$\searrow$	$\frac{1}{2}$	$\nearrow$

답 ②

053

$x^2 - 4x + 3 = t$로 놓으면 $\frac{dt}{dx} = 2x - 4 = 2(x-2)$이므로

$$f(x) = \int f'(x)dx = \int (x-2)(x^2-4x+3)^2dx$$

$$= \frac{1}{2}\int t^2 dt = \frac{1}{6}t^3 + C$$

$$= \frac{1}{6}(x^2-4x+3)^3 + C \text{ (단, } C\text{는 적분상수이다.)}$$

곡선 $y = f(x)$가 점 $(0, 5)$를 지나므로 $f(0) = 5$에서

$$\frac{1}{6} \times 3^3 + C = 5 \qquad \therefore C = \frac{1}{2}$$

$$\therefore f(x) = \frac{1}{6}(x^2-4x+3)^3 + \frac{1}{2}$$

$f'(x) = 0$에서 $(x-2)(x^2-4x+3)^2 = 0$

$(x-2)\{(x-1)(x-3)\}^2 = 0$

$x=1$ 또는 $x=2$ 또는 $x=3$

함수 $f(x)$의 증가와 감소를 표로 나타내면 다음과 같다.

x	$\cdots$	1	$\cdots$	2	$\cdots$	3	$\cdots$
$f'(x)$	$-$	0	$-$	0	$+$	0	$+$
$f(x)$	$\searrow$		$\searrow$	극소	$\nearrow$		$\nearrow$

따라서 함수 $f(x)$는 $x=2$일 때 극솟값

$f(2)=\dfrac{1}{6}(2^2-4\times2+3)^3+\dfrac{1}{2}=\dfrac{1}{3}$을 갖는다.

답 ④

054

함수 $g(x)$는 함수 $f(x)$의 역함수이므로

$g(f(x))=x$

이 식의 양변을 x에 대하여 미분하면

$g'(f(x))f'(x)=1$

$\therefore g'(f(x))=\dfrac{1}{f'(x)}$

$f(x)g'(f(x))=\dfrac{1}{x^2+x+1}$이므로

$\dfrac{f(x)}{f'(x)}=\dfrac{1}{x^2+x+1}$

$\therefore \dfrac{f'(x)}{f(x)}=x^2+x+1$ ······ ㉠

㉠의 양변을 x에 대하여 부정적분하면

$\displaystyle\int\dfrac{f'(x)}{f(x)}dx=\int(x^2+x+1)dx$

$\ln|f(x)|=\dfrac{1}{3}x^3+\dfrac{1}{2}x^2+x+C$ (단, C는 적분상수이다.) ······ ㉡

$f(0)=e$이므로 ㉡의 양변에 $x=0$을 대입하면

$\ln e=C=1$

따라서 $\ln|f(x)|=\dfrac{1}{3}x^3+\dfrac{1}{2}x^2+x+1$이므로

$|f(x)|=e^{\frac{1}{3}x^3+\frac{1}{2}x^2+x+1}$

그런데 함수 $f(x)$가 실수 전체의 집합에서 미분가능하고

$f(0)=e$이므로 $f(x)>0$

$f(x)=e^{\frac{1}{3}x^3+\frac{1}{2}x^2+x+1}$

$\therefore f(6)=e^{\frac{1}{3}\times6^3+\frac{1}{2}\times6^2+6+1}=e^{97}$

$\therefore a=97$

답 ④

055

> ▶ 접근
>
> 주어진 정적분을 삼각함수의 정적분으로 나타내고 치환적분법을 이용한다.

$m(\theta)=\tan\theta$이므로

$\displaystyle\int_{\frac{\pi}{6}}^{\frac{\pi}{3}}\dfrac{1}{m(\theta)}d\theta=\int_{\frac{\pi}{6}}^{\frac{\pi}{3}}\dfrac{1}{\tan\theta}d\theta=\int_{\frac{\pi}{6}}^{\frac{\pi}{3}}\dfrac{\cos\theta}{\sin\theta}d\theta$

$\sin\theta=t$로 놓으면 $\dfrac{dt}{d\theta}=\cos\theta$이고

$\theta=\dfrac{\pi}{6}$일 때 $t=\dfrac{1}{2}$, $\theta=\dfrac{\pi}{3}$일 때 $t=\dfrac{\sqrt{3}}{2}$이므로

$\displaystyle\int_{\frac{\pi}{6}}^{\frac{\pi}{3}}\dfrac{1}{m(\theta)}d\theta=\int_{\frac{\pi}{6}}^{\frac{\pi}{3}}\dfrac{\cos\theta}{\sin\theta}d\theta=\int_{\frac{1}{2}}^{\frac{\sqrt{3}}{2}}\dfrac{1}{t}dt$

$\qquad=\Big[\ln t\Big]_{\frac{1}{2}}^{\frac{\sqrt{3}}{2}}=\ln\dfrac{\sqrt{3}}{2}-\ln\dfrac{1}{2}$

$\qquad=\ln\sqrt{3}=\dfrac{1}{2}\ln3$

답 ①

┃다른 풀이┃

$\overline{\text{OP}}=r$라고 하면 $\overline{\text{OH}}=r\cos\theta$, $\overline{\text{PH}}=r\sin\theta$이므로

$m(\theta)=\dfrac{\overline{\text{PH}}}{\overline{\text{OH}}}=\dfrac{r\sin\theta}{r\cos\theta}=\dfrac{\sin\theta}{\cos\theta}$

$\therefore \displaystyle\int_{\frac{\pi}{6}}^{\frac{\pi}{3}}\dfrac{1}{m(\theta)}d\theta=\int_{\frac{\pi}{6}}^{\frac{\pi}{3}}\dfrac{\cos\theta}{\sin\theta}d\theta=\Big[\ln|\sin\theta|\Big]_{\frac{\pi}{6}}^{\frac{\pi}{3}}$

$\qquad=\ln\Big(\sin\dfrac{\pi}{3}\Big)-\ln\Big(\sin\dfrac{\pi}{6}\Big)$

$\qquad=\ln\dfrac{\sqrt{3}}{2}-\ln\dfrac{1}{2}$

$\qquad=\ln\sqrt{3}=\dfrac{1}{2}\ln3$

056

ㄱ은 옳다.

$a_1+a_3=\displaystyle\int_0^{\frac{\pi}{4}}\tan x\,dx+\int_0^{\frac{\pi}{4}}\tan^3 x\,dx$

$\qquad=\displaystyle\int_0^{\frac{\pi}{4}}\tan x(1+\tan^2 x)dx$

$\qquad=\displaystyle\int_0^{\frac{\pi}{4}}\tan x\sec^2 x\,dx$

$\tan x=t$로 놓으면 $\dfrac{dt}{dx}=\sec^2 x$이고

$x=0$일 때 $t=0$, $x=\dfrac{\pi}{4}$일 때 $t=1$이므로

$\displaystyle\int_0^{\frac{\pi}{4}}\tan x\sec^2 x\,dx=\int_0^1 t\,dt=\Big[\dfrac{1}{2}t^2\Big]_0^1=\dfrac{1}{2}$

ㄴ은 옳다.

ㄱ과 같은 방법으로

$a_2+a_4=\displaystyle\int_0^{\frac{\pi}{4}}\underbrace{\tan^2 x(1+\tan^2 x)}_{=\,\sec^2 x}dx=\int_0^1 t^2\,dt=\Big[\dfrac{1}{3}t^3\Big]_0^1=\dfrac{1}{3}$

$\therefore a_1+a_2+a_3+a_4=\dfrac{1}{2}+\dfrac{1}{3}$

ㄷ은 옳지 않다.

ㄱ, ㄴ과 같은 방법으로 $k=0,1,2,3,\cdots$일 때

$a_{4k+1}+a_{4k+2}+a_{4k+3}+a_{4k+4}=(a_{4k+1}+a_{4k+3})+(a_{4k+2}+a_{4k+4})$

$\qquad=\displaystyle\int_0^1 t^{4k+1}\,dt+\int_0^1 t^{4k+2}\,dt$

$\qquad=\Big[\dfrac{1}{4k+2}t^{4k+2}\Big]_0^1+\Big[\dfrac{1}{4k+3}t^{4k+3}\Big]_0^1$

$\qquad=\dfrac{1}{4k+2}+\dfrac{1}{4k+3}$

$\therefore \displaystyle\sum_{k=1}^{100}a_k=\sum_{k=0}^{24}(a_{4k+1}+a_{4k+2}+a_{4k+3}+a_{4k+4})$

$\qquad=\displaystyle\sum_{k=0}^{24}\Big(\dfrac{1}{4k+2}+\dfrac{1}{4k+3}\Big)$

$\qquad=\dfrac{1}{2}+\dfrac{1}{3}+\dfrac{1}{6}+\dfrac{1}{7}+\cdots+\dfrac{1}{98}+\dfrac{1}{99}$

따라서 옳은 것은 ㄱ, ㄴ이다.

답 ③

057

조건 ㈎에서

$$\lim_{h \to 0} \frac{f(x+h)-f(x-h)}{h}$$

$$=\lim_{h \to 0} \frac{f(x+h)-f(x)-\{f(x-h)-f(x)\}}{h}$$

$$=\lim_{h \to 0} \frac{f(x+h)-f(x)}{h}+\lim_{h \to 0} \frac{f(x-h)-f(x)}{-h}$$

$$=f'(x)+f'(x)$$

$$=2f'(x)$$

즉, $2f'(x)=\dfrac{2x}{\sqrt{x^2+1}}$ 이므로 $f'(x)=\dfrac{x}{\sqrt{x^2+1}}$

$x^2+1=t$ 로 놓으면 $\dfrac{dt}{dx}=2x$ 이므로

$$f(x)=\int f'(x)dx=\int \frac{x}{\sqrt{x^2+1}}dx$$

$$=\int \frac{1}{\sqrt{t}} \times \frac{1}{2}dt=\frac{1}{2}\int t^{-\frac{1}{2}}dt$$

$$=\frac{1}{2} \times 2t^{\frac{1}{2}}+C=\sqrt{t}+C$$

$$=\sqrt{x^2+1}+C \text{ (단, } C는 적분상수이다.)}$$

조건 ㈏에서 $f(0)=-1$ 이므로

$1+C=-1$ $\therefore C=-2$

$\therefore f(x)=\sqrt{x^2+1}-2$

곡선 $y=f(x)$ 가 x축과 만나는 점의 x좌표는

$\sqrt{x^2+1}-2=0$ 에서 $\sqrt{x^2+1}=2$

양변을 제곱하면

$x^2+1=4$, $x^2=3$ $\therefore x=\pm\sqrt{3}$

따라서 곡선 $y=f(x)$ 는 x축과 두 점 $(-\sqrt{3}, 0)$, $(\sqrt{3}, 0)$ 에서 만나므로

$\overline{AB}=\sqrt{3}-(-\sqrt{3})=2\sqrt{3}$

답 $2\sqrt{3}$

058

$f(x)+f(4-x)=\sqrt{2x+1}$ 에서

$\displaystyle\int_0^4 \{f(x)+f(4-x)\}dx=\int_0^4 \sqrt{2x+1}dx$ 이므로

$\displaystyle\int_0^4 f(x)dx+\int_0^4 f(4-x)dx=\int_0^4 \sqrt{2x+1}dx$ ...... ㉠

$\displaystyle\int_0^4 f(4-x)dx$ 에서 $4-x=t$ 로 놓으면 $\dfrac{dt}{dx}=-1$ 이고

$x=0$ 일 때 $t=4$, $x=4$ 일 때 $t=0$ 이므로

$\displaystyle\int_0^4 f(4-x)dx=-\int_4^0 f(t)dt=\int_0^4 f(t)dt=\int_0^4 f(x)dx$

이것을 ㉠에 대입하면

$\displaystyle\int_0^4 f(x)dx+\int_0^4 f(x)dx=\int_0^4 \sqrt{2x+1}dx$

$2\displaystyle\int_0^4 f(x)dx=\int_0^4 \sqrt{2x+1}dx$

$\therefore \displaystyle\int_0^4 f(x)dx=\frac{1}{2}\int_0^4 \sqrt{2x+1}dx$

$$=\frac{1}{2}\int_0^4 (2x+1)^{\frac{1}{2}}dx$$

$$=\frac{1}{6}\left[(2x+1)^{\frac{3}{2}}\right]_0^4$$

$$=\frac{1}{6}(27-1)=\frac{13}{3}$$

따라서 $p=3$, $q=13$ 이므로

$p+q=3+13=16$

답 ④

059

▸ 접근

$h(x)=f(x)+g(x)$ 로 놓고 부정적분을 이용하여 $h(x)$의 식을 구한다.

$f(x)$, $g(x)$ 의 한 부정적분이 각각 $F(x)$, $G(x)$ 이므로

$F'(x)=f(x)$, $G'(x)=g(x)$

$F(x)+G(x)=f(x)+g(x)$ 의 양변을 x에 대하여 미분하면

$f(x)+g(x)=\{f(x)+g(x)\}'$

이때 $f(x)+g(x)=h(x)$ 라고 하면

$h(x)=h'(x)$ 에서 $\dfrac{h'(x)}{h(x)}=1$

$\displaystyle\int \frac{h'(x)}{h(x)}dx=\int 1dx$

$\ln|h(x)|=x+C$ (단, C는 적분상수이다.)

$\therefore h(x)=e^{x+C}$

즉, $f(x)+g(x)=e^{x+C}$ 이므로 $f(4)+g(4)=2e^4$ 에서

$e^{4+C}=2e^4$, $e^C=2$ $\therefore C=\ln 2$

따라서 $f(x)+g(x)=e^{x+\ln 2}$ 이므로

$\displaystyle\lim_{x \to 0}\{f(x)+g(x)\}=\lim_{x \to 0}e^{x+\ln 2}=e^{\ln 2}=2$

답 ⑤

060

조건 ㈎에서 $f(-x)=-f(x)$ 이므로 함수 $y=f(x)$ 의 그래프는 원점에 대하여 대칭이다. 따라서 함수 $y=xf(x)$ 의 그래프는 y축에 대하여 대칭이므로

$\underbrace{}_{\substack{-xf(-x)=-x \times \{-f(x)\} \\ =xf(x)}}$

$\displaystyle\int_{-1}^1 xf(x)dx=2\int_0^1 xf(x)dx=6$

$\therefore \displaystyle\int_0^1 xf(x)dx=3$

또, 함수 $y=(e^{x^2}+x^2)f\left(\dfrac{x}{2}\right)$ 의 그래프는 원점에 대하여 대칭이므로

$\underbrace{}_{(우함수) \times (기함수) = (기함수)}$

$\displaystyle\int_{-2}^2 (e^{x^2}+x^2)f\left(\frac{x}{2}\right)dx=0$

$\therefore \displaystyle\int_{-2}^2 g(x)dx=\int_{-2}^2 (e^{x^2}+x^2+x)f\left(\frac{x}{2}\right)dx$

$$=\int_{-2}^2 (e^{x^2}+x^2)f\left(\frac{x}{2}\right)dx+\int_{-2}^2 xf\left(\frac{x}{2}\right)dx$$

$$=2\int_{-2}^2 xf\left(\frac{x}{2}\right)dx$$

$\dfrac{x}{2}=t$ 로 놓으면 $\dfrac{dt}{dx}=\dfrac{1}{2}$ 이고

$x=0$ 일 때 $t=0$, $x=2$ 일 때 $t=1$ 이므로

$\displaystyle\int_0^2 xf\left(\frac{x}{2}\right)dx=\int_0^1 4tf(t)dt=4\int_0^1 tf(t)dt$

$$=4 \times 3=12$$

$\therefore \displaystyle\int_{-2}^2 (e^{x^2}+x^2+x)f\left(\frac{x}{2}\right)dx=2\int_0^2 xf\left(\frac{x}{2}\right)dx=2 \times 12=24$

답 ③

061

함수 $y=\ln x$의 그래프를 x축의 방향으로 -2만큼 평행이동한 그래프를 나타내는 식은

$$f(x)=\ln(x+2)$$

$$\therefore \int_1^2 f(x)dx=\int_1^2 \ln(x+2)dx$$

$$=\int_3^4 \ln x\,dx$$

$$=\Big[x\ln x-x\Big]_3^4 \quad \begin{array}{l} u(x)=\ln x,\, v'(x)=1로\ 놓으면 \\ u'(x)=\dfrac{1}{x},\, v(x)=x \end{array}$$

$$=(4\ln 4-4)-(3\ln 3-3)$$

$$=4\ln 4-3\ln 3-1$$

답 $4\ln 4-3\ln 3-1$

참고

도형의 평행이동

방정식 $f(x,y)=0$이 나타내는 도형을 x축의 방향으로 a만큼, y축의 방향으로 b만큼 평행이동한 도형의 방정식은

$$f(x-a,\,y-b)=0$$

062

$$f(t)=\int_1^e t\ln x\,dx=t\int_1^e \ln x\,dx$$

$$=t\Big[x\ln x-x\Big]_1^e=t$$

$g(t)=\int_1^e x\ln x\,dx$에서 $u(x)=\ln x,\,v'(x)=x$로 놓으면

$$u'(x)=\frac{1}{x},\,v(x)=\frac{1}{2}x^2$$이므로

$$g(t)=\int_1^e x\ln x\,dx=\Big[\frac{1}{2}x^2\ln x\Big]_1^e-\int_1^e \frac{1}{2}x\,dx$$

$$=\frac{e^2}{2}-\Big[\frac{1}{4}x^2\Big]_1^e=\frac{e^2}{2}-\Big(\frac{e^2}{4}-\frac{1}{4}\Big)$$

$$=\frac{e^2+1}{4}$$

$$\therefore f(t)+g(t)=t+\frac{e^2+1}{4}$$

따라서 방정식 $f(t)+g(t)=0$에서

$$t+\frac{e^2+1}{4}=0 \quad \therefore t=-\frac{e^2+1}{4}$$

답 ②

063

$\int_0^1 (x-1)f'(x+1)dx=-7$에서 $x+1=t$로 놓으면 $\dfrac{dt}{dx}=1$이고

$x=0$일 때 $t=1$, $x=1$일 때 $t=2$이므로

$$\int_0^1 (x-1)f'(x+1)dx=\int_1^2 (t-2)f'(t)dt \quad \cdots\cdots \text{㉠}$$

$u(t)=t-2,\,v'(t)=f'(t)$로 놓으면

$u'(t)=1,\,v(t)=f(t)$이므로

$$\int_1^2 (t-2)f'(t)dt=\Big[(t-2)f(t)\Big]_1^2-\int_1^2 f(t)dt$$

$$=f(1)-\int_1^2 f(t)dt$$

$$=5-\int_1^2 f(t)dt=-7$$

$$\therefore \int_1^2 f(t)dt=5-(-7)=12$$

$$\therefore \int_1^2 f(x)dx=\int_1^2 f(t)dt=12$$

답 12

064

$f'(x)=0$에서 $\dfrac{\ln x}{x^2}=0,\,\ln x=0 \quad \therefore x=1$

$x>0$에서 함수 $f(x)$의 증가와 감소를 표로 나타내면 다음과 같다.

x	(0)	$\cdots$	1	$\cdots$
$f'(x)$		$-$	0	$+$
$f(x)$		$\searrow$	극소	$\nearrow$

따라서 $f(x)$는 $x=1$에서 극소이다.

$f(x)=\int f'(x)dx=\int \dfrac{\ln x}{x^2}dx$에서

$u(x)=\ln x,\,v'(x)=\dfrac{1}{x^2}$로 놓으면

$u'(x)=\dfrac{1}{x},\,v(x)=-\dfrac{1}{x}$이므로

$$f(x)=-\frac{\ln x}{x}-\int\Big(-\frac{1}{x^2}\Big)dx$$

$$=-\frac{\ln x}{x}+\int \frac{1}{x^2}dx$$

$$=-\frac{\ln x}{x}-\frac{1}{x}+C \text{ (단, } C는 적분상수이다.)$$

함수 $f(x)$의 극솟값은 $f(1)=1$이므로

$$-1+C=1 \quad \therefore C=2$$

따라서 $f(x)=-\dfrac{\ln x}{x}-\dfrac{1}{x}+2$이므로

$$f(e)=-\frac{1}{e}-\frac{1}{e}+2=-\frac{2}{e}+2$$

따라서 $a=-2,\,b=2$이므로

$$a+b=-2+2=0$$

답 ③

065

곡선 $y=f(x)$가 점 $(1,8)$을 지나므로

$$f(1)=8$$

$\int_0^1 xf'(x)f(x)dx$에서

$u(x)=x,\,v'(x)=f(x)f'(x)$로 놓으면

$u'(x)=1,\,v(x)=\dfrac{1}{2}\{f(x)\}^2$

$$\therefore \int_0^1 xf'(x)f(x)dx \quad \begin{array}{l}\Big[\frac{1}{2}\{f(x)\}^2\Big]'=\frac{1}{2}\times 2f(x)f'(x) \\ =f'(x)f(x)\end{array}$$

$$=\Big[\frac{1}{2}x\{f(x)\}^2\Big]_0^1-\int_0^1 \frac{1}{2}\{f(x)\}^2dx$$

$$=\frac{1}{2}\{f(1)\}^2-\frac{1}{2}\int_0^1 \{f(x)\}^2dx$$

$$=\frac{1}{2}\times 8^2-\frac{1}{2}\times 12=26$$

답 ②

066

접근

n이 홀수일 때와 짝수일 때로 나누어 $\int_{(n-1)\pi}^{n\pi} x\cos x\,dx$의 값을 구한다.

$\displaystyle\int_{(n-1)\pi}^{n\pi}x\cos x\,dx$에서 $u(x)=x,\ v'(x)=\cos x$로 놓으면

$u'(x)=1,\ v(x)=\sin x$이므로

$$\int_{(n-1)\pi}^{n\pi}x\cos x\,dx=\Big[x\sin x\Big]_{(n-1)\pi}^{n\pi}-\int_{(n-1)\pi}^{n\pi}\sin x\,dx$$
$$=\Big[\cos x\Big]_{(n-1)\pi}^{n\pi}$$
$$=\cos n\pi-\cos(n-1)\pi$$
$$=\begin{cases}-2\ (n=1,\,3,\,5,\,\cdots)\\ 2\ (n=2,\,4,\,6,\,\cdots)\end{cases}$$

따라서 $\displaystyle\int_{(n-1)\pi}^{n\pi}x\cos x\,dx=-2$를 만족시키는 100 이하의 자연수 n은 $1,\,3,\,5,\,\cdots,\,99$의 50개이다.

답 ⑤

참고

n이 홀수일 때, $\cos n\pi=-1,\ \cos(n-1)\pi=1$이므로

$\cos n\pi-\cos(n-1)\pi=-1-1=-2$

n이 짝수일 때, $\cos n\pi=1,\ \cos(n-1)\pi=-1$이므로

$\cos n\pi-\cos(n-1)\pi=1-(-1)=2$

067

$\{x^2f(x)\}'=2xf(x)+x^2f'(x)$이므로 조건 ㈎에 의하여

$x^2f(x)=\displaystyle\int\{x^2f(x)\}'dx=\int(2x+4)\ln x\,dx$

$u(x)=\ln x,\ v'(x)=2x+4$로 놓으면 $u'(x)=\dfrac{1}{x},\ v(x)=x^2+4x$

이므로

$x^2f(x)=(x^2+4x)\ln x-\displaystyle\int(x+4)dx$

$\qquad=(x^2+4x)\ln x-\dfrac{1}{2}x^2-4x+C$ (단, C는 적분상수이다.)

$\qquad\qquad\qquad\qquad\qquad\qquad\cdots\cdots\ \text{㉠}$

조건 ㈏에서 $f(1)=-\dfrac{9}{2}$이므로 ㉠의 양변에 $x=1$을 대입하면

$f(1)=-\dfrac{1}{2}-4+C=-\dfrac{9}{2}$ $\quad\therefore C=0$

따라서 $x^2f(x)=(x^2+4x)\ln x-\dfrac{1}{2}x^2-4x$이므로

$f(x)=\left(1+\dfrac{4}{x}\right)\ln x-\dfrac{1}{2}-\dfrac{4}{x}\ (\because x>0)$

$\therefore 4f(e)=4\left\{\left(1+\dfrac{4}{e}\right)\ln e-\dfrac{1}{2}-\dfrac{4}{e}\right\}=2$

답 ⑤

068

주어진 그래프에서 $f(x)=\begin{cases}x+1 & (x<0)\\ -x+1 & (x\geq0)\end{cases}$이므로

$\displaystyle\int_{-1}^{2}e^{f(x)}f(x)dx$

$=\displaystyle\int_{-1}^{0}e^{f(x)}f(x)dx+\int_{0}^{2}e^{f(x)}f(x)dx$

$=\displaystyle\int_{-1}^{0}e^{x+1}(x+1)dx+\int_{0}^{2}e^{-x+1}(-x+1)dx$

$\displaystyle\int_{-1}^{0}e^{x+1}(x+1)dx$에서 $u(x)=x+1,\ v'(x)=e^{x+1}$으로 놓으면

$u'(x)=1,\ v(x)=e^{x+1}$이므로

$\displaystyle\int_{-1}^{0}e^{x+1}(x+1)dx=\Big[(x+1)e^{x+1}\Big]_{-1}^{0}-\int_{-1}^{0}e^{x+1}dx$

$\qquad\qquad=e-\Big[e^{x+1}\Big]_{-1}^{0}$

$\qquad\qquad=e-(e-1)=1\qquad\cdots\cdots\ \text{㉠}$

$\displaystyle\int_{0}^{2}e^{-x+1}(-x+1)dx$에서 $g(x)=-x+1,\ h'(x)=e^{-x+1}$으로 놓

으면 $g'(x)=-1,\ h(x)=-e^{-x+1}$이므로

$\displaystyle\int_{0}^{2}e^{-x+1}(-x+1)dx=\Big[-(-x+1)e^{-x+1}\Big]_{0}^{2}-\int_{0}^{2}e^{-x+1}dx$

$\qquad\qquad=e^{-1}+e-\Big[-e^{-x+1}\Big]_{0}^{2}$

$\qquad\qquad=e^{-1}+e-(-e^{-1}+e)$

$\qquad\qquad=2e^{-1}=\dfrac{2}{e}\qquad\cdots\cdots\ \text{㉡}$

㉠, ㉡에서

$\displaystyle\int_{-1}^{2}e^{f(x)}f(x)dx=\int_{-1}^{0}e^{x+1}(x+1)dx+\int_{0}^{2}e^{-x+1}(-x+1)dx$

$\qquad\qquad=1+2e^{-1}=1+\dfrac{2}{e}$

답 ④

069

$\displaystyle\int_{0}^{1}f'(\sqrt{x})dx$에서 $\sqrt{x}=t$로 놓으면 $x=t^2$에서 $\dfrac{dx}{dt}=2t$이고

$x=0$일 때 $t=0,\ x=1$일 때 $t=1$이므로

$\displaystyle\int_{0}^{1}f'(\sqrt{x})dx=\int_{0}^{1}f'(t)\times 2t\,dt=2\int_{0}^{1}tf'(t)dt$

$u(t)=t,\ v'(t)=f'(t)$로 놓으면 $u'(t)=1,\ v(t)=f(t)$이므로

$\displaystyle\int_{0}^{1}tf'(t)dt=\Big[tf(t)\Big]_{0}^{1}-\int_{0}^{1}f(t)dt$

$\underset{\text{그래프에서}\,f(1)=1}{=f(1)}-\displaystyle\int_{0}^{1}f(t)dt=1-\int_{0}^{1}f(t)dt$

$\therefore\displaystyle\int_{0}^{1}f'(\sqrt{x})dx=2\int_{0}^{1}tf'(t)dt$

$\qquad\qquad=2-2\displaystyle\int_{0}^{1}f(t)dt$

이때 주어진 그림에서 $\displaystyle\int_{0}^{1}f(x)dx=-2+6=4$이므로

$\displaystyle\int_{0}^{1}f'(\sqrt{x})dx=2-2\times4=-6$

답 ①

070

$f(x)=\displaystyle\int e^x\cos x\,dx$에서 $u(x)=\cos x,\ v'(x)=e^x$으로 놓으면

$u'(x)=-\sin x,\ v(x)=e^x$이므로

$f(x)=\displaystyle\int e^x\cos x\,dx$

$\qquad=e^x\cos x-\displaystyle\int(-e^x\sin x)dx$

$\qquad=e^x\cos x+\displaystyle\int e^x\sin x\,dx\qquad\cdots\cdots\ \text{㉠}$

$\displaystyle\int e^x\sin x\,dx$에서 $s(x)=\sin x,\ t'(x)=e^x$으로 놓으면

$s'(x)=\cos x,\ t(x)=e^x$이므로

$\displaystyle\int e^x\sin x\,dx=e^x\sin x-\int e^x\cos x\,dx\qquad\cdots\cdots\ \text{㉡}$

ⓒ을 ㉠에 대입하면

$$f(x) = e^x \cos x + e^x \sin x - \int e^x \cos x \, dx$$
$$= e^x \cos x + e^x \sin x - f(x)$$
$$2f(x) = e^x \cos x + e^x \sin x$$
$$\therefore f(x) = \frac{1}{2}e^x(\cos x + \sin x) + C \ (\text{단, } C \text{는 적분상수이다.})$$

$f(0) = \frac{1}{2}$ 이므로 $\quad \frac{1}{2} + C = \frac{1}{2} \qquad \therefore C = 0$

$$\therefore f(x) = \frac{1}{2}e^x(\cos x + \sin x)$$

방정식 $f(x) = \frac{1}{2}e^x$ 에서

$$\frac{1}{2}e^x(\cos x + \sin x) = \frac{1}{2}e^x, \ \cos x + \sin x = 1 \ (\because e^x > 0)$$

$$\sqrt{2}\sin\left(x + \frac{\pi}{4}\right) = 1 \qquad \therefore \sin\left(x + \frac{\pi}{4}\right) = \frac{1}{\sqrt{2}} \ (0 \le x \le 2\pi)$$

이때 $\frac{\pi}{4} \le x + \frac{\pi}{4} \le \frac{9}{4}\pi$ 에서

$$x + \frac{\pi}{4} = \frac{\pi}{4} \ \text{또는} \ x + \frac{\pi}{4} = \frac{3}{4}\pi \ \text{또는} \ x + \frac{\pi}{4} = \frac{9}{4}\pi \text{이므로}$$

$$x = 0 \ \text{또는} \ x = \frac{\pi}{2} \ \text{또는} \ x = 2\pi$$

따라서 모든 실근의 합은

$$0 + \frac{\pi}{2} + 2\pi = \frac{5}{2}\pi$$

답 ④

참고

삼각함수의 합성
$$a\sin\theta + b\cos\theta = \sqrt{a^2+b^2}\sin(\theta+\alpha)$$
$$\left(\text{단, } \cos\alpha = \frac{a}{\sqrt{a^2+b^2}}, \ \sin\alpha = \frac{b}{\sqrt{a^2+b^2}}\right)$$

071

$f(x)$의 한 부정적분을 $F(x)$라고 하자.

$\frac{1}{n} = t$ 로 놓으면 $n = \frac{1}{t}$ 이고 $n \to \infty$ 일 때 $t \to 0$ 이므로

$$\lim_{n \to \infty} n\int_0^{\frac{1}{n}} f(x) \, dx = \lim_{n \to \infty} n\left\{F\left(\frac{1}{n}\right) - F(0)\right\}$$
$$= \lim_{t \to 0} \frac{F(t) - F(0)}{t} = F'(0) = f(0)$$
$$= 2 + 1 = 3$$

답 ①

072

함수 $f(x)$의 한 부정적분을 $F(x)$라고 하면

$$\lim_{x \to 0} \frac{1}{x} \int_{1-x}^{1+2x} f(t) \, dt$$
$$= \lim_{x \to 0} \frac{1}{x}\left[F(t)\right]_{1-x}^{1+2x}$$
$$= \lim_{x \to 0} \frac{F(1+2x) - F(1-x)}{x}$$
$$= \lim_{x \to 0} \frac{\{F(1+2x) - F(1)\} - \{F(1-x) - F(1)\}}{x}$$
$$= 2\lim_{x \to 0} \frac{F(1+2x) - F(1)}{2x} + \lim_{x \to 0} \frac{F(1-x) - F(1)}{-x}$$
$$= 2F'(1) + F'(1)$$

$$= 3F'(1) = 3f(1)$$
$$= 3(e+1) = 3e+3$$

답 ③

073

$\int_0^2 tf(t) \, dt = k \ (k \text{는 상수})$ 라고 하면 $f(x) = e^{x^2} + k$ 이므로

$$k = \int_0^2 t(e^{t^2} + k) \, dt = \int_0^2 (te^{t^2} + kt) \, dt$$
$$= \int_0^2 te^{t^2} \, dt + \int_0^2 kt \, dt \qquad \cdots\cdots ㉠$$

$\int_0^2 te^{t^2} \, dt$ 에서 $t^2 = s$ 로 놓으면 $\frac{ds}{dt} = 2t$ 이고

$t = 0$ 일 때 $s = 0$, $t = 2$ 일 때 $s = 4$ 이므로

$$\int_0^2 te^{t^2} \, dt = \int_0^4 \frac{1}{2}e^s \, ds = \left[\frac{1}{2}e^s\right]_0^4 = \frac{e^4 - 1}{2}$$

또, $\int_0^2 kt \, dt = \left[\frac{k}{2}t^2\right]_0^2 = 2k$ 이므로 ㉠에 의하여

$$k = \frac{e^4 - 1}{2} + 2k \qquad \therefore k = \frac{1-e^4}{2}$$

즉, $\int_0^2 tf(t) \, dt = \frac{1-e^4}{2}$ 이므로

$$\int_0^2 \{2xf(x) + 1\} \, dx = 2\int_0^2 xf(x) \, dx + \int_0^2 1 \, dx$$
$$= 2 \times \frac{1-e^4}{2} + 2 = 3 - e^4 \qquad \left[x\right]_0^2 = 2$$

따라서 $a = 3$, $b = 4$ 이므로

$$a + b = 3 + 4 = 7$$

답 ③

074

$\int_0^1 sf(ts) \, ds$ 에서 $ts = k$ 라고 하면 $\frac{dk}{ds} = t$ 이고

$s = 0$ 일 때 $k = 0$, $s = 1$ 일 때 $k = t$ 이므로

$$\int_0^1 sf(ts) \, ds = \int_0^t \frac{k}{t^2} f(k) \, dk = \frac{1}{t^2}\int_0^t kf(k) \, dk = \cos t$$

즉, $\int_0^t xf(x) \, dx = t^2 \cos t$ 이므로 양변을 t에 대하여 미분하면

$$tf(t) = 2t\cos t - t^2 \sin t \ (\because t > 0)$$
$$\therefore f(t) = 2\cos t - t\sin t$$
$$\therefore f(-\pi) = 2\cos(-\pi) - (-\pi)\sin(-\pi) = -2$$

답 ②

075

함수 $f(x)$의 한 부정적분을 $F(x)$라고 하면

$$\int_1^{x^2} f(t) \, dt = \left[F(t)\right]_1^{x^2} = F(x^2) - F(1) = x^2 + 2\ln x - 3$$

위의 식의 양변을 x에 대하여 미분하면

$$f(x^2) \times 2x = 2x + \frac{2}{x}$$
$$\therefore f(x^2) = 1 + \frac{1}{x^2}$$

따라서 $x^2 = s$ 로 놓으면 $f(s) = 1 + \frac{1}{s}$ 이므로

$$\int_1^2 \frac{1}{x}f\left(\frac{1}{x}\right)dx = \int_1^2 \frac{1}{x}(1+x)dx$$
$$= \int_1^2 \left(\frac{1}{x}+1\right)dx$$
$$= \left[\ln x + x\right]_1^2$$
$$= (\ln 2 + 2) - 1$$
$$= \ln 2 + 1$$

답 $\ln 2 + 1$

076

$f(x) = \int_0^x (a - \cos nt)dt$의 양변을 x에 대하여 미분하면

$f'(x) = a - \cos nx$

이때 함수 $f(x)$가 극값을 갖지 않으려면

$f'(x) = a - \cos nx \geq 0$

$-1 \leq \cos nx \leq 1$이고 $a > 0$이므로

$a - 1 \geq 0$ $\therefore a \geq 1$

따라서 양수 a의 최솟값은 1이다.

답   ①

077

주어진 그래프에서 $f(x) = ax(x-2)\,(a>0)$로 놓으면

$g(x) = \int_x^{x+1} e^{at(t-2)}dt$

위의 식의 양변을 x에 대하여 미분하면

$g'(x) = e^{a(x+1)(x-1)} - e^{ax(x-2)}$
$= e^{ax^2-a} - e^{ax^2-2ax}$
$= e^{ax^2-a}(1 - e^{a-2ax})$

$g'(x) = 0$에서 $1 - e^{a-2ax} = 0 \;(\because e^{ax^2-a} > 0)$

$e^{a-2ax} = 1$, $a - 2ax = 0$ $\therefore x = \frac{1}{2} \;(\because a > 0)$

함수 $g(x)$의 증가와 감소를 표로
나타내면 오른쪽과 같다.

x	$\cdots$	$\frac{1}{2}$	$\cdots$
$g'(x)$	$-$	0	$+$
$g(x)$	$\searrow$	극소	$\nearrow$

따라서 $g(x)$는 $x = \frac{1}{2}$에서 극소

이면서 최소이므로 $g(x)$의 최솟값은 $g\left(\frac{1}{2}\right)$이다.

답   ②

078

$f(x) = \int_0^x (t-x)g(t)dt = \int_0^x tg(t)dt - x\int_0^x g(t)dt$

위의 식의 양변을 x에 대하여 미분하면

$f'(x) = xg(x) - \int_0^x g(t)dt - xg(x) = -\int_0^x g(t)dt$

$f(x) = \sin x + kx$에서 $f'(x) = \cos x + k$이므로

$\cos x + k = -\int_0^x g(t)dt$

$\therefore \int_0^x g(t)dt = -\cos x - k$ $\cdots\cdots$ ㉠

㉠의 양변을 x에 대하여 미분하면

$g(x) = \sin x$

㉠의 양변에 $x = 0$을 대입하면

$0 = -1 - k$ $\therefore k = -1$

따라서 $f(x) = \sin x - x$, $g(x) = \sin x$이므로

$$\int_0^\pi \{f(x) + g(x)\}dx = \int_0^\pi (2\sin x - x)dx$$
$$= \left[-2\cos x - \frac{1}{2}x^2\right]_0^\pi$$
$$= 4 - \frac{\pi^2}{2}$$

답   ⑤

079

▶ 접근

조건 ㈎에서 $f(0) = 0$이고 조건 ㈏에서

$f'(x) = \lim\limits_{h \to 0} \dfrac{f(x+h) - f(x)}{h}$임을 이용한다.

조건 ㈏에서

$\int_{x-h}^{x+h} f'(t) = \left[f(t)\right]_{x-h}^{x+h} = f(x+h) - f(x-h)$

이므로

$\lim\limits_{h \to 0} \dfrac{1}{h}\int_{x-h}^{x+h} f'(t)dt$

$= \lim\limits_{h \to 0} \dfrac{f(x+h) - f(x-h)}{h}$

$= \lim\limits_{h \to 0} \dfrac{f(x+h) - f(x)}{h} + \lim\limits_{h \to 0} \dfrac{f(x-h) - f(x)}{-h}$

$= f'(x) + f'(x)$

$= 2f'(x) = 2(x + e^x)e^x$

$\therefore f'(x) = (x + e^x)e^x = xe^x + e^{2x}$

$f(x) = \int f'(x)dx$

$= \int (xe^x + e^{2x})dx$

$= \int xe^x dx + \int e^{2x}dx$ $\begin{array}{l} u(x) = x, v'(x) = e^x \text{으로 놓으면} \\ u'(x) = 1, v(x) = e^x \end{array}$

$= \left(xe^x - \int e^x dx\right) + \frac{1}{2}e^{2x} + C_1$ (단, C_1은 적분상수이다.)

$= (xe^x - e^x + C_2) + \frac{1}{2}e^{2x} + C_1$ (단, C_2는 적분상수이다.)

$= \frac{1}{2}e^{2x} + (x-1)e^x + C$ (단, $C = C_1 + C_2$)

이때 곡선 $y = f(x)$가 원점 $(0, 0)$을 지나므로 $f(0) = 0$에서

$f(0) = \frac{1}{2} - 1 + C = 0$ $\therefore C = \frac{1}{2}$

따라서 $f(x) = \frac{1}{2}e^{2x} + (x-1)e^x + \frac{1}{2}$이므로

$f(1) = \frac{1}{2}(e^2 + 1)$

답   ①

080

조건 ㈎에 의하여 $f(0) = 1$

조건 ㈏에서

$2xf(x) = xe^x + x + \int_0^x (x+t)f'(t)dt$

$= xe^x + x + x\int_0^x f'(t)dt + \int_0^x tf'(t)dt$

$= xe^x + x + x\{f(x) - f(0)\} + \int_0^x tf'(t)dt$

$$= xe^x + x + x\{f(x)-1\} + \int_0^x tf'(t)dt \ (\because f(0)=1)$$

$$= xe^x + xf(x) + \int_0^x tf'(t)dt$$

$$\therefore xf(x) = xe^x + \int_0^x tf'(t)dt$$

위의 식의 양변을 x에 대하여 미분하면

$$f(x) + xf'(x) = e^x + xe^x + xf'(x)$$

$$\therefore f(x) = e^x + xe^x = (x+1)e^x$$

방정식 $f(x)=0$에서 $(x+1)e^x=0$

$x+1=0 \ (\because e^x>0)$ $\quad \therefore x=-1$

답 $x=-1$

081

ㄱ은 옳다.

조건 ㈏에서

$$\ln f(x) + 2x\int_0^x f(t)dt - 2\int_0^x tf(t)dt = 0$$

위의 식의 양변을 x에 대하여 미분하면

$$\frac{f'(x)}{f(x)} + 2\int_0^x f(t)dt + 2xf(x) - 2xf(x) = 0$$

$$\frac{f'(x)}{f(x)} + 2\int_0^x f(t)dt = 0, \ \frac{f'(x)}{f(x)} = -2\int_0^x f(t)dt$$

$$\therefore f'(x) = -2f(x)\int_0^x f(t)dt \qquad \cdots\cdots \text{㉠}$$

이때 조건 ㈎에서 $f(x)>0$이므로 $x>0$이면

$$\int_0^x f(t)dt > 0$$

따라서 $x>0$일 때 $f'(x)<0$이므로 $x>0$에서 함수 $f(x)$는 감소한다.

ㄴ도 옳다.

㉠에서 $f'(x) = -2f(x)\int_0^x f(t)dt$이므로

$f'(x)=0$에서 $x=0$

함수 $f(x)$의 증가와 감소를 표로 나타내면 오른쪽과 같다.
따라서 함수 $f(x)$는 $x=0$에서 극대이면서 최대이다.

x	$\cdots$	0	$\cdots$
$f'(x)$	$+$	0	$-$
$f(x)$	↗	극대	↘

조건 ㈏의 $\ln f(x) + 2\int_0^x (x-t)f(t)dt = 0$의 양변에 $x=0$을 대입하면

$$\ln f(0) = 0 \qquad \therefore f(0) = 1$$

즉, 함수 $f(x)$의 최댓값은 1이다.

ㄷ도 옳다.

$F(x) = \int_0^x f(t)dt$의 양변에 $x=0$을 대입하면 $F(0)=0$

$F(x) = \int_0^x f(t)dt$의 양변을 x에 대하여 미분하면

$$F'(x) = f(x)$$

또, ㉠에서 $f'(x) = -2f(x)F(x)$이므로

$$f'(x) = -2F'(x)F(x)$$

$$\therefore f'(x) + 2F'(x)F(x) = 0$$

위의 식의 양변을 부정적분하면

$$\underline{f(x) + \{F(x)\}^2 = C} \ (\text{단, } C\text{는 적분상수이다.})$$
$$\overset{\llcorner\ [f(x) + \{F(x)\}^2]' = f'(x) + 2F'(x)F(x)}{}$$

위의 식의 양변에 $x=0$을 대입하면

$$f(0) + \{F(0)\}^2 = 1 = C$$

즉, $f(x) + \{F(x)\}^2 = 1$이므로

$$f(1) + \{F(1)\}^2 = 1$$

따라서 옳은 것은 ㄱ, ㄴ, ㄷ이다.

답 ⑤

참고

실수 전체의 집합에서 $f(x)>0$인 함수 $f(x)$와 $a>0$에 대하여 $\int_0^a f(x)dx$의 값은 곡선 $y=f(x)$와 x축 및 두 직선 $x=0$, $x=a$로 둘러싸인 부분의 넓이이므로 $\int_0^a f(x)dx>0$이다.

한편 $b<0$에 대하여 $\int_0^b f(x)dx = -\int_b^0 f(x)dx$이고 이 값은 곡선 $y=f(x)$와 x축 및 두 직선 $x=b$, $x=0$으로 둘러싸인 부분의 넓이에 -1을 곱한 값이므로 $\int_0^b f(x)dx<0$이다.

07 정적분의 활용

082

▶ 접근

x로 놓는 값을 다르게 하여 주어진 극한을 정적분으로 나타내어 본다.

(ⅰ) $\dfrac{k}{n}=x$라고 하면

$$\lim_{n\to\infty}\frac{3}{n}\sum_{k=1}^{n}f\left(1+\frac{2k}{n}\right)=3\int_{0}^{1}f(1+2x)dx$$

(ⅱ) $\dfrac{2k}{n}=x$라고 하면

$$\lim_{n\to\infty}\frac{3}{n}\sum_{k=1}^{n}f\left(1+\frac{2k}{n}\right)=\frac{3}{2}\lim_{n\to\infty}\frac{2}{n}\sum_{k=1}^{n}f\left(1+\frac{2k}{n}\right)$$
$$=\frac{3}{2}\int_{0}^{2}f(1+x)dx$$

(ⅲ) $1+\dfrac{2k}{n}=x$라고 하면

$$\lim_{n\to\infty}\frac{3}{n}\sum_{k=1}^{n}f\left(1+\frac{2k}{n}\right)=\frac{3}{2}\lim_{n\to\infty}\frac{2}{n}\sum_{k=1}^{n}f\left(1+\frac{2k}{n}\right)$$
$$=\frac{3}{2}\int_{1}^{3}f(x)dx$$

따라서 정적분으로 바르게 나타낸 것은 ㄱ, ㄷ, ㄹ의 3개이다.

답 ④

083

$$\lim_{n\to\infty}\sum_{k=1}^{n}\frac{k}{n^2}f\left(\frac{k}{n}\right)=\lim_{n\to\infty}\sum_{k=1}^{n}\frac{k}{n}f\left(\frac{k}{n}\right)\times\frac{1}{n}$$
$$=\int_{0}^{1}xf(x)dx$$
$$=\int_{0}^{1}x(4x^2+3x+6)dx$$
$$=\int_{0}^{1}(4x^3+3x^2+6x)dx$$
$$=\left[x^4+x^3+3x^2\right]_{0}^{1}$$
$$=5$$

답 ⑤

084

$$\lim_{n\to\infty}\frac{1}{n}\left(\frac{2}{n}+\frac{4}{n}+\frac{6}{n}+\cdots+\frac{2n}{n}\right)=\lim_{n\to\infty}\frac{1}{n}\sum_{k=1}^{n}\frac{2k}{n}$$
$$=\int_{0}^{1}2xdx$$
$$=\left[x^2\right]_{0}^{1}$$
$$=1$$

답 1

085

$$\lim_{n\to\infty}\frac{2}{n}\sum_{k=1}^{n}f\left(1+\frac{2k}{n}\right)=\int_{1}^{3}f(x)dx$$
$$=\int_{1}^{3}\frac{1}{x^2+x}dx$$
$$=\int_{1}^{3}\frac{1}{x(x+1)}dx$$
$$\underbrace{\quad}_{\dfrac{1}{AB}=\dfrac{1}{B-A}\left(\dfrac{1}{A}-\dfrac{1}{B}\right)}$$

$$=\int_{1}^{3}\left(\frac{1}{x}-\frac{1}{x+1}\right)dx$$
$$=\left[\ln x-\ln(x+1)\right]_{1}^{3}$$
$$=(\ln 3-\ln 4)-(\ln 1-\ln 2)$$
$$=\ln 3-\ln 4+\ln 2=\ln\frac{3\times 2}{4}=\ln\frac{3}{2}$$

답 ④

다른 풀이 ❶

$$\lim_{n\to\infty}\frac{2}{n}\sum_{k=1}^{n}f\left(1+\frac{2k}{n}\right)=2\int_{0}^{1}f(1+2x)dx$$
$$=2\int_{0}^{1}\frac{1}{(1+2x)(2+2x)}dx$$
$$=2\int_{0}^{1}\left(\frac{1}{1+2x}-\frac{1}{2+2x}\right)dx$$
$$=2\left[\frac{1}{2}\ln(1+2x)-\frac{1}{2}\ln(2+2x)\right]_{0}^{1}$$
$$=2\left\{\left(\frac{1}{2}\ln 3-\frac{1}{2}\ln 4\right)-\left(\frac{1}{2}\ln 1-\frac{1}{2}\ln 2\right)\right\}$$
$$=\ln\frac{3}{4}+\ln 2=\ln\frac{3}{2}$$

다른 풀이 ❷

$$\lim_{n\to\infty}\frac{2}{n}\sum_{k=1}^{n}f\left(1+\frac{2k}{n}\right)=\int_{0}^{2}f(1+x)dx$$
$$=\int_{0}^{2}\frac{1}{(1+x)(2+x)}dx$$
$$=\int_{0}^{2}\left(\frac{1}{1+x}-\frac{1}{2+x}\right)dx$$
$$=\left[\ln(1+x)-\ln(2+x)\right]_{0}^{2}$$
$$=\ln 3-\ln 4+\ln 2=\ln\frac{3}{2}$$

086

$$y=\sin x+\cos x=\sqrt{2}\sin\left(x+\frac{\pi}{4}\right)$$

따라서 구하는 넓이는

$$\int_{-\frac{\pi}{4}}^{\frac{3}{4}\pi}\sqrt{2}\sin\left(x+\frac{\pi}{4}\right)dx$$
$$=\left[-\sqrt{2}\cos\left(x+\frac{\pi}{4}\right)\right]_{-\frac{\pi}{4}}^{\frac{3}{4}\pi}$$
$$=2\sqrt{2}$$

답 ④

087

$a<0$이므로 곡선 $y=\sqrt{x}+a$는 오른쪽 그림과 같다.

이때 색칠한 두 부분의 넓이가 같으므로

$$\int_{0}^{4}(\sqrt{x}+a)dx=0$$
$$\left[\frac{2}{3}x^{\frac{3}{2}}+ax\right]_{0}^{4}=0$$
$$\frac{2}{3}\times 8+4a=0 \qquad \therefore a=-\frac{4}{3}$$

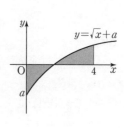

답 $-\dfrac{4}{3}$

088

$$\int_{-4}^{x} f(t)dt = \frac{2}{3}(x+4)\sqrt{x+4} = \frac{2}{3}(x+4)^{\frac{3}{2}}$$

위의 식의 양변을 x에 대하여 미분하면

$$f(x) = (x+4)^{\frac{1}{2}} = \sqrt{x+4}$$

$y = \sqrt{x+4}$의 양변을 제곱하면

$$y^2 = x+4 \quad \therefore x = y^2 - 4$$

따라서 구하는 넓이는

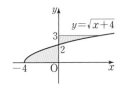

$$\int_{0}^{2}(4-y^2)dy + \int_{2}^{3}(y^2-4)dy$$

$$= \left[4y - \frac{1}{3}y^3 \right]_{0}^{2} + \left[\frac{1}{3}y^3 - 4y \right]_{2}^{3}$$

$$= \frac{16}{3} + \frac{7}{3}$$

$$= \frac{23}{3}$$

즉, $p=3$, $q=23$이므로

$$p+q = 3+23 = 26$$

답 26

089

함수 $y = \frac{2}{x}$의 그래프와 x축 및 두 직선

$x=1$, $x=4$로 둘러싸인 부분의 넓이가

$x=a$에 의하여 이등분되므로

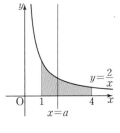

$$\int_{1}^{4}\frac{2}{x}dx = 2\int_{1}^{a}\frac{2}{x}dx$$

$$2\left[\ln x \right]_{1}^{4} = 4\left[\ln x \right]_{1}^{a}$$

$$2\ln 4 = 4\ln a$$

$$4\ln 2 = 4\ln a$$

$$\therefore a = 2$$

답 ②

090

함수 $f(x) = e^x + 1$의 역함수가 $g(x)$이

므로 $y = f(x)$의 그래프와 $y = g(x)$의 그

래프는 직선 $y=x$에 대하여 대칭이다.

오른쪽 그림에서 $A=B$이므로

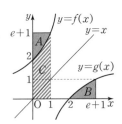

$$\int_{0}^{1} f(x)dx + \int_{2}^{e+1} g(x)dx$$

$$= C+B = C+A$$

$$= 1 \times (e+1) = e+1$$

답 ④

091

곡선 $y = 2\sqrt{x+1}$과 직선 $y = x-2$의

교점의 x좌표는 $2\sqrt{x+1} = x-2$에서

양변을 제곱하면

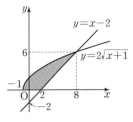

$$4x+4 = x^2 - 4x + 4$$

$$x^2 - 8x = 0, \ x(x-8) = 0$$

$$\therefore x = 8 \ (\because x \geq 2)$$

따라서 구하는 넓이는

$$\int_{-1}^{8} 2\sqrt{x+1}dx - \frac{1}{2} \times 6 \times 6$$

$$= \left[\frac{4}{3}(x+1)^{\frac{3}{2}} \right]_{-1}^{8} - 18$$

$$= 36 - 18 = 18$$

답 18

092

$f(x) = e^x$이라고 하면 $f'(x) = e^x$

곡선 $y = e^x$ 위의 점 $P(1, e)$에서의 접선의 기울기는 $f'(1) = e$이므

로 접선의 방정식은

$$y-e = e(x-1) \quad \therefore y = ex$$

따라서 구하는 넓이는

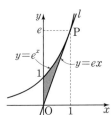

$$\int_{0}^{1}(e^x - ex)dx = \left[e^x - \frac{e}{2}x^2 \right]_{0}^{1}$$

$$= \left(e - \frac{e}{2} \right) - 1 = \frac{e}{2} - 1$$

답 ①

093

두 곡선 $y = \sin x$, $y = \cos x$의 교점의

x좌표는 $\sin x = \cos x$에서

$$x = \frac{\pi}{4} \text{ 또는 } x = \frac{5}{4}\pi$$

$$(\because 0 \leq x \leq 2\pi)$$

따라서 구하는 넓이는

$$\int_{\frac{\pi}{4}}^{\frac{5}{4}\pi}(\sin x - \cos x)dx$$

$$= \left[-\cos x - \sin x \right]_{\frac{\pi}{4}}^{\frac{5}{4}\pi}$$

$$= \left(\frac{\sqrt{2}}{2} + \frac{\sqrt{2}}{2} \right) - \left(-\frac{\sqrt{2}}{2} - \frac{\sqrt{2}}{2} \right)$$

$$= 2\sqrt{2}$$

답 $2\sqrt{2}$

094

두 곡선 $y = \log_2(x+1)$, $y = 4 - \log_2(x+1)$의 교점의 x좌표는

$\log_2(x+1) = 4 - \log_2(x+1)$에서

$$2\log_2(x+1) = 4, \ \log_2(x+1) = 2$$

$$x+1 = 4 \quad \therefore x = 3$$

따라서 구하는 넓이는

$$\int_{0}^{3}\{4 - \log_2(x+1) - \log_2(x+1)\}dx$$

$$= \int_{0}^{3}\{4 - 2\log_2(x+1)\}dx$$

$$= \int_{0}^{3} 4 dx - 2\int_{0}^{3}\log_2(x+1)dx$$

$$= \left[4x \right]_{0}^{3} - 2\int_{0}^{3}\log_2(x+1)dx$$

$$= 12 - 2\int_{0}^{3}\log_2(x+1)dx \quad \cdots\cdots \ \bigcirc$$

이때 $x+1 = t$로 놓으면 $\frac{dt}{dx} = 1$이고

$x=0$일 때 $t=1$, $x=3$일 때 $t=4$이므로

$$\int_0^3 \log_2(x+1)dx = \int_1^4 \log_2 t\,dt = \int_1^4 \frac{\ln t}{\ln 2}dt$$
$$= \frac{1}{\ln 2}\int_1^4 \ln t\,dt$$
$$= \frac{1}{\ln 2}\Big[t\ln t - t\Big]_1^4 \qquad \int \ln x\,dx = x\ln x - x + C$$
$$\text{(단, } C\text{는 적분상수이다.)}$$
$$= \frac{1}{\ln 2}\{(4\ln 4 - 4)-(-1)\}$$
$$= \frac{1}{\ln 2}(8\ln 2 - 3) = 8 - \frac{3}{\ln 2} \qquad \cdots\cdots \text{ⓛ}$$

ⓛ을 ㉠에 대입하면 구하는 넓이는

$$12 - 2\Big(8 - \frac{3}{\ln 2}\Big) = 12 - 16 + \frac{6}{\ln 2} = \frac{6}{\ln 2} - 4$$

답 ③

095

곡선 $y=e^{2x}$과 직선 $y=-2x+a$의 교점의 x좌표를 k $(0<k<1)$ 라고 하면

$$(A\text{의 넓이}) = \int_0^k \{(-2x+a)-e^{2x}\}dx$$
$$(B\text{의 넓이}) = \int_k^1 \{e^{2x}-(-2x+a)\}dx$$

$0 \le x \le k$일 때, $-2x+a \ge e^{2x}$

$k \le x \le 1$일 때, $e^{2x} \ge -2x+a$

$(A\text{의 넓이}) = (B\text{의 넓이})$이므로

$$\int_0^k \{(-2x+a)-e^{2x}\}dx = \int_k^1 \{e^{2x}-(-2x+a)\}dx$$
$$\int_0^k \{(-2x+a)-e^{2x}\}dx - \int_k^1 \{e^{2x}-(-2x+a)\}dx = 0$$
$$\int_0^k \{(-2x+a)-e^{2x}\}dx + \int_k^1 \{(-2x+a)-e^{2x}\}dx = 0$$
$$\int_0^1 (-2x+a-e^{2x})dx = 0$$
$$\Big[-x^2+ax-\frac{e^{2x}}{2}\Big]_0^1 = 0$$
$$\Big(-1+a-\frac{e^2}{2}\Big) - \Big(-\frac{1}{2}\Big) = 0$$
$$\therefore a = \frac{e^2+1}{2}$$

답 ①

096

입체도형의 부피는

$$\int_0^4 (e^{2x}+x+2)dx = \Big[\frac{1}{2}e^{2x}+\frac{1}{2}x^2+2x\Big]_0^4$$
$$= \Big(\frac{1}{2}e^8+16\Big) - \frac{1}{2}$$
$$= \frac{e^8+31}{2}$$

따라서 $a=8$, $b=31$이므로

$$a+b = 8+31 = 39$$

답 ②

097

물의 깊이가 5일 때 그릇에 담긴 물의 부피를 V라고 하면

$$V = \int_0^5 \ln(x+1)dx$$

$x+1=t$로 놓으면 $\dfrac{dt}{dx}=1$이고

$x=0$일 때 $t=1$, $x=5$일 때 $t=6$이므로

$$V = \int_1^6 \ln t\,dt = \Big[t\ln t - t\Big]_1^6$$
$$= (6\ln 6 - 6) - (-1)$$
$$= 6\ln 6 - 5$$

답 $6\ln 6 - 5$

098

오른쪽 그림과 같이 밑면으로부터의 높이를 x라 하고 점 C에서 $\overline{AB}$에 내린 수선의 발을 H라고 하면

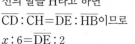

$\overline{CD}:\overline{CH}=\overline{DE}:\overline{HB}$이므로

$$x:6 = \overline{DE}:2$$
$$6\overline{DE} = 2x \qquad \therefore \overline{DE} = \frac{x}{3}$$

밑면으로부터의 높이가 x이고 밑면에 평행한 원의 반지름의 길이는 $4+\dfrac{x}{3}$이므로 이 원의 넓이는 $\pi\Big(4+\dfrac{x}{3}\Big)^2$이다.

따라서 그릇의 부피는

$$\int_0^6 \pi\Big(4+\frac{x}{3}\Big)^2 dx = \pi\int_0^6 \Big(4+\frac{x}{3}\Big)^2 dx$$

답 ③

099

한 변의 길이가 $\sqrt{4-x^2}$인 정사각형의 넓이는 $(4-x^2)$이다.

따라서 구하는 입체도형의 부피는

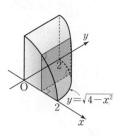

$$\int_0^2 (4-x^2)dx = \Big[4x-\frac{1}{3}x^3\Big]_0^2$$
$$= 8 - \frac{8}{3} = \frac{16}{3}$$

답 ②

100

한 변의 길이가 $\sqrt{\sin x}$인 정삼각형의 넓이는

$$\frac{\sqrt{3}}{4}\times(\sqrt{\sin x})^2 = \frac{\sqrt{3}}{4}\sin x$$

따라서 구하는 입체도형의 부피는

$$\int_0^\pi \frac{\sqrt{3}}{4}\sin x\,dx = \frac{\sqrt{3}}{4}\int_0^\pi \sin x\,dx$$
$$= \frac{\sqrt{3}}{4}\Big[-\cos x\Big]_0^\pi$$
$$= \frac{\sqrt{3}}{4}\{-(-1)-(-1)\} = \frac{\sqrt{3}}{2}$$

답 $\dfrac{\sqrt{3}}{2}$

101

점 P가 움직인 거리는

$$\int_0^2 |2\sin \pi t|dt = 2\int_0^2 |\sin \pi t|dt$$
$$= 2\int_0^1 2\sin \pi t\,dt$$
$$= 4\int_0^1 \sin \pi t\,dt$$

$$=4\left[-\frac{1}{\pi}\cos\pi t\right]_0^1$$
$$=4\left\{\frac{1}{\pi}-\left(-\frac{1}{\pi}\right)\right\}$$
$$=\frac{8}{\pi}$$

$\therefore k=8$

답 8

102

$x=3t^2$, $y=1-t^2$에서 $\dfrac{dx}{dt}=6t$, $\dfrac{dy}{dt}=-2t$

따라서 점 P가 움직인 거리는

$$\int_0^2\sqrt{(6t)^2+(-2t)^2}\,dt=\int_0^2\sqrt{40t^2}\,dt=2\sqrt{10}\int_0^2 t\,dt$$
$$=2\sqrt{10}\left[\frac{1}{2}t^2\right]_0^2=2\sqrt{10}\times 2=4\sqrt{10}$$

답 $4\sqrt{10}$

103

$$x(t)=\int_0^t v(t)\,dt$$
$$=\int_0^8(t-3)\,dt+\int_8^t 5e^{8-t}\,dt$$
$$=\left[\frac{1}{2}t^2-3t\right]_0^8+\left[-5e^{8-t}\right]_8^t$$
$$=8+(-5e^{8-t}+5)$$
$$=13-5e^{8-t}$$

$\therefore \lim\limits_{t\to\infty}x(t)=\lim\limits_{t\to\infty}(13-5e^{8-t})=13$

답 ③

104

ㄱ은 옳다.

시각 t에서의 점 P의 속도는

$\left(\dfrac{dx}{dt},\ \dfrac{dy}{dt}\right)=(1-2\sin t,\ \sqrt{3}\cos t)$

이므로 $t=\dfrac{\pi}{2}$일 때 점 P의 속도는 $\left(1-2\sin\dfrac{\pi}{2},\ \sqrt{3}\cos\dfrac{\pi}{2}\right)$,

즉 $(-1,\ 0)$이다.

ㄴ도 옳다.

시각 t에서의 점 P의 속도의 크기는

$$\sqrt{\left(\frac{dx}{dt}\right)^2+\left(\frac{dy}{dt}\right)^2}=\sqrt{(1-2\sin t)^2+(\sqrt{3}\cos t)^2}$$
$$=\sqrt{1-4\sin t+4\sin^2 t+3\cos^2 t}$$
$$=\sqrt{3(\sin^2 t+\cos^2 t)+\sin^2 t-4\sin t+1}$$
$$\underline{\qquad\sin^2 t+\cos^2 t=1}$$
$$=\sqrt{\sin^2 t-4\sin t+4}$$
$$=\sqrt{(\sin t-2)^2}$$
$$=|\sin t-2|$$

$0\le t\le 2\pi$에서 $-1\le\sin t\le 1$이므로 $-3\le\sin t-2\le-1$

$\therefore 1\le|\sin t-2|\le 3$

따라서 점 P의 속도의 크기의 최솟값은 1이다.

ㄷ도 옳다.

점 P가 $t=\pi$에서 $t=2\pi$까지 움직인 거리는

$$\int_\pi^{2\pi}\sqrt{\left(\frac{dx}{dt}\right)^2+\left(\frac{dy}{dt}\right)^2}\,dt=\int_\pi^{2\pi}(2-\sin t)\,dt$$
$$\underline{\qquad\sin t-2<0\text{이므로}}$$
$$|\sin t-2|=2-\sin t$$
$$=\left[2t+\cos t\right]_\pi^{2\pi}$$
$$=(4\pi+1)-(2\pi-1)$$
$$=2\pi+2$$

따라서 옳은 것은 ㄱ, ㄴ, ㄷ이다.

답 ⑤

105

$x=\theta-\sin\theta$, $y=1-\cos\theta$에서

$\dfrac{dx}{d\theta}=1-\cos\theta$, $\dfrac{dy}{d\theta}=\sin\theta$이므로 구하는 곡선의 길이는

$$\int_0^{2\pi}\sqrt{\left(\frac{dx}{d\theta}\right)^2+\left(\frac{dy}{d\theta}\right)^2}\,d\theta$$
$$=\int_0^{2\pi}\sqrt{(1-\cos\theta)^2+\sin^2\theta}\,d\theta$$
$$=\int_0^{2\pi}\sqrt{1-2\cos\theta+\cos^2\theta+\sin^2\theta}\,d\theta$$
$$\underline{\qquad\sin^2\theta+\cos^2\theta=1}$$
$$=\int_0^{2\pi}\sqrt{2-2\cos\theta}\,d\theta$$
$$=\int_0^{2\pi}\sqrt{2(1-\cos\theta)}\,d\theta=\int_0^{2\pi}\sqrt{4\sin^2\frac{\theta}{2}}\,d\theta$$
$$=\int_0^{2\pi}2\sin\frac{\theta}{2}\,d\theta=\left[-4\cos\frac{\theta}{2}\right]_0^{2\pi}$$
$$=4-(-4)=8$$

답 ④

106

$x=3t^2$, $y=2t^3$에서 $\dfrac{dx}{dt}=6t$, $\dfrac{dy}{dt}=6t^2$이므로 곡선의 길이는

$$\int_0^{2\sqrt{2}}\sqrt{\left(\frac{dx}{dt}\right)^2+\left(\frac{dy}{dt}\right)^2}\,dt=\int_0^{2\sqrt{2}}\sqrt{(6t)^2+(6t^2)^2}\,dt$$
$$=\int_0^{2\sqrt{2}}\sqrt{36t^2(t^2+1)}\,dt$$
$$=\int_0^{2\sqrt{2}}6t\sqrt{t^2+1}\,dt$$

$t^2+1=u$로 놓으면 $\dfrac{du}{dt}=2t$이고

$t=0$일 때 $u=1$, $t=2\sqrt{2}$일 때 $u=9$이므로

$$\int_0^{2\sqrt{2}}6t\sqrt{t^2+1}\,dt=\int_1^9 3\sqrt{u}\,du=\left[2u^{\frac{3}{2}}\right]_1^9=54-2=52$$

따라서 구하는 곡선의 길이는 52이다.

답 ④

107

$y=\dfrac{1}{2}(e^x+e^{-x})$에서 $\dfrac{dy}{dx}=\dfrac{1}{2}(e^x-e^{-x})$이므로

$0\le\theta\le a$에서 곡선 $y=\dfrac{1}{2}(e^x+e^{-x})$의 길이는

$$\int_0^a\sqrt{1+\left(\frac{dy}{dx}\right)^2}\,dx=\int_0^a\sqrt{1+\left\{\frac{1}{2}(e^x-e^{-x})\right\}^2}\,dx$$
$$=\int_0^a\sqrt{\frac{1}{4}(e^{2x}+2+e^{-2x})}\,dx$$
$$=\int_0^a\sqrt{\left\{\frac{1}{2}(e^x+e^{-x})\right\}^2}\,dx$$

$$=\int_0^a \frac{1}{2}(e^x+e^{-x})dx$$
$$=\frac{1}{2}\Big[e^x-e^{-x}\Big]_0^a$$
$$=\frac{1}{2}(e^a-e^{-a})=\frac{3}{4}$$

즉, $e^a-e^{-a}=\dfrac{3}{2}$이므로 $\underset{\text{양변에 }2e^a\text{을 곱한다.}}{\rule{0pt}{0pt}}$

$2e^{2a}-3e^a-2=0,\ (2e^a+1)(e^a-2)=0$

$e^a=2\ (\because e^a>0)$ ∴ $a=\ln 2$

답 ①

108

$y=\ln(x^2-1)$에서 $\dfrac{dy}{dx}=\dfrac{2x}{x^2-1}$이므로

구하는 곡선의 길이는

$$\int_2^5\sqrt{1+\Big(\frac{dy}{dx}\Big)^2}dx=\int_2^5\sqrt{1+\Big(\frac{2x}{x^2-1}\Big)^2}dx$$
$$=\int_2^5\sqrt{\Big(\frac{x^2+1}{x^2-1}\Big)^2}dx\quad\underset{\frac{(x^2-1)^2+4x^2}{(x^2-1)^2}=\frac{(x^2+1)^2}{(x^2-1)^2}}{\overset{\displaystyle =\left(\frac{x^2+1}{x^2-1}\right)^2}{}}$$
$$=\int_2^5\frac{x^2+1}{x^2-1}dx$$
$$=\int_2^5\Big(1+\frac{2}{x^2-1}\Big)dx$$
$$=\int_2^5\Big\{1+\frac{2}{(x-1)(x+1)}\Big\}dx$$
$$=\int_2^5\Big(1+\frac{1}{x-1}-\frac{1}{x+1}\Big)dx$$
$$=\Big[x+\ln(x-1)-\ln(x+1)\Big]_2^5$$
$$=(5+\ln 4-\ln 6)-(2+\ln 1-\ln 3)$$
$$=3+\ln\frac{4\times 3}{6}$$
$$=3+\ln 2$$

답 ⑤

109

$f'(x)=(x\sqrt{x})'=(x^{\frac{3}{2}})'=\dfrac{3}{2}x^{\frac{1}{2}}$이므로

$$l=\int_0^2\sqrt{1+\{f'(x)\}^2}dx=\int_0^2\sqrt{1+\Big(\frac{3}{2}x^{\frac{1}{2}}\Big)^2}dx$$
$$=\int_0^2\sqrt{1+\frac{9}{4}x}dx=\Big[\frac{4}{9}\times\frac{2}{3}\Big(1+\frac{9}{4}x\Big)^{\frac{3}{2}}\Big]_0^2$$
$$=\frac{8}{27}\Big(\frac{11}{2}\sqrt{\frac{11}{2}}-1\Big)$$
$$=\frac{2}{27}(11\sqrt{22}-4)$$

∴ $27l=27\times\dfrac{2}{27}(11\sqrt{22}-4)=2(11\sqrt{22}-4)$

답 $2(11\sqrt{22}-4)$

110

$f'(x)>0,\ f''(x)<0$이고 $f(0)=0$, $f(1)=1$이므로 연속함수 $y=f(x)$의 그래프는 닫힌구간 $[0,\ 1]$에서 위로 볼록하면서 증가한다. 따라서 함수 $y=f(x)$의 그래프는 오른쪽 그림과 같다.

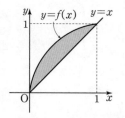

$$\therefore \int_0^1\{f(x)-x\}dx$$
$$=\lim_{n\to\infty}\sum_{k=1}^n\Big\{f\Big(\frac{k}{n}\Big)-\frac{k}{n}\Big\}\frac{1}{n}$$
$$=\lim_{n\to\infty}\frac{1}{n}\sum_{k=1}^n\Big\{f\Big(\frac{k}{n}\Big)-\frac{k}{n}\Big\}$$

답 ②

111

분자와 분모를 각각 n^5으로 나누면

$$\lim_{n\to\infty}\frac{(1^2+2^2+3^2+\cdots+n^2)(1+2+3+\cdots+n)}{1^4+2^4+3^4+\cdots+n^4}$$
$$=\lim_{n\to\infty}\frac{\dfrac{(1^2+2^2+3^2+\cdots+n^2)}{n^3}\times\dfrac{(1+2+3+\cdots+n)}{n^2}}{\dfrac{1^4+2^4+3^4+\cdots+n^4}{n^5}}$$
$$=\frac{\lim\limits_{n\to\infty}\sum\limits_{k=1}^n\Big\{\Big(\dfrac{k}{n}\Big)^2\times\dfrac{1}{n}\Big\}\times\lim\limits_{n\to\infty}\sum\limits_{k=1}^n\Big(\dfrac{k}{n}\times\dfrac{1}{n}\Big)}{\lim\limits_{n\to\infty}\sum\limits_{k=1}^n\Big\{\Big(\dfrac{k}{n}\Big)^4\times\dfrac{1}{n}\Big\}}$$
$$=\frac{\int_0^1 x^2 dx\times\int_0^1 x\,dx}{\int_0^1 x^4 dx}=\frac{\Big[\dfrac{1}{3}x^3\Big]_0^1\times\Big[\dfrac{1}{2}x^2\Big]_0^1}{\Big[\dfrac{1}{5}x^5\Big]_0^1}$$
$$=\frac{\dfrac{1}{3}\times\dfrac{1}{2}}{\dfrac{1}{5}}=\frac{5}{6}$$

답 ②

112

$$\lim_{n\to\infty}\frac{1}{n^3}\{\sqrt{n^2-1^2}+2\sqrt{n^2-2^2}+\cdots+(n-1)\sqrt{n^2-(n-1)^2}\}$$
$$=\lim_{n\to\infty}\frac{1}{n^3}\sum_{k=1}^{n-1}k\sqrt{n^2-k^2}$$
$$=\lim_{n\to\infty}\sum_{k=1}^{n-1}\Big\{\frac{k}{n}\sqrt{1-\Big(\frac{k}{n}\Big)^2}\times\frac{1}{n}\Big\}$$
$$=\int_0^1 x\sqrt{1-x^2}dx$$

$1-x^2=t$로 놓으면 $\dfrac{dt}{dx}=-2x$이고

$x=0$일 때 $t=1$, $x=1$일 때 $t=0$이므로

$$\int_0^1 x\sqrt{1-x^2}dx=\int_1^0\Big(-\frac{1}{2}\sqrt{t}\Big)dt=\frac{1}{2}\int_0^1\sqrt{t}dt$$
$$=\frac{1}{2}\Big[\frac{2}{3}t^{\frac{3}{2}}\Big]_0^1=\frac{1}{2}\times\frac{2}{3}=\frac{1}{3}$$

따라서 주어진 극한값은 $\dfrac{1}{3}$이다.

답 $\dfrac{1}{3}$

113

$$f(x)=\lim_{n\to\infty}\sum_{k=1}^n\frac{x\sqrt{4n^2-4nkx+k^2x^2}}{n^2}$$
$$=\lim_{n\to\infty}\frac{x}{n^2}\sum_{k=1}^n\sqrt{4n^2-4nkx+k^2x^2}$$
$$=\lim_{n\to\infty}\frac{x}{n}\sum_{k=1}^n\sqrt{4-4\times\frac{kx}{n}+\Big(\frac{kx}{n}\Big)^2}$$
$$=\int_0^x\sqrt{4-4t+t^2}dt=\int_0^x|2-t|dt$$

$$\therefore f(4) = \int_0^4 |2-t|\,dt$$
$$= \int_0^2 (2-t)\,dt + \int_2^4 (-2+t)\,dt$$
$$= \left[2t - \frac{1}{2}t^2 \right]_0^2 + \left[-2t + \frac{1}{2}t^2 \right]_2^4$$
$$= 2 + 2 = 4$$

답 ④

114

> **▶ 접근**
>
> 등차수열 $\{a_k\}$의 공차를 구하여 $a_{k+1} - a_k$를 n에 대한 식으로 나타 낸다.

$a_k = -1 - \dfrac{3}{n} + \dfrac{3k}{n} = -1 + (k-1) \times \dfrac{3}{n}$ 이므로 등차수열 $\{a_k\}$의

공차는 $\dfrac{3}{n}$이다. 즉, $a_{k+1} - a_k = \dfrac{3}{n}$이므로

$$\lim_{n \to \infty} \sum_{k=1}^n f(a_k)(a_{k+1} - a_k) = \lim_{n \to \infty} \sum_{k=1}^n f\left(-1 + \frac{3}{n}(k-1) \right) \times \frac{3}{n}$$
$$= \int_{-1}^2 f(x)\,dx$$
$$= \int_{-1}^2 (3x^2 - x + 1)\,dx$$
$$= \left[x^3 - \frac{1}{2}x^2 + x \right]_{-1}^2$$
$$= 8 - \left(-\frac{5}{2} \right) = \frac{21}{2}$$

답 ②

115

반원에 대한 중심각의 크기는 π이므로
$$\angle AOP_k = \frac{k\pi}{n}$$
오른쪽 그림과 같이 점 P_k에서 선분 AB에 내린 수선의 발을 H_k라고 하면 $\triangle P_k H_k O$에서

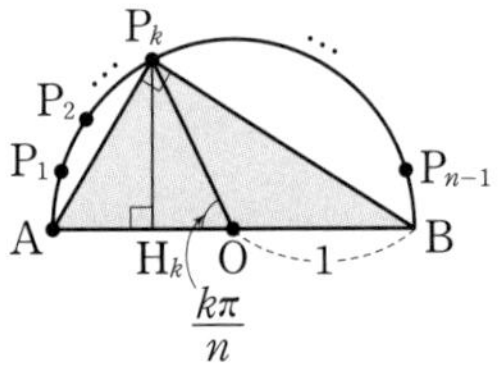

$$\overline{P_k H_k} = \overline{OP_k} \sin \frac{k\pi}{n} = \sin \frac{k\pi}{n}$$
$$\quad \overline{OP_k} = \frac{1}{2}\overline{AB} = 1$$
$$S_k = \frac{1}{2} \times \overline{AB} \times \overline{P_k H_k} = \frac{1}{2} \times 2 \times \sin \frac{k\pi}{n} = \sin \frac{k\pi}{n}$$

이므로
$$\lim_{n \to \infty} \frac{1}{n} \sum_{k=1}^{n-1} S_k = \lim_{n \to \infty} \sum_{k=1}^{n-1} \sin \frac{k\pi}{n} \times \frac{1}{n}$$
$$= \int_0^1 \sin \pi x\,dx$$
$$= \left[-\frac{1}{\pi} \cos \pi x \right]_0^1$$
$$= \frac{1}{\pi} - \left(-\frac{1}{\pi} \right) = \frac{2}{\pi}$$

답 $\dfrac{2}{\pi}$

116

$$\angle AOP_k = \frac{2}{3}\pi \times \frac{k}{n} = \frac{2k\pi}{3n}$$

오른쪽 그림에서 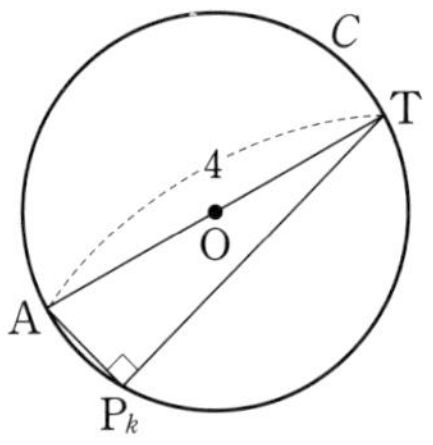
$$\angle ATP_k = \frac{1}{2} \angle AOP_k = \frac{1}{2} \times \frac{2k\pi}{3n} = \frac{k\pi}{3n}$$
이므로 직각삼각형 ATP_k에서
$$\overline{AP_k} = \overline{AT} \sin(\angle ATP_k) = 4 \sin \frac{k\pi}{3n}$$
$$\therefore \lim_{n \to \infty} \frac{1}{n} \sum_{k=1}^{n-1} \overline{AP_k} = \lim_{n \to \infty} \frac{1}{n} \sum_{k=1}^{n-1} 4 \sin \frac{k\pi}{3n}$$
$$= \lim_{n \to \infty} \frac{4}{n} \sum_{k=1}^{n-1} \sin \frac{k\pi}{3n}$$
$$= \frac{12}{\pi} \lim_{n \to \infty} \sum_{k=1}^{n-1} \sin\left(\frac{\pi}{3n}k \right) \times \frac{\pi}{3n}$$
$$= \frac{12}{\pi} \int_0^{\frac{\pi}{3}} \sin x\,dx$$
$$= \frac{12}{\pi} \left[-\cos x \right]_0^{\frac{\pi}{3}} = \frac{12}{\pi} \left\{ -\frac{1}{2} - (-1) \right\} = \frac{6}{\pi}$$

답 ③

117

오른쪽 그림과 같이 점 D에서 $\overline{BC}$에 내린 수선의 발을 E라고 하면 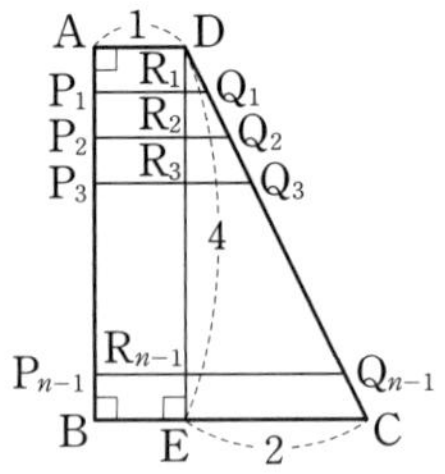
$$\overline{DE} = 4, \overline{CE} = 2$$
$\overline{DE}$와 $\overline{P_1 Q_1}, \overline{P_2 Q_2}, \cdots, \overline{P_{n-1} Q_{n-1}}$이 만나 는 점을 차례대로 $R_1, R_2, \cdots, R_{n-1}$이라 고 하면

$$\overline{DR_1} = \frac{4}{n}, \overline{DR_2} = \frac{8}{n}, \cdots,$$
$$\overline{DR_{n-1}} = \frac{4(n-1)}{n}, \overline{DE} = \frac{4n}{n}$$이므로
$$\overline{R_1 Q_1} = \frac{2}{n}, \overline{R_2 Q_2} = \frac{4}{n}, \cdots, \overline{R_{n-1} Q_{n-1}} = \frac{2(n-1)}{n}, \overline{EC} = \frac{2n}{n}$$
$$\therefore \overline{P_1 Q_1} = 1 + \frac{2}{n}, \overline{P_2 Q_2} = 1 + \frac{4}{n}, \cdots, \overline{P_n Q_n} = 1 + \frac{2n}{n}$$
$$\therefore \lim_{n \to \infty} \frac{3}{n} \left(\overline{P_1 Q_1}^2 + \overline{P_2 Q_2}^2 + \overline{P_3 Q_3}^2 + \cdots + \overline{P_n Q_n}^2 \right)$$
$$= \lim_{n \to \infty} \frac{3}{n} \left\{ \left(1 + \frac{2}{n} \right)^2 + \left(1 + \frac{4}{n} \right)^2 + \left(1 + \frac{6}{n} \right)^2 + \cdots + \left(1 + \frac{2n}{n} \right)^2 \right\}$$
$$= \lim_{n \to \infty} \frac{3}{n} \sum_{k=1}^n \left(1 + \frac{2k}{n} \right)^2$$
$$= \lim_{n \to \infty} \frac{3}{2} \sum_{k=1}^n \left(1 + \frac{2k}{n} \right)^2 \times \frac{2}{n}$$
$$= \frac{3}{2} \int_1^3 x^2\,dx = \frac{3}{2} \left[\frac{1}{3} x^3 \right]_1^3$$
$$= \frac{3}{2} \times \frac{26}{3} = 13$$

답 ⑤

118

곡선 $y = \sin x$ $(0 \le x \le \pi)$와 x축으로 둘러싸인 부분의 넓이를 S_1, 곡선 $y = a\cos x \left(0 \le x \le \dfrac{\pi}{2} \right)$와 x축 및 y축으로 둘러싸인 부분의 넓 이를 S_2라고 하면

$$S_1 = \int_0^\pi \sin x\,dx = \left[-\cos x \right]_0^\pi = 1 + 1 = 2$$
$$S_2 = \int_0^{\frac{\pi}{2}} a\cos x\,dx = \left[a\sin x \right]_0^{\frac{\pi}{2}} = a$$

이때 색칠한 두 부분의 넓이가 같으려면 $S_1 = S_2$이어야 하므로
$$a = 2$$

답 2

119

$f(x)=\dfrac{2x}{\sqrt{x^2+1}}$라고 하면

$f(-x)=-f(x)$이므로 함수 $y=f(x)$
의 그래프는 원점에 대하여 대칭이다.

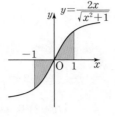

따라서 구하는 부분의 넓이는

$\displaystyle\int_{-1}^{1}\left|\dfrac{2x}{\sqrt{x^2+1}}\right|dx=2\int_{0}^{1}\dfrac{2x}{\sqrt{x^2+1}}dx$

$x^2+1=t$로 놓으면 $\dfrac{dt}{dx}=2x$이고

$x=0$일 때 $t=1$, $x=1$일 때 $t=2$이므로

$2\displaystyle\int_{0}^{1}\dfrac{2x}{\sqrt{x^2+1}}dx=2\int_{1}^{2}\dfrac{1}{\sqrt{t}}dt=2\int_{1}^{2}t^{-\frac{1}{2}}dt$

$\qquad\qquad=2\left[2t^{\frac{1}{2}}\right]_{1}^{2}=2(2\sqrt{2}-2)=4(\sqrt{2}-1)$

답 ④

120

함수 $y=\sqrt{3x}$의 그래프와 x축 및 직선 $x=2$로 둘러싸인 부분의 넓이는

$S_1+S_2=\displaystyle\int_{0}^{2}\sqrt{3x}\,dx=\left[\dfrac{2\sqrt{3}}{3}x^{\frac{3}{2}}\right]_{0}^{2}=\dfrac{4\sqrt{6}}{3}$

함수 $y=\sqrt{x}$의 그래프와 x축 및 직선 $x=2$로 둘러싸인 부분의 넓이는

$S_2=\displaystyle\int_{0}^{2}\sqrt{x}\,dx=\left[\dfrac{2}{3}x^{\frac{3}{2}}\right]_{0}^{2}=\dfrac{4\sqrt{2}}{3}$

$\therefore S_1=\dfrac{4\sqrt{6}}{3}-S_2=\dfrac{4\sqrt{6}}{3}-\dfrac{4\sqrt{2}}{3}=\dfrac{4\sqrt{2}(\sqrt{3}-1)}{3}=(\sqrt{3}-1)S_2$

$\therefore k=\sqrt{3}-1$

답 ①

121

색칠한 부분의 넓이는

$\displaystyle\int_{0}^{2\pi}|x\sin x|dx=\int_{0}^{\pi}x\sin x\,dx-\int_{\pi}^{2\pi}x\sin x\,dx$

$\displaystyle\int x\sin x\,dx$에서 $u(x)=x$, $v'(x)=\sin x$로 놓으면

$u'(x)=1$, $v(x)=-\cos x$이므로

$\displaystyle\int x\sin x\,dx=-x\cos x+\int\cos x\,dx$

$\qquad\qquad=-x\cos x+\sin x+C$ (단, C는 적분상수이다.)

$\therefore \displaystyle\int_{0}^{2\pi}|x\sin x|dx=\int_{0}^{\pi}x\sin x\,dx-\int_{\pi}^{2\pi}x\sin x\,dx$

$\qquad=\left[-x\cos x+\sin x\right]_{0}^{\pi}-\left[-x\cos x+\sin x\right]_{\pi}^{2\pi}$

$\qquad=\pi-(-3\pi)=4\pi$

답 ④

122

▶접근

$y=|\sin x|$가 주기함수임을 이용하여 S_n을 n에 대한 식으로 나타낸다.

$S_n=\displaystyle\int_{(n-1)\pi}^{n\pi}\left|\left(\dfrac{1}{3}\right)^{n}\sin x\right|dx$

$\qquad=\left(\dfrac{1}{3}\right)^{n}\displaystyle\int_{(n-1)\pi}^{n\pi}|\sin x|dx$

이때 $y=|\sin x|$는 주기가 π인 주기함수이므로 임의의 자연수 n에 대하여

$\displaystyle\int_{(n-1)\pi}^{n\pi}|\sin x|dx=\int_{0}^{\pi}\sin x\,dx=\left[-\cos x\right]_{0}^{\pi}$

$\qquad\qquad=1-(-1)=2$

$\therefore S_n=\left(\dfrac{1}{3}\right)^{n}\displaystyle\int_{(n-1)\pi}^{n\pi}|\sin x|dx=2\times\left(\dfrac{1}{3}\right)^{n}$

$\therefore \displaystyle\sum_{n=1}^{\infty}S_n=\sum_{n=1}^{\infty}2\times\left(\dfrac{1}{3}\right)^{n}=\dfrac{\dfrac{2}{3}}{1-\dfrac{1}{3}}=1$

답 ④

123

함수 $y=f(x)$의 그래프는 함수 $y=e^x$의 그래프를 x축의 방향으로 m만큼, y축의 방향으로 n만큼 평행이동한 것이라고 하면

$f(x)=e^{x-m}+n$

함수 $y=f(x)$의 그래프가 두 점 $(0,-2)$, $(\ln 3,0)$을 지나므로

$f(0)=-2$에서

$e^{-m}+n=-2$ $\quad\therefore n=-2-e^{-m}$ $\qquad$ …… ㉠

$f(\ln 3)=0$에서

$e^{\ln 3-m}+n=0$, $3e^{-m}+n=0$

$\therefore n=-3e^{-m}$ $\qquad$ …… ㉡

㉠, ㉡에서 $-2-e^{-m}=-3e^{-m}$

$2e^{-m}=2$, $e^{-m}=1$ $\quad\therefore m=0$

$m=0$을 ㉠에 대입하면 $n=-3$

따라서 $f(x)=e^x-3$이므로 구하는 넓이는

$\displaystyle\int_{0}^{1}(-e^x+3)dx=\left[-e^x+3x\right]_{0}^{1}$

$\qquad\qquad=(-e+3)-(-1)$

$\qquad\qquad=4-e$

답 $4-e$

124

$x>-1$일 때, $y=2\ln|x+1|=2\ln(x+1)$에서

$\ln(x+1)=\dfrac{y}{2}$ $\quad\therefore x=e^{\frac{y}{2}}-1$ $\qquad$ …… ㉠

함수 $y=2\ln|x+1|$의 그래프는 오른쪽 그림과 같이 직선 $x=-1$에 대하여 대칭이므로 ㉠의 그래프를 x축의 방향으로 1만큼 평행이동하면

$x-1=e^{\frac{y}{2}}-1$ $\quad\therefore x=e^{\frac{y}{2}}$

따라서 구하는 넓이는

$2\displaystyle\int_{0}^{2\ln 2}e^{\frac{y}{2}}dy=2\left[2e^{\frac{y}{2}}\right]_{0}^{2\ln 2}=2(4-2)=4$

답 ③

◀다른 풀이▶

곡선 $y=2\ln|x+1|$과 직선 $y=2\ln 2$의 교점의 x좌표는

$x>-1$일 때 $2\ln(x+1)=2\ln 2$, $x+1=2$ $\quad\therefore x=1$

$x<-1$일 때 $2\ln(-x-1)=2\ln 2$, $-x-1=2$ $\quad\therefore x=-3$

즉, 곡선 $y=2\ln|x+1|$과 직선 $y=2\ln 2$의 교점은 $(-3,2\ln 2)$, $(1,2\ln 2)$이다.

따라서 구하는 넓이는

$$4 \times 2\ln 2 - 2\int_0^1 2\ln(x+1)dx = 8\ln 2 - 4\int_1^2 \ln t\, dt$$
$$= 8\ln 2 - 4\Big[t\ln t - t\Big]_1^2$$
$$= 8\ln 2 - 8\ln 2 + 4 = 4$$

125

$f(x) = 4^x - 4^{-x} + n$이라고 하면

$f'(x) = 4^x \ln 4 + 4^{-x}\ln 4 = (4^x + 4^{-x})\ln 4 > 0$

이므로 함수 $f(x)$는 실수 전체의 집합에서 증가한다.

또, $n \geq 5$일 때 $f(-1) = \dfrac{1}{4} - 4 + n = n - \dfrac{15}{4} > 0$이므로

$$S_n = \int_{-1}^1 (4^x - 4^{-x} + n)dx = \left[\frac{4^x + 4^{-x}}{\ln 4} + nx\right]_{-1}^1$$
$$= \left(\frac{4 + 4^{-1}}{\ln 4} + n\right) - \left(\frac{4^{-1} + 4}{\ln 4} - n\right) = 2n$$

$$\therefore \sum_{n=5}^{20} S_n = \sum_{n=5}^{20} 2n = \sum_{n=1}^{20} 2n - \sum_{n=1}^{4} 2n$$
$$= 2 \times \frac{20 \times 21}{2} - 2 \times \frac{4 \times 5}{2}$$
$$= 420 - 20 = 400$$

답 400

참고

자연수의 거듭제곱의 합

(1) $\displaystyle\sum_{k=1}^{n} k = 1 + 2 + 3 + \cdots + n = \frac{n(n+1)}{2}$

(2) $\displaystyle\sum_{k=1}^{n} k^2 = 1^2 + 2^2 + 3^2 + \cdots + n^2 = \frac{n(n+1)(2n+1)}{6}$

(3) $\displaystyle\sum_{k=1}^{n} k^3 = 1^3 + 2^3 + 3^3 + \cdots + n^3 = \left\{\frac{n(n+1)}{2}\right\}^2$

126

함수 $y = f(x)$의 역함수가 존재하려면 모든 실수 x에 대하여

$f'(x) \geq 0$ 또는 $f'(x) \leq 0$이어야 한다.

$f(x) = (2x^2 + a)e^x$에서

$f'(x) = 4xe^x + (2x^2 + a)e^x$
$= (2x^2 + 4x + a)e^x$

$e^x > 0$이므로 실수 전체의 집합에서 함수 $f(x)$의 역함수가 존재하려면 $2x^2 + 4x + a \geq 0$이어야 한다.

이차방정식 $2x^2 + 4x + a = 0$의 판별식을 D라고 하면

$\dfrac{D}{4} = 4 - 2a \leq 0$

$\therefore a \geq 2$

따라서 실수 a의 최솟값은 2이므로

$m = 2$

$\therefore g(x) = (2x^2 + 2)e^x$

$g(0) = 2$, $g(1) = 4e$이고 함수 $y = g(x)$와
그 역함수 $y = h(x)$의 그래프는 직선 $y = x$
에 대하여 대칭이므로 두 함수 $y = g(x)$,
$y = h(x)$의 그래프는 오른쪽 그림과 같다.

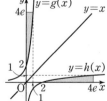

$\displaystyle\int_2^{4e} h(x)dx$의 값은 함수 $y = g(x)$의 그래프와 y축 및 직선 $y = 4e$
로 둘러싸인 부분의 넓이와 같다.

$$\therefore \int_2^{4e} h(x)dx$$
$$= 1 \times 4e - \int_0^1 g(x)dx$$
$$= 4e - \int_0^1 (2x^2 + 2)e^x dx \quad \underbrace{u(x) = 2x^2 + 2,\ v'(x) = e^x}_{\text{으로 놓으면}\ u'(x) = 4x,\ v(x) = e^x}$$
$$= 4e - \left[(2x^2 + 2)e^x\right]_0^1 + \int_0^1 4xe^x dx \quad \underbrace{s(x) = 4x,\ t'(x) = e^x \text{으로}}_{\text{놓으면}\ s'(x) = 4,\ t(x) = e^x}$$
$$= 4e - (4e - 2) + \left[4xe^x\right]_0^1 - \int_0^1 4e^x dx$$
$$= 2 + 4e - \left[4e^x\right]_0^1$$
$$= 2 + 4e - (4e - 4) = 6$$

답 6

127

$f(x) = \displaystyle\int_a^{x+1} |\ln t|\, dt - \int_a^x |\ln t|\, dt$의 양변을 x에 대하여 미분하면

$f'(x) = |\ln(x+1)| - |\ln x|$

$0 < x < 1$에서 $\ln(x+1) > 0$, $\ln x < 0$이므로

$f'(x) = \ln(x+1) + \ln x = \ln x(x+1)$

$f'(x) = 0$에서 $\ln x(x+1) = 0$

$x(x+1) = 1$, $x^2 + x - 1 = 0$

$\therefore x = \dfrac{-1 + \sqrt{5}}{2} \ (\because 0 < x < 1)$

이때 $f''(x) = \dfrac{2x+1}{x(x+1)}$에서 $f''\left(\dfrac{-1+\sqrt{5}}{2}\right) = \sqrt{5} > 0$이므로

함수 $f(x)$는 $x = \dfrac{-1+\sqrt{5}}{2}$에서 극소이면서 최소이다.

$\therefore a = \dfrac{-1+\sqrt{5}}{2}$

곡선 $y = \dfrac{8}{x^3}$과 x축 및 두 직선 $x = a$, $x = a+1$로 둘러싸인 부분의
넓이 S는

$$S = \int_a^{a+1} \frac{8}{x^3}dx = \left[-\frac{4}{x^2}\right]_a^{a+1}$$
$$= -\frac{4}{(a+1)^2} + \frac{4}{a^2} = \frac{8a+4}{\{a(a+1)\}^2}$$
$$= \frac{-4 + 4\sqrt{5} + 4}{1^2} = 4\sqrt{5}$$

$\therefore S^2 = (4\sqrt{5})^2 = 80$

답 ⑤

128

$f(x) = \ln x$라고 하면 $f'(x) = \dfrac{1}{x}$

원점에서 곡선 $y = \ln x$에 그은 접선의 접점의 좌표를 $(t, \ln t)$라고
하면 접선의 기울기는 $f'(t) = \dfrac{1}{t}$이므로 접선의 방정식은

$y - \ln t = \dfrac{1}{t}(x - t) \qquad \therefore y = \dfrac{1}{t}x - 1 + \ln t$

이 직선이 원점을 지나므로

$0 = -1 + \ln t$

$\ln t = 1 \qquad \therefore t = e$

따라서 접점의 좌표는 $(e, 1)$이고

접선의 방정식은 $y = \dfrac{1}{e}x$이므로

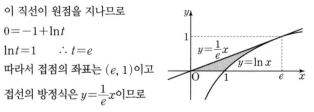

구하는 넓이는

$$\frac{1}{2} \times e \times 1 - \int_1^e \ln x \, dx = \frac{1}{2}e - \Big[x\ln x - x \Big]_1^e$$

$\underbrace{\int \ln x \, dx}$
$= x\ln x - x + C$
(단, C는 적분상수이다.)

$$= \frac{1}{2}e - 1 = \frac{e-2}{2}$$

답 ①

129

$f(x) = 1 - e^{-2x}$에서

$f'(x) = 2e^{-2x}$

두 곡선 $y = f(x)$, $y = f'(x)$의 교점의

x좌표는 $1 - e^{-2x} = 2e^{-2x}$에서

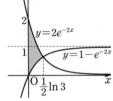

$3e^{-2x} = 1$, $e^{-2x} = \frac{1}{3}$

$-2x = -\ln 3$ $\therefore x = \frac{1}{2}\ln 3$

따라서 구하는 넓이는

$$\int_0^{\frac{1}{2}\ln 3} \{2e^{-2x} - (1 - e^{-2x})\} \, dx = \int_0^{\frac{1}{2}\ln 3} (3e^{-2x} - 1) \, dx$$

$$= \Big[-\frac{3}{2}e^{-2x} - x \Big]_0^{\frac{1}{2}\ln 3}$$

$$= -\frac{3}{2}e^{-\ln 3} - \frac{1}{2}\ln 3 - \left(-\frac{3}{2} \right)$$

$$= 1 - \frac{1}{2}\ln 3$$

답 ①

130

두 곡선 $y = \frac{1}{n}\cos x$, $y = \frac{1}{n+1}\cos x$의 그래프는 다음 그림과 같다.

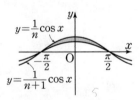

$$S_n = \int_{-\frac{\pi}{2}}^{\frac{\pi}{2}} \left(\frac{1}{n}\cos x - \frac{1}{n+1}\cos x \right) dx$$

$$= \Big[\frac{1}{n}\sin x - \frac{1}{n+1}\sin x \Big]_{-\frac{\pi}{2}}^{\frac{\pi}{2}}$$

$$= \left(\frac{1}{n} - \frac{1}{n+1} \right) - \left(-\frac{1}{n} + \frac{1}{n+1} \right)$$

$$= \frac{2}{n} - \frac{2}{n+1}$$

이므로

$$\sum_{n=1}^{\infty} S_n = \sum_{n=1}^{\infty} \left(\frac{2}{n} - \frac{2}{n+1} \right) = \sum_{n=1}^{\infty} 2\left(\frac{1}{n} - \frac{1}{n+1} \right)$$

$$= 2\lim_{n \to \infty} \sum_{k=1}^{n} \left(\frac{1}{k} - \frac{1}{k+1} \right)$$

$$= 2\lim_{n \to \infty} \Big\{ \left(1 - \frac{1}{2} \right) + \left(\frac{1}{2} - \frac{1}{3} \right) + \left(\frac{1}{3} - \frac{1}{4} \right) + \cdots$$

$$+ \left(\frac{1}{n} - \frac{1}{n+1} \right) \Big\}$$

$$= 2\lim_{n \to \infty} \left(1 - \frac{1}{n+1} \right)$$

$$= 2 \times 1 = 2$$

답 ④

131

두 곡선 $x = (1+e)e^y$, $x = e^{2y} + e$의 교점의 y좌표는

$(1+e)e^y = e^{2y} + e$에서

$e^{2y} - (1+e)e^y + e = 0$, $(e^y - 1)(e^y - e) = 0$

$e^y = 1$ 또는 $e^y = e$

$\therefore y = 0$ 또는 $y = 1$

한편 $0 \leq y \leq 1$에서 $1 \leq e^y \leq e$이므로

$e^{2y} + e - (1+e)e^y = (e^y - 1)(e^y - e) \leq 0$

즉, $0 \leq y \leq 1$에서 $e^{2y} + e \leq (1+e)e^y$이므로 두 곡선 $x = (1+e)e^y$, $x = e^{2y} + e$로 둘러싸인 부분의 넓이는

$$\int_0^1 \{(1+e)e^y - (e^{2y} + e)\} \, dy = \int_0^1 (e^y + e^{y+1} - e^{2y} - e) \, dy$$

$$= \Big[e^y + e^{y+1} - \frac{1}{2}e^{2y} - ey \Big]_0^1$$

$$= \frac{1}{2}e^2 - \left(e + \frac{1}{2} \right) = \frac{1}{2}e^2 - e - \frac{1}{2}$$

따라서 $a = \frac{1}{2}$, $b = -1$, $c = -\frac{1}{2}$이므로

$$a - b + c = \frac{1}{2} - (-1) + \left(-\frac{1}{2} \right) = 1$$

답 ④

132

$\dfrac{2}{1+x^2} = \dfrac{2}{1+(-x)^2}$에서 곡선 $y = \dfrac{2}{1+x^2}$는 y축에 대하여 대칭

이므로 구하는 넓이는

$$\int_{-1}^1 \left(2 - \frac{2}{1+x^2} \right) dx = 2\int_0^1 \left(2 - \frac{2}{1+x^2} \right) dx$$

$$= 4\int_0^1 \left(1 - \frac{1}{1+x^2} \right) dx$$

$$= 4\Big[x \Big]_0^1 - 4\int_0^1 \frac{1}{1+x^2} \, dx$$

$$= 4 - 4\int_0^1 \frac{1}{1+x^2} \, dx \qquad \cdots\cdots \㉠$$

이때 $\displaystyle\int_0^1 \frac{1}{1+x^2} \, dx$에서 $x = \tan\theta \left(-\frac{\pi}{2} < \theta < \frac{\pi}{2} \right)$로 놓으면

$\dfrac{dx}{d\theta} = \sec^2\theta$이고 $x = 0$일 때 $\theta = 0$, $x = 1$일 때 $\theta = \dfrac{\pi}{4}$이므로

$$\int_0^1 \frac{1}{1+x^2} \, dx = \int_0^{\frac{\pi}{4}} \frac{\sec^2\theta}{1+\tan^2\theta} \, d\theta$$

$$= \int_0^{\frac{\pi}{4}} \frac{\sec^2\theta}{\sec^2\theta} \, d\theta$$

$$= \int_0^{\frac{\pi}{4}} d\theta = \Big[\theta \Big]_0^{\frac{\pi}{4}}$$

$$= \frac{\pi}{4}$$

따라서 구하는 넓이는 ㉠에서

$$4 - 4\int_0^1 \frac{1}{1+x^2} \, dx = 4 - 4 \times \frac{\pi}{4}$$

$$= 4 - \pi$$

답 $4 - \pi$

다른 풀이

구하는 넓이는 오른쪽 그림에서

$(A + B + C) - A$와 같으므로

$$2 \times 2 - \int_{-1}^1 \frac{2}{1+x^2} \, dx$$

$$= 4 - 4\int_0^1 \frac{1}{1+x^2} \, dx$$

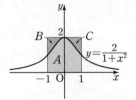

133

$y=e^{ax}$에서 $ax=\ln y$ $\therefore x=\dfrac{1}{a}\ln y$ $(\because a\neq 0)$

x,y를 서로 바꾸면 $y=\dfrac{1}{a}\ln x$ $(x>0)$

$\therefore g(x)=\dfrac{1}{a}\ln x$

$f(x)=e^{ax},\ g(x)=\dfrac{1}{a}\ln x$에서 $f'(x)=ae^{ax},\ g'(x)=\dfrac{1}{ax}$

두 곡선 $y=f(x),\ y=g(x)$가 $x=e$에서 서로 접하므로

$f(e)=g(e)$에서 $e^{ae}=\dfrac{1}{a}$ ...... ㉠

$f'(e)=g'(e)$에서 $ae^{ae}=\dfrac{1}{ae}$ ...... ㉡

㉠을 ㉡에 대입하면

$a\times\dfrac{1}{a}=\dfrac{1}{ae}$ $\therefore a=\dfrac{1}{e}$

$\therefore f(x)=e^{\frac{x}{e}},\ g(x)=e\ln x$

두 곡선 $y=f(x),\ y=g(x)$는 직선 $y=x$에 대하여 대칭이므로 구하는 넓이는

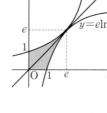

$2\displaystyle\int_0^e \{f(x)-x\}dx$

$=2\displaystyle\int_0^e (e^{\frac{x}{e}}-x)dx$

$=2\left[e\times e^{\frac{x}{e}}-\dfrac{1}{2}x^2\right]_0^e$

$=e^2-2e$

답 ①

다른 풀이

구하는 넓이는

$\displaystyle\int_0^e f(x)dx-\int_1^e g(x)dx$

$=\displaystyle\int_0^e e^{\frac{x}{e}}dx-\int_1^e e\ln x\,dx$

$=\left[e\times e^{\frac{x}{e}}\right]_0^e-e\left[x\ln x-x\right]_1^e$

$=(e^2-e)-e$

$=e^2-2e$

풍쌤 비법

함수 $y=f(x)$의 그래프와 그 역함수 $y=f^{-1}(x)$의 그래프는 직선 $y=x$에 대하여 서로 대칭이므로 두 곡선 $y=f(x)$와 $y=f^{-1}(x)$로 둘러싸인 도형의 넓이 S는

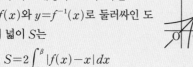

$S=2\displaystyle\int_\alpha^\beta |f(x)-x|dx$

134

$f(x)=xe^{x-n}$에서 $f'(x)=e^{x-n}+xe^{x-n}=(x+1)e^{x-n}$

$x\geq 0$에서 $f'(x)>0$이므로 $x\geq 0$에서 함수 $f(x)$는 증가한다.

두 곡선 $y=f(x),\ y=g(x)$의 교점의 x좌표는 곡선 $y=f(x)$와 직선 $y=x$의 교점의 x좌표와 같으므로 $xe^{x-n}=x$에서

$x(e^{x-n}-1)=0$

$x=0$ 또는 $e^{x-n}=1$

$\therefore x=0$ 또는 $x=n$

두 함수 $y=f(x),\ y=g(x)$의 그래프는 직선 $y=x$에 대하여 대칭이므로

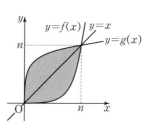

$S_n=2\displaystyle\int_0^n \{x-f(x)\}dx$

$=2\displaystyle\int_0^n (x-xe^{x-n})dx$

$=\displaystyle\int_0^n 2x\,dx-\int_0^n 2xe^{x-n}dx$ ⎱$u(x)=2x,\ v'(x)=e^{x-n}$으로 놓으면
⎰$u'(x)=2,\ v(x)=e^{x-n}$

$=\left[x^2\right]_0^n-\left[2xe^{x-n}\right]_0^n+\displaystyle\int_0^n 2e^{x-n}dx$

$=n^2-2n+\left[2e^{x-n}\right]_0^n$

$=n^2-2n+2-2e^{-n}$

$\therefore \displaystyle\lim_{n\to\infty}\dfrac{S_n}{n^2}=\lim_{n\to\infty}\dfrac{n^2-2n+2-2e^{-n}}{n^2}$

$=\displaystyle\lim_{n\to\infty}\left(1-\dfrac{2}{n}+\dfrac{2}{n^2}-\dfrac{2}{e^n n^2}\right)=1$

답 1

135

ㄱ은 옳다.

$\displaystyle\int_0^1 f(x)dx=\int_0^1 (e^x-1)dx=\left[e^x-x\right]_0^1$

$=e-1-1=e-2$

ㄴ도 옳다.

$g(x)=f(x)-x=e^x-1-x$로 놓으면

$g'(x)=e^x-1$

$x>0$에서 $g'(x)>0$이므로 함수 $g(x)$는 $x>0$에서 증가하고,

$g(0)=0$이므로 $x>0$에서 $g(x)>0$이다.

즉, $x>0$에서 $f(x)-x>0$이므로

$f(x)>x$

ㄷ도 옳다.

$y=e^x-1$에서

$e^x=y+1$

$\therefore x=\ln(y+1)$

x와 y를 서로 바꾸면

$y=\ln(x+1)$

$\therefore f^{-1}(x)=\ln(x+1)$

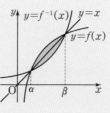

오른쪽 그림에서

$\triangle OAB=\dfrac{5(e^5-1)}{2}<\displaystyle\int_0^{e^5-1}f^{-1}(x)dx$

$\displaystyle\int_0^{e^5-1}f^{-1}(x)dx<\dfrac{(e^5-1)^2}{2}=\triangle OAC$

$\therefore \dfrac{5(e^5-1)}{2}<\displaystyle\int_0^{e^5-1}f^{-1}(x)dx<\dfrac{(e^5-1)^2}{2}$

따라서 옳은 것은 ㄱ, ㄴ, ㄷ이다.

답 ⑤

136

함수 $f(x)$가 일대일대응이므로 역함수가 존재하고, 곡선 $y=f(x)$가 두 점 $(0, 0)$, $(3, 3)$을 지나므로 증가함수이다.

따라서 $f'(x)\geq 0$이고, $0\leq x\leq 3$에서 $f'(x)f''(x)<0$이므로

$f'(x)>0$, $f''(x)<0$

한편 곡선 $y=f(x)$ 위의 점 $(3, 3)$에서의 접선의 방정식은

$y=f'(3)(x-3)+3=\dfrac{1}{3}x+2$

접선과 곡선 $y=f(x)$ 및 y축으로 둘러싸인 부분은 오른쪽 그림의 색칠한 부분과 같다.

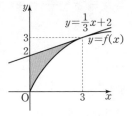

이때 곡선 $y=f(x)$와 접선 $y=\dfrac{1}{3}x+2$

를 직선 $y=x$에 대하여 대칭이동하면 각각 역함수 $y=g(x)$의 그래프와 직선 $y=3x-6$이 되므로 다음 그림의 색칠한 두 부분의 넓이는 $\dfrac{3}{2}$으로 서로 같다.

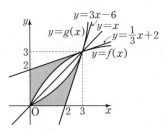

$\therefore \displaystyle\int_0^3 g(x)dx=\dfrac{3}{2}+\dfrac{1}{2}\times 1\times 3=3$

답 3

137

구하는 입체도형의 부피를 V라고 하면

$V=\displaystyle\int_0^3 S(x)dx=\int_0^3 x\sqrt{9-x^2}dx$

$\sqrt{9-x^2}=t$로 놓으면 $9-x^2=t^2$에서 $2t\dfrac{dt}{dx}=-2x$, $t\dfrac{dt}{dx}=-x$이고 $x=0$일 때 $t=3$, $x=3$일 때 $t=0$이므로

$V=\displaystyle\int_0^3 x\sqrt{9-x^2}dx=\int_3^0(-t^2)dt=\int_0^3 t^2 dt$

$=\left[\dfrac{1}{3}t^3\right]_0^3=9$

답 ⑤

138

x축 위의 $x=t\left(\dfrac{\pi}{6}\leq t\leq\dfrac{\pi}{4}\right)$인 점을 지나고 x축에 수직인 평면으로 자른 단면은 빗변의 길이가 1이고 한 내각의 크기가 t인 직각삼각형이므로 단면의 넓이를 $S(t)$라고 하면

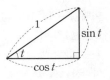

$S(t)=\dfrac{1}{2}\times\cos t\times\sin t=\dfrac{1}{2}\sin t\cos t$

따라서 구하는 입체도형의 부피를 V라고 하면

$V=\displaystyle\int_{\frac{\pi}{6}}^{\frac{\pi}{4}} S(x)dx=\dfrac{1}{2}\int_{\frac{\pi}{6}}^{\frac{\pi}{4}}\sin x\cos x\,dx$

$\sin x=s$로 놓으면 $\dfrac{ds}{dx}=\cos x$이고

$x=\dfrac{\pi}{6}$일 때 $s=\dfrac{1}{2}$, $x=\dfrac{\pi}{4}$일 때 $s=\dfrac{\sqrt{2}}{2}$이므로

$V=\dfrac{1}{2}\displaystyle\int_{\frac{1}{2}}^{\frac{\sqrt{2}}{2}} s\,ds=\dfrac{1}{2}\left[\dfrac{1}{2}s^2\right]_{\frac{1}{2}}^{\frac{\sqrt{2}}{2}}=\dfrac{1}{2}\left(\dfrac{1}{4}-\dfrac{1}{8}\right)=\dfrac{1}{16}$

답 ①

139

$1\leq y\leq e$에서 y축에 수직인 평면으로 자른 단면의 넓이를 $S(y)$라고 하면 $S(y)=\dfrac{\sqrt{3}}{4}x^2$

$y=e^x$에서 $x=\ln y$이므로 $S(y)=\dfrac{\sqrt{3}}{4}(\ln y)^2$

따라서 구하는 입체도형의 부피를 V라고 하면

$V=\displaystyle\int_1^e S(y)dy=\int_1^e\dfrac{\sqrt{3}}{4}(\ln y)^2 dy=\dfrac{\sqrt{3}}{4}\int_1^e(\ln y)^2 dy$

$\ln y=x$에서 $\dfrac{dx}{dy}=\dfrac{1}{y}=\dfrac{1}{e^x}$이고

$y=1$일 때 $x=0$, $y=e$일 때 $x=1$이므로

$V=\dfrac{\sqrt{3}}{4}\displaystyle\int_1^e(\ln y)^2 dy=\dfrac{\sqrt{3}}{4}\int_0^1 x^2 e^x dx$

$u(x)=x^2$, $v'(x)=e^x$으로 놓으면 $u'(x)=2x$, $v(x)=e^x$

$\displaystyle\int_0^1 x^2 e^x dx=\left[x^2 e^x\right]_0^1-2\int_0^1 xe^x dx$ $\quad s(x)=x$, $t'(x)=e^x$로 놓으면 $s'(x)=1$, $t(x)=e^x$

$=e-2\left(\left[xe^x\right]_0^1-\displaystyle\int_0^1 e^x dx\right)$

$=e-2\left(e-\left[e^x\right]_0^1\right)$

$=e-2\{e-(e-1)\}=e-2$

$\therefore V=\dfrac{\sqrt{3}}{4}\displaystyle\int_0^1 x^2 e^x dx=\dfrac{\sqrt{3}(e-2)}{4}$

답 ⑤

다른 풀이

$y=e^x$의 역함수는 $y=\ln x$

$x=t\ (1\leq t\leq e)$일 때 정삼각형의 한 변의 길이는 $\ln t$이므로 정삼각형의 넓이를 $S(t)$라고 하면 $S(t)=\dfrac{\sqrt{3}}{4}(\ln t)^2$

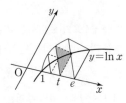

따라서 입체도형의 부피 V는

$V=\displaystyle\int_1^e S(t)dt=\dfrac{\sqrt{3}}{4}\int_1^e(\ln t)^2 dt$

$\displaystyle\int_1^e(\ln t)^2 dt$에서 $u(t)=(\ln t)^2$, $v'(t)=1$로 놓으면

$u'(t)=2\ln t\times\dfrac{1}{t}=\dfrac{2\ln t}{t}$, $v(t)=t$이므로

$\displaystyle\int_1^e(\ln t)^2 dt=\left[t(\ln t)^2\right]_1^e-\int_1^e 2\ln t\,dt$

$=e-2\left[t\ln t-t\right]_1^e=e-2$

$\therefore V=\dfrac{\sqrt{3}}{4}\displaystyle\int_1^e(\ln t)^2 dt=\dfrac{\sqrt{3}(e-2)}{4}$

140

오른쪽 그림과 같이 변 AB의 중점을 원점 O로 하고 직선 AB를 x축, 직선 OC를 y축으로 놓으면

$A(-2, 0)$, $B(2, 0)$, $C(0, 2\sqrt{3})$

변 AB 위의 점 $P(x, 0)$

$(0\leq x\leq 2)$를 지나고 변 AB에 수

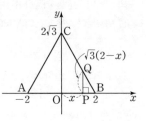

직인 직선이 변 BC와 만나는 점을 Q라고 하면

$\overline{PQ} = \overline{PB}\tan 60° = \sqrt{3}(2-x)$

점 P를 지나고 변 AB에 수직인 평면으로 자른 단면의 넓이를 $S(x)$
라고 하면 $S(x)$는 지름의 길이가 $\sqrt{3}(2-x)$인 반원의 넓이이므로

$$S(x) = \frac{1}{2} \times \pi \left\{ \frac{1}{2} \times \sqrt{3}(2-x) \right\}^2 = \frac{3}{8}\pi(x-2)^2$$

이때 점 P의 x좌표가 $x=-2$에서 $x=0$까지의 부피와 $x=0$에서
$x=2$까지의 부피가 같다.

따라서 구하는 입체도형의 부피는

$$2\int_0^2 S(x)dx = 2\int_0^2 \frac{3}{8}\pi(x-2)^2 dx$$
$$= \frac{3}{4}\pi \int_0^2 (x-2)^2 dx$$
$$= \frac{3}{4}\pi \left[\frac{1}{3}(x-2)^3 \right]_0^2$$
$$= \frac{3}{4}\pi \times \frac{8}{3} = 2\pi$$

답 2π

141

다음 그림과 같이 원기둥의 밑면의 중심을 원점으로 하고, 지름을
x축으로 정하면 작은 입체도형의 밑면은 반지름의 길이가 2인 반원
이다.

$x^2 + y^2 = 2^2$에서 $y = \sqrt{4-x^2}$ $(y \geq 0)$

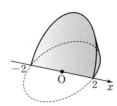 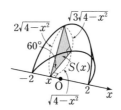

이때 x좌표가 x인 점을 지나고 밑면에 수직인 평면으로 이 입체도
형을 자를 때 생기는 단면의 넓이를 $S(x)$라고 하면

$$S(x) = \frac{1}{2} \times \sqrt{4-x^2} \times \sqrt{3}\sqrt{4-x^2} = \frac{\sqrt{3}}{2}(4-x^2)$$

$\sqrt{4-x^2}\tan 60° = \sqrt{3}\sqrt{4-x^2}$

이므로 입체도형의 부피는

$$\int_{-2}^2 S(x)dx = 2\int_0^2 S(x)dx$$
$$= 2\int_0^2 \frac{\sqrt{3}}{2}(4-x^2)dx = \sqrt{3}\int_0^2 (4-x^2)dx$$
$$= \sqrt{3}\left[4x - \frac{1}{3}x^3 \right]_0^2 = \frac{16\sqrt{3}}{3}$$

따라서 $p=3, q=16$이므로
$p+q = 3+16 = 19$

답 19

142

접근

구의 단면이 원임을 이용하여 작은 입체도형의 부피를 구하고 구의 부
피를 이용하여 작은 부분의 부피와 큰 입체도형의 부피를 구한다.

구의 중심으로부터의 거리가 x인 평면으로 구를 자를 때의 구의 단
면의 넓이를 $S(x)$라고 하면 단면인 원의 반지름의 길이는

$\sqrt{4^2-x^2} = \sqrt{16-x^2}$이므로

$S(x) = \pi(\sqrt{16-x^2})^2 = \pi(16-x^2)$

$$V_1 = \int_2^4 S(x)dx = \int_2^4 \pi(16-x^2)dx$$
$$= \pi \left[16x - \frac{1}{3}x^3 \right]_2^4 = \frac{40}{3}\pi$$

구의 반지름의 길이가 4이므로 구의 부피는

$$\frac{4}{3}\pi \times 4^3 = \frac{256}{3}\pi$$

$$V_2 = \frac{256}{3}\pi - \frac{40}{3}\pi = 72\pi$$

$$\therefore \frac{V_1}{V_2} = \frac{\frac{40}{3}\pi}{72\pi} = \frac{5}{27}$$

답 ③

참고

구의 겉넓이와 부피
구의 반지름의 길이가 r일 때
(1) 겉넓이: $4\pi r^2$
(2) 부피: $\frac{4}{3}\pi r^3$

143

$v(t)=0$일 때 점 P가 진행 방향을 바꾸므로 진행 방향을 바꾸는 시

각은 $\frac{1}{2}\sin \pi t = 0$에서 $t=1, 2, 3, \cdots$

따라서 출발 후 처음으로 진행 방향을 바꾸는 시각은 $t=1$이므로 구
하는 점 P의 좌표는

$$0 + \int_0^1 \frac{1}{2}\sin \pi t \, dt = \frac{1}{2}\int_0^1 \sin \pi t \, dt = \frac{1}{2}\left[-\frac{1}{\pi}\cos \pi t \right]_0^1$$
$$= \frac{1}{2}\left(\frac{1}{\pi} + \frac{1}{\pi} \right) = \frac{1}{\pi}$$

답 ④

144

$f(x) = 2x^3 - 9x^2 + 12x$에서 $f'(x) = 6x^2 - 18x + 12$

$\frac{dx}{dt} = -f'(t)\sin f(t), \frac{dy}{dt} = f'(t)\cos f(t)$이므로 닫힌구간

$[0, 2]$에서 점 P가 움직인 거리는

$$\int_0^2 \sqrt{\left(\frac{dx}{dt} \right)^2 + \left(\frac{dy}{dt} \right)^2} \, dt$$
$$= \int_0^2 \sqrt{\{-f'(t)\sin f(t)\}^2 + \{f'(t)\cos f(t)\}^2} \, dt$$
$$= \int_0^2 \sqrt{\{f'(t)\}^2} \, dt = \int_0^2 |f'(t)| \, dt$$
$$= \int_0^2 |6t^2 - 18t + 12| \, dt \quad \cdots\cdots \text{㉠}$$

이때 $6t^2 - 18t + 12 = 6(t-1)(t-2)$이므로

$0 \leq t \leq 1$일 때, $|6t^2-18t+12| = 6t^2-18t+12$

$1 \leq t \leq 2$일 때, $|6t^2-18t+12| = -(6t^2-18t+12)$

따라서 ㉠에서 구하는 거리는

$$\int_0^2 \sqrt{\left(\frac{dx}{dt} \right)^2 + \left(\frac{dy}{dt} \right)^2} \, dt$$
$$= \int_0^1 (6t^2-18t+12)dt - \int_1^2 (6t^2-18t+12)dt$$
$$= \left[2t^3 - 9t^2 + 12t \right]_0^1 - \left[2t^3 - 9t^2 + 12t \right]_1^2$$
$$= 5 - (-1)$$
$$= 6$$

답 ③

145

단면이 시각 $t=0$에서 $t=5$까지 움직인 거리를 h cm라고 하면

$$h=\int_0^5 t(8-t)dt=\int_0^5 (8t-t^2)dt$$

$$=\left[4t^2-\frac{1}{3}t^3\right]_0^5=100-\frac{125}{3}=\frac{175}{3}$$

단면의 넓이와 단면이 움직인 거리의 곱이 흘러나온 물의 양이 되므로 구하는 물의 양은

$$6\times\frac{175}{3}=350(\text{cm}^3)$$

답 ⑤

146

$x=e^{-t}\sin t,\ y=e^{-t}\cos t$에서

$$\frac{dx}{dt}=-e^{-t}\sin t+e^{-t}\cos t=e^{-t}(\cos t-\sin t)$$

$$\frac{dy}{dt}=-e^{-t}\cos t-e^{-t}\sin t=-e^{-t}(\cos t+\sin t)$$

이므로

$$\left(\frac{dx}{dt}\right)^2=e^{-2t}(1-2\sin t\cos t)$$

$$\left(\frac{dy}{dt}\right)^2=e^{-2t}(1+2\sin t\cos t)$$

$$\therefore \left(\frac{dx}{dt}\right)^2+\left(\frac{dy}{dt}\right)^2=2e^{-2t}$$

따라서 $t=0$에서 $t=a$까지 점 P가 움직인 거리는

$$\int_0^a \sqrt{\left(\frac{dx}{dt}\right)^2+\left(\frac{dy}{dt}\right)^2}\,dt=\int_0^a \sqrt{2e^{-2t}}\,dt$$

$$=\sqrt{2}\int_0^a e^{-t}dt$$

$$=\sqrt{2}\left[-e^{-t}\right]_0^a$$

$$=\sqrt{2}(-e^{-a}+1)$$

즉, $\sqrt{2}(1-e^{-a})=\sqrt{2}\left(1-\frac{1}{e^2}\right)=\sqrt{2}(1-e^{-2})$이므로

$$-a=-2 \qquad \therefore a=2$$

답 ②

147

$x=3\sin t-\sin 3t,\ y=3\cos t-\cos 3t$에서

$\dfrac{dx}{dt}=3\cos t-3\cos 3t,\ \dfrac{dy}{dt}=-3\sin t+3\sin 3t$이므로

$t=0$에서 $t=\dfrac{\pi}{2}$까지 점 P가 움직인 거리는

$$\int_0^{\frac{\pi}{2}}\sqrt{\left(\frac{dx}{dt}\right)^2+\left(\frac{dy}{dt}\right)^2}\,dt$$

$$=\int_0^{\frac{\pi}{2}}\sqrt{(3\cos t-3\cos 3t)^2+(-3\sin t+3\sin 3t)^2}\,dt$$

$$=\int_0^{\frac{\pi}{2}}3\sqrt{2-2\cos t\cos 3t-2\sin t\sin 3t}\,dt$$

$-2\cos t\cos 3t-2\sin t\sin 3t$
$=-2(\cos t\cos 3t+\sin t\sin 3t)$
$=-2\cos(t-3t)$
$=-2\cos(-2t)=-2\cos 2t$

$$=\int_0^{\frac{\pi}{2}}3\sqrt{2(1-\cos 2t)}\,dt$$

$$=\int_0^{\frac{\pi}{2}}6\sqrt{\frac{1-\cos 2t}{2}}\,dt$$

$$=\int_0^{\frac{\pi}{2}}6\sqrt{\sin^2 t}\,dt=\int_0^{\frac{\pi}{2}}6\sin t\,dt$$

$$=\left[-6\cos t\right]_0^{\frac{\pi}{2}}=6$$

답 ③

148

▶ 접근

$\mathrm{P}(x,y)$로 놓고, $\dfrac{dS}{dt}=4$임을 이용하여 점 P의 속력을 x에 대한 식으로 나타낸다.

점 P의 좌표를 (x,y)라고 하면

$$S=\int_0^x 2\sqrt{x}\,dx$$

위의 식의 양변을 t에 대하여 미분하면

$$\frac{dS}{dt}=2\sqrt{x}\times\frac{dx}{dt}$$

이때 $\dfrac{dS}{dt}=4$이므로 $2\sqrt{x}\times\dfrac{dx}{dt}=4 \qquad \therefore \dfrac{dx}{dt}=\dfrac{2}{\sqrt{x}}$

한편 $y=2\sqrt{x}$의 양변을 t에 대하여 미분하면

$$\frac{dy}{dt}=\frac{1}{\sqrt{x}}\times\frac{dx}{dt}=\frac{1}{\sqrt{x}}\times\frac{2}{\sqrt{x}}=\frac{2}{x}$$

따라서 점 $\mathrm{P}(x,y)$의 속력은

$$\sqrt{\left(\frac{dx}{dt}\right)^2+\left(\frac{dy}{dt}\right)^2}=\sqrt{\left(\frac{2}{\sqrt{x}}\right)^2+\left(\frac{2}{x}\right)^2}=\sqrt{\frac{4}{x}+\frac{4}{x^2}}$$

이므로 점 P가 점 $(4,4)$를 지날 때의 속력은

$$\sqrt{\frac{4}{4}+\frac{4}{4^2}}=\frac{\sqrt{5}}{2}$$

$\sqrt{\dfrac{4}{x}+\dfrac{4}{x^2}}$에 $x=4$를 대입한다.

답 $\dfrac{\sqrt{5}}{2}$

149

$y=\ln(\cos x)$에서 $y'=\dfrac{-\sin x}{\cos x}$

$x=0$에서 $x=\dfrac{\pi}{6}$까지 곡선 $y=\ln(\cos x)$의 길이를 l이라고 하면

$$l=\int_0^{\frac{\pi}{6}}\sqrt{1+\left(\frac{-\sin x}{\cos x}\right)^2}\,dx$$

$$=\int_0^{\frac{\pi}{6}}\sqrt{\frac{\cos^2 x+\sin^2 x}{\cos^2 x}}\,dx$$

$$=\int_0^{\frac{\pi}{6}}\frac{1}{\cos x}\,dx$$

$$=\int_0^{\frac{\pi}{6}}\frac{\cos x}{\cos^2 x}\,dx$$

$$=\int_0^{\frac{\pi}{6}}\frac{\cos x}{1-\sin^2 x}\,dx$$

$\sin x=t$로 놓으면 $\dfrac{dt}{dx}=\cos x$이고

$x=0$일 때 $t=0$, $x=\dfrac{\pi}{6}$일 때 $t=\dfrac{1}{2}$이므로

$$l=\int_0^{\frac{1}{2}}\frac{1}{1-t^2}\,dt$$

$$=\int_0^{\frac{1}{2}}\frac{1}{(1-t)(1+t)}\,dt$$

$$=\frac{1}{2}\int_0^{\frac{1}{2}}\left(\frac{1}{1-t}+\frac{1}{1+t}\right)dt$$

$$=\frac{1}{2}\left[-\ln(1-t)+\ln(1+t)\right]_0^{\frac{1}{2}}$$

$$=\frac{1}{2}\left(-\ln\frac{1}{2}+\ln\frac{3}{2}\right)$$

$$=\frac{1}{2}\ln 3$$

$$\therefore a=\frac{1}{2}$$

답 ①

150

$f(x)=\dfrac{e^x+e^{-x}}{2}$에서 $f'(x)=\dfrac{e^x-e^{-x}}{2}$

따라서 $x=-2$에서 $x=2$까지 곡선 $y=f(x)$의 길이는

$$\int_{-2}^{2}\sqrt{1+\{f'(x)\}^2}\,dx=\int_{-2}^{2}\sqrt{1+\left(\dfrac{e^x-e^{-x}}{2}\right)^2}\,dx$$

$$=\int_{-2}^{2}\sqrt{1+\dfrac{e^{2x}-2+e^{-2x}}{4}}\,dx$$

$$=\int_{-2}^{2}\sqrt{\dfrac{e^{2x}+2+e^{-2x}}{4}}\,dx$$

$$=\int_{-2}^{2}\sqrt{\left(\dfrac{e^x+e^{-x}}{2}\right)^2}\,dx$$

$$=\int_{-2}^{2}\dfrac{e^x+e^{-x}}{2}\,dx$$

$$=\dfrac{1}{2}\Big[e^x-e^{-x}\Big]_{-2}^{2}$$

$$=\dfrac{1}{2}(2e^2-2e^{-2})$$

$$=e^2-e^{-2}=2\times\dfrac{e^2-e^{-2}}{2}$$

$$=2f'(2)$$

답 ④

151

$\displaystyle\int_{1}^{5}\sqrt{1+\{f'(x)\}^2}\,dx$는 곡선 $y=f(x)$에 대하여 $x=1$에서 $x=5$까지의 길이이므로 최소인 경우는 두 점 $(1,\,1)$, $(5,\,4)$를 직선으로 연결할 때이다. 따라서 구하는 최솟값은

$\sqrt{(5-1)^2+(4-1)^2}=5$

답 5

[참고]

두 점 사이의 거리

두 점 $A(x,\,y)$, $B(x_2,\,y_2)$ 사이의 거리는

$\overline{AB}=\sqrt{(x_2-x_1)^2+(y_2-y_1)^2}$

152

$x=\dfrac{4}{3}t^{\frac{3}{2}}$, $y=\dfrac{1}{2}t^2-t$에서

$\dfrac{dx}{dt}=2t^{\frac{1}{2}}$, $\dfrac{dy}{dt}=t-1$이므로

$\left(\dfrac{dx}{dt}\right)^2+\left(\dfrac{dy}{dt}\right)^2=(2t^{\frac{1}{2}})^2+(t-1)^2=4t+t^2-2t+1$

$$=t^2+2t+1=(t+1)^2$$

따라서 점 P가 $t=1$에서 $t=a$까지 그리는 곡선의 길이는

$$\int_{1}^{a}\sqrt{\left(\dfrac{dx}{dt}\right)^2+\left(\dfrac{dy}{dt}\right)^2}\,dt=\int_{1}^{a}\sqrt{(t+1)^2}\,dt$$

$$=\int_{1}^{a}(t+1)\,dt$$

$$=\Big[\dfrac{1}{2}t^2+t\Big]_{1}^{a}$$

$$=\dfrac{1}{2}a^2+a-\dfrac{3}{2}$$

즉, $\dfrac{1}{2}a^2+a-\dfrac{3}{2}=6$이므로

$a^2+2a-15=0$, $(a+5)(a-3)=0$

$\therefore a=3\ (\because a>0)$

답 ③

153

조건 ㈐에 의하여

$$\int_{0}^{t}\sqrt{1+\{f'(x)\}^2}\,dx=\dfrac{1}{2}(e^t-e^{-t})$$

위의 식의 양변을 t에 대하여 미분하면

$$\sqrt{1+\{f'(t)\}^2}=\dfrac{1}{2}(e^t+e^{-t})$$

위의 식의 양변을 제곱하면

$$1+\{f'(t)\}^2=\dfrac{1}{4}(e^{2t}+e^{-2t}+2)$$

$$\therefore \{f'(t)\}^2=\dfrac{1}{4}(e^{2t}+e^{-2t}-2)=\left\{\dfrac{1}{2}(e^t-e^{-t})\right\}^2$$

이때 조건 ㈏에 의하여 $x\geq0$에서 $f'(x)\geq0$이므로

$$f'(t)=\dfrac{1}{2}(e^t-e^{-t})$$

$$\therefore f(t)=\int f'(t)\,dt=\int\dfrac{1}{2}(e^t-e^{-t})\,dt=\dfrac{1}{2}(e^t+e^{-t})+C$$

(단, C는 적분상수이다.)

조건 ㈎에서 $f(0)=1$이므로

$1+C=1$ $\therefore C=0$

따라서 $f(t)=\dfrac{1}{2}(e^t+e^{-t})$이므로

$$f(\ln2)=\dfrac{1}{2}(e^{\ln2}+e^{-\ln2})=\dfrac{1}{2}\left(2+\dfrac{1}{2}\right)=\dfrac{5}{4}$$

답 ③

154

$\sqrt[3]{x^2}+\sqrt[3]{y^2}=1$, 즉 $x^{\frac{2}{3}}+y^{\frac{2}{3}}=1$의 양변을 x에 대하여 미분하면

$$\dfrac{2}{3}x^{-\frac{1}{3}}+\dfrac{2}{3}y^{-\frac{1}{3}}\times\dfrac{dy}{dx}=0$$

$$\therefore \dfrac{dy}{dx}=-\left(\dfrac{y}{x}\right)^{\frac{1}{3}}$$

$$1+\left(\dfrac{dy}{dx}\right)^2=1+\left\{-\left(\dfrac{y}{x}\right)^{\frac{1}{3}}\right\}^2=1+\left(\dfrac{y}{x}\right)^{\frac{2}{3}}$$

$$=\dfrac{x^{\frac{2}{3}}+y^{\frac{2}{3}}}{x^{\frac{2}{3}}}=\dfrac{1}{x^{\frac{2}{3}}}=x^{-\frac{2}{3}}$$

곡선 $\sqrt[3]{x^2}+\sqrt[3]{y^2}=1$은 x축, y축, 원점에 대하여 각각 대칭이므로 이 곡선의 전체 길이는

$$4\int_{0}^{1}\sqrt{1+\left(\dfrac{dy}{dx}\right)^2}\,dx=4\int_{0}^{1}\sqrt{x^{-\frac{2}{3}}}\,dx$$

$$=4\int_{0}^{1}x^{-\frac{1}{3}}\,dx$$

$$=4\Big[\dfrac{3}{2}x^{\frac{2}{3}}\Big]_{0}^{1}$$

$$=4\times\dfrac{3}{2}=6$$

답 ③

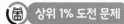

155

$f(xy)=yf(x)+xf(y)$의 양변에 $x=1$, $y=1$을 대입하면

$f(1)=f(1)+f(1)$ ∴ $f(1)=0$

$$f'(x)=\lim_{h\to0}\frac{f(x+h)-f(x)}{h}$$

$$=\lim_{h\to0}\frac{f\left(x\left(1+\dfrac{h}{x}\right)\right)-f(x)}{h}$$

$$=\lim_{h\to0}\frac{\left(1+\dfrac{h}{x}\right)f(x)+xf\left(1+\dfrac{h}{x}\right)-f(x)}{h}$$

$$=\lim_{h\to0}\frac{\dfrac{h}{x}f(x)+xf\left(1+\dfrac{h}{x}\right)}{h}$$

$$=\frac{f(x)}{x}+\lim_{h\to0}\frac{f\left(1+\dfrac{h}{x}\right)}{\dfrac{h}{x}}$$

$$=\frac{f(x)}{x}+\lim_{h\to0}\frac{f\left(1+\dfrac{h}{x}\right)-f(1)}{\dfrac{h}{x}}$$

$$=\frac{f(x)}{x}+f'(1) \qquad\cdots\cdots\ ㉠$$

곡선 $y=f'(x)$가 점 $(1,1)$을 지나므로 $f'(1)=1$을 ㉠에 대입하면

$$f'(x)=\frac{f(x)}{x}+1$$

∴ $f(x)=xf'(x)-x$ $\qquad\cdots\cdots\ ㉡$

㉡의 양변을 x에 대하여 미분하면

$f'(x)=f'(x)+xf''(x)-1$ ∴ $f''(x)=\dfrac{1}{x}$

$f'(x)=\displaystyle\int f''(x)dx=\int\frac{1}{x}dx=\ln x+C$ (단, C는 적분상수이다.)

$f'(1)=1$이므로 $C=1$

∴ $f'(x)=\ln x+1$

$f'(x)=\ln x+1$을 ㉡에 대입하면

$f(x)=x(\ln x+1)-x=x\ln x$

∴ $f(e)=e\ln e=e$

답 ③

156

$f(x)=\displaystyle\int_0^1\frac{f(t)+e^x}{e^t+1}dt=e^x\int_0^1\frac{1}{e^t+1}dt+\int_0^1\frac{f(t)}{e^t+1}dt$

$\displaystyle\int_0^1\frac{1}{e^t+1}dt=A$, $\displaystyle\int_0^1\frac{f(t)}{e^t+1}dt=B$ (A, B는 상수)로 놓으면

$f(x)=Ae^x+B$

$$\int_0^1\frac{f(t)}{e^t+1}dt=\int_0^1\frac{Ae^t+B}{e^t+1}dt$$

$$=\int_0^1\frac{A(e^t+1)-A+B}{e^t+1}dt$$

$$=\int_0^1\left(A+\frac{B-A}{e^t+1}\right)dt$$

$$=\Big[At\Big]_0^1+(B-A)\int_0^1\frac{1}{e^t+1}dt$$

$$=A+(B-A)\times A$$

즉, $B=A+A(B-A)$이므로

$B=A+AB-A^2$, $AB-B-A^2+A=0$

$B(A-1)-A(A-1)=0$, $(B-A)(A-1)=0$

∴ $A=B$ 또는 $A=1$ $\qquad\cdots\cdots\ ㉠$

한편 $\displaystyle\int_0^1\frac{1}{e^t+1}dt$에서 $e^t+1=s$로 놓으면 $\dfrac{ds}{dt}=e^t$이고

$t=0$일 때 $s=2$, $t=1$일 때 $s=e+1$이므로

$$\underline{\int_0^1\frac{1}{e^t+1}dt}=\int_2^{e+1}\frac{1}{s}\times\frac{1}{s-1}ds$$
$\qquad\qquad\qquad\qquad\qquad\qquad$ $e^t+1=s$이므로
$\qquad\qquad\qquad\qquad\qquad\qquad$ $e^t=s-1$

$$=\int_2^{e+1}\left(\frac{1}{s-1}-\frac{1}{s}\right)ds$$

$$=\Big[\ln(s-1)-\ln s\Big]_2^{e+1}$$

$$=\ln e-\ln(e+1)-(-\ln 2)$$

$$=\ln\frac{2e}{e+1}$$

즉, $A=\ln\dfrac{2e}{e+1}\neq1$이므로 ㉠에서 $B=A=\ln\dfrac{2e}{e+1}$

∴ $f(x)=Ae^x+B=e^x\ln\dfrac{2e}{e+1}+\ln\dfrac{2e}{e+1}$

$$=(e^x+1)\ln\frac{2e}{e+1}$$

∴ $\dfrac{f(\ln 7)}{f(\ln 3)}=\dfrac{e^{\ln 7}+1}{e^{\ln 3}+1}=\dfrac{8}{4}=2$

답 ②

157

곡선 $y=f(x)$ 위의 점 $A(t,f(t))$에서의 접선의 방정식은

$y-f(t)=f'(t)(x-t)$ $\qquad\cdots\cdots\ ㉠$

직선 ㉠이 y축과 만나는 점 B의 y좌표는

$y-f(t)=f'(t)(0-t)$에서 $y=f(t)-tf'(t)$

∴ $B(0,f(t)-tf'(t))$

점 $A(t,f(t))$에서 x축에 내린 수선의 발 C의 좌표는 $C(t,0)$

사각형 $ABOC$는 사다리꼴이므로

$$S(t)=\frac{1}{2}\times\{f(t)-tf'(t)+f(t)\}\times t$$

$$=tf(t)-\frac{1}{2}t^2f'(t)$$

조건 (내)에 의하여

$tf(t)-\dfrac{1}{2}t^2f'(t)=\left(\dfrac{3}{2}t^2+t\right)f(t)$이므로

$tf(t)-\dfrac{1}{2}t^2f'(t)=\dfrac{3}{2}t^2f(t)+tf(t)$

∴ $\dfrac{f'(t)}{f(t)}=-3$ ($\because t\neq0$)

$\displaystyle\int\frac{f'(t)}{f(t)}dt=\int(-3)dt$이므로

$\ln f(t)=-3t+C$ (단, C는 적분상수이다.)

∴ $f(t)=e^{-3t+C}$

조건 (대)에서

$\displaystyle\int_0^1 f(x)dx=\int_0^1 e^{-3x+C}dx=1-\frac{1}{e^3}$

$\left[-\dfrac{1}{3}e^{-3x+C}\right]_0^1=1-\dfrac{1}{e^3}$

$-\dfrac{1}{3}e^{-3+C}-\left(-\dfrac{1}{3}e^C\right)=1-\dfrac{1}{e^3}$

$$\frac{1}{3}e^C\left(1-\frac{1}{e^3}\right)=1-\frac{1}{e^3}$$

$$\therefore e^C=3$$

따라서 $f(x)=e^{-3x+C}=e^C\times e^{-3x}=3e^{-3x}$이므로

$$\int_0^{\ln 2} f(x)\,dx=\int_0^{\ln 2} 3e^{-3x}\,dx$$

$$=\Big[-e^{-3x}\Big]_0^{\ln 2}$$

$$=-e^{-3\ln 2}-(-1)$$

$$=-e^{\ln\frac{1}{8}}+1$$

$$=-\frac{1}{8}+1=\frac{7}{8}$$

답 ①

158

$f(x)=(a+x)-\int_0^x t\sin(x-t)\,dt$에서

$x-t=s$로 놓으면 $\dfrac{ds}{dt}=-1$이고

$t=0$일 때 $s=x$, $t=x$일 때 $s=0$이므로

$$\int_0^x t\sin(x-t)\,dt$$

$$=-\int_x^0 (x-s)\sin s\,ds$$

$$=\int_0^x (x-s)\sin s\,ds \quad \begin{array}{l}u(s)=x-s,\,v'(s)=\sin s\text{로 놓으면}\\ u'(s)=-1,\,v(s)=-\cos s\end{array}$$

$$=\Big[(x-s)\times(-\cos s)\Big]_0^x-\int_0^x \cos s\,ds$$

$$=x-\int_0^x \cos s\,ds$$

$$=x-\Big[\sin s\Big]_0^x$$

$$=x-\sin x$$

$$\therefore f(x)=(a+x)-\int_0^x t\sin(x-t)\,dt$$

$$=a+x-(x-\sin x)$$

$$=a+\sin x \qquad\qquad \cdots\cdots\ \text{㉠}$$

ㄱ은 옳다.

$$f(x)+f(-x)=(a+\sin x)+\{a+\sin(-x)\}$$

$$=(a+\sin x)+(a-\sin x)$$

$$=2a$$

ㄴ도 옳다.

$$f\left(\frac{m+n}{2}\right)-\frac{f(m)+f(n)}{2}$$

$$=\left\{a+\sin\left(\frac{m}{2}+\frac{n}{2}\right)\right\}-\frac{1}{2}(2a+\sin m+\sin n)$$

$$=\sin\left(\frac{m}{2}+\frac{n}{2}\right)-\frac{1}{2}\left\{\sin\left(\frac{m}{2}+\frac{m}{2}\right)+\sin\left(\frac{n}{2}+\frac{n}{2}\right)\right\}$$

$$=\left(\sin\frac{m}{2}\cos\frac{n}{2}+\cos\frac{m}{2}\sin\frac{n}{2}\right)$$

$$\qquad\qquad -\frac{1}{2}\left(2\sin\frac{m}{2}\cos\frac{m}{2}+2\sin\frac{n}{2}\cos\frac{n}{2}\right)$$

$$=\sin\frac{m}{2}\left(\cos\frac{n}{2}-\cos\frac{m}{2}\right)-\sin\frac{n}{2}\left(\cos\frac{n}{2}-\cos\frac{m}{2}\right)$$

$$=\left(\sin\frac{m}{2}-\sin\frac{n}{2}\right)\left(\cos\frac{n}{2}-\cos\frac{m}{2}\right)$$

이때 $0<m<n<\pi$, 즉 $0<\dfrac{m}{2}<\dfrac{n}{2}<\dfrac{\pi}{2}$에서

$\underline{\sin\dfrac{m}{2}<\sin\dfrac{n}{2},\ \cos\dfrac{m}{2}>\cos\dfrac{n}{2}}$이므로 $\;\begin{array}{l}0<x<\frac{\pi}{2}\text{에서 }\sin x\text{는 증가하고}\\ \cos x\text{는 감소한다.}\end{array}$

$$\left(\sin\frac{m}{2}-\sin\frac{n}{2}\right)\left(\cos\frac{n}{2}-\cos\frac{m}{2}\right)>0$$

$$\therefore f\left(\frac{m+n}{2}\right)>\frac{f(m)+f(n)}{2}$$

ㄷ도 옳다.

㉠에서 $a=0$일 때, $f(x)=\sin x$이므로

$$f'(x)=\cos x$$

$$f(2x)=\sin 2x=\sin(x+x)$$

$$=\sin x\cos x+\cos x\sin x$$

$$=2\sin x\cos x$$

이때

$$g(\theta)=\int_0^\theta \frac{2f'(x)}{f(2x)}\,dx+\int_\theta^{\frac{\pi}{2}}\frac{1}{f'(x)}\,dx$$

$$=\int_0^\theta \frac{2\cos x}{2\sin x\cos x}\,dx+\int_\theta^{\frac{\pi}{2}}\frac{1}{\cos x}\,dx$$

$$=\int_0^\theta \frac{1}{\sin x}\,dx-\int_{\frac{\pi}{2}}^\theta \frac{1}{\cos x}\,dx$$

이므로

$$g'(\theta)=\frac{1}{\sin\theta}-\frac{1}{\cos\theta}=\frac{\cos\theta-\sin\theta}{\sin\theta\cos\theta}$$

$g'(\theta)=0$에서 $\cos\theta=\sin\theta$이므로 $\theta=\dfrac{\pi}{4}$

즉, $g'\left(\dfrac{\pi}{4}\right)=0$이고 $\theta=\dfrac{\pi}{4}$의 좌우에서 $g'(\theta)$의 부호가 양에서 음으로 바뀌므로 $g(\theta)$는 $\theta=\dfrac{\pi}{4}$에서 극대이다.

따라서 열린구간 $\left(0,\dfrac{\pi}{2}\right)$에서 함수 $g(\theta)$는 $\theta=\dfrac{\pi}{4}$에서 극대이면서 최대이므로 최댓값을 갖는다.

그러므로 옳은 것은 ㄱ, ㄴ, ㄷ이다.

답 ⑤

참고

어떤 구간에 속하는 임의의 두 실수 $a,\,b$에 대하여

(1) $f\left(\dfrac{a+b}{2}\right)<\dfrac{f(a)+f(b)}{2}$이면 함수 $y=f(x)$의 그래프는 그 구간에서 아래로 볼록하다.

(2) $f\left(\dfrac{a+b}{2}\right)>\dfrac{f(a)+f(b)}{2}$이면 함수 $y=f(x)$의 그래프는 그 구간에서 위로 볼록하다.

159

$x^2-x+1=\left(x-\dfrac{1}{2}\right)^2+\dfrac{3}{4}>0$이므로 $x<0$ 또는 $x>1$에서

$$0<\frac{1}{x^2-x+1}<1$$

$$f(x)=\sum_{n=1}^\infty \left(\frac{1}{x^2-x+1}\right)^n=\frac{\frac{1}{x^2-x+1}}{1-\frac{1}{x^2-x+1}}$$

$$=\frac{1}{x^2-x}=\frac{1}{x(x-1)}$$

따라서 곡선 $y=f(x)$와 두 직선 $x=4$, $x=n$ 및 x축으로 둘러싸인 부분의 넓이 S_n은

$$S_n=\int_4^n \frac{1}{x(x-1)}dx$$
$$=\int_4^n \left(\frac{1}{x-1}-\frac{1}{x}\right)dx$$
$$=\left[\ln(x-1)-\ln x\right]_4^n$$
$$=\ln\frac{n-1}{n}-\ln\frac{3}{4}$$
$$=\ln\frac{n-1}{n}+\ln\frac{4}{3}$$
$$\therefore \lim_{n\to\infty}S_n=\lim_{n\to\infty}\left(\ln\frac{n-1}{n}+\ln\frac{4}{3}\right)=\ln\frac{4}{3}$$

답 ③

160

$x=\ln 3$일 때 $y=\dfrac{e^{\ln 3}+e^{-\ln 3}}{2}=\dfrac{3+\dfrac{1}{3}}{2}=\dfrac{5}{3}$이므로 점 P의 좌표는

$\left(\ln 3, \dfrac{5}{3}\right)$

$y=\dfrac{e^x+e^{-x}}{2}$에서 $\dfrac{dy}{dx}=\dfrac{e^x-e^{-x}}{2}$이므로 구슬이 트랙을 따라 점 P에서 점 $(0, 1)$까지 처음 굴러온 거리를 l_1이라고 하면

$$l_1=\int_0^{\ln 3}\sqrt{1+\left(\frac{dy}{dx}\right)^2}dx=\int_0^{\ln 3}\sqrt{1+\left(\frac{e^x-e^{-x}}{2}\right)^2}dx$$
$$=\int_0^{\ln 3}\sqrt{\left(\frac{e^x+e^{-x}}{2}\right)^2}dx=\int_0^{\ln 3}\frac{e^x+e^{-x}}{2}dx$$
$$=\frac{1}{2}\left[e^x-e^{-x}\right]_0^{\ln 3}=\frac{1}{2}(e^{\ln 3}-e^{-\ln 3})$$
$$=\frac{1}{2}\left(3-\frac{1}{3}\right)=\frac{4}{3}$$

이때 구슬이 굴러 내려온 거리의 $\dfrac{3}{4}$만큼 맞은편으로 굴러 올라가므로 공이 움직인 총거리를 l이라고 하면

$$l=l_1+\frac{3}{4}l_1+\frac{3}{4}l_1+\left(\frac{3}{4}\right)^2 l_1+\left(\frac{3}{4}\right)^2 l_1+\cdots$$
$$=l_1+2\left\{\frac{3}{4}l_1+\left(\frac{3}{4}\right)^2 l_1+\left(\frac{3}{4}\right)^3 l_1+\cdots\right\}$$
$$=l_1+2\times\frac{\dfrac{3}{4}l_1}{1-\dfrac{3}{4}}$$
$$=7l_1$$
$$=7\times\frac{4}{3}=\frac{28}{3}$$

따라서 $p=3$, $q=28$이므로

$pq=3\times 28=84$

답 84

01

$\int_{-1}^0 \dfrac{x}{\sqrt{x^2+a}}dx$에서 $x^2+a=t$로 놓으면 $\dfrac{dt}{dx}=2x$이고

$x=-1$일 때 $t=a+1$, $x=0$일 때 $t=a$이므로

$$\int_{-1}^0 \frac{x}{\sqrt{x^2+a}}dx=\int_{a+1}^a \frac{1}{2\sqrt{t}}dt=\frac{1}{2}\int_{a+1}^a t^{-\frac{1}{2}}dt=\frac{1}{2}\left[2t^{\frac{1}{2}}\right]_{a+1}^a$$
$$=\sqrt{a}-\sqrt{a+1}$$

즉, $\sqrt{a}-\sqrt{a+1}=2\sqrt{2}-3=\sqrt{8}-\sqrt{9}$이므로

$a=8$

답 8

02

$$\int_{-\frac{\pi}{2}}^{\frac{\pi}{2}}(\sin x+\cos x)^2 dx$$
$$=\int_{-\frac{\pi}{2}}^{\frac{\pi}{2}}(\sin^2 x+\cos^2 x+2\sin x\cos x)dx$$
$$=\int_{-\frac{\pi}{2}}^{\frac{\pi}{2}}(1+\sin 2x)dx$$
$$=\int_{-\frac{\pi}{2}}^{\frac{\pi}{2}}1dx+\int_{-\frac{\pi}{2}}^{\frac{\pi}{2}}\sin 2x dx$$

이때 $y=\sin 2x$는 기함수이므로

$\underline{}$ $y=\sin 2x$의 그래프는 원점에 대하여 대칭이다.

$$\int_{-\frac{\pi}{2}}^{\frac{\pi}{2}}\sin 2x dx=0$$
$$\therefore \int_{-\frac{\pi}{2}}^{\frac{\pi}{2}}(\sin x+\cos x)^2 dx=\int_{-\frac{\pi}{2}}^{\frac{\pi}{2}}1dx=2\int_0^{\frac{\pi}{2}}1dx$$
$$=2\left[x\right]_0^{\frac{\pi}{2}}=2\times\frac{\pi}{2}=\pi$$

답 ④

03

$y=e^x$에서 $y'=e^x$이므로 $f(x)=e^x$

$$\therefore \int_0^1 x^2 f(x)dx=\int_0^1 x^2 e^x dx$$

$u(x)=x^2$, $v'(x)=e^x$으로 놓으면 $u'(x)=2x$, $v(x)=e^x$이므로

$$\int_0^1 x^2 e^x dx=\left[x^2 e^x\right]_0^1-\int_0^1 2xe^x dx$$
$$=e-2\int_0^1 xe^x dx \qquad\qquad \cdots\cdots ㉠$$

$s(x)=x$, $t'(x)=e^x$으로 놓으면 $s'(x)=1$, $v(x)=e^x$이므로

$$\int_0^1 xe^x dx=\left[xe^x\right]_0^1-\int_0^1 e^x dx$$
$$=e-\left[e^x\right]_0^1$$
$$=e-(e-1)=1 \qquad\qquad \cdots\cdots ㉡$$

㉡을 ㉠에 대입하면

$$\int_0^1 x^2 e^x dx=e-2\times 1=e-2$$

답 ②

04

① $\displaystyle\lim_{n\to\infty}\sum_{k=1}^{n}\frac{1}{n}\left(\frac{k}{n}\right)^2=\int_0^1 x^2\,dx$

② $\displaystyle\lim_{n\to\infty}\sum_{k=1}^{n}\frac{1}{n}\left(\frac{2k}{n}\right)^2=\frac{1}{2}\lim_{n\to\infty}\sum_{k=1}^{n}\frac{2}{n}\left(\frac{2k}{n}\right)^2=\frac{1}{2}\int_0^2 x^2\,dx$

③ $\displaystyle\lim_{n\to\infty}\sum_{k=1}^{n}\frac{2}{n}\left(\frac{k}{n}\right)^2=2\int_0^1 x^2\,dx$

④ $\displaystyle\lim_{n\to\infty}\sum_{k=1}^{n}\frac{2}{n}\left(1+\frac{2k}{n}\right)^2=2\int_0^1(1+2x)^2\,dx=\int_0^2(1+x)^2\,dx$
$\qquad\qquad\qquad\qquad\qquad =\int_1^3 x^2\,dx$

⑤ $\displaystyle\lim_{n\to\infty}\sum_{k=1}^{n}\frac{1}{n}\left(1+\frac{k}{n}\right)^2=\int_0^1(1+x)^2\,dx=\int_1^2 x^2\,dx$

따라서 정적분 $\displaystyle\int_1^2 x^2\,dx$의 값과 같은 것은 ⑤이다.

답 ⑤

05

두 곡선 $y=\sqrt{x}$, $y=\sqrt{6-x}$의 교점의 x좌표는
$\sqrt{x}=\sqrt{6-x}$에서 $x=6-x$
$2x=6$ $\therefore x=3$
두 곡선 $y=\sqrt{x}$, $y=\sqrt{6-x}$는 오른쪽 그림
과 같으므로 구하는 넓이는

$\displaystyle\int_0^3\sqrt{x}\,dx+\int_3^6\sqrt{6-x}\,dx$

이때 두 곡선 $y=\sqrt{x}$, $y=\sqrt{6-x}$는 직선
$x=3$에 대하여 대칭이므로
$\displaystyle\int_0^3\sqrt{x}\,dx=\int_3^6\sqrt{6-x}\,dx$

$\displaystyle\therefore \int_0^3\sqrt{x}\,dx+\int_3^6\sqrt{6-x}\,dx=\int_0^3\sqrt{x}\,dx+\int_0^3\sqrt{x}\,dx$
$\qquad\qquad\qquad\qquad\qquad =2\int_0^3\sqrt{x}\,dx=2\left[\frac{2}{3}x\sqrt{x}\right]_0^3$
$\qquad\qquad\qquad\qquad\qquad =2\times2\sqrt{3}=4\sqrt{3}$

답 ⑤

참고

(1) 무리함수 $y=\sqrt{a(x-p)}+q\ (a\neq0)$의 그래프는 함수 $y=\sqrt{ax}$
의 그래프를 x축의 방향으로 p만큼, y축의 방향으로 q만큼 평행
이동한 것이다.

(2) 무리함수 $y=\sqrt{ax}\ (a>0)$의 그래프를 x축, y축, 원점에 대하여
대칭이동하면 각각 $y=-\sqrt{ax}$, $y=\sqrt{-ax}$, $y=-\sqrt{-ax}$의 그래
프가 된다.

06

$f(-x)=\sin(\sin(-x))=\sin(-\sin x)=-\sin(\sin x)=-f(x)$
따라서 함수 $y=f(x)$는 기함수이므로 실수 a에 대하여
$\displaystyle\int_{-a}^{a}f(x)\,dx=0$

$\displaystyle\therefore \int_{-1}^{1}f(x)\,dx+\int_{-2}^{2}f(x)\,dx=0+0=0$

답 0

참고

두 함수 $f(x)$, $g(x)$가 우함수 또는 기함수일 때, 다음이 성립한다.

$f(x)$	$g(x)$	$f(x)g(x)$	$\dfrac{f(x)}{g(x)}$	$(f\circ g)(x)$
우함수	우함수	우함수	우함수	우함수
우함수	기함수	기함수	기함수	우함수
기함수	우함수	기함수	기함수	우함수
기함수	기함수	우함수	우함수	기함수

따라서 두 함수 $f(x)$, $g(x)$가 우함수 또는 기함수로 주어지고, $\int$
안의 식이 위의 표에 나와 있는 식으로 주어질 때, 우함수 또는 기함
수인지를 판단한 다음 우함수 또는 기함수의 정적분을 구하는 공식
을 이용하여 푼다.

07

$\int f(x)\,dx=xf(x)-x\ln x+k$의 양변을 x에 대하여 미분하면
$f(x)=f(x)+xf'(x)-\ln x-1$, $xf'(x)=\ln x+1$

$\therefore f'(x)=\dfrac{\ln x+1}{x}$

$f(x)=\int f'(x)\,dx=\int\dfrac{\ln x+1}{x}\,dx$에서 $\ln x+1=t$로 놓으면

$\dfrac{dt}{dx}=\dfrac{1}{x}$이므로

$f(x)=\int\dfrac{\ln x+1}{x}\,dx=\int t\,dt=\dfrac{1}{2}t^2+C$
$\qquad =\dfrac{1}{2}(\ln x+1)^2+C$ (단, C는 적분상수이다.)

$f(e)=2$이므로
$\dfrac{1}{2}(\ln e+1)^2+C=2$
$2+C=2$ $\therefore C=0$
따라서 $f(x)=\dfrac{1}{2}(\ln x+1)^2$이므로

$f(e^{-2})=\dfrac{1}{2}(\ln e^{-2}+1)^2=\dfrac{1}{2}\times(-1)^2=\dfrac{1}{2}$

답 ②

08

$f(x)=\displaystyle\int_0^x(tx^2-2x)e^{tx}\,dt=\int_0^x x(tx-2)e^{tx}\,dt$

$u(t)=tx-2$, $v'(t)=xe^{tx}$으로 놓으면 $u'(t)=x$, $v(t)=e^{tx}$이므
로

$f(x)=\displaystyle\int_0^x x(tx-2)e^{tx}\,dt$
$\qquad =\left[(tx-2)e^{tx}\right]_0^x-\int_0^x xe^{tx}\,dt$
$\qquad =(x^2-2)e^{x^2}+2-\left[e^{tx}\right]_0^x$
$\qquad =(x^2-2)e^{x^2}+2-(e^{x^2}-1)$
$\qquad =(x^2-3)e^{x^2}+3$

$f'(x)=2xe^{x^2}+(x^2-3)e^{x^2}\times2x$
$\qquad =(2x^3-4x)e^{x^2}$
$\qquad =2x(x+\sqrt{2})(x-\sqrt{2})e^{x^2}$

$f'(x)=0$에서 $x=\sqrt{2}\ (\because x>0)$

$x>0$에서 함수 $f(x)$의 증가와 감소를 표로 나타내면 다음과 같다.

x	(0)	$\cdots$	$\sqrt{2}$	$\cdots$
$f'(x)$		$-$	0	$+$
$f(x)$		$\searrow$	극소	$\nearrow$

따라서 함수 $f(x)$는 $x=\sqrt{2}$에서 극소이면서 최소이므로 구하는 최솟값은

$f(\sqrt{2})=(2-3)e^2+3=3-e^2$

답 ①

09

$f(x)=xe^{-x}$에서

$f'(x)=e^{-x}-xe^{-x}=(1-x)e^{-x}$

$f''(x)=-e^{-x}-(1-x)e^{-x}=(x-2)e^{-x}$

$f''(x)=0$에서 $x=2$ $(\because e^{-x}>0)$

$x=2$를 기준으로 $f''(x)$의 부호가 음에서 양으로 바뀌므로 변곡점의 좌표는 $\left(2, \dfrac{2}{e^2}\right)$이다.

따라서 변곡점에서의 접선의 방정식은

$y-\dfrac{2}{e^2}=\underline{f'(2)}(x-2)$ $\quad f'(2)=-\dfrac{1}{e^2}$

$\therefore y=-\dfrac{1}{e^2}x+\dfrac{4}{e^2}$

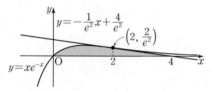

곡선 $y=f(x)$와 접선 및 x축으로 둘러싸인 부분의 넓이는

$\displaystyle\int_0^2 xe^{-x}dx+\dfrac{1}{2}\times(4-2)\times\dfrac{2}{e^2}=\int_0^2 xe^{-x}dx+\dfrac{2}{e^2}$

$\displaystyle\int_0^2 xe^{-x}dx$에서 $u(x)=x$, $v'(x)=e^{-x}$으로 놓으면 $u'(x)=1$, $v(x)=-e^{-x}$이므로

$\displaystyle\int_0^2 xe^{-x}dx=\Big[-xe^{-x}\Big]_0^2-\int_0^2(-e^{-x})dx$

$\displaystyle\qquad\qquad=-2e^{-2}+\int_0^2 e^{-x}dx$

$\displaystyle\qquad\qquad=-2e^{-2}+\Big[-e^{-x}\Big]_0^2$

$\qquad\qquad=-2e^{-2}-e^{-2}+1$

$\qquad\qquad=-3e^{-2}+1$

$\qquad\qquad=-\dfrac{3}{e^2}+1$

$\therefore \displaystyle\int_0^2 xe^{-x}dx+\dfrac{2}{e^2}=-\dfrac{3}{e^2}+1+\dfrac{2}{e^2}=1-\dfrac{1}{e^2}$

따라서 $a=2$, $b=1$이므로

$a+b=2+1=3$

답 ②

10

t초 후 두 점 P, Q의 위치를 각각 x_1, x_2라고 하면

$x_1=\displaystyle\int_0^t \sin^2 t\,dt=\int_0^t \dfrac{1-\cos 2t}{2}dt$

$\qquad=\Big[\dfrac{1}{2}\Big(t-\dfrac{1}{2}\sin 2t\Big)\Big]_0^t=\dfrac{1}{2}t-\dfrac{1}{4}\sin 2t$

$x_2=\displaystyle\int_0^t \dfrac{1}{2}\sin t\,dt=\Big[-\dfrac{1}{2}\cos t\Big]_0^t=\dfrac{1}{2}(1-\cos t)$

두 점이 만나는 횟수는 방정식 $\dfrac{1}{2}t-\dfrac{1}{4}\sin 2t=\dfrac{1}{2}(1-\cos t)$, 즉

$t-\dfrac{1}{2}\sin 2t+\cos t-1=0$의 근의 개수와 같으므로

$f(t)=t-\dfrac{1}{2}\sin 2t+\cos t-1$로 놓으면

$f'(t)=1-\cos 2t-\sin t$

$\qquad=1-(1-2\sin^2 t)-\sin t$

$\qquad=2\sin^2 t-\sin t$

$\qquad=\sin t(2\sin t-1)$

$f'(t)=0$에서 $\sin t=0$ 또는 $\sin t=\dfrac{1}{2}$

$\therefore t=\dfrac{\pi}{6}, \dfrac{5}{6}\pi, \pi$ $(\because 0<t\le\pi)$

$f(0)=0, f\Big(\dfrac{\pi}{6}\Big)<0, f\Big(\dfrac{5}{6}\pi\Big)>0, f(\pi)>0$

따라서 $0<t<\pi$에서 방정식 $f(t)=0$은 하나의 실근을 가지므로 두 점 P, Q는 한 번 만난다.

답 ②

01

$\int \dfrac{1}{1-e^x}dx$에서 $1-e^x=t$로 놓으면 $\dfrac{dt}{dx}=-e^x$이므로

$$f(x)=\int \dfrac{1}{1-e^x}dx$$
$$=\int \dfrac{1}{t}\times \dfrac{1}{t-1}dt$$
$$=\int \dfrac{1}{(t-1)t}dt$$
$$=\int \left(\dfrac{1}{t-1}-\dfrac{1}{t}\right)dt$$
$$=\ln|t-1|-\ln|t|+C$$
$$=\ln\left|\dfrac{t-1}{t}\right|+C$$
$$=\ln\left|\dfrac{-e^x}{1-e^x}\right|+C$$
$$=\ln\left|\dfrac{e^x}{e^x-1}\right|+C\ (단,\ C는\ 적분상수이다.)$$

$$\therefore f(1)-f(2)=\ln\dfrac{e}{e-1}-\ln\dfrac{e^2}{e^2-1}$$
$$=\ln\left(\dfrac{e}{e-1}\times \dfrac{e^2-1}{e^2}\right)=\ln\dfrac{e+1}{e}$$

답 ⑤

02

$\int_0^\pi f(x)\sin 2x\,dx$에서 $u(x)=f(x)$, $v'(x)=\sin 2x$로 놓으면

$u'(x)=f'(x)$, $v(x)=-\dfrac{1}{2}\cos 2x$이므로

$$\int_0^\pi f(x)\sin 2x\,dx$$
$$=\left[-\dfrac{1}{2}f(x)\cos 2x\right]_0^\pi -\int_0^\pi \left\{-\dfrac{1}{2}f'(x)\cos 2x\right\}dx$$
$$=-\dfrac{1}{2}f(\pi)-\left\{-\dfrac{1}{2}f(0)\right\}+\int_0^\pi \dfrac{1}{2}f'(x)\cos 2x\,dx$$
$$=\int_0^\pi \dfrac{1}{2}f'(x)\cos 2x\,dx\ (\because f(\pi)=f(0))$$
$$=\dfrac{1}{2}\int_0^\pi f'(x)\cos 2x\,dx$$
$$\therefore k=\dfrac{1}{2}$$

답 ③

03

$$f(x)=\lim_{n\to\infty}\sum_{k=1}^n \left\{\left(\dfrac{kx}{n}\right)^2+\dfrac{kx}{n}\right\}\dfrac{x}{n}$$
$$=\lim_{n\to\infty}\sum_{k=1}^n \left\{\left(\dfrac{x}{n}k\right)^2+\dfrac{x}{n}k\right\}\dfrac{x}{n}$$
$$=\int_0^x (t^2+t)dt$$

양변을 x에 대하여 미분하면
$$f'(x)=x^2+x$$
$$\therefore f'(5)=25+5=30$$

답 30

04

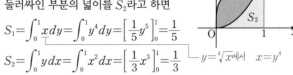

오른쪽 그림과 같이 곡선 $y=\sqrt[4]{x}$와 y축 및 직선 $y=1$로 둘러싸인 부분의 넓이를 S_1, 곡선 $y=x^2$과 x축 및 직선 $x=1$로 둘러싸인 부분의 넓이를 S_2라고 하면

$$S_1=\int_0^1 x\,dy=\int_0^1 y^4\,dy=\left[\dfrac{1}{5}y^5\right]_0^1=\dfrac{1}{5}$$
$$S_2=\int_0^1 y\,dx=\int_0^1 x^2\,dx=\left[\dfrac{1}{3}x^3\right]_0^1=\dfrac{1}{3}$$

$y=\sqrt[4]{x}$에서 $x=y^4$

$$\therefore S_1+S_2=\dfrac{1}{5}+\dfrac{1}{3}=\dfrac{8}{15}$$

S_1+S_2와 색칠한 부분의 넓이의 합은 한 변의 길이가 1인 정사각형의 넓이와 같으므로 구하는 넓이는

$$1-(S_1+S_2)=1-\dfrac{8}{15}=\dfrac{7}{15}$$

답 $\dfrac{7}{15}$

05

$y=\dfrac{1}{3}\sqrt{x}(x-3)=\dfrac{1}{3}x^{\frac{3}{2}}-x^{\frac{1}{2}}$에서 $\dfrac{dy}{dx}=\dfrac{1}{2}(x^{\frac{1}{2}}-x^{-\frac{1}{2}})$

$$\therefore 1+\left(\dfrac{dy}{dx}\right)^2=1+\left\{\dfrac{1}{2}(x^{\frac{1}{2}}-x^{-\frac{1}{2}})\right\}^2$$
$$=1+\dfrac{1}{4}(x-2+x^{-1})$$
$$=\dfrac{1}{4}(x+2+x^{-1})$$
$$=\dfrac{1}{4}(x^{\frac{1}{2}}+x^{-\frac{1}{2}})^2$$

따라서 구하는 곡선의 길이는
$$\int_1^9 \sqrt{1+\left(\dfrac{dy}{dx}\right)^2}\,dx=\int_1^9 \sqrt{\dfrac{1}{4}(x^{\frac{1}{2}}+x^{-\frac{1}{2}})^2}\,dx$$
$$=\dfrac{1}{2}\int_1^9 (x^{\frac{1}{2}}+x^{-\frac{1}{2}})dx$$
$$=\dfrac{1}{2}\left[\dfrac{2}{3}x^{\frac{3}{2}}+2x^{\frac{1}{2}}\right]_1^9$$
$$=\dfrac{1}{2}\left(24-\dfrac{8}{3}\right)=\dfrac{32}{3}$$

답 ④

06

$\ln x=t$로 놓으면 $\dfrac{dt}{dx}=\dfrac{1}{x}$이고

$x=1$일 때 $t=0$, $x=e$일 때 $t=1$이므로

$$a_n=\int_1^e \dfrac{(\ln x)^n}{x}dx=\int_0^1 t^n\,dt$$
$$=\left[\dfrac{1}{n+1}t^{n+1}\right]_0^1=\dfrac{1}{n+1}$$

$$\therefore \sum_{n=1}^{18}a_n a_{n+1}=\sum_{n=1}^{18}\left(\dfrac{1}{n+1}\times \dfrac{1}{n+2}\right)$$
$$=\sum_{n=1}^{18}\left(\dfrac{1}{n+1}-\dfrac{1}{n+2}\right)$$
$$=\left(\dfrac{1}{2}-\dfrac{1}{3}\right)+\left(\dfrac{1}{3}-\dfrac{1}{4}\right)+\cdots+\left(\dfrac{1}{19}-\dfrac{1}{20}\right)$$
$$=\dfrac{1}{2}-\dfrac{1}{20}=\dfrac{9}{20}$$

답 ⑤

07

$g(x)=e^x$에서 $g'(x)=e^x$이므로

$g(2)=e^2$, $g'(2)=e^2$

$f(x)$의 한 부정적분을 $F(x)$라고 하면

$\displaystyle\lim_{h\to 0}\frac{\displaystyle\int_{g(2)}^{g(2+h)}f(x)dx}{h}$

$=\displaystyle\lim_{h\to 0}\frac{F(g(2+h))-F(g(2))}{h}$

$=\displaystyle\lim_{h\to 0}\left\{\frac{F(g(2+h))-F(g(2))}{g(2+h)-g(2)}\times\frac{g(2+h)-g(2)}{h}\right\}$

$=f(g(2))\times g'(2)$

$=\sqrt{e^2}\ln e^2\times e^2$

$=2e\times e^2=2e^3$

답 ⑤

08

$f(x)=e^x$이라고 하면

$f'(x)=e^x$

점 $\left(\dfrac{k}{n},\ e^{\frac{k}{n}}\right)$에서의 접선의 기울기는 $f'\left(\dfrac{k}{n}\right)=e^{\frac{k}{n}}$이므로 접선의 방정식은

$y-e^{\frac{k}{n}}=e^{\frac{k}{n}}\left(x-\dfrac{k}{n}\right)$

이때 y절편은 $y-e^{\frac{k}{n}}=e^{\frac{k}{n}}\left(0-\dfrac{k}{n}\right)$에서 $y=\left(1-\dfrac{k}{n}\right)e^{\frac{k}{n}}$이므로

$S_{\frac{k}{n}}=\left(1-\dfrac{k}{n}\right)e^{\frac{k}{n}}$

$\therefore\ \displaystyle\sum_{n=1}^{\infty}\dfrac{1}{n}S_{\frac{k}{n}}=\lim_{n\to\infty}\sum_{k=1}^{n}\left(1-\dfrac{k}{n}\right)e^{\frac{k}{n}}\times\dfrac{1}{n}=\int_0^1(1-x)e^xdx$

$u(x)=1-x$, $v'(x)=e^x$으로 놓으면

$u'(x)=-1$, $v(x)=e^x$이므로

$\displaystyle\int_0^1(1-x)e^xdx=\left[(1-x)e^x\right]_0^1-\int_0^1(-e^x)dx$

$=-1+\displaystyle\int_0^1 e^xdx=-1+\left[e^x\right]_0^1$

$=-1+(e-1)=e-2$

답 ①

09

함수 $y=f(x)$와 그 역함수 $y=g(x)$의 그래프는 직선 $y=x$에 대하여 대칭이므로 두 곡선 $y=f(x)$, $y=g(x)$는 오른쪽 그림과 같다.

$\displaystyle\int_0^1 g(x)dx$의 값은 곡선 $y=f(x)$와 y축 및 직선 $y=1$로 둘러싸인 부분의 넓이와 같다.

$\therefore\ \displaystyle\int_0^1 g(x)dx=\dfrac{\pi}{4}\times 1-\int_0^{\frac{\pi}{4}}\tan xdx=\dfrac{\pi}{4}-A$

답 ①

10

오른쪽 그림과 같이 지름 AB의 중점을 원점, 직선 AB를 x축으로 잡고, 점 P의 좌표를 $(x,0)$이라고 하면 임의의 점 $(x,0)$을 지나고 직선 AB에 수직인 현 CD의 길이는

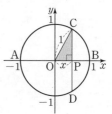

$\overline{CD}=2\sqrt{1-x^2}$

이때 현 CD를 한 변으로 하는 정삼각형의 넓이를 $S(x)$라고 하면

$S(x)=\dfrac{\sqrt{3}}{4}(2\sqrt{1-x^2})^2=\sqrt{3}(1-x^2)$

따라서 구하는 입체도형의 부피는

$\displaystyle\int_{-1}^1 S(x)dx=\int_{-1}^1\sqrt{3}(1-x^2)dx$

$=2\sqrt{3}\displaystyle\int_0^1(1-x^2)dx$

$=2\sqrt{3}\left[x-\dfrac{1}{3}x^3\right]_0^1$

$=2\sqrt{3}\times\dfrac{2}{3}=\dfrac{4\sqrt{3}}{3}$

답 ④

성공하기 위해

지녀야 할 자질이 있는데

이는 명확한 목표,

목표에 대한 지식,

성취하고자 하는 불타는 열망이다.

– 나폴레온 힐(Napoleon Hill)

상·위·권 실력 완성

풍산자
일등급유형

풍산자 장학생 선발!

총 장학금 1,200만 원

지학사에서는 학생 여러분의 꿈을 응원하기 위해
2007년부터 매년 풍산자 장학생을 선발하고 있습니다.
풍산자로 공부한 학생이라면 누구나 도전해 보세요.

*연간 장학생 40명 기준

선발 대상

풍산자 수학 시리즈로 공부한 전국의 중·고등학생 중 성적 향상 및 우수자

조금만 노력하면 누구나 지원 가능!	수학 성적이 잘 나왔다면?
성적 향상 장학생(10명)	**성적 우수 장학생(10명)**
|중학| 수학 점수가 10점 이상 향상된 학생	|중학| 수학 점수가 90점 이상인 학생
|고등| 수학 내신 성적이 한 등급 이상 향상된 학생	|고등| 수학 내신 성적이 2등급 이상인 학생

혜택

· 장학금 30만원 및 장학증서 *장학금 및 장학증서는 각 학교로 전달합니다.

· 신청자 전원 '풍산자 수학 시리즈' 교재 중 1권 제공

모집 일정

매년 2월, 8월(총 2회)

*공식 홈페이지 및 SNS를 통해 소식을 받으실 수 있습니다.

> 장학 수기

"풍산자와 기적의 상승곡선 5 ➡ 1등급!" _이 *원(해송고)

"수학 A로 가는 모험의 필수 아이템!" _김 *은(지도중)

"수학 66점에서 100점으로 향상하다!" _구 *경(한영중)

장학 수기 더 보러 가기

풍산자 서포터즈

풍산자 시리즈로 공부하고 싶은 학생들 모두 주목! 매년 2월과 8월에 서포터즈를 모집합니다.

리뷰 작성 및 SNS 홍보 활동을 통해 공부 실력 향상은 물론, 문화 상품권과 미션 선물을 받을 수 있어요!

자세한 내용은 풍산자 홈페이지(www.pungsanja.com)를 통해 확인해 주세요.

풍산자 속 모든 수학 개념,
풍쌤으로 가볍게 공부해봐!

초등학교 3학년 '분수' 부터 고등학교 '기하' 까지 10년간 배우는 수학의
모든 개념을 하나의 앱으로! 풍산자 기본 개념서 21책 속 831개의
개념 정리를 **풍쌤APP** 에서 만나보세요.

학년별 풍쌤 추천 개념부터 친구들에게 인기 있는 개념까지!

☑ **내가 선택한 학년과 교재에 따른 맞춤형 홈 화면**

정확한 공식 이름이 생각나지 않아도 괜찮아!

☑ **주요 키워드만으로도 빠르고 확실한 개념 검색**

자주 헷갈리는 파트, 그때마다 번번이 검색하기 귀찮지?

☑ **나만의 공간, 북마크에 저장**

친구와 톡 중에 개념을 전달하고 싶을때!

☑ **공유하기 버튼 하나로, 세상 쉬운 개념 공유**

개념 이해를 돕기 위한 동영상 탑재

☑ **수학 개념 유튜브 강의 연동**

▶ **지금 다운로드하기**

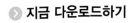

안드로이드용 QR 아이폰용 QR

지학사